KB054940

걸프 사태

전망 및 분석, 안보협력 문제, 언론 자료 1

걸프 사태

전망 및 분석, 안보협력 문제, 언론 자료 1

한국학술정보

| 머리말

걸프 전쟁은 미국의 주도하에 34개국 연합군 병력이 수행한 전쟁으로, 1990년 8월 이라크의 쿠웨이트 침공 및 합병에 반대하며 발발했다. 미국은 초기부터 파병 외교에 나섰고, 1990년 9월 서울 등에 고위 관리를 파견하며 한국의 동참을 요청했다. 88올림픽 이후 동구권 국교 수립과 유엔 가입 추진 등 적극적인 외교 활동을 펼치는 당시 한국에 있어 이는 미국과 국제사회의 지지를 얻기 위해서라도 피할 수 없는 일이었다. 결국 정부는 91년 1월부터 약 3개월에 걸쳐 국군의료지원단과 공군수송단을 사우디아라비아 및 아랍 에미리트 연합 등에 파병하였고, 군 · 민간 의료 활동, 병력 수송 임무를 수행했다. 동시에 당시 걸프 지역 8개국에 살던 5천여 명의 교민에게 방독면 등 물자를 제공하고, 특별기 파견 등으로 비상시 대피할 수 있도록 지원했다. 비록 전쟁 부담금과 유가 상승 등 어려움도 있었지만, 걸프전 파병과 군사 외교를 통해 한국은 유엔 가입에 박차를 가할 수 있었고 미국 등 선진 우방국, 아랍권 국가 등과 밀접한 외교 관계를 유지하며 여러 국익을 창출할 수 있었다.

본 총서는 외교부에서 작성하여 30여 년간 유지한 걸프 사태 관련 자료를 담고 있다. 미국을 비롯한 여러 국가와의 군사 외교 과정, 일일 보고 자료와 기타 정부의 대응 및 조치, 재외동포 철수와 보호, 의료지원단과 수송단 파견 및 지원 과정, 유엔을 포함해 세계 각국에서 수집한 관련 동향 자료, 주변국 지원과 전후복구사업 참여 등 총 48권으로 구성되었다. 전체 분량은 약 2만 4천여 쪽에 이른다.

2024년 3월

한국학술정보(주)

| 일러두기

· 본 총서에 실린 자료는 2022년 4월과 2023년 4월에 각각 공개한 외교문서 4,827권, 76만여 쪽 가운데 일부를 발췌한 것이다.

· 각 권의 제목과 순서는 공개된 원본을 최대한 반영하였으나, 주제에 따라 일부는 적절히 변경하였다.

· 원본 자료는 A4 판형에 맞게 축소하거나 원본 비율을 유지한 채 A4 페이지 안에 삽입하였다. 또한 현재 시점에선 공개되지 않아 '공란'이란 표기만 있는 페이지 역시 그대로 실었다.

· 외교부가 공개한 문서 각 권의 첫 페이지에는 '정리 보존 문서 목록'이란 이름으로 기록물 종류, 일자, 명칭, 간단한 내용 등의 정보가 수록되어 있으며, 이를 기준으로 0001번부터 번호가 매겨져 있다. 이는 삭제하지 않고 총서에 그대로 수록하였다.

· 보고서 내용에 관한 더 자세한 정보가 필요하다면, 외교부가 온라인상에 제공하는 『대한민국 외교사료요약집』 1991년과 1992년 자료를 참조할 수 있다.

| 차례

정 리 보 존 문 서 목 록					
기록물종류	일반공문서철	등록번호	2012090546	등록일자	2012-09-17
분류번호	772	국가코드	XF	보존기간	영구
명 칭	걸프사태, 1990-91. 전12권				
생 산 과	북미1과/중동1과	생산년도	1990~1991	담당그룹	
권 차 명	V.7 걸프사태 전망 및 분석 I, 1991.1월				
내용목차					

0001

관리번호	91-61

외 무 부

종 별 : 지 급

번 호 : UKW-0088 일 시 : 91 0114 1930

수 신 : 장관(중근동,미북,구일,경협,기정동문)

발 신 : 주 영 대사

제 목 : 걸프사태-전문가 분석

1.14.(월) 본직은 당지 런던대학의 중동문제 전문가 DR. CHARLES TRIPP 을 오찬에 초청, 걸프사태에 관해 의견교환 하였는 바, 동인의 발언요지 아래 보고함.(황서기관 배석)

1. 전쟁 가능성

가. 하기 예상에 비추어 사담 후세인이 전쟁을 회피할 가능성이 적으므로전쟁발발 가능성이 75 대 25 로 상당히 높은 것으로 봄

1) 사담 후세인은 전쟁에 군사적으로 패배하더라도 1956 년 낫세르와 마찬가지로 정치적으로 아랍의 영웅이 될것으로 희망할 가능성

2)사담은 미국 주도하에 자신을 제거하기 위한 국제적 음모가 있기 때문에 쿠웨이트에서 철수하더라도 결국은 자신에 대한 어떤 형태의 공격을 예상할 가능성

3) 이미 쿠웨이트를 요새화 했으므로 전술적 견지에서도 쿠웨이트에서 전투를 벌이는것이 유리하다고 생각할 가능성

4) 이락의 군사적 열세에 관한 올바른 정보가 사담에게 제대로 전달되지 않음으로써, 이락 군대를 과대 평가하고 있을 가능성

5)전쟁이 시작되면 미국및 유럽에서의 반전운드 및 아랍세계의 반미감정 비등으로 이락의 완전 패배전에 휴전 가능성 상정

나. 전쟁 발발시기

1) 1.15 이후 수일간 마지막 협상 노력이 있을것으로 봄

2)사담이 동 수일간 철수의사 표명하지 않으면 곧 미국이 무력 사용 결정함으로써 전쟁발발 예상

다. 전쟁시 핵무기 사용 가능성 희박

1)이락이 화학. 생물학 무기 사용할 가능성이 크며 그경우 미국도 화학. 생물학

중아국 장관 차관 1차보 2차보 미주국 구주국 경제국 청와대 안기부

0002

PAGE 1

91.01.15 08:03

외신 2과 통제관 BW

무기 사용할지도 모름

2)미국의 핵무기 사용은 국제여론상 부정적 측면이 많으며, 핵무기 사용할 긴박한 필요성도 없다고 봄

2. 이스라엘 참전시 파급 효과

가. 이스라엘의 자위권 행사시에도 반 이락 연립에서 아랍제국이 이탈할 가능성 희박(하기 6 항 참조)

나. 사담의 수사(RHETORI7C)에도 불구, 평소 이스라엘의 군사력에 대한 높은 평가 때문에 실제로 이스라엘 공격하지 않을 가능성 농후

다. 이스라엘 공격시 이락은 군사적으로 큰 타격 자초

3. 전쟁의 장기화 가능성

가.1-2 주일내에 끝나기는 어려우나, 수개월 내지 1 년 가까이 지속되는 장기전은 아닐것으로 전망

나. 연합국의 공군력으로 이락 지휘부를 마비시키면 전방의 이락 육군은 급격히 약화(이락 군부대는 독자적인 의사결정 능력 부재)

다. 이락군 내부의 엄격한 규율 때문에 탈영 가능성은 희박하나 많은 이락군이 항복하여 전쟁포로 다량배출 가능성 농후

4. 이락의 쿠웨이트 침공의도 분석

가. 원래 의도는 쿠웨이트를 굴복시켜 두개의 섬 탈취 및 재정적 실리획득에 있었던 것으로 보임

나. 이락은 전통적으로 해상통로 확보에 관심지대(이락을 HUGE LUNG WITH ATINE THROAT 로 표현하기도 함)

다. 이란-이락 전쟁후의 국내정치적 동요 가능성, 경제적 궁핍, 거기에 미국의 사전경고 부재가 이락군 군사행동 배경으로 간주됨.

5. 이락 내부정세

이하 UKW-0089 로 계속

관리번호	91-62

외 무 부

종 별 : 지 급

번 호 : UKW-0089 일 시 : 91 0114 1940

수 신 : 장관

발 신 : 주 영 대사

제 목 : UKW-0088 의 계속분

5. 이락 내부 정세

가. 이락은 대통령 중심의 전체주의적 사회인 바, 현재로서는 조직화된 반 사담세력 부재

나. 권력층의 75 프로가 사담 친척들로 구성, 응집력 강함

다. 사담은 이락 인구의 23 프로에 불과한 수니파 소속임. 근세 이락 역사상 지도자는 항상 수니파 아랍족에서 나왔는 바, 전 인구의 50 프로에 해당하는 시아파 아랍족은 시대조류에 따라 박해의 대상이 됨

라. 상기 이유로 이락은 내전의 위험에 대한 공포가 상존하고 있어 사담과 흡사한 강력한 지도자에 대한 선호도가 높음.

마. 사담이 제거되는 경우에도 사담과 흡사한 성향의 지도자 재등장 가능성있음

6. 아랍제국의 태도

가. 이집트

1) 무바라크 대통령은 사담의 쿠웨이트 침공을 인간적 배신으로 생각, 용서하기 어려움.(아랍세계에서는 지도자들의 개인적 관계가 대단히 중요)

2)전쟁시 이집트 육군은 사막전에서 상당히 실력 발휘 예상

나. 시리아

1)아랍내 세력다툼으로 인한 이락에 대한 반감, 미국과의 관계조정, 서방으로부터의 재정적 지원 필요성등에 의해 반 이라크 연립에 가담

2)전쟁시 대 이락 교전은 되도록 피하고 쿠웨이트에 진주, 해방군 역할 담당 희망

다. 요르단

1)이락에 대한 경제적 의존도 높으며, 시리아 및 사우디 견제위해 그간 이락에 정치적으로도 편향

중아국 장관 차관 1차보 2차보 미주국 구주국 경제국 청와대
안기부

0004

PAGE 1 91.01.15 08:05

외신 2과 통제관 BW

2)반 이락 연립에 가담하지도 못하고 곤경에 처함

라. 아랍내부 문제로서 타협 절충 가능성은 희박

1)쿠웨이트 문제관련, 아랍세계의 의견통일은 거의 불가능

2)미국등 세계 주요국들이 걸프사태를 아랍문제로 간주하지 않음

7. 프랑스 및 소련의 태도

가. 프랑스

1)프랑스가 중동문제 국제회의 소집을 선호해도 실제 회의소집 능력 부재

2)타협 모색은 국내여론 무마 및 아랍권과의 전통적 관계 고려한 전시용 및전쟁시 정치적 피해 최소화 목표

나. 소련

1)프랑스와 마찬가지로 실제로 해결능력 부재, 전쟁시 자국에 대한 정치적 피해 최소화 추구

2)소련은 미국과의 관계유지가 최우선 고려사항

3)소련이 더이상 초강대국이 아니라는 사실이 사담에게는 치명적인 국제환경의 변화.끝

(대사 오재희-국장)

91.6.30. 까지

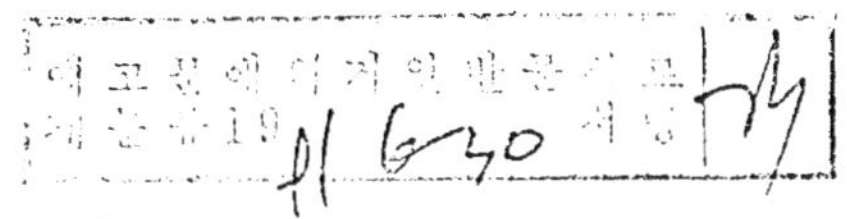

관리 번호	91-1433

	분류번호	보존기간

발 신 전 보

번 호 : WMEM-0007 910116 1914 CG 종별 :

수 신 : 주 수신처 참조 ///대사///총영사

발 신 : 장 관 (중근동)

제 목 : 페만사태 이후 중동 질서 재편

WUS -0171 WUK -0111
WFR -0083 WGE -0075
WIT -0094 WUN -0091
WTU -0026 WPA -0027
UAG-30 WSB-147

1. 중동은 아국 원유 수입의 약 70%, 건설 진출의 약 80%를 점하고, 전후 복구사업에 아국업체의 참여가 요망되는 경제적으로 큰 이해가 걸려있는 지역일 뿐 아니라 앞으로 유엔등 국제무대에서 아랍권 내지 회교권의 지지가 긴요함을 감안할때 정치적으로도 큰 중요성이 있는 지역임.

2. 페만 사태가 화.전 관계 없이 일단 끝나면 중동의 세력 판도는 크게 변화가 있을 것이라는 것이 국내외 전문가들의 공통된 견해임. 이러한 세력 재편의 변수로서는 사담 후세인의 정권유지 여부, 걸프지역 왕정의 붕괴 가능성, 시리아, 이란의 군사 강국화 가능성, 파키스탄, 터키등 주변 군사 강국의 중동 신질서에의 참여등이 있겠는바, 우리는 전항 중동의 중요성에 비추어 사전 대비가 요망됨.

3. 이상을 염두에 두고 귀관은 주재국 각계의 의견을 탐문 귀관 분석 평가와 함께 보고 바람. 끝.

(중동아국장 이 해 순)

수신처 : 전 중동지역 공관장, 주 미, 영, 불, 소, 독, 이태리, UN, 일, 터키, 파키스탄 대사

예 고 : 1991.6.30. 일반

보 안 통 제	

앙 고 재	91년 1월 16일	중근동과	기안자 성 명		과 장	심의관	국 장		차 관	장 관
			김도일							

외신과통제

0006

관리번호	91/666

원 본

외 무 부

종 별 : 지 급

번 호 : UKW-0139 　　　　일 시 : 91 0116 1900

수 신 : 장관(중근동,미북,구이,기정동문)

발 신 : 주 영 대사

제 목 : 걸프사태

대:WUK-0111

당관 조참사관은 금 1.16(수) 하오 외무성 E.GLOVER 중동과장을 면담한 바,동인의 발언요지 아래와 같이 보고함

1. 안보리 시한이 지난후 비교적 조용한 시간이 흐르고 있으나, 조만간 연합국 지도부의 정치적 결정에 따라 군사공격이 개시될 것으로 전망함

2. 공격시점에 관해서는 최고위층의 소관이므로 알 수 없으나, 개인적 견해로는 특별한 상황이 없는하 수일(DAYS)내에 개시될 것으로 전망함

3. 이락에 대한 공격은 단기간의 강력하고 신속한(SHORT, SHARP AND SWIFT)것이 될 것임

4. 전후 중동질서와 관련해서, 연합국은 전쟁피해에 대한 보상 차원에서라도 이스라엘에 대해 팔레스타인 문제에 관한 협조를 강력 요청함으로써 사태가 끝나는대로 신속하게 국제회의가 개최되도록 추진해 나갈것임

5. 전후 중동에 나타날 안보질서는 상기 국제회의의 추이에 크게 의존하게될 것으로 보나, 현재로서는 그 양상을 예측하기 어려움

6. 한편, 이락 지도부의 재편 및 동국의 국제사회에로 복귀, 쿠웨이트국의 회복등이 주요 과제가 될 것임.끝

(대사 오재희-국장)

1991.6.30 까지 예고문에 의거 일반문서로 재 분류됨.

검토필(1991.6.30.)

중아국	장관	차관	1차보	2차보	미주국	구주국	청와대	안기부

0007

PAGE 1 　　　　91.01.17 07:49

외신 2과 통제관 BT

「페르시아」灣 事態 現況과 對應策

(3'51개)

91.1.18.

外　　務　　部

0008

尊敬하는 [illegible] 委員長님, 그리고 外務.統一 委員會 議員 여러분, 제가 外務長官으로 就任한후 처음으로 여러 議員님들을 모시고 오늘 페르시아灣 事態와 관련, 그간의 事態進展과 앞으로 우리의 外交的 對應策에 관하여 報告드리게 됨을 매우 뜻깊게 생각합니다.

(事態 現況과 展望)

言論報道를 통해 이미 잘 아시고 계시는 바와 같이, 美國은 바그다드 現地時間 1月 17日 새벽 3時, 서울시간 1月 17日 오전 9時, 英國, 사우디, 쿠웨이트 空軍과 함께 약 1,500대의 航空機를 動員하여 이라크 및 쿠웨이트 全 領土內 軍事 戰略 거점과 施設에 대하여 先制 奇襲 空中 爆擊을 開始함으로써 페르시아灣 事態는 戰爭으로 飛火되었습니다.

開戰 初期 約3時間에 걸친 제1차 空襲에서 聯合軍은 이라크의 指揮.通信體系, 100여개의 空軍基地, 化學.核開發 施設, 스커드 미사일 基地에 대한 爆擊으로 이라크의 戰爭 수행 能力을 무력화 시킨 것으로 판단되고 있으며, 이라크와 쿠웨이트 國境地帶에 配置되어 있던 이라크 最精銳 부대와 바스라港內 軍事 基地를 爆擊하여 쿠웨이트에 대한 軍事.補給 支援을 遮斷하였습니다. 그리고 聯合軍은 現地時間 1月 17日 오전 1차 空襲以後 프랑스 空軍도 追加 參與한 가운데 제2차 空襲을 단행하였습니다. 한편, 이라크측은 라디오 放送을 통해 聯合軍側 空軍機 44대를 擊墜하였다고 主張하고 있습니다.

0009

美 國防長官이 밝힌 바에 의하면 聯合軍은 今番 作戰을 통해서 美軍機 1 대, 英國機 1 대가 擊墜되었음이 확인되었고, 佛蘭西 政府도 自國機 5 대가 被擊되었으나 모두 무사히 基地로 歸還하였다고 합니다. 今番 美國 主導下에 실시된 大規模 空襲에 대해서 美國은 매우 성공적인 作戰이였다고 평가하고 있고 美 國民들 86%가 부쉬 大統領의 措置를 支持하고 있는 것으로 最近 輿論調査에서 나타나고 있습니다.

美 言論의 報道를 綜合해 보면 대체로 聯合軍의 早期 전승을 예상하고 있으며, 戰爭의 양상에 관해서는 聯合軍이 최소한의 被害로 早期 終戰을 目標로 하여 고도의 尖端 科學 技術을 위주로 한 大規模 空襲을 繼續할 것으로 展望하고 있으나, 이라크 군의 저항이 強力할 경우 大規模 地上軍 접전 可能性도 있는 것으로 觀測하고 있습니다.

다음은 開戰 直前 美 行政府가 우리 政府에 開戰 事實을 통보해 준 경위를 報告드리겠습니다.

서울時間 1月 17日 오전 7時, 워싱턴 時間 1月 16日 오후 5時, 白亞館側은 박동진 駐美 大使에게 유엔 安保理 決議를 實踐키 위한 美國과 聯合國의 對이라크 軍事 作戰이 臨迫했다는 連絡을 해주어 駐美 大使는 이를 外務部에 긴급 전문 보고 하였으며,

한편 美 國務部의 앤더슨 亞.太 次官補 代理는 作戰 개시 3분후인 어제 午前 9시 3분, 박동진 大使에게 電話로 부쉬 大統領의 뜻이라는 事實을 밝히면서 開戰

0010

事實을 통보하고 同 事實을 盧 大統領께 即刻 報告하여 줄 것을 要請한 바 있습니다.

또한 駐韓 美 大使館側도 어제 午前 9時 15分 軍事作戰이 9時에 개시되었으며 午前 9時 10分 白堊館 代辯人이 同 事實을 公式 發表하였다고 外務部에 通報하는 한편, 우리 政府에 대해 今番 美國이 취한 軍事的 措置의 背景과 不可避性을 說明하고 友邦國들의 支持를 요청하는 緊急 멧세지를 오전 9시 40분 外務部에 傳達한 바 있습니다.

다음은 美國과 이라크등 관련국의 動向에 대해 報告 드리겠읍니다.
우선 美國의 動向에 대해 말씀드리겠습니다.

부쉬 美國 大統領은 開戰 2時間後인 서울時間 1月 17日 11時 國民에 대한 演說을 통해 今番 先制 武力 使用의 불가피성을 설명하고 美國民의 團合된 支持를 호소 하였습니다.
또한 토마스 폴리 美 下院 議長은 今番 戰爭이 최소한의 犧牲을 치르고 迅速하게 終決되기를 希望하였으며, 美議會는 1月18日 부쉬 大統領이 취한 今番 措置를 支持하는 決議案을 採擇할 豫定입니다.
한편 美國內 T.V.등 言論은 이라크에 대한 武力 攻擊을 부쉬 大統領의 불가피한 선택으로 보면서 금번 空襲의 結果를 큰 成功으로 評價하고 있습니다.

0011

美國, 英國, 사우디 및 쿠웨이트 4個國이 參加한 空襲 開始後, 이라크 放送은 決死抗戰과 最終 勝利를 主張하는 사담 후세인 大統領의 演說을 放送하였읍니다. 그러나 사담 후세인 大統領의 行方과 演說時期等은 확실히 把握되지 않고 있습니다. 이라크는 波狀的인 聯合軍 空襲에 대하여 대공 포화로 間歇的으로 對應하였다고 하나 實効的이지 못했던 것으로 把握되고 있으며 체니 美國防長官等 美側 高位人士들은 最初 空襲時 이라크의 決死的인 抵抗이 없었던데 대해 다소 놀랐다는 反應을 보인바 있습니다.

다음은 페르시아灣 戰爭의 展望에 대해 말씀드리겠습니다.

最初 空襲의 成功으로 이라크 空軍과 이라크-쿠웨이트 國境地域 配置 地上軍 主力이 궤멸됨으로써, 戰鬪는 일단 聯合軍의 勝利로 短期에 速決될 展望입니다.

當初 이라크가 이스라엘을 攻擊할 경우, 戰爭 樣相이 複雜하게 전개되어 長期化 될 것을 憂慮하였으나, 이라크의 미사일 基地 破壞로 이라크가 이스라엘을 공격할 능력이 상실된 것으로 추정되기 때문에 현재로서는 戰爭이 短期에 끝날 可能性이 매우 높아졌읍니다. 그러나 쿠웨이트내 이라크軍이 決死 抗戰을 強行할 境遇 상당한 人命損失을 수반하는 地上戰이 당분간 계속될 가능성도 排除할 수 없다 하겠습니다.

방금 CNN 방송 報道에 依하면 이라크가 이스라엘의 首都 Tel AViV 에 미사일 數 발을 발사하였다고 하는바, 정확한 內容은 確認을 하여 추후 보고드리겠읍니다.

0012

한편, 이라크가 쿠웨이트로부터의 部分的 撤收를 단행하고 休戰 및 協商을 提議할 境遇, 今番 事態는 戰爭도 平和도 아닌 膠着 상태로 전개될 가능성도 없지 않습니다. 그러나, 美國은 安保理 決議를 내세워 無條件 全面 撤收를 要求할 것이며, 이라크가 地上戰에서 어느 정도 抵抗할 수 있을지는 알 수가 없는 狀況 입니다.

(各國의 反應과 措置)

다음은 페灣에서의 戰爭 勃發에 대한 各國의 반응과 조치에 대해 말씀드리겠습니다.

우선, 유엔 安保理에서는 韓國 時間으로 1月17日 오후 理事國間 非公式 個別 協議가 있은 후, 역시 非公式으로 會議가 開催되었읍니다.

이스라엘은 이라크의 生化學 攻擊에 대비, 國民들에게 警戒令을 發動하였으나, 現在는 이라크의 미사일 攻擊 가능성이 극히 稀薄해 졌다는 國防長官의 發表가 있었읍니다.

한편, 最近 리투아니아 事態로 인해 西方側과 다소 微妙한 關係에 있는 蘇聯의 고르바쵸프 大統領은, 聲明을 통해 戰爭 勃發에 대해 유감을 표명하는

0013

한편, 후세인 이라크 대통령에게 즉시 철군하도록 호소하고, 早期 終戰을 위해 最善의 努力을 기울일 것임을 천명하였습니다.

유엔 安保理 常任 理事國中 유일하게 대이라크 武力使用을 支持하지 않았던 中國은, 外交部 代辯人 聲明을 통해 이라크와 多國籍軍 雙方 모두가 자제해 줄 것을 促求했습니다.

北韓은 中央放送을 통하여 美國의 攻擊을 帝國主義者들의 抑壓的 犯罪行爲 라고 격렬한 語調로 非難했습니다.

日本은 1月17日 安全保障 會議를 召集하고, 首相을 本部長으로하는 對策本部를 구성했으며, 카이후 首相은 對國民 멧세지를 통해 多國籍軍에 追加 財政支援을 제공할 준비가 되어 있다고 發表하였습니다.

카나다는 550명 규모의 野戰 病院團을 派遣키로 결정하였으며, 이태리와 네덜란드도 參戰을 決定함으로써 현재 7개국이 참전중에 있습니다.

쿠바의 카스트로 大統領은 이번 美國의 攻擊을 帝國主義的 侵略行爲라고 非難하였습니다.

이상 말씀드린 바와 같이, 北韓과 쿠바, 中國等 극소수 국가만이 반대 또는 留保的 立場을 표명했으며, 餘他 대부분의 國家는 多國籍軍의 이라크 攻擊을 적극 支持하고 있습니다.

0014

다음은 우리가 취한 外交的 對應 措置에 관하여 말씀드리겠읍니다.

우선 政府는 美國 政府로부터 開戰 事實을 通報받은 즉시 부쉬 大統領에 대한 盧泰愚 大統領 名義 親電을 1月17日 09時40分 駐美大使館과 駐韓 美大使를 통하여 美國側에 즉시 전달하고, 今番 美國과 多國籍軍이 이라크에 대해 취한 결연한 措置에 대해 적극 支持함을 표명하였읍니다.

美國 政府는 友邦國들에 대한 緊急 멧세지를 통하여 계속적인 支持를 요청하여 왔는 바, 具體的인 事項에 관하여는 앞으로 韓.美間의 충분한 協議를 거쳐 대응해 나가고자 합니다.

한편 政府는 금번 페르시아灣 事態와 관련, 유엔 安保理內에서 일어나는 各種 非公式 協議 움직임에 대해 철저히 파악함과 동시 유엔 安保理 理事國들과도 緊密한 協議를 繼續 維持해 나가겠습니다.

다음은 앞으로의 中東地域에 대한 外交政策 方案에 關해 말씀드리겠읍니다.

今番 페르시아灣 事態 推移에 따른 對應策을 적시에 講究해 나감과 아울러 事態以後의 中東地域에 대한 中長期 外交對策도 함께 樹立해 나가고자합니다. 즉, 우리가 中東地域으로부터 약 70% 에 달하는 原油를 輸入하고 있으며 80%의 建設 受注를 받는 地域인 동시에 國際舞臺에서도 아랍.회교권의 對我國 支持가 긴요함에 비추어, 同 地域은 我國의 對外關係에 있어 차지하는 중요성이 매우 큰 地域이라 하겠습니다.

.0015

이러한 점들을 감안하여, 政府는 今番 페르시아灣 事態以後 中東地域內 勢力 均衡 再編에 諸般 情勢를 예의 注視해 가면서 앞으로의 對中東 外交政策을 펴 나가도록 모든 努力을 기울이겠읍니다.

금번 事態가 南.北韓 關係에 미칠 影響과 關聯,

政府로서는 今番 페르시아灣 事態에 便乘하여 北韓이 저지를지도 모르는 對南 策動 可能性에 對備하여 萬般의 準備態勢를 갖추는 일방, 北韓이 우리의 醫療 支援團 派遣等을 非難하고 있으므로 北韓이 이를 南北對話를 回避하는 구실로 이용할 가능성에 대해서도 對應策을 마련하겠읍니다.

經濟外交에 대해 있어서는,

최근 페灣 事態와 관련, 國際 原油價 및 原資材 價格 動向을 隨時 把握하여 우리의 經濟에 미치는 影響을 最小化 하도록 하고, 戰後 復舊 事業에 我國이 參與할 수 있는 가능성에 관해서도 별도로 檢討하겠읍니다.

다음은 僑民 安全 對策에 관하여 말씀드리겠읍니다.

1月 17日 現在 中東地域 殘留 僑民 現況을 말씀드리자면,
이라크에 現代 그룹 所屬 勤勞者 23名과, 大使舘 고용원 1명등 모두 24명이 남아 있으며, 이스라엘에 約 90名, 그리고 사우디에 4,980名等이 잔류중에 있습니다.

0016

— 8 —

政府는 그간 事態가 긴박하게 進展됨에 따라 同 地域 우리 僑民들의 安全 撤收를 위해 지난 1月 14日 大韓航空 特別 專貫機를 보내 1차로 301名을 安全 歸國시킨 바 있습니다. 당초 政府는 제2차 僑民 撤收를 위해 專貫機 派遣을 檢討한 바 있으나, 戰況이 점차 好轉됨에 따라, 撤收를 희망하는 僑民數가 줄어들고 있으며, 또한 今番 戰爭 勃發以後 요르단, 사우디, 카타르, 바레인등 空港이 閉鎖되고 아랍에미리트 空港도 사용이 불가능하게 됨에 따라 同 計劃 推進은 당분간 保留키로 決定하였읍니다.

페르시아灣 戰爭 水域內 航行中인 우리 船舶들에 대해서는 지난 1月 16日 安全 措置를 講究토록 指示하였으며, 現在 3척의 우리 船舶이 同 水域內에 있는 것으로 把握되고 있습니다.

또한 政府는 페르시아灣 地域에 거주하는 僑民에 대한 安全對策의 一環으로 防毒面 2천셋트를 1月 14日 僑民撤收 KAL 特別機편을 이용, 사우디에 空輸.配布 措置 하였습니다.

금번 事態와 관련, 政府로서 세심한 주의를 기울이고 있는 것은 테러 行爲에 대한 豫防 對策입니다.

政府는 友邦國과 긴밀한 情報 交換下에 이라크 및 아부니달派, 팔레스타인 解放 前線等 친이라크 勢力, 非아랍권 회고도 및 北韓 工作員等에 의한 테러에 對備토록 이미 全 在外公館에 訓令하고, 關係 部處와도 協調하고 있습니다.

0017

이와관련, 페르시아灣 地域에 駐在하고 있는 사우디, 요르단, 바레인, 카타르, 아랍에미리트, 젯다 等 6개 公館所屬 職員들에 대한 身邊 安全 措置의 一環으로 戰爭 保險에도 追加 加入토록 措置하였습니다.

아울러 駐韓 公館中 多國籍軍 參與國家 公館에 대한 安全 強化를 위해 關係部處와 협조하고 있읍니다.

또한 금번 事態에 政府次元의 綜合的 對處를 위해 國務總理를 委員長으로 하는 페르시아灣 事態 對策 特別委員會를 設置하고, 國務總理室에 綜合 狀況室을 設置 運營하고 있으며, 外務部로서는 外務部 本部와 中東地域 駐在 公館 및 美國.日本. 유엔 등 주요국을 포함한 全 在外公館의 非常 勤務 체제를 確立하고 있읍니다. 나아가 非常 外交 通信網을 철저히 點檢하는 한편, 醫療 支援團과의 通信網도 완벽하게 連結 措置하고 있읍니다.

이상으로 簡略히 報告를 마치겠습니다.

感謝합니다.

0018

— 10 —

報告資料 91－2(企行)

페르시아灣 事態現況과 對應策

1991. 1. 18.

外　　務　　部

0019

- 目 次 -

0020

1. 事態 現況과 展望

가. 開 戰

- o 바그다드 現地 時間 91.1.17(목) 03:00 (서울 時間 1.17. 09:00), 美國은 英國, 사우디 및 쿠웨이트와 함께 약1,500대의 航空機를 動員, 이라크 및 쿠웨이트 全領土內 軍事 戰略據點과 施設에 대하여 先制 奇襲 空中爆擊을 開始

나. 戰況(1.18. 04:00 現在, 美國防省 發表 및 現地 報道 綜合)

- o 약 3시간에 걸친 1차 空襲에서 聯合軍은 이라크의 指揮 및 通信體系, 100여개의 空軍基地, 化學武器, 核開發 施設, SCUD 미사일 基地에 대한 爆擊으로 이라크의 戰爭 能力 無力化
- o 이라크-쿠웨이트 국경지대에 配置되어 있던 이라크 最精銳部隊와 바스라港 軍事基地 爆擊으로 쿠웨이트에 대한 軍事 및 補給支援 遮斷
- o 聯合軍은 現地時間 1.17. 오전 1차 空襲以後, 이라크의 對空網 能力 有無 試驗을 위해 2차 空襲 단행(불란서 추가 참여)
- o 聯合軍은 1.17. 오전(현지시간) 地上兵力의 쿠웨이트 領內 進入 作戰 開始
- o 이라크는, 라디오 放送을 통하여 聯合軍 空軍機44대 擊墜 主張,

다. 美國의 對我國 通報

o 1.17(목) 07:00시(워싱톤 時間 1.16. 17:00時) 駐美 大使는 白堊館 側으로 부터 유엔 安保理 決議 實踐을 위한 美國 및 聯合國의 對 이라크 軍事 作戰이 臨迫하다는 連絡을 받았다고 報告

o 美 國務部 앤더슨 亞.太 擔當 次官補 代理는 作戰 개시 3分後인 1.17(목) 09:03(서울 時間) 駐美 大使에 電話로 緊急 通報하고 부쉬 大統領의 뜻이라 하면서 이를 盧大統領에게 即刻 報告해 줄 것을 要請

o 1.17(목)09:15시 駐韓 美 大使館側은 軍事作戰이 09:00시에 개시되었고, 09:10시 白堊館 代辯人이 이를 公式 發表한 事實을 外務部에 通報

o 또한 美國 政府는 우리 政府에 대해 今番 軍事的 措置의 背景과 不可避性을 說明하고 友邦國들의 支持를 要請하는 緊急 멧세지를 1.17(목) 09:40시 駐韓 美大使館을 통해 外務部에 傳達

라. 美國 및 이라크 動向

(美 國)

o 行政府 :

- 부쉬 大統領은 개전 2시간후인 1.17(목) 11:00(서울시간) 對國民 演說을 통해 今番 先制 武力使用의 不可避性을 說明하고 美國民의 團合된 지지를 호소

o 議 會 :

- 톰 폴리 下院議長은 戰爭이 최소한의 犧牲을 치르고 신속하게 끝나기를 希望

- 議會는 1.18 부쉬 大統領의 措置를 支持하는 決議案을 採擇할 豫定

o 言 論 :

- 美國內 TV등 言論은 對이라크 武力 攻擊을 부쉬 大統領의 不可避한 選擇으로 보면서 今番 空襲 結果를 큰 成功으로 評價

(이라크)

o 聯合軍의 攻擊 開始後, 이라크 放送은 決死抗戰과 最終勝利를 主張하는 후세인 大統領의 演說을 放送(그러나, 大統領의 行方 및 演說時期 不明)

o 軍事的으로는, 波狀的인 空襲에 대하여 間歇的인 對空砲火로 對應할 뿐, 實効的인 抵抗은 不在

마. 展 望

1) 短期 速決戰

ㅇ 最初 空襲의 成功으로 이라크 空軍 및 이라크-쿠웨이트 국경지역 配置 地上軍 主力이 궤멸됨으로써, 전투는 일단 聯合軍의 승리로 短期 速決될 展望

ㅇ 이라크가 이스라엘을 攻擊할 경우 戰爭 樣相이 複雜하게 전개되어 長期化될 것을 우려하였으나, 이라크의 미사일기지 破壞로 現在로서는 戰爭의 短期化 豫測 可能

ㅇ 단, 쿠웨이트내 이라크軍이 決死 抗戰을 強行할 경우 상당한 人命損失을 수반하는 地上戰이 당분간 계속될 可能性

2) 事態 長期化 可能性

ㅇ 이라크가 쿠웨이트로부터의 部分的 撤收를 단행하고 休戰 및 協商을 提議함으로써 非戰非和의 膠着 狀態로 유도할 可能性

ㅇ 그러나, 美國은 安保理 決意(決議)를 내세워 無條件 全面 撤收를 要求할 것이며, 이라크가 地上戰에서 어느 정도 저항할 수 있을지는 미지수

- 4 -

0024

2. 各國의 反應과 措置

o 유　　엔 : 1.17. 安保理 非公式 協議 開催

o 이스라엘 : 이라크의 生化學 攻擊에 對備, 國民들에게 警戒令을 發動 하였으나, 현재는 이라크의 미사일 攻擊 可能性이 극히 稀薄하다고 발표(國防長官)

o 蘇　　聯 : 고르바쵸프 大統領, 聲明을 통해 戰爭 勃發 유감 표명 및 早期 終戰을 위해 蘇聯이 最善의 努力을 할 것임을 闡明

o 中　　國 : 雙方에 대해 最大限의 自制 要請 및 이라크의 無條件 撤收 促求 (外交部 代辯人)

o 北　　韓 : 空襲을 「美帝國主義者들의 抑壓的 犯罪行爲」로 非難 (中央放送)

o 日　　本 : 1.17 安全 保障 會議를 召集하고 首相을 本部長으로 하는 對策本部를 구성(首相의 對國民 멧세지 發表)

o 카 나 다 : 550명 規模의 野戰病院 派遣 決定

o 쿠　　바 : 카스트로 大統領, 今番 攻擊을 「帝國主義的 侵略行爲」라고 非難

o 이 란 :

o 요단 : UN의 ...

0025

3. 外交的 對應策

(對美 外交)

- o 부쉬 大統領에 대한 大統領 名義 親電 發送(1.17. 09:40)
  - 駐美大使舘 및 駐韓 美大使를 통하여 동시 傳達
  - 美國 및 多國籍軍의 措置에 대한 積極 支持 闡明
- o 政府 代辯人 聲明 發表(1.17. 10:00)
- o 1.17 美政府는 友邦에 대한 긴급 멧세지를 통하여 繼續的인 支持 要請
  - 美國의 追加 財政支援 要請이 있을시, 適切한 水準에서 檢討

(유엔 外交)

- o 유엔 安保 理事會 非公式協議 動向 把握
  - 유엔 安保理 理事國과의 緊密한 協議 維持

(對中東 外交)

- o 事態 推移에 따른 對應案을 適時에 講究
- o 事態以後 對中東 中長期 對策 樹立
  - 對外 關係에 있어서의 中東의 重要性 감안
    - · 原油 依存度 約70%, 建設 進出 80%(수주액 기준)
    - · 國際 舞臺에서의 아랍-回教國의 支持 緊要
  - 페灣 事態 以後 中東 勢力 再編에 對備한 對策 講究

- 6 -

0026

(南.北韓 關係)

- o 페灣 事態에 便乘한 北韓의 對南 策動 可能性 對備
- o 北韓의 我側 醫療 支援團 派遣等 非難 감안, 南北 對話 回避 구실로 利用할 可能性에 대한 對應策 마련

(經濟 外交)

- o 國際 原油價, 原資材 價格 動向 隨時 把握 및 對策 講究
- o 戰後 復舊 事業에의 參與 可能性 別途 檢討

(僑民 安全 對策)

- o 殘留 僑民 現況(1.17. 現在)
  - 이라크 : 24名(現代 23, 公館 雇傭員 1人) MBC 취재 팀 4명.
  - 이스라엘 : 약90名
  - 사우디 : 4,980名
- o 第2次 僑民 撤收 KAL 專貰機 派遣 推進 計劃은 保留
  - 戰況 好轉으로 撤收 希望 僑民 減少
  - 戰爭 勃發로 인하여 요르단, 사우디, 카타르, 바레인등 空港 閉鎖 및 UAE 空港 使用 不可能視
- o 페灣 戰爭 水域內 我國 船舶 安全 措置 講究 指示(1.16. 現在 3隻)
- o 페灣 地域 居住 僑民에 대한 安全 對策으로 防毒面 2천 셋트를 1.14(月) 12:00 KAL 特別機便을 利用, 사우디에 空輸, 배포

o 이라크 및 Abu Nidal派, 팔레스타인 解放 戰線等 親이라크 勢力, 非아랍圈 回教徒, 北韓 工作員等에 의한 테러에 對備토록 全在外公館에 訓令하고 關係部處와 協調

- 韓.美間 緊密 協調 維持
- 페灣 地域 6個 公館員(사우디, 요르단, 바레인, 카타르, 아랍 에미레이트, 젯다)에 대한 身邊 安全 講究의 一環으로 戰爭 保險 追加 加入
- 駐韓 公館中 多國籍軍 參與 國家 公館에 대한 安全 強化를 위해 關係部處와 協調

o 危險 地域에 대한 我國人 旅行 自制 勸告

o 外務部 本部, 中東地域 公館 및 미.일, 유엔등 主要國家를 포함, 全在外公館 非常勤務 體制 確立

- 페灣 非常 對策 本部 運營
- 非常 外交 通信網 點檢
- 醫療 支援團과의 通信網 連結

o 1.17 政府次元의 綜合的 對處를 위해 페灣 事態 對策 特別委員會 設置 (委員長 : 國務總理)

- 國務總理室에 綜合狀況室 運營

4. 國會 報告 및 言論 協調

o 國 會

- 外務.統一 委員會 報告(1.18)

o 言 論

- 隨時 報道 資料 提供 및 發表

- 事態 進展 및 政府對策 說明

添附 : 1. 政府代辯人 聲明

2. 「페르시아」灣 地域 軍事力 配置 狀況

- 끝 -

<添附 1>

정부 대변인 성명

1991. 1. 17

평화적 해결을 희구해 온 전 세계인의 여망에도 불구하고 페르시아만에서 끝내 전쟁이 발발했습니다.

정부는 이라크가 쿠웨이트를 불법점령 함으로서 일어난 그간의 페르시아만 사태에 깊은 우려를 표하여 왔으며, 국제사회에서 불법적인 무력침략 행위가 결코 용납되어서는 안된다는 국제법과 국제정의에 입각하여 유엔 안보리의 대이라크 제재 결의를 적극 지지하여 왔습니다.

그러나, 페르시아만 사태의 평화적 해결을 위해 유엔 안보리가 요구한 철군 시한을 이라크가 끝내 거부함으로서 사태가 전쟁으로 발발하게 된것을 개탄해마지 않습니다.

우리는 이와같은 반문명적 침략행위를 유엔의 결의에 따라 응징하기 위해 나선 다국적군과 미국의 행동에 전폭적인 지지를 표합니다.

0030

정부는 유엔의 평화유지 노력에 적극 참여하고저 다국적군에 대한 군비지원 및 관련 전선국가에 대한 경제원조를 제공하였으며, 또한 다국적군의 의료지원을 위해 사우디에 의료지원단을 파견할 예정입니다.

정부는 이번 전쟁의 파장이 한반도 안전과 국가이익에 미치는 영향을 감안, 비상한 경각심으로 이번 사태에 대처하고 있습니다.

우리 국군은 어떠한 상황 아래에서도 국가의 안보를 굳건히 유지하기 위해 물샐틈 없는 경계 태세에 있음을 밝혀두는 바입니다.

여.야를 비롯한 각계 각층의 국민 여러분은 정부가 마련한 비상대책에 적극 호응하여 기름 한방울, 전기 한등이라도 아끼는 근검절약을 통해 위기적 상황을 슬기롭게 극복하도록 함께 노력해 주실 것을 당부하는 바입니다.

전쟁 피해가 예상되는 지역에 거주하는 교민과 이 지역을 여행하는 우리국민, 그리고 항해중인 선박은 현지 공관의 지시를 받아 안전대책을 강구해 주시기 바랍니다.

정부는 이라크측이 동 지역의 평화와 안정이 조속히 회복되기를 바라는 국제 사회의 염원을 존중하여 쿠웨이트로부터 즉각 철수할 것을 다시한번 촉구하는 바입니다.

0031

<添附 2>

페르시아만의 군사력 배치상황

91.1.16.현재

	이 라 크 군	다 국 적 군	
병력	188 만명	789,430 명	
	(정규군 55만명, 민병대 85만명, 예비군 48만명)	- 미 국	41만5천명
		- GCC	15만5백명
		- 터어키	10 만명
		- 영 국	3만5천명
		- 이집트	3만2천5백명
		- 시리아	2만1천명
		- 프랑스	1만7천명
		- 파키스탄	7 천명
		- 방글라데쉬	6 천명
		- 카나다	2 천명

※ GCC (페르시아만 협력 위원회) : 사우디, 바레인, 오만, UAE, 카타르, 쿠웨이트 등 6개국

0032

	이 라 크 군	다 국 적 군
		- 모로코 2천명 - 세네갈 5백명 - 니제르 4백80명 - 체 코 2백명 - 온두라스 1백50명 - 아르헨티나 1백명
탱크	4,000대	3,983 대 - 미 국 2,000 대 - GCC 800 대 - 이집트 400 대 - 프랑스 350 대 - 시리아 270 대 - 영국 163 대
전투기	500 대	1,794 대 - 미 국 1,300 대

0033

	이 라 크 군	다 국 적 군
		- GCC 330 대 - 영 국 50 대 - 터어키 42 대 (나토 파견) - 프랑스 40 대 - 카나다 24 대 - 이태리 8 대
함정	15 척 (프리깃함 4척, 쾌속정 11척)	173 척 - 미 국 55 척 (항공 모함 6척 포함 - 아메리카호, 케네디호, 미드웨이호, 레인저호, 루즈벨트호, 사라토가호) - GCC 36 척 - 영국 18 척 - 프랑스 12 척 - 이태리 10 척 - 터어키 9 척

0034

	이 라 크 군	다 국 적 군
		- 독 일 8척 - 벨기에 6척 - 카나다 3척 - 호 주 3척 - 네덜란드 3척 - 스페인 3척 - 아르헨티나 2척 - 소 련 1척 - 덴마크 1척 - 그리스 1척 - 포르투갈 1척 - 노르웨이 1척

0035

To: 이기주 대변인

페르샤灣 戰爭(OP. Desert Storm)狀況

1.19 09:00 現在

1. 戰爭目標

o 쿠웨이트內 이라크軍 逐出

※" 후세인의 降伏이 아니라 쿠웨이트에서 몰아내는 것"

- 聯合司 司令官 報告 -

※일부 『쿠웨이트 回復 및 이라크軍 武裝解除』 擧論中

2. 最初 作戰計劃

1段階 : 制空權 確保, 反擊能力制壓, 戰略目標 破壞(6-7日)

2段階 : 航空爆擊으로 地上軍 및 戰術目標 破壞(2-3日)

3段階 : 地上軍 作戰開始, 戰爭早期 終結(10日 內外)

- 聯合司 司令官 報告 -

3. 作戰概況

o 戰況은 한세대 앞선 技術水準과 壓倒的 航空戰力을 보유한 多國籍軍의 一方的 優勢下에 展開中

o 報道와는 달리 雙方의 被害는 比較的 制限될 可能性

※多國籍軍의 被害는 戰鬪機 10여대에 불과하고 이라크軍도 戰鬪機 및 防空基地 미사일 基地 및 化學戰施設 등이 決定的 打擊을 입었다고 報道되고 있으나 氣象(구름)과 裝備保護 施設로 인해 空軍機의 被害가 생각보다 적으며 SCUD 미사일도 總 66基(彈頭 700發)中 一部(12기)破壞에 不過

- 韓國時間 19일 05:00 美空軍司 브리핑 -

" 化學攻擊威脅은 弱化되었으나 制空權을 完全하게 確保했다고는 말할 수 없다" - 韓國時間 19日 06:30 美國防部 브리핑 -

0036

o 多國籍軍은 海.空軍 爲主 作戰을 遂行中이며 地上軍은 攻擊을 위해 展開中에 있으나 犧牲을 우려, 이라크軍이 충분히 괴멸된 후에 攻擊을 開始할 豫定이나 現在 일부 2段階 作戰이 早期에 竝行中이며 3段階 作戰도 앞당겨질 可能性

※" 地上軍은 적어도 精銳 共和國 守備隊(5-7個 師團)의 戰力이 50% 以下로 弱化된 후 攻擊開始 豫定" (聯合司 司令官 報告)

o 후세인은 이스라엘 參戰을 誘導하여 戰爭樣相의 變化를 試圖하면서 決死抗戰을 强調하고 있으나 投降 및 도망자가 發生하는 등 이라크軍의 士氣는 全般的으로 低下되고 있음

4. 展望

o 地上作戰이 바그다드 地域으로 擴戰될 可能性은 적으나 이라크軍의 主力이 集中된 쿠웨이트 全面의 防禦態勢가 强力할 경우 相對的으로 脆弱한 本土地域 直衝路를 選擇할 可能性도 있음

o 이스라엘 參戰(美國이 抑制中) 可能性, 이라크의 殘餘 化學戰能力, 親이라크 테러集團의 攻擊이 새로운 威脅으로 등장하고 있고,

o 이라크軍의 抗戰意志와 多國籍軍의 地上作戰 早期遂行意志가 變數이며

o 長期戰 可能性도 排除할 수는 없으나 現在로서는 軍事作戰이 最初 計劃(2-3週)보다 早期終結될 可能性

5. 其他 關聯事項

o 旣存計劃('92年까지 7,000名 撤收)外 駐韓美軍 戰力의 撤收 및 轉換可能性 없음

o 北韓은 警戒態勢의 强化外 特異動向 없음

o " 프랑스軍이 最初 空襲時 不參하고 多國籍軍中 相對的으로 被害(12대중 4대 被擊)가 컸던 것은 프랑스의 재규어 戰鬪機가 舊形이고 夜間攻擊 能力이 未洽했기 때문" - 駐韓 프랑스 武官 報告 -

o 多國籍軍側은 參戰國數가 增加되고 있으며 프랑스, 이태리軍外 카나다軍이 防空作戰에 參與하고 싱가폴은 醫療支援團을 派遣

0037

관리 번호	91-115

	분류번호	보존기간

발 신 전 보

번 호 : WUS-0219 910119 1804 DA 종별 :

수 신 : 주 미 대사.~~총영사~~

발 신 : 장 관 (미북)

제 목 : 걸프 전쟁의 전망

1.21(월) 개최되는 입시국회 본회의시 있을 예정인 걸프 전쟁에 관한 종합 보고 작성에 참고코자 하니 다음 사항에 대해 서울시간 1.20(일) 오전까지 보고 바람.

1. 걸프 전쟁을 통해 미국이 달성하고자 하는 목표

2. 걸프 전쟁의 배경, 전황 및 전망

3. 기타 참고사항

(미주국장 반 기 문)

예 고 : 91.6.30. 일반

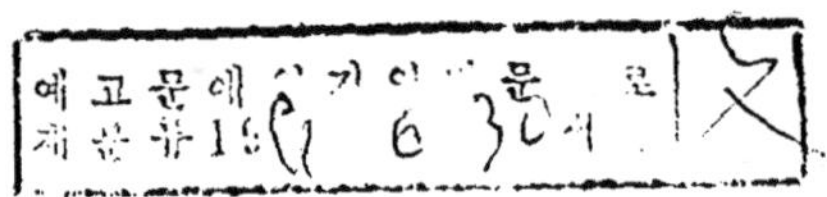

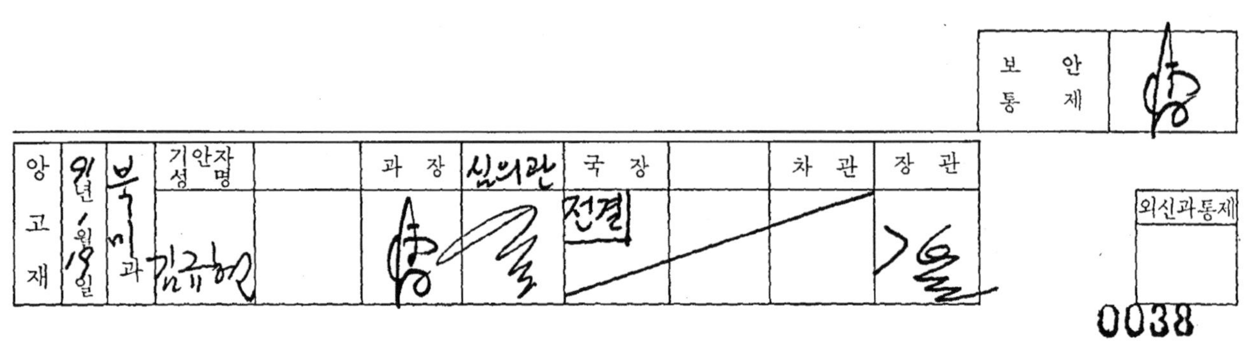

보안 통제	

앙 고 재	91년 1월 19일	북미과	기안자 성명	김규현	과 장	심의관	국 장		차 관	장 관
							전결			

외신과통제

0038

관리 번호	91-1528

원 본

외 무 부

종 별 :

번 호 : JOW-0082 일 시 : 91 0119 1320

수 신 : 장 관(중근동,기정)

발 신 : 주 요르단 대사

제 목 : 중동질서재편

대:WMEM-0007

1. 1.18 미국 부시 대통령은 기자회견을 통해 걸프 전쟁후 중동에 미국의 주도하 '매우진지한 외교'가 이루어질 것이라고 전제하고, 요지 다음과 같이 발언한 것이 JORDAN TIMES 지 특파원발 기사로 동지에 보도됨

가. 종전되면 미국은 전쟁 상흔을 치유할수있기를 원함

나. 자신은 하나의 새로운 세계질서 구축을 위해 최대한 기여할수 있기를 희망함

다. 최근걸프사태에서 이라크측에 기울어졌던 국가중의 일부까지도 새로운 세계질서 형성의 FOREFRONT 국가가 될수도 있을것임

라. 자신은 요르단을 지도상에서 말소하지 않을 것임. 우리는 후세인 국왕과 여러해에 걸친 관계를 갖고 있으며 요르단이 걸프위기의 결과로 최근 어려운 위치에 처하고 있음을 알고 있음

마. 양국간의 견해차이들은 존중되고 있음

바. 자신은 후세인 국왕이 미국의 역할을 요르단 국민들에게 보다 잘 이해 시킬수 있기를 기대함

2. 상기 부시 대통령의 발언은 중동의 신질서 구축에 있어서의 요르단 자세에 관한 미국 시사적이고도 주목할만한 암시의 하나로 볼수있음

(대사 박태진-국장)

예고:91.6.30

1991.6.30. 에 예고문에 의거 일반문서로 재 분류됨.

중아국 장관 차관 1차보 2차보 청와대 안기부

0039

PAGE 1 91.01.19 20:58

외신 2과 통제관 FF

관리번호 91-101

원 본

외 무 부

종 별 : 지 급

번 호 : USW-0314 일 시 : 91 0119 0950

수 신 : 장관(미북,중근동,미안, 대책반)

발 신 : 주 미 대사

제 목 : 걸프전 전망

1. 당지 언론 보도 및 당관이 접촉한 각계 군사문제 전문가의 견해에 따르면, 현재 진행중인 집중 공습 위주의 대 이락 공격 방식은 2 월 까지도 계속될 가능성이 크며, 특히 이락측이 대이스라엘 공격시 사용한 SCUD 미사일 기지를 완전 분쇄키 위해서라도 여사한 공군력 위주의 대이락 공격이 상당기간 지속될것이라 함(현재 이락측이 사용가능한 SCUD 미사일의 정확한 숫자는 알려지지 않고 있으나 수십기(약 30) 에 이를것으로 추측된다함)

2. 한편 , 주재국 주요 방송 매체들은 걸프전 개전 이래 긴급 방송 체재를 갖추고 전황을 시시각각으로 보도하는등 비상태세를 유지해 왔으나, 작 1.18. 오후부터는 정규 편성 프로그램 내용을 방송하고 광고 방송도 재개하고 있으며, 군사작전의 단편적 보도 보다는 걸프전의 향후 전개 양상 및 전망을 위한 문제들을 중심으로 보도 초점을 바꾸고 있음.

(대사 박동진- 국장)

예고:91.6.30. 까지

예고문에 의거 일반문서로 재분류 1991 6 30 서명

미주국	장관	차관	1차보	2차보	미주국	중아국	정문국	청와대
안기부								

0040

PAGE 1

91.01.20 00:40

외신 2과 통제관 CW

관리 번호	

분류번호	보존기간

발 신 전 보

번 호 : WUS-0222 910120 1153 ER 종별 : 지 급

수 신 : 주 수신처 참조 ~~대사. 총영사~~

발 신 : 장 관

제 목 : 걸프사태 전망 분석 보고 지시

WJA -0274 WUK -0127
WFR -0109 WGE -0097
WND -0072 WUN -0113
WCA -0069

걸프전쟁 관련 하기사항에 관한 귀관의 종합적 판단과 의견을 1.22. 까지 ~~본부 필착토록~~ 보고 바람.

1. 전쟁 전망 (단기적 또는 장기화 가능성 포함, 군사적, 정치, 외교적, 경제적 요인 검토)
2. 전쟁종결후 예상되는 중동정세 변화 (역학관계 변화 및 세력재편 가능성 포함한 중장기 정세 전망)
3. 상기 감안한 아국의 외교적 대응책에 관한 의견 및 건의 (정치 외교적 및 경제적 대책 포함). 끝.

(장 관 이 상 옥)

수신처 : 주미, 주일, 주영, 주불, 주독, 주인도, 주유엔 대사, 주카이로 총영사

예 고 : 91.6.30. 일반

1991. 6. 30. 에 예고문에 의거 일반문서로 재분류됨

본부장 [서명]

보안 통제	강

앙 고 재	91년 1월 20일	중동 과	기안자 성명		과 장	심의관	국 장		차 관	장 관
			[서명]		강	[서명]	[서명]			[서명]

외신과통제

0041

걸프 戰爭의 現況과 展望

1. 開戰 經緯 및 戰爭 目標
2. 戰　況
3. 展　望
4. 걸프 戰爭이 우리 安保와 對美 外交에 미치는 影響

1991. 1

外　務　部

0042

1. 開戰 經緯 및 戰爭 目標

가. 開戰 經緯

o 지난 1.17. 09:00(서울 時間) 美國, 英國, 사우디 및 쿠웨이트 등 4個國 聯合軍이 나머지 24개국의 參戰 支持를 받으며 空襲을 개시한 이래 開戰된 걸프 戰爭은

- 이라크가 작년 8.2. 쿠웨이트를 武力侵攻하여 不法 併合한 이후
- 유엔을 中心으로 전개해 온 國際社會의 모든 平和的 해결 노력을 拒否하고 유엔 安全保障 理事會가 결정한 91.1.15. 撤軍 時限마저 무시하면서 撤軍할 기미를 전혀 보이지 않게되자
- 걸프 地域의 조속한 원상 회복을 위해 美國이 주도하는 多國籍軍의 결단에 따라 開始되었음.

나. 戰爭 目標

o 多國籍 聯合軍이 戰爭을 개시한 當面 목표는 쿠웨이트로 부터 이라크군의 逐出과 쿠웨이트의 合法 政府 樹立이라는 원상 회복에 있음.

o 그러나 美國을 위시한 參戰國들이 달성하고자 하는 보다 根本的인 目標는, 이라크의 不法的 武力侵攻을 和解와 協力을 추구하는 새로운 國際秩序 형성에 대한 중대한 挑戰으로 간주하고,

0043

- 이러한 破壞 行爲를 容認할 경우, 이라크나 또는 다른 侵略 潛在 勢力에 의한 제2의 쿠웨이트 侵攻 事態를 부추기게 되어
- 1938년 9월 나치의 체코 侵攻 以後에 문헨 會談에서 나타난 유화 정책 같은 歷史의 과오는 반복되지 않는다는 敎訓을 분명히 하므로써
- 오늘날 극도로 相互 依存的인 國際社會에서 그 어느 國家도 자국의 이익을 위해 武力侵略이나 強壓에 의존하는 것은 容納되지 않는다는 先例를 확실히 確立하고자 하는 것임.

o 아울러 세계적 原油供給源으로서 國際 經濟에 있어 死活的인 重要性을 갖고 있는 中東地域에서
- 核武器와 生化學 武器를 開發 또는 保有하면서 地域 支配를 노리고 있는 이라크의 軍事力을 이 이지역의 安定을 위해 필요한 수준으로 약화시키므로써 長期的 平和를 도모함은 물론
- 어느 한 國家가 勢力均衡을 破壞고 覇權을 追求하는 것을 防止 하여 世界原油 供給의 安定性을 維持함에 있음.

o 한편, 이라크는 쿠웨이트를 領土의 일부로 合併
- 世界의 原油 供給을 통제할 수 있는 能力을 保有하는 한편,
- 친서방 穩健 아랍 王國들을 弱化시켜 政治的, 軍事的 強國으로서 中東地域의 覇權을 追求코자 하고 있는 것으로 보여짐.

0044

2. 戰 況

o 多國籍軍은 最尖端 武器와 壓倒的인 空軍 및 海軍力을 이용하여

- 1.17. 09:00(서울 時間) 이라크내 광범위한 地域의 제한된 목표물에 대한 集中的인 제1차 空中爆擊을 開始한 이래,

- 매일 1,000회 이상의 出擊을 통해 이라크와 쿠웨이트內의 戰略 施設物 및 이라크의 精銳 共和國 守備隊에 대하여 대량 攻擊을 계속해 오고 있으며

- 아울러 海軍 함정으로부터의 미사일 攻擊도 繼續하는 等, 이라크내 民間人 被害를 최소화하기 위한 소위 Surgical Bombing을 주도하면서

- 이라크에 대해 일방적 優勢속에 海.空軍 爲主의 作戰을 遂行中임.

o 1.20. 現在 多國籍軍은 4차례의 大規模 空襲을 통하여 이라크내 主要 軍事 施設, 防空網에 막대한 打擊을 주어 이라크의 戰力을 크게 弱化시킨 것으로 評價되고 있음.

o 多國籍軍中 地上軍은 곧 있을 地上戰鬪 態勢를 갖추면서

- 地上戰鬪時 人命損失을 最小化하기 위해 이라크군의 戰力이 弱化된 후 쿠웨이트로부터 이라크軍을 逐出시키기 위한 作戰을 開始할 것으로 豫想됨.

0045

o 한편, 이라크는 開戰 하루후인 1.18(서울 시간) 부터 이스라엘에 대한 스커드 미사일 攻擊을 개시하므로써 이스라엘의 參戰을 誘導하여

- 多國籍軍에 參與中인 아랍 聯合國의 結束을 瓦解시키고
- 금번 戰爭을 多國籍軍 對 이라크의 戰爭에서 아랍 對 美國, 이스라엘의 戰爭으로 轉換시킴으로써 戰爭 양상과 국면 변화를 시도 圖謀하고
- 앞으로 예상되는 地上 戰鬪에서 多國籍軍과의 戰鬪에 모든 戰力을 投入, 多國籍軍에 막대한 人命損失을 招來함으로써
- 美國內 反戰 雰圍氣가 擴散되도록 하여 美國 行政府에 대한 지지도를 저하시키면서 美國의 戰爭 繼續 遂行 意志를 弱化시키려고 하는 것으로 觀測됨.

3. 展 望

가. 短期戰

o 금번 걸프 戰爭의 展望에 대해서는 當初 대부분의 戰略 專門家들이 短期速決戰으로 끝날 것으로 分析하였으며, 現在도 1-2個月內의 短期戰으로 끝날 것이라는 관측이 優勢하나,

0046

- 한편으로는, 이라크의 持久戰 戰略과 이스라엘의 參戰 可能性등 복잡한 요소를 고려할때 長期化될 可能性이 있다는 분석도 나오고 있음.

o 걸프 戰爭이 短期戰으로 끝날 可能性이 높은 것으로 보는 근거는

- 첫째, 軍事.戰略 側面에서 볼때 多國籍軍이 制空權을 장악하는 등 절대적인 優位을 점하고 있고,
- 둘째로, 지난 5個月余에 걸친 國際的 經濟制裁 措置로 인해 이라크의 經濟가 크게 打擊을 받고 있으며,
- 셋째로, 過去 冷戰時代와는 달리 今番 戰爭에서는 美.蘇.中國 等 強大國의 이라크에 대한 軍事 및 財政的 支援이 없어서 戰爭 遂行 能力에 限界가 있고,
- 넷째로, 美國側에서 볼때도 國內政治 側面이나 經濟的으로 걸프 戰爭을 可能한 限 조속히 終結시켜야 할 필요성이 多大하며,
- 다섯째로, 多國籍軍도 금번 戰爭을 中東地域의 특수한 氣候條件上 3월 以前에 終結지어야 하는 必要性이 있는등, 複合的인 背景에 두고 있음.

0047

나. 長期戰

o 한편, 금번 戰爭이 長期化 될 것으로 보는 見解는,

- 계속되는 多國籍軍의 대량 空中爆擊에도 불구하고 이라크가 아직 移動 스커드 미사일등 상당수의 武器와 生化學戰 能力을 保有하고 있고,

- 多國籍軍의 완전한 勝利를 위해서는 地上戰 돌입이 必要하나 美.英等 서방 국가들이 兩側의 大量 인명 피해를 가져올 地上戰 돌입에 매우 愼重할 것이라는 점과,

- 이라크는 물론 아부니달派나 팔레스타인 解放戰線(Palestine Liberation Front) 같은 親이라크 테러 團體들의 테러 攻擊이 새로운 威脅으로 登場하고 있으며,

- 또한 스커드 미사일 攻擊을 받은 이스라엘이 美國의 自制 要請에도 불구하고 이라크에 대한 報復을 감행할 경우, 걸프 戰爭이 中東地域 全域으로 擴散되어 樣相이 복잡해질 가능성이 높아지고 있는 데에 따른 것임.

다. 展 望

o 現在로서는 制空權은 물론 모든 戰力面에서 壓倒的인 優位를 점하고 있는 多國籍軍이 1-2개월 以內에 戰爭을 마무리 지을수 있을 것으로 생각되나,

- 이스라엘이 參戰할 경우, 금번 걸프 戰爭이 시오니즘對 이슬람의

0048

對決이라는 매우 複雜한 樣相을 띠게 되고, 재래 군비에 의한 지상전의 지구전화등 戰爭이 長期化될 可能性도 있다고 봄.

4. 우리 安保와 對美 外交에 미치는 影響

가. 安 保

o 금번 걸프 戰爭으로 인하여

- 駐韓 美軍의 걸프 地域으로의 移動 配置 等 戰力의 減縮은 없으며
- 亞.太 地域 美軍 戰力의 이동도 제한적인 만큼
- 韓半島에서의 유사시 防衛 態勢에는 별다른 影響을 미치지 않을 것으로 判斷됨.

o 그러나 우리는 今番 戰爭으로 世界의 耳目이 걸프 地域에 集中되어 있는 現 狀況下에서 北韓의 誤判에 의해 發生할지도 모를 만약의 有事時에도 對備,

- 韓.美間 緊密한 協議下에 完璧한 安保 態勢를 갖추고 있음.

o 한편, 이라크에 대한 國際社會의 응징이 成功的으로 이루어질 경우,

- 國際社會에서 武力侵略 같은 不法行爲는 결코 용납될 수 없다는 先例가 確立됨으로써,
- 우리의 安保에도 肯定的인 效果를 가져올 수 있을 것으로 評價되기도 함.

0049

나. 對美 外交

ㅇ 政府는 걸프 事態 發生이후

- 걸프 地域에서 平和와 安定을 回復하려는 유엔의 決議를 尊重하고,

- 國際社會에서 武力侵略이 容認되어서는 안된다는 國際正義와 國際法의 원칙에 立脚하여,

- 國際社會에서 우리의 位置와 比重에 相應하는 責任을 다 한다는 堅持에서

- 美軍 등 多國籍軍과 이라크에 대한 經濟制裁 措置로 被害를 입고 있는 이집트, 터키, 요르단 등 前線國家에 대한 經濟的 支援을 國會의 承認을 받아 시행하고 있음.

- 또한 우리는 經濟的 支援외에 醫療 支援團을 國會의 同意를 받는대로 사우디에 派遣키 위해 필요한 準備를 하고 있음.

ㅇ 아울러 걸프 戰爭이 勃發한 즉시

- 政府는 걸프 地域에서 平和와 安定을 回復하려는 美國을 비롯한 多國籍軍의 努力을 높이 평가하고 적극 支持하는 政府 代辯人 聲明을 發表하였으며

- 大統領께서는 국제 질서와 평화 회복을 주도하는 부쉬 大統領의 결단을 적극 支持한다는 內容의 親書를 보낸 바 있음.

0050

o 한편, 우리 政府는 多國籍軍 活動을 위한 追加支援 要請이 있을 경우

- 우리의 能力과 責任을 均衡있게 고려하면서, 걸프 事態 性格에 부합하는 適切한 形態 수준의 支援을 檢討하게 될 것임.

o 이와같은 우리의 支援과 支持에 대해 美國을 포함한 多國籍 國家들은

- 특히 美國은 우리를 信賴할 수 있는 友邦으로서 再確認하고 있으므로
- 安保, 經濟 分野를 포함하여 우리 對外 關係의 근간이 되고 있는 韓.美 關係를 더욱 強化시키는데 크게 기여할 것임은 물론,
- 나아가 아시아.太平洋 地域은 물론, 全世界的으로 韓國의 비중있는 위상을 세워나갈 것으로 評價함.

0051

걸프 戰爭과 對策

91. 1. 20

外 務 部

0052

目 次

0053

Ⅰ. 戰爭 槪要

1. 開戰 背景

가. 이라크의 撤軍 拒否 立場 固守

o 屈服에 의한 政治的 地位 또는 權力 喪失보다는 "帝國主義 超強國"에 대한 대항을 통해 오히려 政治的 基盤 強化 可能 계산

- 戰爭에 패배하더라도 1956년 낫세르와 같이 政治的으로는 아랍의 영웅이 될 것으로 期待
- 戰爭이 始作되면 美國 및 유럽에서의 反戰 雰圍氣 및 아랍世界의 反美感情 非難등으로 이라크의 完全 敗北前에 休戰이 可能할 것으로 상정

나. 經濟制裁 措置 効果에 대한 西方側의 懷疑

o 經濟制裁 措置를 통한 이라크의 撤收 誘導 不可 判斷

다. 冷戰以後 國際秩序 維持에 있어서 秩序 攪亂行爲 不容 意志 貫徹

o 國際社會에서 不法行爲에 의해 政治的 問題를 解決할 수 없다는 先例 確立

라. 이라크에 의한 철저한 쿠웨이트 破壞 및 解體에 대한 國際的 公憤

0054

- 1 -

2. 多國籍軍의 戰爭 目標

가. 美國의 旣存 4대 目標

o 쿠웨이트로부터 이라크軍의 即刻的, 無條件的인 撤收

o 쿠웨이트 正統 合法 政府의 復歸

o 美國人의 生命 및 安全保護

o 中東 地域의 平和와 安定回復

나. 美國의 政治.戰略的 目標

o POST-COLD WAR 時代에 있어 새로운 世界秩序 確立

- 美國의 繼續的인 指導的 役割 確保
- 地域紛爭의 防止 및 地域勢力間 覇權 爭奪戰, 특히 弱肉強食的 侵略行爲 抑制

o 世界 原油 市場과 供給의 安定化

o 사우디, 이스라엘, 터키등 中近東地域의 美國 核心 友邦國에 대한 安全保障

o 域內 勢力 均衡 및 安定 體制 構築

- 이라크의 覇權 追求 封鎖

0055

다. 多國籍軍의 軍事作戰 目標

o 쿠웨이트로부터 이라크軍의 逐出

- 美國의 軍事作戰은 이라크의 破壞나 占領이 아니라는 점을 수차 公開的으로 闡明

  · 이라크內로의 地上戰 擴大의 경우 招來될 수 있는 長期戰에 대한 美國民의 拒否感,

  · 이라크에 대한 지나친 報復時 政治的 副作用,

  · 아랍측 聯合軍 일부의 軍事目標 擴大 反對 등 考慮

o 이라크의 核 開發能力, 生.化學武器 및 미사일 破壞를 통한 中東地域 平和 및 安定威脅 要素 除去

0056

3. 이라크의 戰略

가. 금번 戰爭을 政治戰 樣相으로 展開

o 쿠웨이트와 팔레스타인 問題(이스라엘)의 連繫

o 이스라엘에 대한 아랍의 聖戰으로 擴大

나. 사우디, 이집트, 시리아의 反이라크 聯合 瓦解

o 對 이스라엘 攻擊을 통한 아랍世界의 反유태 感情 觸發

다. 長期戰化

o 戰爭 遂行이 困難하게 될 3月 以後까지 遲延 戰術

o 西方 世界에서의 테러活動 積極化

o 美國內의 反戰무드 誘發로 美國의 戰爭 계속 遂行 意志 弱化
 - 地上戰時 美軍의 人命損失 極大化 기도

o 多國籍軍의 團結 弛緩

0057

4. 多國籍軍의 戰爭 시나리오

가. 이라크의 戰爭能力 除去 및 쿠웨이트 奪還

※ 3段階 戰爭 計劃

- 1 段階 : 지휘, 統制, 通信(3C) 情報(I) 미사일, 戰鬪機, 飛行場, 核.化學 武器 製造 施設 등 破壞

- 2 段階 : 軍需, 兵站, 輸送網 등 破壞
  - 쿠웨이트內 이라크軍에 枯死 作戰

- 3 段階 : 쿠웨이트에 대한 地上軍 攻擊으로 쿠웨이트 解放

나. 戰爭의 舞臺를 이라크.쿠웨이트에 局限

o 이라크의 對 이스라엘 攻擊 能力 破壞

o 이스라엘의 參戰 沮止

다. 短期戰

o 長期戰時 憂慮되는 政治的 負擔 考慮(反戰運動 등)

o 사막地域의 氣象條件 考慮

-5-

0058

Ⅱ. 戰 況

1. 戰鬪機 매일 1,000回 이상 出擊, 토마호크 미사일 196機 發射(1.19.現在), 80%의 作戰 成功率

2. 이미 2段階 作戰 實施中

   o 1段階 作戰計劃이 完結된 것으로 보이지 않으며, 상급도 일부 지휘, 通信, 移動 미사일, 空軍機 등이 作動中

3. 多國籍軍의 被害率은 越南戰의 1/6에 不過

4. 3段階 作戰을 위한 態勢 突入

5. 이라크側 戰鬪態勢 整備, 散發的 反擊 進行中

   o 移動形 SCUD 미사일에 의한 이스라엘 攻擊

   o 小規模 戰鬪機 出擊에 의한 空中 邀擊

6. 이라크, 世界 各地에서 테러活動 開始

0059

* 今番 戰爭의 特徵

- 國際秩序의 改編 過程에서의 戰爭

- 政治戰 및 軍事戰의 混合

- 유엔 歷史上 最大의 會員國 介入
  (28個國이 多國籍軍 参與)

- 最尖端의 科學技術에 의한 戰爭

- 冷戰時代와 같은 美.蘇 代理戰 性格이 아님.

0060

Ⅲ. 展　望

1. 多國籍軍, 1월말까지 最大限의 空中攻擊 敢行

o 이라크軍의 移動 미사일 발사기 破壞(移動 미사일 발사기는 30-40개 남아 있는 것으로 推定)

o 攻擊 目標의 擴大

- 一般市民 生活에 影響을 미치는 施設破壞로 民心離叛을 통해 후세인 政權에 負擔 加重

o 이라크의 戰爭遂行 能力 事實上 除去

2. 多國籍軍側, 이스라엘의 參戰 自制 繼續 要請

o 이스라엘의 參戰은 戰爭의 早期 終結에 중대한 沮害 要素

o 아랍측의 對이라크 聯合前線에 否定的 効果

3. 本格的인 쿠웨이트 奪還 作戰은 2月 初旬 實施 展望

o 1月末 까지의 大量 爆擊으로 쿠웨이트 地域의 地上兵力 破壞

- 이라크軍의 最精銳인 共和國 守備隊 궤멸 시도

0061

o 多國籍軍(地上軍) 쿠웨이트 投入, 쿠웨이트를 이라크으로부터 遮斷, 고립화

o 쿠웨이트 駐屯 이라크군에 대한 枯死 作戰 展開

o 늦어도 3월 말경까지는 쿠웨이트 奪還 豫想

4. 軍事 行動은 2개월 내지 3개월의 短期戰으로 終結될 展望

5. 이스라엘 參戰時의 展望

가. 이스라엘의 對이라크 空中 攻擊時 요르단 또는 시리아 領空通過 不可避

o 시리아는 이스라엘의 報復이 自衛權 行使 範圍에 머무는 한, 反이라크 聯合前線에서 離脫치 않을 것이라는 立場 表明

나. 이집트도 聯合前線에 잔류하겠다는 立場 堅持

다. 이라크의 계속적인 對이스라엘 攻擊으로 이스라엘이 參戰하는 경우 戰爭 樣相이 複雜해져 長期化될 가능성 농후

- 시오니즘 對이슬람 對決로 變質

0062

- 9 -

Ⅳ. 我國에 대한 影響

1. 安 保

o 短期的으로 우리나라의 防衛力에는 별다른 영향을 미치지 않을 것으로 判斷됨.

- 駐韓 美軍의 걸프 地域으로의 移動 配置 等 戰力의 減縮은 없음.

o 그러나 今番 戰爭으로 世界의 이목이 걸프 地域에 集中되어 있는 現 狀況下에서 발생할지도 모를 韓半島에서의 有事時에 對備 必要

- 韓.美間 緊密한 協力下에 完璧한 安保 態勢 確立

o 이라크에 대한 國際社會의 응징이 성공적으로 이루어질 경우 우리의 安保에도 肯定的인 効果

- 冷戰終熄 以後의 國際社會에서 武力侵略 같은 不法行爲는 결코 容納될 수 없다는 先例 確立, 北韓의 武力赤化統一 路線 間接 抑制 効果

2. 韓.美 關係

o 韓.美 同盟關係 鞏固化에 寄與

- 美國에 대한 積極的인 支援을 통해 신뢰할 수 있는 友邦이라는 認識 浮刻(多國籍軍 支援 및 醫療 支援團 派遣等)

o 21세기를 향한 성숙한 同伴者 關係를 確立하는 데 튼튼한 礎石을 마련

0063

3. 經　濟

가. 短期戰의 境遇

o 原油 供給

- 世界的 次元에서의 原油生産 및 供給에는 큰 蹉跌이 없을 것으로 展望(걸프地域 石油生産 및 輸送施設 破壞 可能性 稀薄)
- 따라서, 우리나라에 대한 原油 供給에는 큰 支障이 없을 것으로 봄.

o 經濟 展望

- 걸프 戰爭의 短期戰 展望으로 國際株價가 最近 上昇하는등 今後의 經濟 展望은 오히려 밝아짐.
- 우리나라의 경우, 中東地域에 대한 輸出商品 일시 선적중지등 損失 예상. 그러나 短期戰으로 끝날 경우 今後 우리 經濟에 肯定的 効果 可能

나. 長期戰의 境遇

o 原油 供給

- 戰爭이 長期化 되는 경우, 주로 이라크.이스라엘 戰域에 集中될 것이며, 따라서 걸프地域(사우디 東部, UAE, 카타르)의 原油 生産 施設에는 큰 威脅이 없을 것임.

0064

- 油價는 戰爭 長期化의 심리적 영향으로 다소 上昇할 가능성이 있으나, 戰爭 勃發前 水準 이상으로 大幅 上昇하지는 않을 것으로 봄.

o 世界 經濟

- 이스라엘의 參戰에 의하여 戰爭이 확대되고 中東地域의 戰爭으로 發展 되는 경우에는, 심리적으로 世界 經濟에 影響을 미칠 것임. 따라서 株價下落, 需要감퇴, 經濟成長 鈍化 等 不安要因으로 作用할 것이며 이러한 世界經濟의 全般的인 下降 局面에 의하여 우리나라의 全體 輸出에 지장을 招來할 것임.

0065

V. 政府의 對應策

外交的 對應策

1. 當面 對策

가. 韓半島 有事時에 대비한 韓.美 安保 協議 體制 緊密化

나. 유엔 決議에 따른 多國籍軍 支援 意志 계속 表明

다. 醫療支援團 派遣을 계속 활용

라. 周邊國家에 대한 經濟的 支援을 外交的으로 活用

마. 親 이라크 國家들을 자극하지 않는 外交的 姿勢 維持

바. 우리의 主要 原油 供給線이며, 建設市場인 사우디에 대하여는 格別한 友好 協力의 態度 表示

2. 中長期 對策

가. 걸프 戰爭 終結以後의 中東政治 情勢 展望

- 終戰後 사담 후세인은 中東 政治 舞臺에서 사라지고 이라크의 位相도 低下, 이집트.시리아.이란등의 影響力 增大
- PLO 의 立地 弱化 (親이라크 反사우디 立場에 起因), 그러나 팔레스타인

0066

問題 자체에 대한 아랍제국의 結束에는 큰변화가 없을 것이며 팔레스타인 問題 解決을 위한 國際的 努力이 强化될 것임. 그러나 同 問題 解決을 둘러싼 이스라엘과 美.英 關係의 摩擦 可能性 있음.

- 戰爭期間中 形成된 사우디.이집트.시리아 3국의 結束은 戰爭終結後 同國家들의 利害關係, 對外政策 相異等으로 長期間 持續되지는 못할 것이며 中東地域 覇權 競爭 가능성 있음. (不安 要素)
- 이라크의 쿠웨이트 侵攻으로 GCC 國家들은 王政의 維持 및 國家防衛를 위해 域外 强大國家와의 安保協力 體制 樹立 摸索
- 美國等 西方國家들은 石油資源의 安定的 確保를 위해 中東地域의 安保 協力 體制 構築 試圖
- 이러한 安保 協力 體制 樹立과는 별도로 美軍이 걸프地域에 長期 駐屯 가능성
- 今番 戰場에서 2차적 役割 隨行에 그쳤던 蘇聯의 對中東 影響力은 弱化될 것임.
- 戰爭 終結로 이라크의 威脅이 除去되어 일시적으로는 政治的 安定을 찾게 될 것이나, 長期的으로는 아랍世界 全般에 흐르는 對西方 敵對 感情이 今番 戰爭으로 더욱 뿌리 박혀 美國과 協力하는 一部 政權의

0067

顚覆 가능성도 있을 것임. 또한 王政國家들의 民主化 要求도 더욱 增大 豫想

- 結論的으로 戰爭以後 中東 政治의 當面課題는

① 中東의 安保 協力 體制 構築 問題와

② 팔레스타인 問題로 集約될 것임.

나. 우리의 對應策

- 지금까지 我國의 對中東 政策은

① 原油의 安定的 供給 確保

② 建設 進出 市場으로서의 중요성등 經濟的 側面에 主眼을 두어 왔으며 今後에도 이러한 政策基調는 계속 유지될 것임.

- 그러나 아랍권의 國際政治에서의 비중에 비추어 韓半島 問題에 대한 이들의 支持도 我國의 外交上 重要함.

다. 따라서 我國은 아랍권 個別 國家와의 兩者關係 發展에 努力하고 今後 構築될 걸프地域 安保 體制에 대한 關心도 기울여야 할 것임.

라. 특히 未修交國이며, 戰後 中東政治 前面에 부상할 시리아, 이집트와의 關係 正常化를 위해 今番 經濟支援을 계기로 努力을 倍加할 것임.

마. 이라크와는 後繼 政權의 性向에 관계없이 原油 導入, 建設 進出을 위해 종래의 敦篤한 關係 유지토록 적극 노력

0068

바. 아랍권과의 關係 强化를 위해서는 팔레스타인 問題 解決을 위한 國際的 努力에 積極的 立場을 表明하는 것이 중요함. 이스라엘에 대해서는 對美 關係等을 考慮, 內面的인 關係를 堅持함.

0069

僑民 安全 對策

1. 戰爭 危險地域 滯留僑民 撤收現況 및 對策

o 僑民 撤收 現況은

- 91.1.5. 現在 사우디, 이라크, 쿠웨이트, 요르단, 카타르, 바레인, U.A.E., 이스라엘 8개국에 총 6,329명이 滯留하고 있었으나,

- KAL 特別機便으로 301명이 撤收한 것을 비롯 그간 총 701명이 撤收, 現在 5,628명이 잔류중임.

- 國家別로는 사우디 4,697, 요르단 21, 카타르 65, 바레인 259, U.A.E. 483, 이스라엘 71, 이라크 23, 쿠웨이트 9명이 각각 잔류

o 僑民들의 非常 撤收는

- 事態 推移 및 本國 撤收 希望 僑民數를 보아가며, 迅速한 撤收를 위해 KAL 特別機를 追加 運航, 이들을 緊急 輸送할 計劃이나 1.17. 戰爭 勃發 以後 걸프地域 대부분의 空港이 閉鎖됨으로써 特別機 投入 困難

- 空港閉鎖로 인해 航空便 利用이 不可能할 경우, 이용 가능한 海上 및 陸路를 통해 隣接國으로의 安全 待避 措置

0070

- 특히 戰爭으로 被害가 豫想되는 사우디 東北部地域 滯留 僑民 1,121명 에 대해서는 리야드, 타이프, 젯다 등으로 臨時 待避토록 措置, 이미 751명이 安全地帶로 待避 完了, 殘餘 370명도 緊急 待避 準備中

o 現在 이라크 잔류 現代建設 所屬 職員 22명은 現場管理 必須要員들로서 부득히 殘留하게 되었으나 現代 本社와 緊密히 協調, 요르단 또는 이란 國境을 통한 陸路 撤收 方法을 摸索中

o 政府는 撤收 僑民의 事後 對策으로,

- 無依托 僑民에 대하여 保社部等 關係機關과 協調, 臨時 居處 및 生計 救護對策 講究 豫定

2. 戰爭 危險地域 殘留 僑民 身邊 安全 對策

o 公館別로 樹立된 비상계획에 의거, 僑民의 個人 身上 事前 把握 및 공관과의 非常 連絡 體制 維持

o 방공호 등 非常 待避施設, 非常 食糧等을 確保하여 自衛力을 강화토록 하며 現地 公館의 자체 緊急 待避 계획에 따라, 現地 實情에 맞게 殘留 僑民의 安全 措置 講究中

0071

- 특히, 殘留 僑民이 安全 地帶로 긴급히 待避할 경우 대비, 現地 進出業體 캠프 등을 활용, 臨時 宿所를 마련해 놓고 있을 뿐아니라

- 이들이 有事時 隣接國으로 긴급 待避할 수 있도록 隣接國 駐在 我國 公館에도 緊急 訓令을 내려 이들의 入國이 可能토록 事前 措置 完了

o 또한, 化學戰에 對備, 防毒面을 支給 僑民의 身邊 保護에 萬全을 기하도록 措置

- 예를 들면, 有事時 僑民 全員 및 公館 職員 家族等이 大使官邸로 옮겨 集團 居住하여 組를 편성, 警備를 強化케 하고

- 每日 安全 對策 會議를 갖고 非常 事態에 對備하며

- 또한 이들의 外出을 可及的 自制케하는 方法等을 통한 適切한 對處 講究

o 危險地域 公館員 및 家族 全員에 대해서, 그리고 勤勞者에 대해서는 進出業體 별로 戰爭 保險 加入을 勸奬中

0072

經濟利益 保護 對策

1. 原油 需給

o 我國은 이라크.쿠웨이트로부터 中斷된 物量 이상을

- 이미 사우디, 이란, 멕시코 등으로의 導入線 轉換을 통해 長期契約 形態로 確保하는 등 戰爭 勃發 可能性에 積極 對處하며 왔으며

- 비록 사우디 油田이 一部 破壞되어 今後 導入에 일부 영향을 받더라도 政府 備蓄 및 精油社 在庫物量으로 短期的 對處에는 문제가 없을 것으로 展望

※ 90.12.31. 現在 政府備蓄 4,000만 베럴, 精油社 再考 3,500만 베럴, 輸送中 물량 3,200만 베럴로 我國 消費量 114만 B/D 기준 93일 지속 가능

o 그러나 情勢 不安 要人이 많은 中東地域 原油에 대한 我國의 依存度가 過度한 점을 감안

- 短期的으로는 原油 導入線 多邊化, 長期 供給 契約線의 維持, 擴大 필요시 美國과의 相互 原油 供給 協定 締結을 위해 外交的 側面 支援 提供

0073

- 長期的으로는 原油의 安定的 需給을 위하여 國內外 油田 開發 促進, 代替 에너지 開發, 石油 備蓄分 增量, 에너지 節約型 産業 構造로의 轉換 政策에 비중

2. 戰後 復舊 事業 參與

o 이라크.쿠웨이트는 각각 中東地域 原油 埋藏量 3위와 5위를 차지하는 國家로서 戰爭終結後 이들국가로부터 막대한 原油 輸入이 豫想됨에 비추어 이들 國家의 戰後 復舊 事業 參與를 今後 最大 重要 課題로 推進

o 戰爭終結後 樹立될 이라크.쿠웨이트 兩國 政府와의 卽刻的인 關係 强化, 改善 努力

o 各種 復舊事業, 社會基幹 産業, 써비스등 各種分野 進出 推進

o 이를 위해 醫療 支援團 活動 活用 끝.

0074

관리 번호	91/1640

원 본

외 무 부

종 별 : 긴 급

번 호 : USW-0323 일 시 : 91 0121 1126

수 신 : 장관

발 신 : 주 미 대사

제 목 : 걸프사태 전망 분석 보고

대:WUS-0222

1. 전쟁 전망

가. 미국의 걸프전 수행전략

당지 언론, 전문가들의 견해를 종합하면, 미국의 대 걸프전 수행전략은 하기와 같음.

0 제 1 단계

-전략목표(지휘, 통제시설, 비행장, 방공망, 핵.화학 . 생물무기, 무기 및 연료 저장고, 미사일 기지)에 대한 폭격(SURGICAL BONBAG)을 통해 이락의 전쟁수행능력 제거.(단 , 민간목표 및 회교사원에 대한 폭격을 자제함으로써 불필요한 반미 감정 자극을 회피)

0 제 2 단계

- 정예 REPUBLICAN ARMY 에 대한 공격, 이락. 쿠웨이트 보급로 차단등으로 연합군의 지상작전 수행에 대한 저항 능력 제거

0 제 3 단계

- 지상 작전 전개

나. 지상군 투입 여부

0 전쟁 개시 4일이 지난 현재 미국을 주축으로한 연합군은 제 1,2 단계의 전쟁을 수행하고 있는가운데, 연합군이 어느단계에서 지상군을 투입할것인지에 대해 관심의 초점이 모아지고 있음.

0 SCHWARZKOPF 연합 사령관등은 지상군 투입 필요성 여부에 대하여 구체적 언급을 회피하고 있으나, 당지 전문가들에 따르면 쿠웨이트로 부터의 이락군 철수라는 미국의 목표를 달성하기 위해서는 지상군 투입이 불가피하다는 것이 일반적 관찰임.

중아국 장관 차관 1차보 2차보 미주국 청와대 안기부

0075

PAGE 1 91.01.22 05:20

외신 2과 통제관 CE

0 실제로 "페"만 에 상륙용 선박이 집결되어 있으며, 사우디 주둔 미군도 쿠웨이트, 사우디 접경지역으로 이동중인것으로 보도 되고 있음.

0 지상 전부 수행을 위한 병력 배치에는 2-3 주가 추가 소요되므로 지상전부는 그 이후에야 가능하며, 그 전에는 재 1,2 단계 작전에 의해 이락군을 무력화 시키는 노력이 계속될것임.

다. 전쟁 전망

- 당지의 일반적 평가는 D-DAY 의 공습이 예상외의 큰 성과를 올렸으며, D3 까지 공습(AIR-POER) 을 통한 작전은 상당히 성공적인것으로서, 일단 장기전화의가능성은 크게 줄어들고 있다고 보고 있음.

0 그러나 이락의 대 이스라엘 미사일 공격을 통한 이스라엘의 참전과 아랍 연합의 와해 가능성도 아직은 완전히 배제할수 없으며, 쿠웨이트 에서의 시가전 준비 또는 지상군의 선제 공격등의 전술을 구사할 가능성등을 감안 할때, 전쟁의양상이 여하히 전개될 것인지는 속단하기 어려움.

(다만, 미국은 이스라엘에 대한 계속적 자제 당부, 소련을 통한 대 아랍 멧세지 전명 및 계속적인 이락의 스쿠드 미사일 파괴, PATRIOT 미사일 방공망 제공등 이스라엘에 대한 군사적 지원을 통해, 이스라엘의 보복과 이에 따른 중동전의확산 방지를 위해 최대로 노력하고 있음.)

0 앞으로의 과제는 여하히 쿠웨이트 주둔 이락군을 몰아내느냐는데 군사작전의 초첨이 주어질것으로 보이는바, 연호 보고와 같이 최소한 1 월 까지는 물론경우에 따라서는 2 월중에도 공습이 계속되어야 한다는것이 당지 군사 전문가들의 일반적 견해임.

0 한편 일부 군사 전문가들은 미국이 피아간 대규모 사상자를 내게될 전면 지상공격에 돌입하기 하기 보다는 이락-쿠웨이트간 보급로에 대한 공습, 북부 쿠웨이트에 대한 상륙등을 통해 쿠웨이트 주둔군을 고립, 자멸을 유도 하는 장기적전략이 바람직하다는 견해를 표시하고 있음.

0 그러나 여사한 방안은 미국측으로서 바람직한 대안이긴 하나 전쟁의 조속한 종결을 기해 필요시 지상 작전은 이락군의 사기, 보급 상황등을 감안, 다소의희생을 감수하면서라도 언제든지 전개될수 있을것임.

라. 외교적 측면

0 미 국무부, 주미 이락대사관간에 1.19. 포로 처우 문제에 관한 협의가 있었고,

UN 을 중심으로한 소련, 인도, 알제리가 무력사용 중지를 내용으로한 평화한을 내놓는등 제 3 자에 의한 외교적 노력이 계속되고 있으나, 심각하게 논의될가능성은 희박한것으로 보임.

0 미국은 걸프 사태 해결을 위한 어떠한 타협(LINKAGE)도 거부한다는 입장이고, 또한 무력사용을 개시한 현재 여사한 외교적 대안은 전쟁을 오히려 장기화시키고 아랍 COALITION 을 와해 시킬 위험을 증대시킨다는 판단으로 있기 때문에 별다른 관심을 보이지 않고 있으며, 후세인으로서는 극히 불리한 전황속에서 외교적 타협안을 수락한다는것이 자신의 정치적 입지를 궁지로 몰것이므로 역시 이를 수락할수 없는 입장으로 사료됨.

0 따라서 중동 평화 회의등은 현단계보다는 전쟁이 종료된 후에 중동지역 평화정착의 장기적 방안의 하나로 검토될것으로 예상되는바, 현단계 에서 미국으로서는 무력에 의한 조속한 전쟁 종결이 가장 급선무 이며 취약한 COALITION 구조를 감안 할때 더이상 외교적 노력을 경주하기에는 이미 한계에 다달한 것으로 보는것이 타당할것임.

마. 경제적 측면

0 연합군의 이락 및 쿠웨이트에 대한 공습이 성공적인것으로 알려짐에 따라유가는 계속하락하고 있으며, 주식 가격도 상승하고 있는것은 사우디 유전에 대한 이락측의 공격능력 이 상실된것으로 평가하고 있기 때문임.

0 그러나 전쟁이 장기화될것으로 보일경우 유가 상승은 다시 나타날것이며 그 경우 세계 경제 불황은 물론이고 미국경제도 상당한 어려움을 겪게될것 임.

- 경제가 호황이 유지된다면 전비 충당으로 인해 비록 엄청난 재정적자가 시현된다고 하더라도 미국 경제의 전체 규모로 볼때 그렇게 심각한 상황은 아니라고 보는 견해도 많음(전쟁으로 인한 재정적자는 일시적인 것이기 때문에 적자폭이 크더라도 미국 전체의 축전된 SAVING 이 많기 때문에 장기적 관점에서는 큰부담이 아니라는 논리에 근거하고 있음.)

0 따라서 전쟁 비용으로 인한 요인은 미국으로서는 전쟁 수행에 있어 부수적인 것에 불과하며 전쟁 양상이 큰 영향을 줄것으로는 보지 않는것이 타당할것임.

0 다만, 현재 미국 경제가 RECESSION 양상을 보이고 있고, 행정부-의회간 힘겹게 타결한 예산적자 상한선의 유지가 어렵게 됨에 따라 , 미국 조야에는 미국경제의 건전한 회복 방안 과 관련, 치열한 논의가 벌어질것으로 예상됨.

2. 종전후 중동정세

- 종전후 중동정세는 전쟁이 어떠한 형태로 종료되느냐에 크게 좌우될것임.

가. 미국의 전략전 목표

0 그간 미국내에는 금번 상태의 종결과 관련, 다음과 같은 전략적 고려가 있어야 한다는 의견이 대두되어 왔음.

(1)이락의 공격 능력 파괴 또는 제약, 특히 핵, 생.화학, 미사일 능력 박탈

(2)지역 안정을 위한 안보 체제 형성(일정 수준 미 군사력의 "PRESENCE")

(3) 전후 지역 세력 균형 유지를 위해 이락군의 완전 파괴 자제

(이락의 대시리아, 대이란 견제 역할 보존)

(4) 이스라엘의 요르단 서안 점령 문제 해결등 포괄적 중동 평화 방안 대처

0 상금 , 당관 실무 접촉을 통해, 미측의 검토 방향을 탐문한바, 미측 관계관들은 군사적 양사의 전개에 대한 판단이 어려운 시점에서 종전후 외교 전략의 추진 방향이 본격 검토되고 있지 못하고 있다는 반응을 보이고 있음., 그러나 미국으로서는 제반 상황을 감안할때, 다음 방향으로 종전후 지역 정책을 추진할것으로 예상됨.

이하 USW-0324 로 계속됨

관리번호	91/1629

원 본

외 무 부

종 별 : 긴 급

번 호 : USW-0324 일 시 : 91 0124 1202

수 신 : 장관

발 신 : 주 미 대사

제 목 : USW-0323 계속분

(1)이락의 공격적 군사력 (핵, 생.화학 무기등 포함)의 재획득을 방지하기위한 제한적 경제 제재 조치 계속 추진(미사일등 공격무기 확산 금지를 위한 국제적 협력 방안 검토 포함)

(2)이락 정권의 성격 변화 유도

(3)현재의 COALITION 을 바탕으로 한 지역 안보 체제 유도

(4)중동 평화를 위한 아랍및 소련측 제안에 대한 전향적 대응 및 소련의 건설적 역할 환영(쿠웨이트 정권 회복후, 적당한 시점에서 중동 국제회의 수용 및이스라엘-PLO 간 직접 협상 유도)

(5) 온건 아랍정권 유지의 기반강화를 위한 아랍내 점진적 민주화 가능성 모색

나. 상기 목표의 실현 가능성

0 상기 미국의 전략적 목표는 기본적으로 중동내에서 미국의 정치, 군사, 경제적 부담과 위상의 확대를 기초로 하는바, 이러한 목표의 실현을 위해서는 (1) 냉전 종식에 따른 미국의 외교적 목표 감축을 요구하는 의회의 설득등 국내적지지확보 및 (2) 중동 국가들의 지지 획득이 필수적임.

0 (1)당지 의회, 언론등에서는 미국의 걸프 전쟁 개입이 냉전 종식후의 국제질서 수립에 크게 기여할 조치는 라는 평가가 확산되고 있고

(2) 온건 아랍 국가내에서 미국의 지역적 역할에 대한 긍정적 평가가 확산될것으로 예상되나, 전쟁이 장기화 되고 사상자가 크게 늘어날 경우에는 이러한 분위기가 무산될 가능성도 상존함.

0 또한 중동에서 미국의 역할이 확대되면 될수록 이란, 시리아, 팔레스타인등 반미 성향 아랍권 국가들의 반발이 더욱 거세어질 것인바, 이에 대한 무마력도 새로운 외교적 과제로 부상될것임.

중아국 장관 차관 1차보 2차보 미주국 청와대 안기부

PAGE 1 91.01.22 05:12 0079

외신 2과 통제관 CE

다. 이락의 정치적 안정

0 미국은 (1) 이락의 인근 국가에 대한 군사적 위협을 제거하되,(2)다른한편 이란, 시리아드에 대한 세력 균형의 역할을 하여오던 이락이 붕괴됨으로써 지역내 세력 균형이 파괴되는것을 방지 하여야 하는 이중적 목표에 직면하고 있음.

0 이락은 시아파(60 퍼센트) 가 다수를 차지하는 인적 구성에 소수의 수니파(35 퍼센트) 가 지도층을 점유하고 있는 구조적 문제에 더하여 쿠르드족 문제,전체주의적 통치에 따른 인식 이반등 정치적 불안정의 가능성을 많이 내포하고있으므로 이락의 패전을 패전권으로 끝나는것이 아니라 정치적 안정이 완전히 와해될 가능성도 있음.

0 이락의 정치적 안정 상실로 역내 균형자로서의 역할을 못하게 될경우에는미국 및 UN 을 주로로한 다국적군 파견등이 검토되게될 가능성이 있음.

또한 이와는 별도로 미국은 사우디 에서 지상군은 철수 시키되 걸프지역에 해운 및 공군을 상당기간 주둔 시킴으로써 지역 안정을 확보하는 방안을 고려할것으로 보임.

라. 이스라엘의 위상

0 걸프 사태 발발에 따라 미국이 온건 아랍 국가들과의 연합을 모색함에 따라 미.이스라엘 관계가 소원화되고 , 걸프사태의 가장큰 피해국이 이스라엘 이라는 평가 까지 나돌았으나, 이락의 미사일 공격에 대해 이스라엘이 자제를 보임으로써 오히려 이스라엘으로서는 손상된 정치적 위상을 회복하게되는 계기가 되었음.

0 반면, 걸프사태에 대하여 PLO 를 중심으로한 팔레스타인이 일방적으로 이락을 지지하고 나섬으로써 팔레스타인 문제 해결을 위해서는 부정적인 영향이 초래될것으로 평가됨.

마. 중동 평화 회의

0 그간 미국은 중동평화 회의 소집에 반대해온바,(1)금번 걸프 사태를 위요하고 미국이 중동평화 회의를 걸프 사태와 연계하는것에는 반대 하나, 중동평화회의 자체를 거부하는 것은 아니라는 입장을 밝힌바 있고, (2) 걸프 전쟁 종전후미국이 중동 지역내에서 영향력을 확대해 나가는 과정에서 반미 성향 아랍 국가에 대한 반대급부 제공이 필요한 상황이므로 종전후 걸프 전쟁에 대한 평화회의의 의미를 갖는 중동평화 회의 소집의 가능성이 높아진것으로 관찰됨.

바. 전후 복구 계획

0 종전후 이락, 쿠웨이트 를 중심으로 한 전후 복구 계획이 논의될것인바,BUSH 대통령은 지난 1.18." 전후에는 미국이 중동의 문제를 치유하는 역할을 하여야

PAGE 2

0080

할것"(HEALERS IN THE REGION)이라는 입장을 밝힌바 있음.

0 2 차 대전후 유럽을 중심으로한 자유세계 복구가 미국의 경제력을 바탕으로 한 MARSHALL PLAN 등을 통해 이루어졌음에 반하여, 이제는 미국이 더이상 그러한 역할을 수행할수 없으므로 경제안정을 통한 역내 정치 안정 확보를 위하여 사우디등 부유산유국으로 하여금 더 많은 역할을 하도록 하여야 한다는 주장이 미 언론등에 제기되고 있음.

사. 미국 국내 정치에 미치는 영향

0 그간 미국에서는 민주당은 물론이고, 공화당 보수 세력에서는 탈 냉전에 따른 신 고립주의를 주장하고, 군사비 삭감을 주장해온바, 성공적인 걸프 정책 수행으로 의회를 중심으로한 정치권의 분위기가 반전하고 있는 것으로 관찰됨.

특히 금번 미국의 무력 개입이 성공적으로 종료될 경우, 예산, 조세 문제와 관련 어려운 입장에 있던 BUSH 대통령의 국내적 지위는 확고해 지고, 재선에도 매우 유리한 위치에 서게 될것임.

0 하원 군사위 위원장이 LES ASPIN 의원은 걸프 전쟁이 미.소가 같은 입장을 취한 최초의 전쟁임을 지적하면서 걸프 사태를 "미국의 국제적 위치를 결정하는 중요한 사건"(DEFINING MOMENT FOR AMERICA'S ROLE IN THE WORLD)으로 평가 하였고, 상원 군사위 위원장인 SAM NUNN 은 걸프 전쟁을 통해 그간 의혹이 대상이 되어온 정밀 무기들이 큰 성과를 거두게 되자 "이제 전쟁 수행 방식에 있어 신기원(A NEW ERA OF WARFARE) 이 열리게 되었다" 는 평가를 함.

0 그간 BUSH 대통령은(1) 조세문제, (2)예산 문제, (3)공화당 내분 문제등으로 정치적 어려움을 겪어왔고, 걸프 사태에 대한 BUSH 의 적극적 개입은 BUSH 대통령을 정치적으로 크게 성공시키든지, 아니면 파멸시킬 가능성(MAKE IT, OR BREAT IT)이 있는것으로 평가되어 온바, 개전후 현재까지 미국의 걸프만 개입은 미국민의 절대적 지지를 받아옴.

0 그러나 걸프 전쟁은 아직 개전 초기 단계이며 전쟁의 양상에 따라 BUSH 대통령에 대한 지지도, 미 의회 및 여론의 향배, 중동에 대한 미 행정부의 전략적 목표등이 얼마든지 변화될수 있는 상황이며, BUSH 대통령도 이러한 요소를 감안, 기회가 있을 때마다 지나친 낙관에 대한 경고를 하고 있음.

3. 아국의 외교적 대응책

9 가. 대이락 연합에 적극 참여

0 대이락 연합에 적극 참여하는것은 (1) 탈 냉전 시대 국제질서에 대한 위협을 응징하는다느 의미 이외에,(2) 가장 중요한 우방인 미국의 노력을 지원하고, (3)종전후 개편될 중동정치에 적극적으로 참여할수 있는 기회를 제공해 주며,(4)유엔 결의안 이행에 적극참여하고 있다는것은 아국의 유엔 가입 명분을 위해서도 도움이 될것임.

0 이락의 쿠웨이트 침공을 국제적인 단결을 통해 물리치는 것은 북한의 무모한 도발을 자제시키는 효과도 있을 것임.

0 향후, 미국 조야에는 미국의 전비 부담에 따른 예산 적자 확대(행정부- 의회간 적자상한선 합의의 재검토 필요), 중동복구 지원과 관련, 일본.독일등 부국과 아국에 대한 기여 요청이 크게 대두될 전망인바, 아국의 실리 확보와 관련,적극적 대응책 검토가 필요함.

0 국내 일각에서는 아국의 대이락 연합 참여를 대미 사대주의와 연결하여 이에 반대하고 있는바, 적극적인 대국민 홍보를 통하여 이러한 부정적 인식을 청산 하도록 함.

0 특히 아국의 대이랍 연합의 참여가 우리의 국력 신장에 따른 자주적 판단으로서 국제사회의 일원으로서 의무를 다하기 위한것임을 강조하는 것이 중요할것임.

다. 대미 홍보

0 미의회, 언론등은 걸프 사태를 미국의 가장 중요한 현안으로 취급, 우방국들의 대이락전에 대한 태도를 기준으로 그 국가를 평가하는 경향을 보이고 있는바, 이과정에서 일본, 독일을 "필요할때만의 친구(FAIR WEATHER ALLY)"라고 비난하고 있음.

0 미국 행정부, 의회, 언론, 학계등에 아국의 대이락 연합 참여 사실을 적극 홍보 함으로써 아국이 미국의 확고한 우방이라는 사실을 인식 시킴.

0 현재 한. 미간에는 (1)과소비 자제운동, (2) UR 등을둘러싸고 마찰이 있어 왔으며, 아국내에서와 마찬가지로 미국내에서도 (1)국제 정세 변화, (2) 아국의 경제적 변화등으로 한. 미 관계를 재검토하여야 한다는 일부 의견이 확산되고있으므로, 금번 걸프 전쟁을 계기로 한. 미 연대를 부각시키는 대미 홍보 노력이 더욱 필요한것으로 판단됨.

검 토 필 (1991. 6. 30.) [signature]

(대사 박동진-장관)

예고:91.12.31. 일반

PAGE 4

0082

관리번호 91-140

원 본

외 무 부

종 별 :

번 호 : UNW-0153 일 시 : 91 0121 2330

수 신 : 장관(국연,중근동,미북,기정)

발 신 : 주 유엔 대사

제 목 : 걸프사태전망 분석보고

대:WUN-113,91

대호 걸프사태 전망에관한 당관 분석을 아래보고함.

I. 전쟁전망

1. 당지 외교가를 비롯, 언론및 학계에서는 이라크가 자국외에 군사적.외교적으로 의지할수 있는 세력이 사실상 없다는점, 전력과 첨단 장비면에서 다국적군에 크게 뒤진다는점, 이라크의 전쟁수행능력에는 한계가 있다는 사실등을 감안할때 이라크에 대한 다국적군의 종국적 우세(군사적 의미)전망에 대하여는 의심하지 않고 있으나, 전쟁의 장단기 전망에 관하여는 최단기(수주내), 단기 (수개월내), 장기 (1 년이상) 등 다양한바, 당지 여론조사결과는 대부분 (70-80 프로) 1 년이내 전쟁종결을 전망함.

2. 상기 전망에 대한 근거는 각기 아래와같음.

가. 최단기 종료입장(수주내)

-이라크의 공군전력, 대공능력 및 통신 통제능력의 상당부분이 파괴되고 , 크게 우세한 다국적군의 전쟁수행능력에 압도되고 있다는 분석에 기초

나. 단기 전쟁론(수개월)

-이라크의 공군력이 대폭 약화되었으나, 여전히 스커드 미사일등 대공능력이 잔존하고 정예육군이 건재함.

-전쟁종식을 위해서는 다국적군의 지상군 투입이 불가피하나, 사상자수를 최소한으로 줄이기 위하여 다국적군측은 당분간 지상군 투입을 최대한 지연시키고자하는 전략(1.20 MEYER 중장), 정면 공격회피 전략(1.20 POWELL 합참의장) 견지

-그러나 일단 지상군 투입결정시, 해.공군 지원하에 이라크 육군 무력화 가능 판단

다. 장기 전쟁론(1 년이상)

국기국	장관	차관	1차보	2차보	미주국	중아국	청와대	총리실
안기부	동자부							

PAGE 1 91.01.22 17:10

외신 2과 통제관 DO

0083

-월남전시 미국이 압도적 공군화력에 따른 공중포격 및 지상군 부입으로도 승리하지 못한점, 후세인으로서는 당초부터 다국적군에 대한 승리가 목적이 아니라 소모전(버티기 작전) 을 통해 다국적군의 사상자 증대 및 이에따른 미국내 여론 악화와 다국적군 단결 약화를 노린점.

-이스라엘의 전쟁 개입시 장기화가 불가피한바, 동 가능성을 배제못함.

-1.20 후세인의 라디오 연설시 모든 가능한 수단을 써서 대규모 공격감행 언급및 다국적군의 수주내 전쟁종식 희망에 경고한 점등

-전쟁이 장기화될 경우 , 뚜렷한 승패없이 외교적으로 타결될 가능성 배제할수 없음.

II. 전후 중동정세 전망

1. 정치정세 전망

0. 개전초기 단계인 현시점에서 전쟁 종료까지 전쟁기간, 전쟁양상등의 가변요인이 적지 않으나, 전후 중동지역의 전체적 세력균형에 단기적 으로 큰 변화는 없을 것으로 예상됨.

-다국적군의 승리로 끝날경우, 미국의 이지역에 대한 영향력은 크게 증대될것임.

-이라크의 주변국가에 대한 침략위협은 일단 감소될것이나, 시리아 또는 이란의 위협가능성에 대비, 이라크 군사력을완전 무력화 시키지는 않을것이며, 이지역 세력균형 유지상 어느정도의 힘은 유지시킬 것으로 보임.

-쿠웨이트의 주권회복 및 구 왕정체제가 복구될것이나, 왕정 체제의 원활한 지속여부는 미지수임.

-중동지역의 새로운 세력균형 재편의 일환으로 사우디아라비아, 에집트등 온건 아랍권의 역할 증대가 기대되고, 이들의 미국등 서방진영에 대한 경사가 가속화될것으로 보임.

-이미 레바논 사태에서 보듯이 시리아의 세력신장이 눈에 뜨이며, 이란 또한 이지역에서의 역할 강화노력 증대가 예상됨.

-에집트를 비롯한 온건 아랍국가와 시리아, 리비아를 중심으로한 강경 아랍주의 국가간의 대립이 더욱 조장될 것으로 보이며, 일부 국가들의 반미감정의 고조가 또한 예상됨.

0. 팔레스타인 문제해결을 위한 유엔의 역할 강화가 기대되며, 유엔주재 중동평화 국제회의 소집가능성이 커질 것이나, 이에는 상당한 시일이 걸릴 것으로 예상됨.

PAGE 2

0084

후세인의 쿠웨이트 침공으로 팔레스타인 문제의 해결이 촉구되고 있으나, 팔레스타인의 이라크 협력으로 오히려 중동평화의 항구적 해결 전망은 불투명해지고 있음.

0. 전후처리 방안으로서 다국적군의 파견문제가 대두될것이며 , 이에는 첫째 유엔주도의 다국적군, 둘째 아랍군으로 구성된 평화유지군 파견등이 거론될것으로 보임.

0. 전후, 미.아랍간의 화합노력의 일환으로 이라크, 쿠웨이트에 대한 전후 복구 계획이 거론될 것이며, 서구, 일본등 중동 산유 의존도가 큰 경제 부국등의 적극적 참여가 있을것으로 보임.

2. 유가전망

이하는 UNW-0154 로 계속됨.

검 토 필(1991.6.30.)

관리 번호	

원 본

외 무 부

종 별 :

번 호 : UNW-0154 일 시 : 91 0121 2400

수 신 : 장관(국연,중근동,미북,기정)

발 신 : 주 유엔 대사

제 목 : 걸프사태 전망분석보고(UNW-0153 의 계속분)

2. 유가전망

지난 8 월 이라크의 침공이후 각국이 꾸준히 비축해온 유류가 현재 상당량에 이르고 있으며, 사우디의 원유 증산량이 이라크, 쿠웨이트 생산량을 어느정도 보충하고 있을뿐만 아니라, 현재까지의 전쟁양상을 고려할때 사우디의 주요 유전 및 시설이 이라크의 공격으로 부터 비교적 안전하다는것이 입증됨에 따라, 이라크의 쿠웨이트 유전파괴등 돌발사태가 발생하지 않는한 유가의 급속한 상승은 당분간 없을 것으로 예측됨.(1.18 자 W.S.J)

III. 외교적 대응책

1. 아국 병력 파견문제

0. 걸프전이 장기화될경우, 아국 전투병력의 파견 요청문제가 본격적으로 거론될 것으로 예상되며, 파견여부 검토시에는 유엔을 통한 집단적 평화유지 노력에 동참한다는 측면, 미국과의 안보협력관계등 한반도의 안보태세, 일본등 주변국의 참여동향, 전후복구사업 참여및 기타 중동국가와의 전반적 관계등 제반사항과 국내여론등을 고려, 면밀히 검토

2. 군 의료지원단 파견 후속조치

0. 유엔을 통한 집단적 평화유지 노력에 동참한다는 차원에서의 조치임을 유엔 안보리 의장(사본:사무총장)앞 통보등을 통해 적절히 활용함.

3. 중동제국과의 유대강화 문제

0. 사우디, 쿠웨이트, 아랍에미리트, 오만, 카타르, 바레인등 온건아랍 국가에 대한 제반 협력강화

0. 전후 복구사업 대비책 강구

0. 미수교국인 시리아에 대한 중점지원, 수교실현 촉진

국기국 장관 차관 1차보 2차보 미주국 중아국 청와대 총리실
안기부 동자부

PAGE 1 91.01.22 17:12 0086
외신 2과 통제관 DO

4. 대미관계

한. 미 협력관계, 특히 안보협력체제를 일층 강화하는 계기로 활용토록함.

0. 걸프사태관련 아국의 기여도를 적절히 홍보, 통상문제등 대한여론 개선유도

5. 대 유엔활동 강화

0. 걸프전 종결시 유엔평화 유지군 또는 휴전 감시단 파견등 유엔의 역할이 제고될 것에 대비, 아국의 유엔평화 유지군 활동 지원여부 및 기여 방안등 검토, 유엔활동 강화

0. 걸프전의 장기화시 아국의 유엔가입 실현이 천연될 가능성이 없지 않음에 비추어, 안보리 상임이사국등과의 협의 계속으로 관심도 유지및 아국의 유엔을 통한 집단안보 조치 동참노력을 적절히 홍보, 아국의 가입 당위성을 주지시키는 외교적 노력경주

6. 대 북한 견제

0. 아국의 안보태세를 교란하기 위한 각종 책동 대비

0. 아국의 다국적군 지원등에 대한 북한의 왜곡된 선전 봉쇄

0. 북한의 도발가능성에 대한 대국민 홍보강화(북한의 스커드 미사일 보유 사실등). 끝

(대사 현홍주-장관)

예고:91.12.31. 일반

검 토 필(1991 . 6 . 30)	[signature]

PAGE 2

0087

관리번호 91/1646

원 본

외 무 부

종 별 : 지 급

번 호 : JAW-0323 일 시 : 91 0122 2139

수 신 : 장관(중근동,미북,아일)

발 신 : 주 일 대사(일정)

제 목 : 걸프사태 전망 분석

대 : WJA-0274

대호 관련, 금 1.22 현재 당관이 주재국 외무성, 언론계 및 학계등과의 접촉 또는 걸프전쟁 관련 기사등을 통하여 관찰한 내용을 하기 보고함.

1. 전쟁 전망

0 다국적군의 압도적 군사력우위에도 불구, 이라크의 이스라엘 및 사우디에 대한 미사일 공격등 일부 전쟁장기화의 조짐도 보이고 있다는 견해가 있지만, 지금부터 2 월 중순까지에 걸쳐 다국적군의 작전과 이라크의 전쟁인내력 및 경제적 여력을 지켜본후 장, 단기 전망이 가능할 것이라는 것이 일반적인 견해임.

- 미국으로서는 3 월 상순까지는 전투의 양상을 분명히 결정지어 놓으려 할것이며, 늦어도 최소 6 월 이전까지 대체로 마무리를 지어야 한다는 생각을 하고 있는것으로 봄. 즉 6 월에 접어들면서까지 장기전을 계속해서는 안된다는 생각인것으로 관찰함.

- 이는 3.16-4.15 간이 이스람교의 라마단 기간일뿐만 아니라, 2 월하순 부터는 사막의 기온이 더욱 상승, 다국적군의 건강유지에 불리하고, 미국등 서방국내에도 서서히 반전 여론이 대두할 것이라는 판단이 근거가 되고 있음. 특히 6 월 중순부터는 하지순례가 시작되어 아랍 및 세계 각국의 이슬람교도들이 성지 메카를 방문하기 때문에 이 기간에의 전쟁은 종교적으로 큰 반발을 야기, 전쟁수행이 어려울 것이라는 관측이 많음.

- 따라서 후세인 이라크 대통령으로서는 3 월 금식기간 이후 6 월 성지순례까지 가능한한 전쟁을 지구전으로 유도해 나간다는 책략을 가지고 있는 것으로 관측됨.

0 전쟁의 종국적 전망관련, 이라크의 저항이 예상이상 이라는 견해도 있으나, 결국 이라크 후세인 정권의 패배(항복), 또는 내부적 붕괴는 필연적이라는 견해가 지배적

- 후세인 정권이 그대로 존재한 채 전쟁이 수습될 가능성은 생각할수 없다는

중아국 장관 차관 1차보 2차보 아주국 미주국 청와대 안기부

PAGE 1 91.01.22 23:31 0088

외신 2과 통제관 CF

견해임. 미국 및 아랍 온건국가들의 표면상 목표는 쿠웨이트 해방이지만 본심은 중장기적인 위협의 근원인 후세인 체제의 타도에 중점을 두고있다고 보고있음.

- 이라크 내부정세에 관한 정보가 완전 차단되어 있어 정권내부의 움직임을 관찰하기 어렵지만, 전쟁에 대한 불만증대 속에서도 국민에게 희생을 강요할수있다는 것은 후세인을 중심으로한 정권내부의 쿠데타등에 의한 정권내 요인 보다는 북부 쿠르드족등 지방의 반 바그다드 세력의 움직임이 더 주목된다고 관찰함.

0 정권등 외교적 조정노력 관련, 전황이 결정적인 단계에서 미-이라크의 대화 개시등에 관한 전망도 있으나, 후세인 존재하에서의 미국의 대이라크 대화는 어렵다는 관측이며, 쏘련, 프랑스 및 아랍세계도 각자의 국내외적 여건에 비추어 다시 외교적 중재노력에 나서기는 어려운 것으로 봄.

0 이스라엘의 개입으로 인한 전쟁의 확전 또는 장기화 가능성은 일단 적으며, 이스라엘의 대이라크 공격이 있더라도 이라크가 활로를 찾을 가능성은 적다고 봄.

- 현재 미사일 공격에대해 이스라엘이 극도로 자제하고 있고, 시리아등도 이스라엘이 제한된 보복을 한다면 어느정도 감내할 것으로 관찰함.

2. 전후 중동정세 변화

0 이라크의 종국적 패배를 전제로 하여, 아랍 전체적으로는 온건 아랍국가들이 득세하고, 미국등 서방국의 정리력이 증대, 이들 국가들을 중심으로 한 질서 재편의 가능성이 큰것으로 봄.

- 그러나, 아랍 각 개별국가의 국내적 상황은 더욱 복잡해질 가능성도 있는 것으로 봄. 즉, 일부국가의 경우 복고적 왕정에 대한 반발, 아랍 온건파 및 강경파간의 알력증대로 내부적 상황이 더욱 혼미해질 가능성도 많다고 봄.

- 한편, 이라크의 패배가 결정되는 단계에 접어들면 미, 유럽, 아랍국가들간에 전후의 주도권을 의식한 움직임이 표면화 될 가능성도 많은것으로 봄.

0 전후 아랍세계의 질서재편과정에서 이스라엘과 팔레스타인 문제를 중장기적으로 정리하기 위한 중동평화 국제회의의 개최전망은 전쟁이전에 비해 훨씬 그 가능성이 큰것으로 봄.

- 이경우, 이스라엘의 안전보장 및 팔레스타인 문제해결의 접근방법이 우선적 관심사가 될 것이나, 단기적 결착은 어려울것으로 봄.

0 중동평화 국제회의와 함께 또는 별도로, 사우디등 아랍 온건국가를 중심으로(이스라엘 제외) 개별국가의 군사적 균형을 기초로 하고 미국이 개입된 집단

안전보장 구상이 대두할 가능성도 있는 것으로 봄.

- 이경우, 이란이 이런 구상에 참가하기는 어려울것으로 보나, 이에대한 이란의 태도가 중요한 것으로 보며, 이런 측면에서 전후 미국-이란 관계의 발전 추이가 또한 주목되는 하나의 요소로 봄.

3. 외교적 대응책에 관한 참고의견

가. 외교적 측면

0 쏘련, 동구권 정세의 변화에 따라 아랍세계에 대한 쏘련 영향력이 감퇴하고 있고, 전쟁 패배에 따른 이라크 후세인 정권의 몰락등을 상정할 경우, 전후 아랍질서는 미국등 서방과 온건파 아랍국가의 발언력 증대를 예상.

0 따라서, 아국도 전쟁수행과정 및 전후처리 과정에서 아랍의 각 개별국가의 국내상황에도 유의하면서, 금번 걸프전후 상기 새로운 질서재편 추세 가능성도 감안하는 정책검토가 바람직.

0 참고로, 일본의 경우 전쟁 발발이전부터 계속 일관되게 미국을 중심으로 한 다국적군의 무력행사를 전면적으로 지지하고 다국적군 승리의 필요성을 강조하고 있음. 아국의 경우에도 다국적군의 금번 무력행사를 지지하고 있지만, 미국등 전투참가 주요국가에 가능한한 이러한 지지입장을 확실히, 그리고 적시에 자주 표명해 두는 것이 전후 아랍외교에 도움이 될수도 있을것으로 보며, 국내적 충격을 최소화하면서 다국적군을 가능한 최대 지원한는 것이 바람직한 것으로 사료됨.

나. 경제적 측면

0 향후 수개월 전쟁이 계속되고 사우디의 석유수출이 영향을 받을경우, 현재 하락추세에 있는 원유가격이 상승할 것이라는 관측도 많은바, 원유도입선의 점진적 다변화를 포함한 석유 비축량의 안정적 확보를 위한 노력이 긴요.

0 전쟁이 지속될 경우, 전비소요등으로 인한 미국의 경기악화가 예상 되는바, 이에 따른 아국의 수출감소 대응책 및 중동지역 진출 주력업종에 미치는 영향 검토 및 대책 수립

- 대 구주 수출항로인 수에즈운하 통항시의 애로 및 운송 COST 상승에 대비한 국내대책 수립도 필요. 끝

(대사 이원경-장관)

예고:91.6.30. 일반

PAGE 3

0090

관리번호	91/1643

원 본

외 무 부

종 별 : 지 급

번 호 : NDW-0138 일 시 : 91 0122 1930

수 신 : 장관

발 신 : 주 인도 대사

제 목 : 걸프사태 전망 분석 보고

대:WND-0072

대호관련, 당관 의견을 아래와 같이 보고드립니다.

1. 걸프전 전망

가. 걸프전에 임하는 미국및 연합국측(편의상 "미측"이라 칭함)의 전략 평가

0 목표

-쿠웨이트 수복과 그를 통한 이락의 군사적.정치적 무력화

0 초기단계 군사전략

-희생을 최소화하기 위해 지상군 투입을 가능한 한 유보하면서 공중폭격에 주력

. 상당한 전과를 거두었으나 이락측에 결정적 타격을 주지는 못한 것으로 평가

0 제 2 단계 군사전략

-상기목표 달성을 위해서는 향후 수주내 쿠웨이트지역에 대한 지상군 투입 불가피 예상

. 지상군 투입후의 전황이 금번전쟁의 향배 좌우 예상

0 이스라엘은 이락측의 화학무기등에 의한 공격같은 것이 없을 경우 참전가능성 희박

나. 걸프전 결과 전망

0 소요기간

-지상군 투입시 몇주내로 끝내기는 어려우며, 최소 1 달이상 소요전망

-미국내 여론, 중동지역의 기후등 제반요인 감안시, 미측은 늦어도 3 월까지는 종결노력 예상

0 결과

-상금 불확실한 변수 많으나, 이락측의 지연작전에도 불구하고 미측이 상당한

중아국 장관 차관 1차보 2차보 아주국 청와대 안기부

PAGE 1

91.01.23 00:33 0091

외신 2과 통제관 CF

희생을 치루어서라도 결국 쿠웨이트를 수복케 될 것으로 판단

. 미측의 우세한 군사력및 쿠웨이트의 지형적 요인 감안시, 제 2 의 베트남화는 불가능

-미측은 군사적 목표를 쿠웨이트 수복으로 한정하고, 수복성취와 동시에 그를 바탕으로 하여 전쟁을 종결짓기 위한 대이락 정치.외교공세를 강화케 될 것으로 예상(미측이 쿠웨이트를 수복하는 단계에서 세계적으로 전쟁종결 요망여론도 비등 예상)

2. 걸프전 종결후 예상되는 중동정세 변화

가. 세계정세

0 걸프전이 미측 의도대로 종결될 경우, 신데탕트시대의 미국의 지도력 강화및 미국이 당분간 세계경찰로서의 역할수행 예상

-소련은 당분간 국내우선정책으로 미국의 여사한 역할에 최소한 협조 불가피

0 미.쏘간 협조추세에 따라 국제분쟁 해결에 있어 유엔의 역할증대 예상

-명분제공을 위한 단순한 결의채택에서 나아가서 유엔군 구성필요성 논의 대두 가능

나. 중동정세

0 걸프전 종결결과와 관계없이 중동지역정세는 더욱 유동화 예상

-중동지역내 각종 갈등구조(종교, 인종, 종파, 이념) 가운데서도 왕정주의(친서방) 대 아랍민족주의(반서방)간의 대립첨예화 예상

-왕정국가내 내부변화의 압력이 커질 것이며, 그경우 왕정국가와 서방진영의 결속이완 가능성(장기적으로 볼 때 왕정체제의 점진적 붕괴현상 예상)

-역내 역학관계의 복잡, 다극화로 새로운 역내질서 수립 까지에는 상당기간 소요 예상

. 전쟁에 패배하더라도 후세인은 아랍민족주의의 상징으로 남게 될 가능성 농후

. 여타 아랍국가의 상당한 비판이 있을수 있으나 서방진영과의 접촉창구로서의 이집트의 역할증대 예상

3. 아국의 대응책에 관한 의견및 건의

가. 남북한관계 관련 고려사항

0 걸프전이 군사, 외교, 정치면에서 한반도에 미칠 영향 분석및 대응

-유엔가입 적극 추진

PAGE 2

0092

. 유엔역할의 증대전망및 유엔회원국으로서의 안보보호 강화필요성을 감안, 유엔가입을 보다 적극적으로 추진

-남북대화

. 걸프전이 미측에 유리하게 종결될 경우, 북한의 대남전략에도 영향 예상(아측의 확고한 안보체제를 북한에 인식시킴)

. 남북한 회담에 인내심을 갖고 응하되, 북한의 태도변화 여부를 주시, 냉정한 대처 필요

나. 대미측 협조배경과 범위에 관한 확고한 인식 정립

0 미측에 협조하되 전투력보다는 비전투력및 경제분야에서의 협조입장 견지(현재의 정부방침은 1)걸프사태 발생원인에 관한 평가, 2)아국의 대미 관계및 대 중동 관계를 비교한 이해관계, 3)동사태에 관한 아국국민의 CONSENSUS 등으로보아 타당)

0 여타분야에서도 대미국 관계 우호강화를 위한 노력 배가(안보, 경제통상분야 각종문제의 우호적 해결노력 강화)

다. 대국민 계몽및 홍보

0 정부정책의 정당성에 다한 국민적 이해의 폭 확대를 위한 홍보 적극화 필요

-특히 대미 관계의 중요성과 아국의 국가이익에 기초한 대중동정책에 대한 올바른 인식 고취

라. 제 3 세계와의 유대강화

0 팔레스타인문제에 적극적 역할 모색

-걸프전이 어떠한 형태로 종결되던간에 종결후 팔레스타인문제의 해결노력 대두 필지

-아랍국가와의 연대강조를 위해 팔레스타인문제의 해결을 위한 아국 나름대로의 노력 필요

. 유엔결의 이행및 팔레스타인문제 해결의 필요성에 대한 대미국 설득노력 참여 및 적절한 홍보 검토

0 제 3 세계와의 실질관계 강화수단으로서 경제협력을 보다 적극적으로 추진

-필요성에 대한 대국민 홍보 병행

마. 원유수입선 다변화, 해외유전개발 적극 참여및 대체에너지 개발 강화

(대사 김태지-장관)

예고:91.6.30. 일반

1991.6.30.에 예고문에 의거 일반문서로 재분류됨

관리번호	91/1645

원 본

외 무 부

종 별 : 지 급

번 호 : FRW-0205 일 시 : 91 0122 1820

수 신 : 장관(중근동,구일,미북,정일)

발 신 : 주 불 대사

제 목 : 걸프전 분석,전망

연:FRW-0181

대:WFR-0109

작금의 전황에 관한 주재국 정부, 학계, 언론계의 분석, 전망을 기초로 관측한 표제건에 관한 당관 의견을 하기 보고함.(상황 변동시 수시추보 예정)

1. 전쟁 전망

가. 군사적 측면

-미군을 주축으로 한 다국적군은 초기 대량공폭으로 전세를 장악, 이락측의예기를 꺽은후 쿠웨이트 상륙탈환등 지상전으로 조기에 전쟁을 승리로 종결한다는 것이었으나, 이.이전등을 통해 비상대응 전략을 위시 전반적인 전시체제에 익숙해진 이락은, 초기 공중전은 불가항력임을 판단, 수동적인 방어와 피해 극소화 전략으로 대처하는 동시에 심리전으로 아랍 민족주의에 호소하는 한편, 이스라엘의 참전을 유도, 전쟁을 아랍대 이스라엘간의 성전으로 전환시키고자 부심하고 있음으로, 양상이 혼미한 국면으로 접어듬.

-다국적군은 금 1.22. 현재 8,000 여회에 달하는 이락 군사시설 집중공폭이기대효과에 미흡함을 인식, 이락의 정예병인 "공화국 수호대" 150,000 명이 위치한 북부지역 및 쿠웨이트와 후방의 차단을 위한 BASSORA 지역등에 대한 집중공격으로 이락의 지상군을 약화시킨다는 전략으로 전환할 것으로 보이며, 지상군 진입시기도 상기 새로운 작전의 진전에 따라 결정될 것으로 보임.

-현재 이스라엘의 참전이 없는 상황에서 볼때, 다국적군의 지상작전 착수시기를 2 월초로 본다면 동 지상전은 3 주일 내지 1 개월 정도 소요될 것이며, 이스라엘의 참전 경우에는 다국적군과 이락측의 정규전외에, 각 아랍국 의용군 중심의 이락지원 참전까지 가세하면 사태는 장기화 될것으로 보임.

중아국 장관 차관 1차보 2차보 미주국 구주국 정문국 청와대
총리실 안기부 국방부

PAGE 1 91.01.23 03:38

외신 2과 통제관 CA 0094

-단, 최악의 경우, 고온기후와 라마단이 시작되는 3 월전까지 전부를 종결시키고자 미국이 핵무기를 위시한 최신예 무기를 사용, 엄청난 인명을 살상케 되면, 승전후 커다란 부담을 지게될 것이므로 전쟁은 재래식무기 중심으로 수행할 수 밖에 없을 것으로 보임.

나. 정치적 고려요인

-미국

0 미국의 개전목표는

1)동.서 냉전종식과 소련의 약화후 생성되는 다극화 현상에 대한 미국의 국제적 단일 지도력 확보

2)경제부흥

3)이락의 핵무장 가능성에 대비한 이스라엘 선제 보호

4)GULF 지역내 장기적인 군사기지 확보등이므로, 전쟁은 필승을 거두어야 하는 입장임.

0 미국, 영국을 제외한 대다수 서구국, 일본및 신흥공업국은 상기 미국 의도와는 달리 평화적 협상에 의한 해결을 내심 기대했으나, 미.이락 양측 모두 전쟁에 관한 확고한 결의를 후퇴치 않고 개전을 강행하였으므로 양측은 승, 패 양단간 모두 물러서기 어려운 상황이 되었음.

-이락

090.8.2. 쿠웨이트 강점 당시 국제적으로 용인되는 명분이 없었으나, 수일후 성전선포등 아랍인의 맹목적인 종교열을 고조시켜 대다수 아랍국민(지도층 제외)의 지지와, 이란의 중립확보라는 수확을 얻었음.

0 대 다국적군과의 전쟁서 승리할 가능성이 없음을 인식하고 있으나, 반제,반시오니즘 투쟁으로 아랍권내에서 신화적인 위치로 남을수 있다는 계산에서 최후까지 응전할 것으로 보임.

0 이스라엘 참전시, 현재 70 프로 이상의 팔레스타인 인구로 구성된 요르단은 체제동요가 예상되며, 이락은 요르단을 침략치 않아도 동국의 대응으로, 대 이스라엘 일전을 위한 기지를 구축할 수 있는 가능성도 배제할수 없음.

0 또한 미국과 서방은 원유자원이 있는 이락을 초토화 시키지는 않고, 군사력만을 약화시킨후, 전후 예상되는 신 회교강국(이란, 시리아등)과의 균형을 이루도록 할것으로 보임.

-이란

0 동국 외상의 1.21. 부인에 불구, 이스라엘 참전시는 최소한 의용군 형태의 군대를 파견, 이락을 지원할 것이 예상됨. 이는 참전이 갖어올 전후의 이득(비아랍 회교국으로서 회교권의 지도적 위치 확보와, 중근동의 새로운 강자로 등장)을 위한 예비작업의 성격을 띌것임.

-시리아

0 서방측 합류의 목적이,1)이락의 아랍권 맹주화 견제,2)이에 대한 댓가로 레바논 분할 및 3)이스라엘로 부터의 골란고원 반환 유도등으로 분석됨.

0 그러나 만약 이스라엘 참전시에도 계속 다국적군에 잔류할 경우, 국내적으로 아사드 대통령의 위치는 도전을 받게 될것임.

-기타 아랍권

0 성지를 이교도군의 기지로 제공한 사우디 및 석유의 부를 특권층이 독점한 주변 토후국(오만, 카탈, UAE 등) 및 왕정체제(사우디, 모로코, 요르단)에 대한 아랍인 대다수의 불만은 고조되어, 명분없는 침략을 감행한 이락에 정당성을 부여하는 결과가 되었음.

0 사우디의 수원국이며 이락의 아랍권 맹주기도를 견제해온 애급과, 서방이적대시해온 시리아가 이락만을 견제 목적으로 다국적군에 참여한것은 고질적인아랍권 분열의 일면을 들어낸 것임.

0 북아프리카(리비아, 알제리, 뛰니지, 모리타니아, 수단) 회교국 모두 이락을 지지하며, 모로코도 국왕등 지도층을 제외, 국민은 심정적으로 SADDAM HUSSEIN 에 동조한다 함.

이하 "-이스라엘" 부터 FRW-206 PART II 로 계속됨.

PAGE 3

0096

관리번호	91/1644

원 본

외 무 부

종 별 : 지 급

번 호 : FRW-0206 일 시 : 91 0122 1820

수 신 : 장관(중근동,구일,미북,정일)

발 신 : 주 불 대사

제 목 : FRW-0205 호의 PART II

-이스라엘

0 이락을 서방과 대결케하여 패망시키는 한편 아랍권을 최대한 분열시킨다는 기본 목표는 달성하였으나, 이락의 도발에 대한 응징으로 참전할 경우, 사태는 세계대전으로 확대될 것을 의식, 미국과 긴밀히 협의, 참전의 정당성이 국제적으로 인정되는 시점까지 LOW-PROFILE 을 유지할 것으로 보임.

다. 경제적 측면

-현재는 초기단계의 전황을 반영, 국제금융및 1 차 산품시장이 CONFIDENT REACTION 을 보이고 있으나, 향후 지상전이 개시되어 이락측이 호각세를 이루게 되거나 또는 이스라엘 참전으로 인한 대전으로의 확대가 있을 경우, 국제경제는 불안한 양상을 보일것임.

-유가의 경우, 지난 6 개월간 이락, 쿠웨이트산 원유의 공급없이 이를 극복하였으며, 또한 향후 이락의 사우디유전 전파 가능성이 거의없고 걸프만 유조선 통행이 크게 영향을 받지 않을 것으로 보이므로 약 20 불 선에서 유가가 당분간 유지될것임.(원유 전문가에 의하면 오히려 전후 유가가 15 불 이하가 될 경우는 OPEC 체제의 붕괴와 미국 석유카르텔에 의한 가격지배, 조정 가능성에 대해 우려를 표함)

-단기전의 경우, 미래에 대한 불확실성이 없어짐에 따라 기업투자 회복등 경기부양의 조짐이 나타날 것이며, 달러가치는 하락세가 예상됨.

-종래 전쟁발발 경우,1 차 산품가격의 폭등현상을 야기시켰으나, 금번 GULF전의 경우는 전쟁물자인 비철금속(동, 납) 가격이 안정세를 보이는등 반대상황이 일어나고 있으며, 오히려 보험료 증액에 따른 수송비 앙등이 우려요인으로 인식되고 있음.

-최근 G-7 회의시 일본, 독일등이 90 억불 정도를 추가 지원키로 합의하였다 하나, 장기전의 경우,1 일 전비 5-10 억불 소요를 감안하면 이에대한 부담은 속수무책일

중아국 장관 차관 1차보 2차보 미주국 구주국 정문국 청와대
총리실 안기부 국방부

PAGE 1 91.01.23 03:56 0097

외신 2과 통제관 CA

것이며, 미국의 재정적자(현 250 억불) 및 주요 선진국의 경기침체는악화될 것임.

-아울러 동구권의 시장경제 지향 및 개도국의 외채상환 노력에도 상당한 부담이 가해질 것임.

2. 전후 정세 전망

가. 미국

-인류 3 대 문명권이며 지구상 인구 3 분의 1 선을 점하는 회교도 및 아랍권과의 적대관계가 불가피하므로, 이에따른 국제테러의 표적이될 가능성이 많음.

나.EC 및 서구

-영국을 제외한 불.독 대륙측은 기확정한 수순대로 단일시장 발족등 EC 확대에 박차를 가하는 동시에, NATO 의 기능과 구조개편도 주장하여 종속관계가 아닌 대등한 대미관계를 설정코자 노력할 것임.

다. 중동

-이란, 시리아등 중동의 신 강자와 이스라엘의 새로운 대결이 예상되며, 각국은 아랍 민족주의 재현으로 회교 원리주의 운동은 가속화되고 서방과의 이질감을 증폭될 것임.

-미국의 GULF 지역 장기주둔 여부에 관계없이 대부분의 구체제(사우디등 군주, 토후국 및 요르단, 모로코등)는 서서히 붕괴될 것으로 보며, 회교 교조주의자들의 정권장악으로 반미, 반 시오니즘 부쟁도 가열화 될것으로 보임.

3. 아국의 대응책 및 건의사항

-아국의 경제발전은 월남전을 시발로, 본격적인 국제화는 70 년대 중동진출이 커다란 전기가 되었으며, 전쟁이 종결되어도 중동은 원유등 자원부국의 위치는 견지할 것이므로, 전후 복구사업등 아국의 참여여지는 매우 클것으로, 정치적으로도 아랍권과의 유대관계 유지는 아국의 대외관계 균형발전과 다변화 원칙에 부합함.

-따라서 아국은 대미관계의 특수성에 불구, 현 걸프전에 대해 인도적인 면에서 국제적으로 납득이 가는 의료단 파견등 현 수준을 넘지 않는것이 좋을것으로 사료됨. 끝.

(대사 노영찬-장관)

예고:91.12.31. 일반

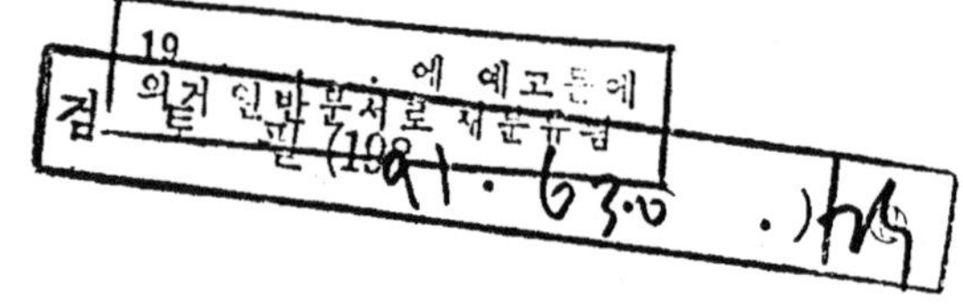

PAGE 2

0098

관리번호	91/2076

원 본

외 무 부

종 별 : 지 급

번 호 : CAW-0106 일 시 : 91 0122 2200

수 신 : 장관(대책반,마그)

발 신 : 주 카이로 총영사

제 목 : 걸프사태 전망분석보고

대:WCA-0069, WMEM-0007

1. 전쟁전망

가. 단기전 예상

금번 전쟁의 단기 또는 장기여부는 전적으로 전쟁 SCENARIO 에따라 다를수 있는바, 현재로서는 아래 이유및 시나리오에 근거단기설이 우세한 것으로 보임.

1) 군사적인 이유

가) 제 1 단계: 주요군사시설에 대한 공중폭격 성공

. 91.1.16. 전쟁개시 이후 다국적 연합공군은 B52 및 최신 전무기등으로 군용비행장, 대공 방위시설, 미사일기지, 핵 무기및 화학무기 시설, 생화학 무기시설및 REPUBLICAN GUARDS 등 이락및 쿠웨이트내 주요군사시설의 약 80% 를 성공적으로 파괴, 제공권을 장악 하므로 이락군의 전쟁수행 능력에 막대한 손실을 가져왔음.

. 군사 지휘체계의 기능마비

연합공군은 이락의 군사지휘체계(COMMAND AND CONTROL CENTER)에 대한 막대한 손상을 입히므로서 후세인 대통령의 전방군부대에 대한 지휘통제 능력이 현저히 감소되어 전쟁수행에 어려움이 있음.

. 보급로에 대한 손상

연합공군은 쿠웨이트내 이락군에 대한 보급로에 중대한 손해를 입힘으로써 이락군은 군수물자및 식량보급에 막대한 차질을 초래하고 있으며, 특히 식량보급불충분으로 군대의 사기가 현저히 저하되고 있다함.

나) 제 2 단계: 군대집결지에 대한 공격

중요 군사시설에대한 제 1 단계 공중공격은 91.1 월말까지 계속될 것으로 전망되고 있으며, 제 1 단계 공경격이 끝나고 제 2 단계 군대집결 지역에대한 공중공격이

대책반	장관	차관	1차보	중아국	청와대	총리실	안기부	국방부

PAGE 1 91.01.23 06:12

외신 2과 통제관 CA

0099

개시되면 이락군대에 치명적인 손상을 입힐것이며, 이경우 이락군은 항복또는 붕괴할 것이라고 보는견해

다) 제 3 단계: 육상전

제 2 단계 공격이 시나리오대로 진행될 경우 제 3 단계의 육전은 BLOODY 하지 않을 것이라고 보는 견해

2) 정치, 외교적 이유

가) 미국의회 및 국민들의 절대적인 지지

전쟁 발발후 미국의회는 참전 결의안 채택시와는 만장일치로 BUSH 대통령의전쟁 수행을 지지하는 결의안을 채택했으며 여론조사결과 절대다수의 미국국민들도 미국의 전쟁수행을 지지하고 있음.

나) 세계적인 지지획득

28 개 다국적 참여국은 물론 주재국을 위시 절대다수의 국가가 동전쟁을 지지하고 있음.

다) 다국적 참여국의 단결공고

쿠웨이트 해방시 까지의 전투다짐등 28 개 다국적 참여국의 결속이 공고

라) 이락의 이스라엘 전쟁개입 유도 실패

2 차에 걸친 이락의 대 이스라엘 미사일 공격에도 불구하고 PARTRIOT 미사일 지원등 미국의 이스라엘전쟁 불개입 노력의 주효와 이스라엘의 자제로 이락이의도했던 이스라엘의 전쟁개입 가능성이 현저히 감소된점.

마) 이슬람 극단주의(ISLAMI FUNDAMENTALISM) 운동 붕기 실패

일부 이슬람 국가내에서의 전쟁반대 시위에도 불구하고 후세인 대통령은 이슬람 국가내의 이슬람 과격주의자들을 부추겨 다국적 연합군의 대이락 전쟁반대 운동을 대대적으로 전개하는데 실패했으며 또한 아랍국민에게 촉구한 소위 성전참여 촉구도 실패로 돌아감.

CAW-0107 로 계속됨.

관리번호 91/1075

원 본

외 무 부

종 별 : 지 급

번 호 : CAW-0107　　　　일 시 : 91 0122 2205

수 신 : 장관(대책반,마그)

발 신 : 주 카이로 총영사

제 목 : CAW-0106 의 계속분

3) 경제적인 유유

. 미국측

90.8.2-90.12 월말까지 미국이 부담한 군사비용(사우디, 쿠웨이트, 일본및 아국측이 지불한 비용제외)만 약 12 억불에 달하며, 1.17 전쟁 발발후 1 일 전비는 약 5 억 내지 10 억불 인바, 전쟁이 3 개월 계속되면 최소 약 450 억불이 소요될 계산이므로 미국측으로서도 인명 피해를 줄일수 있는한 가능한 조기에 전쟁 종결을 원하고 있음.

. 이락측

UN 에의한 경제봉쇄 조치의 계속으로 추가 군수물자를 외부에서 구할 수 없을 뿐 아니라, 이미 국가예산의 절반이상을 군비축적에 사용한 이락으로서는 장기간 전비를 충당할 수 없을 것으로 보임.

4) 관측

상기 시나리오를 종합하면, 다국적 연합군은 1 개월 내지 2 개월내에 이락군을 쿠웨이트에서 몰아낼 수 있을 것으로 보고 있음.

나. 장기전 예상

그러나 상기 단기전 시나리오에 반하여, 다국적 연합군이 전쟁초기에 육전에서 이락군을 제압하지 못하고 이락군의 공격이 집요할 경우, 연합군의 단결에 균열이가고 아랍국가의 이락지지도 점차 증대하여 전쟁이 장기화할 가능성도 있다는 의견도 있으나 이는 소수 의견인 것으로 보임.

2. 전쟁 종결후 예상되는 중동정세 변화

가. 아랍의 분열

1) ARAB CAUSE, ARAB SOLIDARITY 의 퇴조

대책반 장관 차관 1차보 2차보 중아국 청와대 총리실 안기부
국방부

PAGE 1　　　　91.01.23 06:21
외신 2과 통제관 CA 0101

과거 아랍의 여러 지도자(독재자)들이 ARAB CAUSE, ARAB SOLIDARITY 기치하에 한편으로는 서방세계에 대항키 위해 아랍의 단결을 호소하고, 다른 한편으로는 국내 독제통치 기반을 구축해옴.

2) 독일말을 사용하고 기독교를 신앙하는 독일인, 오지리인 그리고 서서인이 한 나라가 될수없는 것처럼 같은 아랍어를 사용하고 이슬람을 믿는다는 유유만으로 모든 아랍국가가 국가적인 이해관계를 무시하고 ARAB UNITY 또는 ARAB CAUSE 기치 하에 단합하고 행동통일을 그 스스로도 해오지 못한 것은 과거의 역사가 증명하고 있음.

3) 연이나 아랍국가간의 이러한 분열은 90.8 이락의 대 쿠웨이트 침공으로 더욱 적나라 하게 드러났으며 아랍제국의 분열은 걸프전 이후에는 과거에 비해 더욱 뚜렸해질 것으로 전망하고 있음.

4) 세 CAMP 로 분열된 아랍세계

가) 걸프사태 이후 아랍제국은 아래 3 개 CAMP 로 분열되었으며 동 분열은 걸프전 종결 이후에도 지속될 것으로 보임.

. 이집트, 사우디(기타 걸프국가 포함), 시리아, 모로코: 이락의 쿠웨이트 점령반대, 이락철수 및 쿠웨이트 왕정회복 주장

. 알제리, 튜니시아: 중립입장

. 수단, 예멘, 모리타니아, 요르단, P.L.O : 이락 지지

나) 아랍연맹의 분열

. 90.8.10 당지에서 개최된 아랍연맹국 임시 정상회담에서는 이락의 쿠웨이트 철수결의안을 21 개 회원국중 찬성 12, 반대 3, 기권 2, 유보 3 등으로 간신히 통과 시킴으로서 분열상을 단적으로 노출하였음.

. 이집트 및 시리아의 쿠웨이트 지지

걸프사태 발생직후 아랍권의 쿠웨이트지지로 사태진전을 주도한 국가는 사우디, 이집트였으며, 그중에서도 특히 시리아의 지지 없이는 아랍의 다수(ARAB MAJORITY) 형성이 어려웠을것임.

. PLO 의 이락 지지

걸프사태 이후 PLO 는 이락을 지지 하므로서 주요 재정원 이었던 사우디 및UAE 로 부터의 재정지원이 전면 중단 되었을 뿐 아니라, 모든 GCC 국가로부터 배척 당하고 있으며 최근 PLO 제 2 인자가 암살당하는등 어려움을 겪고 있음.

CAW-0108 로 계속됨.

관리번호 91/2074

원 본

외 무 부

종 별 : 지 급

번 호 : CAW-0108 일 시 : 91 0122 2215

수 신 : 장관(대책반,마그)

발 신 : 주 카이로 총영사

제 목 : CAW-0107 의 계속분

나. 세력 균형의 재편성

1) 미국의 역할

. 미국은 최근 소련의 붕괴로 인하여 60 년대 이후 소련과 함께 수행해온 초강대국 국가로서의 세계적 역할을 단독으로 수행하지 않을 수 없게 되었고 금번 걸프사태 개입도 냉전시대 이후 세계에 있어서 분쟁 당사국간의 'ARBITER' 내지는 'GOOD BROKER' 로서의 역할을 수행 할것으로 평가되고 있음.

. 연이나 아랍세계 특히 아랍인들에게 일반적으로 전통적인 반 서방 감정, 특히 서방의 아랍국가 공격으로 고조된 반미 감정을 완화하고 나아가서 아랍의 안전을 도모하고 동 지역에 지속적인 평화 유지를 위해 미국은 지역내 국가 의사에 크게 반하지 않는 전후 걸프지역 세력균형 재편성에 적극 개입 할 것으로 보이며 효율적인 세력균형 재편성에 실패할 경우, 미국이 비록 전쟁에 이기더라도,미국의 권위에 중대한 손상이 됨은 물론, 아랍국가의 반미, 반 서방 감정은 계속될 것이며 이지역 내의 분쟁은 계속 될것임.

2) 세력 균형의 재편성: 신 안보 체제의 구축

가) 미국정책의 실패

. 중동(걸프)지역의 안정세력 균형 국가로서 과거 미국은 이란(샤이전) 및 이락(샤 멸망후)에 의존해 왔으나 모두 실패 했으며, 이락의 쿠웨이트 침공으로 금기야는 직접 개입하게 됨.

. 연이나, 이 지역의 정치및 사회, 문화적인 이유로 미국은 물론, 이지역 국가들도 미군의 영구 또는 장기간 이 지역 주둔은 불가능 한 것으로 보고 있음.

나) 걸프지역의 신 안보 체제 구축

. 현 GCC 체제에 인적자원과 군사경험을 가진 이집트를 추가(소위 'GCC PLUS')

대책반 장관 차관 1차보 2차보 중아국 청와대 총리실 안기부 국방부

PAGE 1 91.01.23 06:45 0103

외신 2과 통제관 CA

하여 사우디 및 쿠웨이트등의 경제력과 합치 시키는것이 가장 효율적인 신안보 체제로 보고 있음.

. 그러나 이러한 신안보 체제도 미국의 적극적인 참여가 불가피 할 것임.

다. 아랍, 이스라엘 분쟁 해결 노력 강화

. 후세인 대통령의 LINKAGE 주장을 적어도 사적으로는 많은 아랍인들이 지지한 것에서도 볼 수 있는 것처럼, 전후 어떠한 안보체제도 팔레스타인 문제의 해결 없이는 불가능 할것임.

. 미국은 과거의 ISRAEL-PALESTINE 대화 추진 방침을 변경, 이스라엘을 일방으로 하고 사우디, 쿠웨이트 및 시리아등 반 이락 아랍국가를 타방으로 하는 양자간 회담을 추진하는 것으로 정책변경 할 것으로 보임.

. 금번 전쟁이 연합군측 승리로 끝나면 상기와 같이 이락을 지지한 PLO 의 상대적 지위 저하와 이스라엘 및 아랍국가 양측으로 부터의 호양의 기대로 과거 어느때 보다도 동 문제해결의 전망은 밝은 것으로 기대되고 있음.

. 어떠한 경우에도 미국 및 이스라엘은 과거 어느때보다도 동 문제 해결에 적극 나서지 않으면 아랍국가로 부터의 심각한 반대에 봉착, 이 지역의 안보체제구축에 중대한 영향을 미치게 될 것으로 보임.

라. 군축 노력의 대두

. 아랍, 이스라엘 분쟁의 해결은 이 지역내 군축 문제로 연결될 것으로 보이며, 이스라엘 당국도 군축에 관심이 있는것으로 보도됨.

마. 국내 정치 및 경제개혁 촉진

. 아랍국가는 종교적인 전통과 특히 이슬람의 반 서방 사상 때문에 정치및 경제개혁이 어려운 실정임.

. 연이나 이들 국가는 서방 기술과 자본을 도입, 인구성장을 따라가지 못하는 경제 발전을 이룩하고 정치의 다양화를 도모 하므로서 사회불만을 흡수 국내정치의 안정을 기하기 위해서도 정치, 경제개혁이 요청되고 있음.

. 금번 걸프전쟁이 서방 다국적 연합국의 승리로 끝나면 이들 국가 특히 사우디, 쿠웨이트등 왕정국가의 정치, 경제개혁에도 크게 기여할 것으로 기대하고 있음.

CAW-0109 로 계속됨.

PAGE 2

0104

관리 번호	91/2073

원 본

외 무 부

종 별 : 지 급

번 호 : CAW-0109 일 시 : 91 0122 2230

수 신 : 장관(대책반,마그)

발 신 : 주 카이로 총영사

제 목 : CAW-0108 의 계속분

3. 아국의 외교적 대응책

가. 이집트 및 시리아와의 외교관계 수립을 위한 획기적 방안 강구

1) 이집트

가) 대한정책

. 이집트가 소위 비동맹 중립 정책을 표방하고 있음에도 불구하고 북한과는외교관계를 가지고 있으면서 아국과는 영사관계 유지를 계속하고 있는것은 논리에 맞지않음.

나) 경제협력 기대

. 연이나 아국과의 외교관계 불수립 이유가 과거 이집트의 대이스라엘 전쟁시 북한의 대이집트 군사원조에 기인한 주재국 무바락 대통령과 북한 김일성과의특별 친분관계에 있다고 하나, 이것은 표면상의 이유이고 내심으로는 아국으로부터의 어느 규모의 경제원조 (무상포함)를 기대하고 있는 것으로 관측되고 있음.

. 현 걸프 사태관련, 아국이 3 천만불의 원조를 공약 했으나, EDCF 차관(1천 5 백만불) 에 대해서는 상금까지 관심 표명이 없으며, 물자원조에 대해서도아직 물품을 선정하지 못하고 있음. 주재국 정부의 이러한 미온적 태도는 동 원조가 양국 관계라기 보다는 미국의 요청으로 걸프사태 관련 전선국가에 제공되는 원조로 인식하고 있는데 기인하는 것으로 분석되고 있음.

. 이집트는 또한 아국의 소련및 동구제국에 대한 경제협력 규모등을 외신및자국 재외공관 보고를 통해 숙지하고 있으며 유사한 경제협력을 강하게 기대하고 있음.

. 상기 주재국 입장에 비추어, 금년이 양국간 영사관계 수립 30 주년이 되는 해이며 특히 최근 아국 민간업체의 대 주재국 부자 증대등 양국관계 증대에도불구하고, 아국의 경협제공 없이는 외교관계 수립이 어려울 것으로 관측되고

대책반 장관 차관 1차보 2차보 중아국 청와대 총리실 안기부
국방부

PAGE 1 91.01.23 07:44 0105

외신 2과 통제관 BT

있음.

다) 이집트의 역할 증대

. 상기 2 항에 지적된 바와 같이 이집트는 전후 신 중동의 신안보체제에 구축에 있어서 중추적 역할을 담당할 것이 분명하고, 특히 GCC 국가의 전후 군사력증강과 관련 이집트는 이미 상당히 발달된 군비 생산품을 이들 국가에 수출할 것으로 전망함.

라) 이집트의 경제적 잠재력

. 인구 5 천 7 백만, 농업의 자급자족화 가능성 및 원유생산등 아국의 수출시장으로서도 큰 잠재력을 갖고 있음(90 년도 아국 수출 약 1 억 4 천만불).

. 아국은 또한 이집트는 기지로 인근 아랍, 아프리카 제국은 물론 구라파(동구포함)제국 에로의 수출을 꾀할 수 있을것임.

마) 양국간 실질관계 증대

아국의 대 주재국 수출증대 이외에도 최근 금성(주)은 T.V 및 부품조립공장설립, 선경은 폴리에터 직물공장 합작공장 설립추진, 현대(자)의 자동차 조립공장 설립추진 및 KAL 의 CAIRO 취항계획등 양국간 실질관계가 증대하고 있음.

2) 시리아

. 시리아의 전후 중동지역 내에서의 정치적 역할과 동국의 경제적 잠재력에비추어 동국과의 외교관계 수립이 적극 추진되어야 할 것임.

. 시리아도 일정수준의 경협이 병행되지 않고는 외교관계 수립이 난망시 됨.

3) 건의

이집트 및 시리아는 이락패전 이후 사우디와 함께 중동지역의 주요세력으로등장할 것이 확실하며, 양국의 경제적 잠재력에 비추어 양국과의 외교관계 수립은 정치및 경제적인 측면에서 아국의 국익증진에 크게 기여 할 것으로 분석되며, 또한 중동지역의 양 중추국가와의 외교관계 부재는 아국외교의 옥의 티 라고도 할 수 있으므로 어느 규모의 경협제공과 병행하여 91 년중 양국과의 외교관계수립 추진을 건의함.

나) 쿠웨이트 및 이락의 전후 복구사업 참여 대책강구

. 쿠웨이트의 전후 긴급 복구사업비(도로, 상수도, 정수시설, 하수도, 주택건설등)는 최소 40 억불로 예상되며, 약 80 억불까지 상승 할 것으로 예상하고있음.

. 보도에 의하면 쿠웨이트 정부는 이미 워싱턴 DC 에 특별 사무실을 개설하고

BECHTEL 을 포함, 3 개의 미국회사를 재건 사업 PROJECT MANAGER 로 지정했다고 함.

. 쿠웨이트는 또한 전후 군대 재건과 군비 수입에도 막대한 경비를 사용할 것이 기대되고 있음.

. 상기관련 아국의 주 쿠웨이트 대사를 쿠웨이트 망명정부 소재지(타이프)에 상주시키는 것도 향후 양국협조 관계를 증대하는데 기여할 것으로 사료됨(미국은 동 망명정부 소재지에 대사 상주파견).

. 영국등 일부국가는 정부와 민간기업이 이미 쿠웨이트 복구사업 참여대책을 강구중이라고 함.

다. 이스라엘 및 PLO 와의 관계개선 검토

. 전후 동 지역 세력 재편의 일환으로 숙원의 팔레스타인 문제가 주요 현안으로 등장할 것이 확실시 되며, 동 기회를 이용 아국의 대 이스라엘 정책 및 PLO정책의 전향적 검토가 필요할 것으로 사료됨.

. 이스라엘 및 PLO 와의 관계개선은 팔레스타인 문제해결에도 기여 할 것으로 보임.

라. 아국 의료팀의 이집트 및 시리아군 치료

육상 전투 발발시 아국 의료진이 주로 이집트 및 시리아 부상병 치료에 임 할 수 있으면 동국과의 관계개선에 기여 할것임.끝.

(총영사 박동순-장관)

예고:91.6.30. 일반

1991 6 30에 예고문에 의거 일반문서로 재분류됨

PAGE 3

0107

관리번호	91-98

외 무 부

종 별 : 지 급
번 호 : UKW-0208
수 신 : 장관(중근동,미북,경일,구일)
발 신 : 주 영 대사
제 목 : 걸프사태 전망

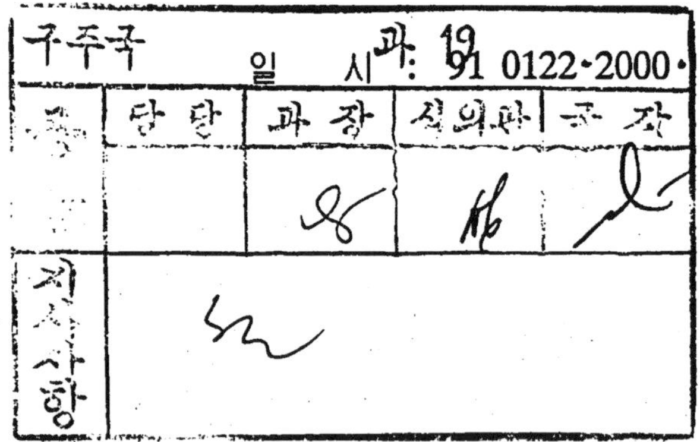

1. 전쟁전망(1.22. 현재)

가. 대 이락 공격의 한계성 부상

-연합군측이 이락 주요 전략거점 (군수공장, 지휘본부, 통신센터, 비행장, 발전소등)에 대해 약 10,000 회 출격으로 6 일째 가한 공습과 미사일공격은 민간인 희생을 최소화한 정밀폭격으로 이락의 기간시설에 막대한 타격부여

-그러나, 이락의 잠.... 전으로 말미암아 상금 이락의 전쟁 수행수단들은 대부분 건재, 이락 전폭기 약 800 대중 불과 30 여대가 파괴된 것으로 보이며, 약 5,500 대의 탱크, 약 90 만 병력잔존

-상금 연합군은 제공권 우위는 확보하였으나, 제공권 장악에는 미달

-전문가들은 이락측이 모든 군사장비의 확산배치, 대피처에서의 소개등으로연합군 공습의 예봉을 피하고 금후 지상전 가능성에 대비하고 있는 것으로 분석

-연합군의 공격개시 1-2 일동안 팽배했던 낙관론은 거의 사라지고 전쟁 장기화 가능성에 대한 불안감 점증

나. 전쟁 장기화 가능성

-사담은 전쟁이 장기화되면 승산이 있다고 기대할 가능성 농후. 특히, 지상전이 벌어져서 양측에 희생자가 급증할 경우 연합국측의 희생감수 능력이 이락에비해 훨씬 약하므로 정치적, 심리적으로 연합국들은 곤경에 처하고, 결국 이락에 유리한 휴전조건이 제시되기를 기대할 것으로 추정

-따라서 이락의 자진철수 가능성이 희박한 가운데 결국 지상전으로 쿠웨이트 수복을 달성할 때까지 전쟁이 지속될 것으로 전망

-지상전 돌입전에 연합군은 이락의 전쟁수행 능력에 대한 타격을 심화시키기 위해 공습을 상당기간 계속할 것으로 보이며, 지상전 돌입 이후에도 노출된 이락

중아국 장관 차관 1차보 2차보 미주국 구주국 경제국 청와대
총리실 안기부

PAGE 1

91.01.23 13:03 0108
외신 2과 통제관 BW

전쟁수단에 대한 공중폭격 지속예상

-육, 해,공군을 총 동원한 쿠웨이트 수복전에서 연합군의 승리 가능성다대.그러나 이는 연합군의 제공권 장악에 의한 보급로 차단, 지휘통신체제 분쇄등이 얼마나 효과적으로 이락군의 전쟁수행 능력을 약화시킬 수 있느냐에 크게의존

-걸프전쟁은 화학무기의 광범위한 사용이 우려되고 있으나 핵전쟁으로 비화될 가능성 희박

-전쟁 소요기간에 관한 일반적 관측은 당초 예상했던 수주일보다 상당히 장기간이 될것으로 예상. 그러나, 금번전쟁은 전쟁목표와 군사력의 균형문제등을 감안할때 어느정도 한시적 성격농후

다. 전쟁목표의 추이에 따른 사태진전

-쿠웨이트 수복이라는 안보리결의상의 현 전쟁목표 하에서는 이락내의 군사적 피해에 불만을 품은 군부요인의 쿠테타나 연합군측의 공작으로 사담이 실각되지 않는한 수복시까지 연합군의 군사작전 불가피

-다만, 쿠웨이트 수복만으로 전선을 고정시키는 경우 역내 안정을 위해 진전이 확보되지 않고 사담이 정치적 승리를 주장하는 가운데 미국뿐 아니라 사우디, 이집트, 시리아등에 부담스러운 강력한 국제군의 장기주둔 필요성 대두

-연합군 지상군에 의한 이락 침공으로 전쟁목표 수정 가능성. 사담에 대한 결정적 패배를 안겨주기 위한 불가피한 요건으로 등장할 수 있으며, 허드 외상도이락군이 자국내로 밀려간 후에 계속 쿠웨이트를 폭격할 경우, 동 가능성 시사. 다만, 이 경우 안보리결의 획득이 거의 불가하며 아랍제국간 전후 협조체제 확보에 장애유발.

(이하 UKW-209 로 계속)

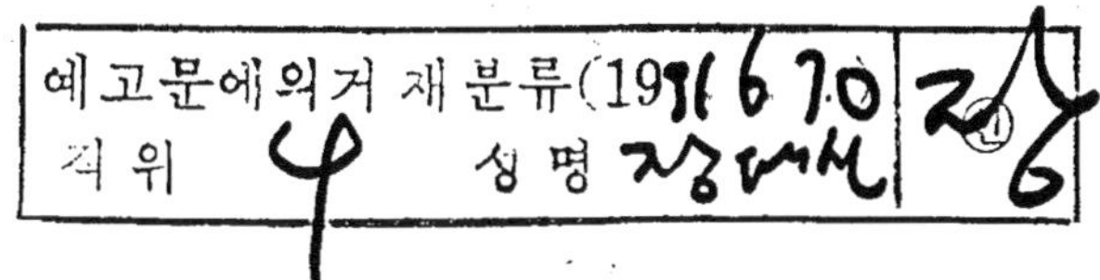
예고문에의거 재분류(1991.6.30.)
직위 / 성명

PAGE 2

0109

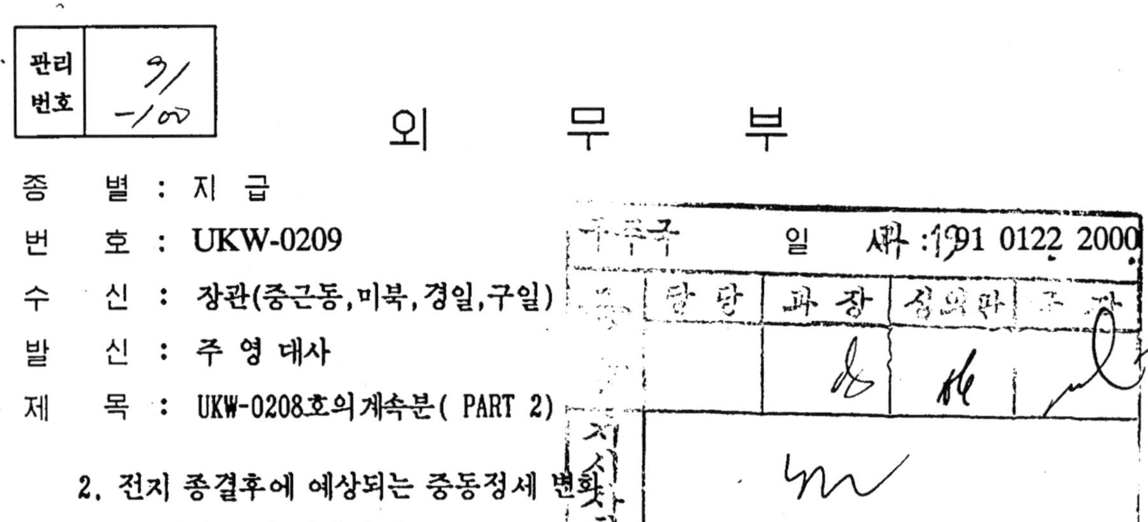

관리번호 91-100

외 무 부

종 별 : 지 급

번 호 : UKW-0209

수 신 : 장관(중근동,미북,경일,구일)

발 신 : 주 영 대사

제 목 : UKW-0208호의계속분(PART 2)

일 시 : 91 0122 2000

2. 전지 종결후에 예상되는 중동정세 변화

가. 쿠웨이트 및 이락정세

-연합군의 완전 승리하에 사담이 제거될 경우, 쿠웨이트 왕정복귀와 이락의온건지도자가 등장전망. 연합국은 이락의 국내정치에 간여하지 않도록 신중을 기하되, 이락의 군사력 억제확보에 주력예상

-연합군이 쿠웨이트를 탈환하더라도 사담이 계속 집권할 경우, 다국적군과의 대치리에 불안한 정세 지속전망

나. 중동문제 해결방안 적극추진

-어느 경우에도 연합국측은 종전직후 팔레스타인문제, 집단안전보장, 군축,개발원조를 포함하는 중동문제 해결방안 추진전망

-특히 팔레스타인 문제의 중요성에 비추어 미국은 이스라엘에 대해 과거 양국간의 특수관계에도 불구하고 점령지역 통치, 팔레스타인 국가건설, 안보이익 추구등 문제에 있어 융통성있는 태도를 요구할 것으로 예상

-전후 중동문제 해결모색에 있어 특히 이집트, 이란, 시리아의 역할과 미.영의 조정노력 강화예상. 전후 이스라엘의 발언권은 이스라엘의 개입자제 노력에대한 서방의 평가와 함께 이랍. 이스라엘간의 힘의 균형에 기초한 이스라엘의 현실적 태도에 의존

-어느경우에도 중동 아랍제국간의 상호견제, 경쟁관계는 지속예상, 어느 한국가의 아랍패권 확보는 불가전망

다. 전후 평화확보의 한계성

-중동 각국에서 반미감정의 확산과 현 지도체제에 대한 불만고조 가능성

-이스라엘이 미국의 요구에 호응하지 않고 팔레스타인 문제에 관한 강경입장을

중아국 장관 차관 1차보 2차보 미주국 구주국 경제국 청와대
총리실 안기부

PAGE 1 91.01.23 13:05 0110

외신 2과 통제관 BW

고수하는 가운데 자국안보에 근시안적으로 대처

-이락의 사담체제 및 군사력 잔존 가능성

3. 아국의 대응책 건의

가. 걸프전쟁과 한반도정세의 연계성 고려

-한국전 당시와 같이 유엔안보리 결의에 의거

-북한정권에 대한 영향

나. 비용 또는 책임분담 문제

-한국전 당시 유엔참전 경위와 북한의 대남 자세를 상기시키면서 아국이 연합국의 노력을 적극 지지한다는 입장을 교섭과정에서 강조

-다만, 실제 책임분담은 능력의 범위내를 강조하면서 가급적 아국의 실리가확보되도록 물품, 기술, 용역등 선정에 있어 유의

-파병문제는 한반도 안보에 직결된다는 시각에서 전쟁추이에 따라 예외적 상황에서만 검토

다. 전후 복구사업 참여

-비용 또는 책임분담 교섭시 사업참여 가능성 확보

-미국등의 기업과 공동사업 모색

-라. 원유확보 문제

-전쟁발발전 세계 원유증산 체제와 금번 전쟁의 한시성 감안. 끝

(대사 오재희-장관)

예고문에 의거 재분류(19 . . .) 직위 성명	

PAGE 2

0111

관리 번호 91/1647

외 무 부

원본

종 별 : 초긴급

번 호 : GEW-0168　　　　일 시 : 91 0122 2300

수 신 : 장관

발 신 : 주 독 대사

제 목 : 걸프사태전망

대:WGE-0097

대호 주재국 정부, 군부, 경제계, 언론, 학계등의 걸프전쟁 전망에 대한 견해를 토대로한 당관의 종합적 관찰의견을 다음과 같이 보고함

1. 전쟁전망

0 다국적군의 집중적인 공습으로 이락의 종합적인 전쟁수행 능력이 큰타격을 받은 것으로 보이나, 공습만으로 유엔 안보리 결의에 따른 이락의 쿠웨이트 철수기미가 보이지 않고 있어, 현시점에서 전쟁이 수주간의 단기전을 끝날 가능성은 희박해지고 있음

0 따라서 다국적군 측으로서는 이락의 쿠웨이트 철수를 강제하기 위하여 지상군의 투입이 불가피한 것으로 보여지며, 지상군이 투입되는 경우 이락의 완강한 저항이 예상되어 전쟁은 장기화 할것임

-이와관련 당지 일부언론(1.20. BILD AM SONNTAG 지등)에서는 걸프전쟁이 수개월간 지속될 것으로 보고있음.

- 또한 당지 보도는 미하원 예산위원회가 전쟁 발발전에 산정한 전비추산(일개월 미만의 주로 공군만 투입하는 경우 280 억불, 6 개월 지속되는 경우 860 억불, 사상자 4 만 5 천, 탱크손실 900 대, 항공기 손실 600 대로 추정)을 인용,전쟁 장기화의 기간을 추측하고 있음

0 지상전투가 본격화되고 전쟁이 장기화되면 다국적군도 상당한 피해가 있을 것에 대한 우려와 전비부담 압력으로 미국을 비롯한 참전국에 조기종전 여론이 확산될 것으로 보임

0 경제적으로도 전쟁이 장기화되면 국제적 원유공급이 큰차질이 야기됨으로써 미국및 세계경제에 심대한 영향을 미칠 것이므로 연합국측은 전쟁 장기화 방지를 위한

장관 총리 차관 1차보 2차보 청와대 총리실 안기부 미주국

PAGE 1　　　　91.01.23 18:12 0112

외신 2과 통제관 BA

노력을 계속할 것임

0 또한 현재로서는 다국적군의 대이락공격이 군사목표에 대한 공중공격에 치중되고 있고, 이락측의 미사일 공격에서 화학무기가 사용되지 않고 있는바, 상기와 같은 조기종전 압력에 따라, 상호 막대한 피해를 입을 극한적인 전면전으로돌입하기 전에 조기종전을 위한 국제적 중재노력이 대두될 가능성이 예측되고 있음

0 양측을 어느정도 만족시킬수 있는 화평안(예컨데, 이락이 쿠웨이트에서 철수하고 이와 병행하여 중동문제의 포괄적인 협의를 위한 국제회의 개최안)등이제시되면, 이락의 전력이 상당히 약화된 상황을 배경으로 양측이 이에 응함으로써 조기종전이 성립될 가능성도 있을수 있음. 단, 그시점은 대규모의 대이락 지상전투 개시이전 혹은 상당규모의 지상 전투로 이락군의 전력이 현재보다 더 손실을 입은 시점이 될수 있을 것임. 그러나 종전을 위한 화평 노력의 성공여부및 이를 위한 소요시간은 현시점에서 속단키 어려움.

0 다만 이스라엘이 참전하는 경우, 이러한 확전방지의 노력과 국제적 중재에 의한 종전 가능성은 더욱 복잡하고 어려워질 것으로 보임.

2. 종전후 정세전망

0 종전후 걸프지역 정세는 이락군의 쿠웨이트 전면 철수여부, 전쟁종결 방식, 이락측의 국력소모정도등에 따라 크게 좌우될 것인바, 다음과 같은 주요정세전재를 상정할수 있음

0 종전후 연합국및 관련국간에 전쟁재발 방지및 지역평화유지등을 위한 제도적 장치(예: CSCE 모델, UN 평화군 파견등) 마련 노력이 있을것으로 보임. 이경우 미국은 국내정치 상황등에 비추어 장기적 대규모 잔류는 어려울 것이므로, 미국입장에 동조하는 온건 아랍국가(이집트, 사우디, 모로코등)가 주동역할할 하도록 노력할 것으로 보임. 그러나 여타 미국입장에 동조하지 않는 이란, 이락, 리비아, 시리아, 알제리아등 아랍국가로 인해 많은 난관이 예상됨.

0 이러한 연합국측의 전후처리및 지역평화 유지노력은 아랍내부의 갈등, 대립, 뿌리깊은 이스라엘에 대한 반감등에 비추어 볼때, 전쟁이 종결되었다고 해서일시에 해결되기는 어려울 것이며 상호 알력, 반목이 여전히 지속될 것인바, 이는 계속 지역문제에 한정되지 않은 세계문제가 될것임.

0 이락은 전쟁으로 약화되기는 하였으나 여전히 반미, 반이스라엘, PLO 지원세력의 중심역할을 할것이며 지역내 세력균형에 있어서도 여전히 상당한 영향력을 계속

유지할 것으로 보임

0 이락의 쿠웨이트 철수가 실현될 경우 평화교란자를 응징하는 유엔을 중심으로한 국제적 공동노력이 실효를 거두었다는 점에서 금후 유사한 침략행위 방지에 기여할게 될것임.

따라서 중동지역에서 현상을 타파하는 무모한 행위는 견제되고, 불안정하나마 균형을 유지하는 정세가 창출될 것이며 이와관련 미국의 대중동 영향력은 크게 증가될 것으로 보임. 특히 금번전쟁을 통해 미국의 지도력과 미국무기의 우수성이 입증됨으로서 미국에 대한 정치적.군사적 신뢰가 일층 높아저 미국 주도하에 EC. 일본등이 협조하여 세계정세를 이끌어가는 국제정치의 새로운 양상이 서서히 자리잡혀 갈것으로 보임.

0 소련으로서는 현재 국내문제등으로 걸프전과 관련 실효있는 역할을 하지 못함으로서 상대적으로 영향력 감소가 예상되나, 전후 이지역에 대한 발언권 확보를 위해 "걸프지역의 비핵.비화학무기 지대화를 위한 중동회의 개최"(BELONGOW외무차관 발언)등을 제시하는등 영향력 유지를 위한 노력을 강화할 것으로 보임.

0 정치적인 지역평화유지 노력에 병행, 경제적 측면에서 전후 복구를 위한 국제적 협력이 이루어질 것이며 그과정에서 각국의 경제적 이익추구 경쟁도 예상됨.(영국 상무부 추계에 의하면 쿠웨이트의 도로, 교량, 공항, 급수시설, 통신시설등 공공시설 복구비용만도 약 200 억불이 소요될 것이라하며, 독일은 걸프지역에서 포괄적인 정치문제가 해결되면 지역개발을 위한 원조를 제공할 방침이라 함)

3. 아국의 외교적 대응책

0 종전후에 아국으로서는 한미 안보.경제관계의 중요성및 중동지역뿐 아니라 세계에서의 격상될 미국의 위상과 영향력을 감안, 미국과의 협조에 정책의 최우선을 두어야 할것임.

0 그러나 이락, 이란, 시리아, 리비아등 미국에 비동조적인 세력권도 아국에 대하여 외교및 경제적 중요성이 있음을 감안, 아국이 이들 국가를 소외시키면서 미국에 대한 지지만이 일방적으로 취우진다는 인상을 주지 않도록 균형적인 배려가 바람직함. 따라서 비군사적 분야, 특히 경제, 기술협력, 보건위생등 분야에서는 이지역 전체를 위한 복구, 개발, 지원사업을 추진해 나가는데 있어서 국제적 공동노력에 참여한다는 점을 특히 부각시키는 것이 바람직한 것으로 보임.

0 상기 감안 이스라엘에 대하여는 당분간 아국의 기존정책의 유지가 불가피할

PAGE 3

0114

것으로 보임.

0 또한 시리아, 이집트 등과 긴밀한 관계를 유지하고 있는 북한의 아국의 대연합국 지원과 관련, 아측을 비방, 모략해올 가능성에도 충분히 대비하여야 할것으로 생각됨.

0 걸프전쟁 종결후의 평화군 비용분담문제, 복구사업 참여, 걸프지역 경제개발 지원문지등에 대하여도 사전 대비함이 필요할 것임.끝

(대사-장관)

예고:91.6.30. 일반

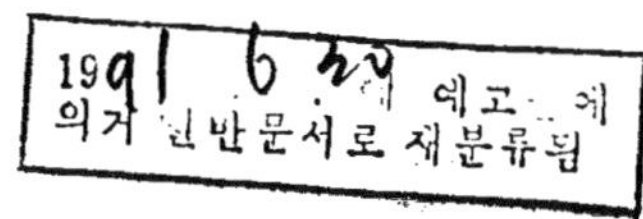

PAGE 4

0115

관리번호	91-1487

원 본

외 무 부

종 별 :

번 호 : QTW-0033 일 시 : 91 0123 151

수 신 : 장관(중근동)

발 신 : 주 카타르 대사

제 목 : 걸프전이후 중동 질서 재편

대:WMEM-0007

1. 본직의 본건관련 분석 평가 및 대책은 91.1.6 리야드에서 개최된 GCC 공관장회의에서 제출한 자료 6 항 참조바람.

91.6.30. 일반

2. 추가분석

0 걸프전 이후 이지역에 있어서의 새로운 질서의 전망에 관하여 확실한것은당분간 이라크가 격리 감시될 것이라는 것임.인구와 군사력에서 이라크에 대한대항세력을 형성할 수 있는 시리아와 이란에 의한 견제 역할을 기대할수 있으나 , 미국은 이라크에 대한 우를 범한 전철을 밟지 않기 위하여 시리아, 이란 양국을 감시해야하는 부담이 있을 것임.

0 시리아 및 이란의 대이라크 견제가 행하여 진다 하더라도 방위능력이 약소한 GCC 각국과 이라크 사이에는 완충지대(BUFFER ZONE)가 설치되어야 하는데 이에대하여는

- 미군을 주축으로 하는 다국적군 배치
-UN 평화유지군 배치
-아랍연합군 배치

의 세가지 형태가 논의될수 있으나 여하한 형태라도 최소한의 미 군사력의 쿠웨이트 주둔은 필수적일 것임.

0 GCC 정상회담에서 논의된바 있는 공동방위체제 수립은 실지를 수복한 쿠웨이트 정부가 필연적으로 미군의 주둔을 요청할 것이며 거론되고 있는 아랍회교세력의 참가문제와 미묘한 조화를 고려할 것으로 예측됨.

0 따라서 전후 이라크를 견제할 군사적수단과 이에 수반한 신질서 형성은 주로 미국 및 사우디와 반이라크 연합에 참가한 제국가의 수중에 있을 것으로 관측되며, 아랍회교국가로는 이집트, 시리아, 이란, 터어키, 모로코 및 파키스탄이,서방국가로는

중아국 장관 차관 1차보 2차보 청와대 안기부

PAGE 1 91.01.24 00:45 0116
외신 2과 통제관 CH

영국 및 불란서와 소련등이 영향력 행사 및 이익확보를 위해 각축할것으로 전망됨.(영. 불은 이미 전후 이익확보를 위해 걸프지역 방문외교가 활발함.)

0 또한 참혹한 전쟁을 마친후의 아랍국가간에는 전쟁중의 적대관계로 분열된 상태가 지속되어 긴장 및 분쟁이야 야기되는등 상당기간 전쟁후유증이 계속될것이며 전세계적인 신질서 형성을 위해서도 금번 전쟁이 결정적계기가 될 것으로 판단됨.

끝

(대사 유내형-국장)

예고:91.12.31 일반

관리번호	91-1485

원 본

외 무 부

종 별 :

번 호 : SVW-0253 일 시 : 91 0123 2340

수 신 : 장관(중근동,동구일,경협,사본:주쏘대사)

발 신 : 주 쏘 대사대리

제 목 : 페만전쟁

대:WSV-147

1. 당관 서현섭 참사관은 1.23(수) 당지 동양학 연구소 ISAYEV 아랍 경제 연구부장을 면담, 표제 관련 파악한바, 동인의 언급 요지 아래 보고함(백주현 서기관 및 SHAHBAZIAN 아랍 연구관 동석)

가. 종전시기

-미국을 비롯한 서방 언론들은 미공군의 선제공격결과를 과장되게 보도하고전쟁이 단시일내에 끝날것으로 예측하였으나 이라크의 다국적 공군기의 격추(30 여대)와 이스라엘에 대한 미사일 공격등으로 볼때 당초 예상보다는 더 오래갈것을 보임

-이라크는 브라질, 프랑스, 쏘련으로부터 상당량의 무기를 구입하였는바, 쏘련으로 부터만해도 과거 6 년동안에 220 억불 상당의 무기를 공급 받았음, 또한 이라크 자체내의 군수품 생산기술 수준이 상당히 높은 점과 주요 군사시설이 지하에도 있는 점을 비추어 보아 이라크가 어느정도 버틸수 있을 것이라 함.(이라크는 히로시마에 부하된 원폭정도는 1 년 이내에 개발 가능하고 5-6 년 후에는핵무기를 개발할 수 있을 정도로 군사적인 잠재력이 크다 함)

나. 전재 파급 효과

-원유 가격 인상(배럴당 45-50 불), 오존층 파괴등으로 인한 농작물 생산 감소등 세계 경제에 미치는 영힝이 클 것인바, 미국은 이번 전쟁으로 1,500 억불, 이집트 120 억불 (GNP 의 6 프로), 요르단 20 억불(GNP/ KDU 60 프로), 터키 130 억불 PLP 60 억불 정도의 손실이 예상된다고 함

- 미국등 서방측의 전비 지출로 인해 아프리카, 동구, 쏘련에 대한 경제협력 자원이 감소하게 되고 이와같은 감소는 동구 및 쏘련 국내의 사회적 긴장을 조성하는 요인으로 작용할 것임

중아국	장관	차관	1차보	2차보	구주국	경제국	청와대	총리실
안기부								

PAGE 1 91.01.24 06:58 0118

외신 2과 통제관 FE

-PLO 노동자들이 걸프지역에서 철수하여 여행증명서 발급 국가로 돌아가야 하나 이들은 적당한 일자리를 못찾아 결국 테러 행위를 자행하게 됨으로서 사회적 긴장이 높아질 것이라 함(이스라엘에는 쏘련계 유태인들이 많이 유입되어 PLO노동자를 수용할 여유가 없을 것이라 함)

다. 후세인의 장래

-후세인의 운명을 예측하는 데는 많은 변수가 있어 어려움이 많으나 다음과같은 것을 상정할 수 있다함.

-즉 (가) 이라크 군부에 의한 제거,(나) 리비아나 모리타니아로 망명,(다)망명정부를 수립, 지도자로서 역할,(라)현재의 권력독점 체제를 벗어나 집단 지도체제를 수립, 그 일원으로 남는 방안등을 상정할 수 있으나, 이중 군부에 의한제거 또는 망명 정부 수립 가능성이 크다 함.

라. 기타

-이스라엘이 대이라크 보복을 감행하는 경우, 시리아와 이집트의 향배가 주목되나 아랍지도자로 부상하려는 후세인의 야망을 알고 있는 시라아, 이집트가 이라크를 지원할 가능성을 희박할 것이라 함.

-금번 전쟁으로 인해 걸프지역의 왕정 붕괴 가능성을 물은데 대해, 쏘측은 그럴 가능성을 일축함

-쏘련은 금번 전쟁 관련 '절대적인 중립'을 견지할 것이라 함.

-종전후 사우디, 쿠웨이트 등에 건설 수요가 상당히 많을 것으로 예상된다 하고 숙련되고 기강이 서있는 근로자를 보유하고 있는 한국이 전후 복구 사업에 참여하는데 유리한 위치에 있다고 함(쏘측은 아국의 중동 진출 현황을 물은바, 자세한 사항은 알수 없다 하고 자료 입수후 알려주겠다고 답함)

2. 한편, 쏘련 군사 전문가들은 이라크의 대이스라엘 미사일 공격은 군사적목적이 아니라 전쟁 계속 결의를 대외적으로 나타내는 정치적인 성격이 강한 것으로 보고 있으며 또한 미국은 터키로 하여금 보다 적극적으로 나오기를 계속 설득하고 있으나 그럴경우, 전쟁이 확대될 위험이 크다는 우려를 표명하고 있음.이와같은 우려 표명 관련 당지 VURAL 터키 대사는 작 1.22(화) 기자회견을 갖고, 터키는 유엔안보리 결의 678 호에 따라 다국적군에게 공군 기지를 제공하고 있으나, 이라크가 터키를 직접 공격해오지 않는 한 터키 역시 이라크를 공격하는일은 없을 것이라고 강조 하였음.

3. 동양학 연구소는 설립된지 200 년이 넘는 기관으로서 한국, 중국, 일본

연구뿐만아니라 일찍부터 아랍 제국에 대한 연구를 많이 해왔다고 함. 동 연구소와의 계속 접촉을 위해 쏘측이 요망하는 아국 중동 진출 현황의 개황 정도라도 알려주는 것이 좋겠는바, 동 자료를 당관에 송부하여 주기 바람. 끝

(대사대리-국장)

91.12.31 일반

PAGE 3

0120

관리번호 91-152

외 무 부

종 별 :

번 호 : YGW-0060 일 시 : 91 0123 1800

수 신 : 장관(중근동,동구이,아서,기정)

발 신 : 주 유고 대사

제 목 : 걸프전과 비동맹 움직임(인도외상 유고방문)

연:YGW-49

연호 인도외상 주재국방문 관련 본직이 금 1.23 외무성 비동맹담당차관보및당지주재 인도, 파키스탄, 스리랑카드 비동맹제국 대사와 접촉 탐문한바를 아래와같이 보고함

1.SHUKLA 인도외상은 1.22 주재국 대통령, 수상및 LONCAR 외상등을 면담하고 별첨 JOINT STATEMENT 발표후 금 1.23 오전 당지 출발함

2. 인도정부는 비동맹회원국 입장에서나 유엔 안보리 이사국 입장에서 볼때걸프전의 확전을 방지하기위하여 시급한 조치가 필요하다고 판단하고 아래와같은 동국의 입장을 비동맹 의장국인 유고측과 협의하기위해 방문하였음

가. 걸프전 해결관련, 유엔안보리는 당초의 결의만을 견지함으로서 더이상 움직일수 없는 처지에있음

나. 따라서 걸프사태 타결을 비동맹 차원에서 시도함이 바람직한바, 기본 노선은 '이라크 정부의 철수 발표와 동시에 쌍방간의 적대행위 중지'를 기초로 하여 우선 이라크측이 철수 의사가 확인되면 이를 토대로 향후 문제를 해결해 나가도록함

다. 이러한 협의를 위해 비동맹국가간 회의가 필요한바 사태의 시급성을 고려하여 유고가 비동맹의장국 으로서 적절하 시기와 참석범위를 정해 회의를 개최함(효율적인 회의를 위해 참석범위를 가능한 축소)

3. 이와같은 인도정부의 생각은 유고정부가 당초 내세웠던 입장과 유사한바, 유고 정부로서는 인도뿐아니라 현재 진행하고 있는 파키스탄, 방글라데시, 알제리아등의 해결방안도 포괄적으로 수렴 다룰수 있는 회의가 되도록 할 생각임. 끝

첨부:동공동 발표문 전문(연:YGW-0061 참조)

(대사 신두병-국장)

중아국	장관	차관	1차보	2차보	아주국	구주국	정문국	청와대
안기부	~~안기부~~							

PAGE 1

91.01.24 08:15

외신 2과 통제관 BW

0121

예고:91.12.31 까지

검 토 필 (1991.6.30.)

예고문에 의거 일반문서로 재분류 19 91. 12. 31.

PAGE 2

0122

긴

관리번호	91-167

외 무 부

종 별 : 지 급

번 호 : IRW-0069 일 시 : 91 0124 1100

수 신 : 장관(중근동,미북,정일,기정)

발 신 : 주 이란 대사

제 목 : 걸프사태

이스라엘, 터키의 대걸프전 OPTION 및 이와관련한 주재국의 입장등 당지시각에서본 관찰을 아래보고함.

1. 이스라엘 OPTION

-1.23 주미 이스라엘 대사가 언급한바와같이 이스라엘은 EYE-TO EYE RETRIBUTION 을 행하지않을것임. 대신 이스라엘은 지상군을 통해 남부 레바논지역및 이스라엘과 국경을 접한 요르단지역을 공격할가능성이 높음.

-동지역 점령을 통해 이스라엘은 자신이 영토적 야심을 충족시킬수있을것임.

-남부 레바논(LITANY 강) 지역을 장악하게되면 이스라엘 은 동지역으로부터의 안전을 확보할수있게되며, 요르단 국경지역(특히 AQABBA 만) 장악을통해서는 전략적 이익을 확보할수있을것임.

-이경우 시리아는 자국영토보호또는 요르단 보호를위해 ARAB-NATIONALISM 의 수호자를 자칭 아랍편에 가담하게될 가능성 배제하기어려움

2. 터키 OPTION

-터키가 이라크 영토(특히 KIRKUK 유전지역)에대한 야심이 있다는 사실은 비밀이 아니며 금번 사태계기 동야심을 실현시킬려는 터키의 의도가 엿보이는것도 부정하기어려움

-그러나 사태악화를 원하지않는 서방측 유도및 최근 주재국 대통령고문의 방터키시 합의(이라크의 영토보존및 현상유지)된바에서 볼수있듯 터키의 이라크 영토를 목표로한 선제공격은 없을것으로보임.

-물론 터키가 이락의 공격을 받게되면 터키가 개입할가능성은 크나, 개입을통해 이라크영토에대한 야심이 표출되게되면 이란의 개입을 자초하게될것이므로 이경우에도 상당히 자제된 수동적대응만 할수있을것으로보임.

중아국 장관 차관 1차보 2차보 미주국 정문국 안기부

PAGE 1 91.01.24 17:46 0123

외신 2과 통제관 BA

3. 주재국입장

-중립을표방 미, 이라크양측을 교묘히 비난하며 사태를 관망하고있는 주재국으로서 이스라엘, 터키의 개입등 사태악화가 없는한 주재국의 대걸프전 개입가능성은 크지않음.

-이란은 이라크의 영토보존및 역내현상유지를 주장하며 터키의 대이라크영토적 야심에 대처하고있으며 전술한바와같이 터키개입의 경우에도 터키의 영토적야심이 표출되지않는한 개입을 자제할것임(왜냐하면 터키와의 관계악화가 주재국에 미치는 경제적 IMPACT 를 고려 불가피한경우가 아니면 이란은 자제할것으로보임)

-그러나 전술한 이스라엘의 개입시(어떤형태든)에는 이란내 강경파의 주장이 설득력을 갖게될것이며, 이경우 개입가능성 배제하기어려움.끝

(대사정경일-국장)

예고:91.12.31 일반

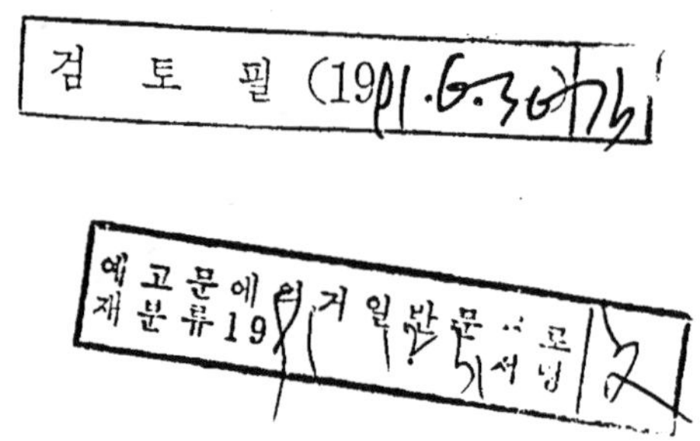

PAGE 2

0124

관리 번호	91-141

외 무 부

종 별 :

번 호 : CAW-0124　　　　일 시 : 91 0124 1720

수 신 : 장관(대책반,마그,정일)

발 신 : 주 카이로 총영사

제 목 : 대통령 의회연설

(자료응신 제 29 호)

연:CAW-0113

1. 연호 금 91.1.24 MUBARAK 대통령은 국회및 국가자문회의 합동회의에서 하기 요지의 연설을 함.

1) 이집트와 아랍제국들은 그간 쿠웨이트와 이락국민들을 전화에서 방지하기 위해 계속 노력했었지만 이락대통령은 응답이 없었음.

2) 이집트의 파병은 GCC 국가의 요청과 아랍공동방위조약(1950)에 의거 이락침략에 대항하기 위한 적법조치이며, 이집트국민의 전폭적 지지를 받고있음.

3) 이락의 대사우디 및 이스라엘 미사일 공격은 정치 선전용으로 해외에서 데모 야기에는 도움이 될지 모르지만 걸프전을 승리로 이끌지는 못할것이며, 이는 파레스타인문제 해결에 도움을 주기는 커녕 이스라엘측에 세계의 동정과 미국의 더많은 원조증가만 초래시킬 뿐임.

4) SADDAM 은 아랍인의 대서방 적개심을 야기시키고 그의 쿠웨이트점령을 은폐하기 위해 파레스타인문제를 악용하고 있음

5) 현상태의 유일탈출구는 쿠웨이트에서 이락군의 조건 즉각 철수와 왕정복원이며, 여타문제는 선철수 후협의 처리되어야 함.

6) 이집트는 대이락 야심자도 반대하며, 대이락 보복 촉구도 반대함.

7) 이집트는 역내에 역사적 영도적 역할 수행으로 기존입장에서 추호의 변경도없음.

2. 상기 연설내용에는 아무런 새로운것이 없이 종전입장을 재천명한데 불과하나, 그간의 전쟁회피 노력과 파병은 아랍공동방위조약에 의거 이집트국민의 전폭적인 지지하에 이루어 졌다는 설명으로 아랍권내에서 SADDAM 과 그동조세력들의 이집트는

대책반 장관 차관 1차보 2차보 미주국 중아국 정문국 청와대
총리실 안기부

PAGE 1　　　　91.01.25 05:46 0125
외신 2과 통제관 DO

역외세력의 앞잡이로 전쟁지지자란 악선전에 대응하는 한편, 타면 미국주도의 다국적군에 대한 그간의 이집트 지지입장 재천명으로 아랍전련 균련우려를 불식시키기 위함인 것으로 풀이됨. 끝.

(총영사 박동순-대책반장)

예고:91.6.30. 까지

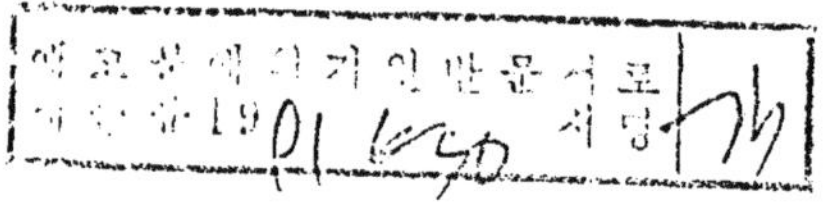

PAGE 2

0126

관리 번호	91-1486

원 본

외 무 부

종 별 :

번 호 : TNW-0046 일 시 : 91 0124 1200

수 신 : 장 관(중근동,마그,기정동문)

발 신 : 주 뷔너지 대사

제 목 : 중동 질서 재편

대:WMEM-0007

1. 걸프 전쟁의 성격, 현재의 전황 및 추이를 보는 당지에서의 시각은 전쟁종료에는 상당한 기간이 소요될 것으로 전망하고 있음. 궁극적으로 미국등 다국적군이 이라크를 제압할 것이라는 전제하에 대호 관련 본직의 의견을 아래와 같이 보고함.

가. 아국군 파병 문제

0 현재까지 거론되어온 제반 긍정적 효과를 고려할 때, 아국 지상군 파병은 전후 아국의 정치, 경제적 실익에 크게 기여할 것으로 판단됨.

0 전쟁이 장기화되기 전에 아국파병이 이루어져야 함. 단, 이스라엘의 반격 및 전쟁 참여 이후의 아랍 제국가의 태도 여부가 큰 변수인바, 동사태 발전에 이전에 파병함이 더욱 효과적일 것임.

나. 이란의 태도 및 전후 지역 정세

0 제반 상황에 비추어 이란의 태도 변화 가능성을 배제할 수 없는바, 기본적으로 이란은 서방측에 의한 아랍 지역 안보 체제 구축에 반대하므로 이라크의 약체를 세력 균형상 원치 않고 있음.

0 다국적군의 승리로 중동 평화 협상이 진행되고 안정이 될 경우, 서방측은 강력한 지역 안보 체제의 기틀하에 신질서 구축에 노력할 것이므로, 아랍권 내부에서의 군사 강국의 재출현은 억제될 것임.

다. 대 PLO 및 이스라엘 과의 관계 정립

0-종전후 평화 협상이 이루어지면 중동 평화의 선결로서 PLO, 이스라엘 문제 해결에 좋은 여건이 조성될 것으로 전망됨.

0 아국은 이기회에 이스라엘과의 관계를 정상화시키고 PLO 와의 공식적인 관계를

중아국 장관 차관 1차보 2차보 미주국 중아국 청와대 총리실
안기부

PAGE 1 91.01.25 06:18 0127

외신 2과 통제관 DO

갖는 것이 금후 아국의 대중동 정책에 실익을 줄것으로 판단됨. 끝.

(대사 변정현-국장)

예고:91.6.30 일반

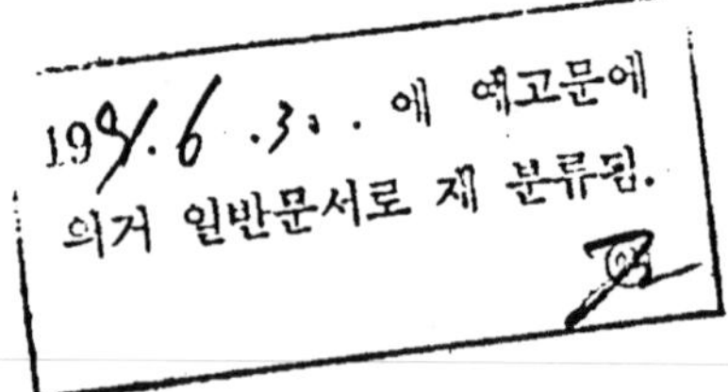

PAGE 2

0128

주 파 키 스 탄 대 사 관

주파(정)760-23 1991. 1. 24.

수신 외무부장관

참조 아중동국장(대책반), 아주국장

제목 걸프사태이후 중동질서 개편

대 : WPA-0027

연 : PAW-106

대호관련 주재국 중동문제 전문가인 QUAID-I-AZAM대학 정치학과 IMRAN HAMEED교수 면담요지를 별첨 보고합니다.

첨부 : 면담록. 끝.

주 파 키 스 탄 대 사

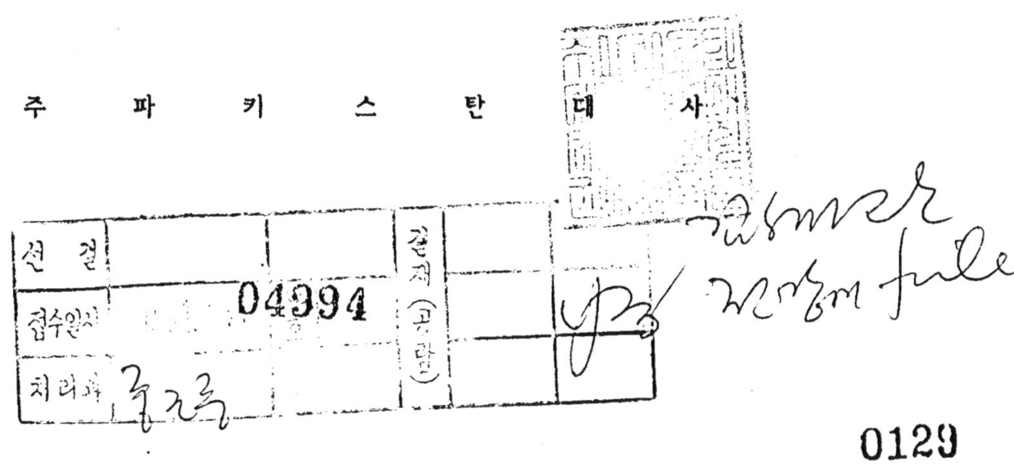

0129

1. Quaid-i-Azam대학 국제정치학 Imran Hameed교수 면담록

GULF 사태 후의 중동

- 이스람 국가에서 최근 이스람 종교열은 상승세를 보여왔으며, 이러한 현상은 동시에 이스람의 maximization을 주장하는 세력과 minimization을 주장하는 세력간의 polarization 현상을 보여왔음.

- 현 Gulf전쟁에서 이락의 패전후 패전에대한 반발로 Arab내지 회교권에서 maximization 즉, 과격파의 대두가 예상됨. 항시 회교권은 패배시 격한 반발을 보여왔고, 승리시에 온건한 관용을 보여온 전통이 있음.
이락의 패배는 회교권의 반발과 이에따른 과격세력의 등장을 초래하겠지만, 이는 단기적 현상이 될것임.
현 회교적 정열의 성장배경은 서구식 이데오로기에 대처한 indigenous ideology 개발이 목적으로 장기적으로 회교 revivalism은 본연의 목적을 향해 돌아올 것임.
이러한 현상은 이란의 점차 moderate화하는 면에서 찾을수 있음.

- 현 중동전에 이스라엘의 참전여부는 향후 회교권 동향에 큰 요소가 될 것으로 보이며, 이스라엘이 참전하지 않는 가정 하에서 이야기 하고저함.
종전후 아랍권 전반에 걸처 국내외적 큰변화가 예상되며, 우선 생각할 수 있는것은 liberalization 임.
어느면에서 현 Gulf사태는 동지역의 군주권의 와해 과정으로 볼수있음.
쿠웨이트, 사우디등은 어떤형태의 대의정치 도입이 불가피 할것임.
언이나, Arab의 liberalization이 서구 민주주의식 정치 절차, 제도를 채택하겠지만, 서구 민주주의 철학이나 가치를 채택키는 어려울 것임으로 현 애급의 정치형태와 비슷한형태의 민주 회교국가가 될 가능성이 큼.
요르단은 역사적배경이 없는 인위적국가이며, 국민의 다수가 팔레스타인으로 2-3년내에 이들에의한 저항으로 왕정이 붕괴될 가능성이 있음.

0130

- 팔레스타인의 Intefade가 세계의 관심과 동정을 끌었으며, 미국은 향후 아랍 보수-온건 국가와의 협조체제 유지에 팔레스타인문제 해결을 위한 성의가 필수적임을 느끼게 될것임. 또한 이스라엘의 미국에대한 전략적 중요성이 감소 되었음. 이러한 배경에서 중동 평화의 필수요건인 팔레스타인문제 해결을 위한 움직임이 있을것임. 아랍측으로서도 Fundamentalism의등장, maximization 운동등에도 불구하고, 역사상 현재처럼 많은 국가가 이스라엘국가의 존재를 인정한 일이 없음. 이는 73년 중동전에서 아랍권의 승리후 아랍이 보여준 관용의 예이며, 이것은 팔레스타인문제 해결에 유리한 여건이 될것임. 팔레스타인문제가 어떤 형태로(독립국 또는 타국가와의 연합등) 해결될지는 아직 예측키 어려움.

- 종전후 아랍권은 애급을 포함한 보수-온건 국가군과 시리아 중심의 강경국가군으로 양극화할 가능성이 있음. 미국의 Arab에의 Presence는 증가할 것으로 예상되나, 양극화에 비추어 절대적 Presence는 되지 않을것임. 미국은 보수-온건 노선 국가와의 제휴하에 아랍에서 영향력을 행사할 것으로 봄.

- 아랍이웃의 3개 비아랍회교국-터키, 이란, 파키스탄-은 향후 아랍에서 상이한 역할을 하게 될것임. 우선 터키와 파키스탄은 걸프지역에 인접해있지 않다는 점에서 중요성이 크지 않으나, 이란은 자신이 걸프국가이며, 역사적으로 언제나 걸프의 패권을 추구한 국가인 만큼, 향후 이란의 동 지역에서의 역할은 극히 중요할 것으로 생각됨.

0131

주 파 키 스 탄 대 사 관

주파(정)760-34　　　　1991. 1. 24.

수신　외무부장관

참조　아중동국장 (대책반), 아주국장

제목　걸프사태이후 중동질서 개편

대 : WPA-0027

연 : PAW-106

연호, 주재국 중동문제 전문언론인QUAID-I-AZAM(Kuwait Times Editor로 쿠웨이트에 10여년 근무후 최근귀국)면담요지 및 종전후 중동정세에대한 당관의견을 별첨보고합니다.

첨부 : 1. 면담록.
　　　2. 대사관의견. 끝.

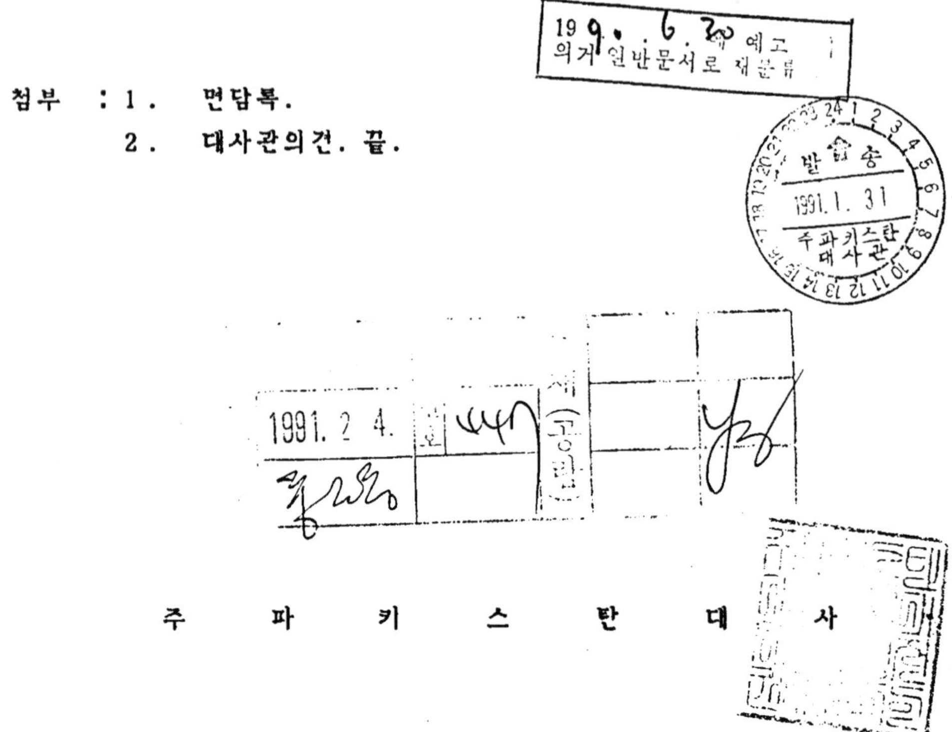

주 파 키 스 탄 대 사

0132

첨부 1.

종전후 중동 정세

주재국 Columnist A.B.S.Jaffarey 면담록 (동인은 Kuwait Times Editor로 10년간 근무한 중동통 언론인임)

- 미국 정부의 대이락전쟁은 그배경에서 납득키 어려운 점이있음. 첫째는 주이락미국대사의 이락의 쿠웨이트 침공직전 "사담 훗세인" 대통령 면담내용이며, 둘째는 Bush대통령이 UN과 미의회의 결의안 유도시 동결의안이 평화적해결을 촉진하기위해 필요하다고 설명하였음에 반해, 미국은 동결의안을 오히려 개전 명분으로 사용한 것으로 보인다는 점임.

- 개전초 미국의 대이락 공격도 유엔이나 미의회의 결의안이 쿠웨이트해방에 국한되었음에 반해, 미국은 개전첫날 이락본토를 공격 하였음. 이는 동결의안에 위배된 행동이며, 동공격형태에 비추어 미국은 쿠웨이트 해방보다 이락파괴에 목적을 두고 있는 것이아닌가? 의심됨.

- 금번 전쟁에서 이락이 파괴될경우, 중동정세는 너무나 큰 혼란이 예상되어 예측키 어려움. 우선전쟁이 단기전으로 끝날경우와 장기전화할 경우를 구분하여 생각해 보고저함.

- 전쟁이 단기전으로 끝나고 이락이 파괴되고, 미군이 철수했을경우 쿠웨이트의 Sabah왕은 복권되지 못할것임. 쿠웨이트국민은 나라와 국민을 버리고 도주한 왕을 거부할 것이며 쿠웨이트에서 국민의 의사가 정치에 중요요인으로 될것임. 이러한 국민의사의 주장은 곧 사우디, 애급, 시리아로 퍼지고 현중동의 대부분 정권 붕괴를 초래할것임. 이러한 붕괴대상은 애급, 요르단, 시리아, 걸프국가들을 포함할 것으로 예상됨.

- 연이나, 어려운것은 일단 인민의 의사가 주장되기 시작할경우, 현 중동의 인위적 국경이 소실되고 중동은 많은 종파, 인종, 각종 이해에의해 수없이 분산되고 전중동의 레바논화가 될 가능성이 있으며, 이는 혁명후의 불란서와같이 갈피를 잡을수 없는 대혼란을 초래할것임. 그이후의 망상에대해서는 인간의 힘으로 예측키 어려움. 확실한것은 이러한 혼난의와중에서 이스라엘은 상당기간 안전을 누리게 될것이라는 점임.

0133

이경우, 중동의 석유공급 마비문제가 제기됨. 미국은 물론 석유 일부를 중동에 의존하고 있지만 여타산유국과의 협조에의해 미국 소요 석유를 확보할 수 있을것이며, 영국은 석유수출국임. 여타 구라파업강들도 석유로인한 고통은받지 않을수 있을것임.

- 전쟁이 장기화될 경우에 미국은 여러가지 난관에 봉착하게 될것임. 우선 미국 국내여론의 문제가 있을것이며, 또한 연합군의 단결 유지도 거의불가능한 일이 될것임. 미국뿐아니라 회교참전국들도 이락의 피해가 증가됨에따라 국내여론의 압력을 느끼게 될것임.

- 전쟁이 장기화됨에따라 회교권의 동향이 문제가 될뿐아니라 더욱큰 위협은 쏘련으로부터 올 가능성이 있음. "고르바쵸프"는 경제를위해 미국에 굴복하였지만 쏘련의 군과 KGB는 이에 만족치 않고있으며, 미국이 대이락 장기전에서 시달릴경우, 이들군과 KGB는 이를 미국에대한 체도전의 계기로 포착, 이락전을 더욱 어렵게 만들수도 있음. 이러한 사태는 엄청난상황을 초래할 것임.

※ 상기 견해는 극단론으로 이락전의 최악의상황을 묘사한것으로 평가되나, 주재국이 회교국가로 주재국 언론인들중 상당수자가 이와 유사한 생각을 가지고 있는것으로 사료되어, 참고로 보고함.

0134

첨부 2.

종전후 중동 정세

(주 파키스탄 대사관 의견)

- 중동 전반에 걸처 걸프사태는 이락의 승패 여부와 관계없이 Arab Nationalism의 재각성계기가 될것이며, 회교와 Arab Nationalism의 융합은 Arab내부에 새로운 정치기류를 탄생시킬 가능성을 배태하고 있음.
이는 여지까지 Arab권내에서 기존정치에 위협을 가져온 Fundamentalism과 융합하여 Fundamentalism보다 더현실적인 현상 타파 Ideology를 탄생시킬 가능성이 있음.

- GCC국가는 종전과 더불어 대의정치등 민주정치 형태를 채택할 가능성이 큰바, 이러한 변화는 여지껏 사우디를 지탱하여온 Wahabism의 붕괴를 촉진하여 새로운 정치형태로 변질시킬 가능성이 크며, 이경우, 사우디내의 정치는 민주정치제도와 회교철학이 융합된 회교공화국의 형태로 변천해갈 가능성이 있음.
또한 GCC국가의 경제력은 전쟁이 장기화하고, 전비가 과다할경우 종전의 경제적 번영을 일부 상실할 가능성도 있음.

- 이락의 장래는 이락이 어떤형태로 패전하는가에 크게 영향을 받게될 것임. 연이나, 확실한것은 "사담 후세인"은 무조건 항복이외의 어떤 형태의 패배도 개인적으로는 정치적 승리를 의미하게 될 것이라는 점임.
미국으로서는 중동의 세력균형과 제국간 상호견제를위해, 그리고 이락의 주변국에의한 분할과 이로인한 발칸 반도화를 피하기위해서 이락의 괴멸을 노리지는 않을 것으로 예상되며, 일단 쿠웨이트 탈환후 사담을 이어 수립될 온건한 정권과 협상에의한 목적달성을 기할 가능성이있음.
종전후 중동문제 해결을위한 국제회의가 개최된다면 "쿠르드"족 문제 해결을위한 Kurdistan 건설문제는 제기될 가능성이 있으나, 이는 터키의 강한 반발에 직면하게 될것으로 보임.
이락은 패전후에도 지정학적 위치에 비추어 새로운 중동 각국의 세력각축에서 각 세력간의 회유대상으로서의 가치를 향유하게될 것임.

0135

- 시리아는 아랍권에서 한권력의 Polar로 등장하여, 애급 및 아랍권 주변 회교국과 새로운 각축을 벌리게 될것임.
이란, 터키와의 대립을위해 중동에서 Arab Nationalism을 강조하고, 아랍권의 맹주겸 보호자를 자처할 가능성이 있으며, 이를위해 향후 이락과 어떤관계를 설정할 것인가가 관건이 될것임.
시리아는 이락의 분할, 약화와 이락의 보호 및 회유라는 2가지 Option이 어려울 것으로보이나, 반면 첫번째 Option은 이란, 터키의 반발을 사게될것임. 또한 "아사드" 대통령의 국내 지위도 주변 중동국 정세변화에따라 불안한것이 될 것으로 예상됨.
두개의 Option 사이에서시리아의 대 이락전참전은 다른 의미를 가질수도 있으며, 시리아는 소극적 참전국으로 봄이 타당할 것임.

- 애급은 금번 참전을통해 단기적 이익을 확보하겠지만, 장기적으로 현 정권이 존속하는한 아랍권에서의 지도적 역량을 상실해 갈것으로 예상됨.
많은 아랍인들과 아랍국가에게 애급은 아랍보다 미국에 충실한국가로 비춰질 것이며, 같은 참전국내에서도 GCC국가를 제외하고, 애급을 전우로 생각키는 어려울 것으로 봄.
이러한 외부적 상황과 애급내부의 정치문제(지도 Ideology의부재, 경제문제등), GCC국가의 변화등은 애급 국내정치에 큰 영향을 미치게 될 것으로 예상되며, Fundamentalism등 현 정치체제에 대립되는 정치세력의 도전이 강화 될것임.

- 팔레스타인은 금번 종전과 더불어 보다 적극적인 국제관심의 대상으로 부각되고, 동문제 해결을 위해 사상 최초의 진지한 국제적 노력이 있을 것으로 예상됨.
동시에 이는 요르단의 "후세인"왕에게 큰 도전세력이 될 것으로 예상되나, 이스라엘과 서방측의 관심은 "요르단"국가 유지에 있을 것으로 보임.

0136

- 향후 이스라엘이 직면할 도전은 여지까지의 군사적 성격의 도전 보다 정치적 성격의 도전이 될것임.
  새로히 Arab패권을 노리는 아랍국가의 보다강한 대 이스라엘선동, Arab대중선에서 등장하는 새로운 Arab Nationalism, 팔레스타인문제 해결을 위한 국제적노력, 요르단 왕정의 흔들임, 레바논에서의 시리아의 지위확고등은 이스라엘에 불안요인이 될것이며, 이스라엘도 향후 생존을 위해 중동문제의 본질적 해결에 보다 긍정적태도를 보일 것으로 예상됨.

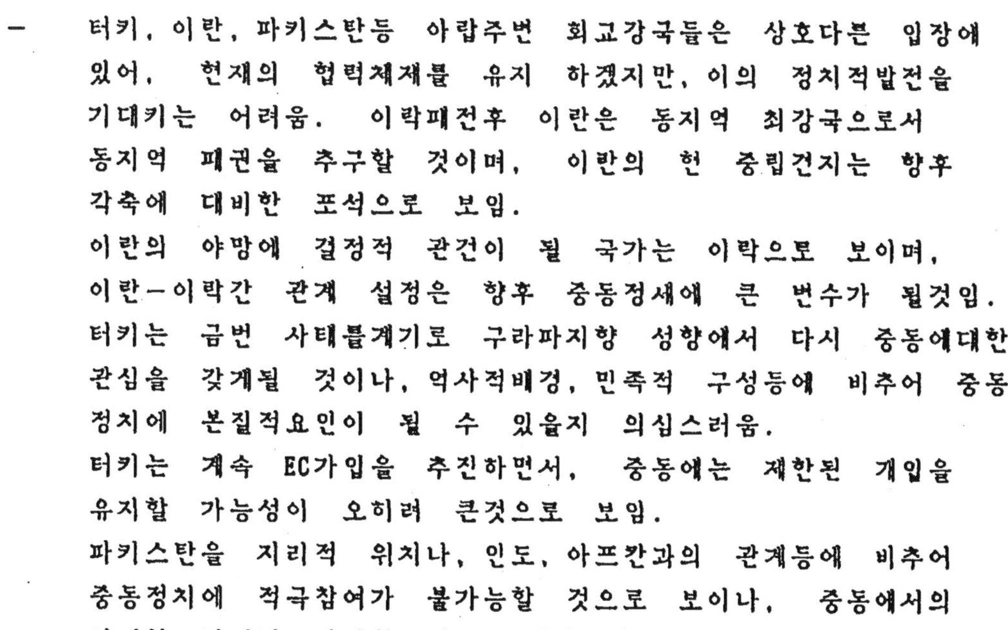

- 터키, 이란, 파키스탄등 아랍주변 회교강국들은 상호다른 입장에 있어, 현재의 협력체제를 유지 하겠지만, 이의 정치적발전을 기대키는 어려움. 이락패전후 이란은 동지역 최강국으로서 동지역 패권을 추구할 것이며, 이란의 현 중립견지는 향후 각축에 대비한 포석으로 보임.
  이란의 야망에 결정적 관건이 될 국가는 이락으로 보이며, 이란-이락간 관계 설정은 향후 중동정세에 큰 변수가 될것임.
  터키는 금번 사태를계기로 구라파지향 성향에서 다시 중동에대한 관심을 갖게될 것이나, 역사적배경, 민족적 구성등에 비추어 중동 정치에 본질적요인이 될 수 있을지 의심스러움.
  터키는 계속 EC가입을 추진하면서, 중동에는 제한된 개입을 유지할 가능성이 오히려 큰것으로 보임.
  파키스탄은 지리적 위치나, 인도, 아프칸과의 관계등에 비추어 중동정치에 적극참여가 불가능할 것으로 보이나, 중동에서의 최대한 경제적 이익확보와 GCC에의 파병을통한 중동문제에서의 발언권 신장을 기하는 정도가 될것임.
  면이나, 파키스탄이 중동에서 완전 배제될경우, 파키스탄은 이란과의 관계 강화를통해 중동정치에 불안요인이 될 가능성도 있음.

- 중동정치는 여전히 대중수준에서의 회교와 아랍 국민주의 감정의 재생이 단합요인으로 등장하나, 반면 현국가간의 알륵으로인한 분열현상이 지속될 것이며, 이에 구, 미 강국의 개입, 이스라엘과의 대결요인이작용, 변함없이 복잡한 정치양상을 보이고, 여전히 위험 지역으로 남아있게 될것임. 면이나, 금번 걸프사태를 계기로 부각된 현상은 중동내부에 팔레스타인문제와 산유국과 비산유국간의 극심한 부의격차가 항시 중동정세에 본질적문제로 잠재해왔다는 점이며, 이의 해결없이 중동의 안정은 어렵다는 점임.

0137

장기적으로 팔레스타인문제 해결을위한 국제적노력이 전개되고, 한편 아랍제국내에서 구정권의 붕괴, Arab Nationalism과 Islam Revivalism은 아랍권내에 새로운 통합 및 조화요인이 될수있으며, 종전후 아랍권내에 지나친 구, 미의 Presence는 이를 촉진하는 외부적요인이 될수있을것임. 연이나, 단기적으로 새로운 아랍권내 기존국가간의 세력균형이 이루어지기까지 아랍권내의 분열, 알륵현상은 오히려 강하게 표출될 것으로 예상됨.

0138

관리번호 91/969

'고운마음 고운가정 바른행동 바른나라'

주 바 레 인 대 사 관

바레인(정)20700- 17 1991. 1. 24

수 신 : 외무부 장관

참 조 : 중동아프리카 국장

제 목 : 페만사태 이후의 중동질서의 재편

대 : WMEM-0007(91.1.16)

대호 표제건 관련 당관의 분석결과를 별첨과 같이 보고합니다.

첨 부 : 전후 중동질서 전망 1부.

예 고 : 1991. 6. 30. 일반

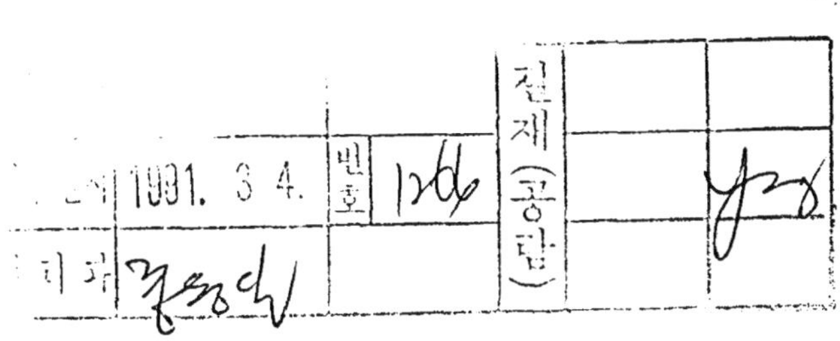

주 바 레 인 대

'한사람이 지킨질서 모아지면 나라질서'

0139

전후 중동질서 전망

1991. 1. 24. 주 바레인 대사관

1. 교전 쌍방의 목표

이라크와 다국적군의 표면상 대의명분 뒤에 숨은 진정한 전쟁 목표는 다음과 같이 정리될 것임.

가. 이라크의 목표

(1). 쿠웨이트 합병의 기정 사실화.

(2). 중동원유 지배권의 장악.

(3). 핵전력을 보유한 군사 강국으로 발전.

(4). 아랍의 맹주권 획득.

나. 서방 다국적군(미국)의 목표

(1). 이라크의 역내 군사대국 위치 박탈.

(2). 이라크의 핵무기 보유를 방지하고 화생전 능력 제거.

(3). 이라크의 중동 원유 지배권 장악 저지.

(4). 중동에서 급진현상 타파세력을 제거하고 신 중동질서 형성.

2. 전후 중동질서 재편 고찰의 전제

가. 질서재편과 전쟁의 연관성

바레인 각계는 현재 진행중인 걸프전쟁(이하 '전쟁')이, 미국을 주축으로 하는 연합군의 승리로 종결될 것임을 확신하고 있으나, 전후 중동질서의 재편에는 다음과 같은 전쟁 관련 사항의 영향은 다대할 것으로 보고 있음.

(1). 전쟁기간의 장단.

(가). 전쟁기간과 연합군의 전후 영향력은 반비례.

(나). 전쟁기간의 장기화는 전후 중동에서의 군비 경쟁심 가중.

1 0140

(2). 이스라엘의 대이라크 보복이 있었는지의 여부, 보복이 있었을 경우에는 :

(가). 미국.이라크 전쟁에서 서방 대 아랍권 전쟁으로 번질.

(나). 이라크는 군사적으로 패전하고 정치적으로 승리.

(3). 전쟁종식의 계기(사담의 실각, 이라크군의 괴멸 또는 철수,협상).

(가). 사담의 실각에 의한 종전은 서방측에 의한 전후 중동질서 개편에 유리.

(나). 이라크군의 괴멸은 아랍 군사대국의 군사모험 견제에 유효.

(다). 이라크군의 조기 철수는 이라크의 전력 온존을 의미, 화근 제거에 미흡.

(라). 협상에 의한 종전은 이라크측의 정치적 승리 보장.

나. 질서재편 전망을 위한 가정

따라서, 걸프전쟁의 최종단계의 시작인 지상전에 조차 돌입하지 않은 현 시점에서 전후 중동질서 재편을 고찰함에 있어서는 다음의 가정을 전제로 하지 않을 수 없음.

(1). 전쟁이 비교적 단기간(3개월 정도)내에 종결되었음.

(2). 연합군 구성 아랍국의 이탈 없었음.

(3). 이스라엘의 대 이라크 무력보복 없었음.

(4). 군사상 연합군의 일방적 대승이었음.

(5). 친 이라크국의 참전 없었음.

3. 전쟁을 통해 재 확인되는 사항

상기 "2. 나"항과 같은 종전가상하에서는, 걸프전쟁을 통해 다음과 같은 사항이 확인 또는 재확인 되었다고 상정(想定)될 것임.

가. 이스라엘-아랍간 대결의 종식없는 중동평화 난망.

나. 서방측의 GCC 회원국의 절대 군주체제 수호지원 의지 강경.

다. 아랍 군사강국들도 "아랍국가에 의한 중동패권 장악"에는 반대.

라. 서구는 중동에서의 NEO-PAX AMERICANA 용인 자세.

마. 중.쏘는 중동지역내에서 한시적으로 자국이권 신장여력 미약.

바. 중동에는 단일국가로서는 미국과의 무력충돌에서 생존가능국가 무.

사. 사우디를 주축으로 하는 중동부국 그룹인 GCC 의 안전보장 능력 허약.

아. 교전 쌍방간의 현격한 전력 차이로 인해 유전 파괴는 최소 범위로 한정됨.

자. 미국의 중동원유 지배권 장악 가능성 극대화됨.

차. 범 아랍 민족주의에 입각한 범아랍 공동이익 추구보다는 개별국가 이익 도모 우선.

카. 지역분쟁 해결과 관련한 안보리의 위상 상승.

4. <u>전후 중동질서 재편 기본 요소</u>

따라서 전후 중동질서 재편의 주역과 기본사항으로서 다음을 열거할 수 있을 것임.

가. <u>팔레스타인 문제.</u>

(1). 교전 쌍방간, 이스라엘 참전의 유도와 제지에 진력한 사실.

(2). 걸프사태와 팔레스타인 문제 연계 주장에 대한 아랍권의 강력한 지지.

(3). 유엔 안보리 결의 678호를 구실로 개전한 미국의 유엔결의 242호 및 338호의 존중 의무.

나. <u>역내국가 및 블록간의 군사력 균형 조성.</u>

(1). 서방측은, 역내 군사대국들의 전력의 총계(總計)가 서방측의 중동 전용(轉用) 전력 대비 약세 유지 노력 예상.

(2). 이집트, 시리아의 군사력 증강 노력과 이에 대한 관련국의 견제를 위요한 알력.

(3). GCC 회원국들의 전력증강 노력및 외국군 주둔 허용에 대한 역내 비 GCC 국가들의 반발.

다. 역내 경제 재건.

(1). 1,000억불을 상회할 쿠웨이트의 피해 복구.

(2). 이라크의 전쟁배상 및 전전 대외 채무상환과 전쟁피해 복구 문제.

(3). 전쟁피해 복구비 조달을 위한 역내 산유국의 경쟁적 원유증산 조절 문제.

라. 지역내 평화유지를 위한 미국의 역내 주둔.

(1). SAUDI내 주둔은 지양.

(가). 사태발생후 거듭된 미국의 사태종결 즉시 사우디 철군 공약.

(나). 이슬람 성지 관련 배려.

(다). 사우디 회교원리주의 세력에 대한 이란의 배후 책동 경계.

(2). 바레인 주둔 가능성.

(가). 약소국 바레인의 자국 안보상 필요.

(나). 사태발생 이전부터의 주둔 실적.

(다). 바레인측의 국가 재정수입 증대 도모.

(라). 걸프 아랍국가중 대서방 반감 최저.

(마). 왜소 도서국가로서 테러방지 용이.

(바). GCC 국가들의 동의획득 용이.

5. 전후 중동질서 예상

가. 팔레스타인 문제, 유엔결의 242호(67.11.22.)및 338호(73.10.22)를 기본선으로 타결.

(1). 서방 국가들의 UN 안보리 결의를 이유로한 전쟁사실.

(2). 구.미의 중동원유 지배권 장악의 대가로서 팔레스타인 문제 양보적절.

(3). 팔레스타인 문제에 관한 서방측 발언권의 최강시기.

나. NEO-PAX AMERICANA 현상 시현.

(1). GCC 회원국의 전폭적 대미 지지.

(2). EC 의 대미 협조와 중.소의 역내에서의 자국 국익신장 여력 부족.

(3). 아랍 민족주의 보다 아랍 개별 국가이익 우선 추구 현상 표출.

관리 번호	91-1470

원 본

외 무 부

종 별 : 지 급

번 호 : IRW-0087 일 시 : 91 0128 1630

수 신 : 장관(대책본부장,중근동,중미,정일,기정)

발 신 : 주 이란 대사

제 목 : 걸프전쟁

1.26 이락 으로부터 당지로 대피한 현대근로자들로 부터 청취한 최근 이락내상황과 그간 당관이 수집한 정보를 기초로한 표제 사태 전망에대하여 아래보고함(중복을 피하기위하여 일반적으로 이미 알려진 정보나 관찰은 제외하였음)

91.6.30. 검토필

1. 일반상황

가. 국민들은 경제적으로 곤란한 상황 에있으나, 생필품은 일부 보도와는 달리 부족함이없고 그간 국민들의 생활여건이 워낙 열악하여왔기 때문에 전쟁으로인한 어려움을 크게 느끼지 않고 있는것 같음.

나. 지도자에 대한 불만과 반감은 대단하나 극히 친밀한 관계의 사석에서의대화시가 아니면 어떤 반정부적 의견 개진도 하지않고있음. 따라서 일반국민의전쟁에대한 자세는 지도자의 제거로 하루빨리 종전이 되었으면 하는것임.

다. 그러나 바그다드를 제외한 여타지역은 통신, 전기, 수도사정이 그런대로 운영되고있기때문에 일상생활의 악화로 인한 민중봉기나 유사한 폭동이 일어날 가능성은 없다고봄.

2. 장기전화 여부에 대한 이락태도

가. 이락 일반국민은 이락측 관점에서보아 전쟁의 장기화 여부가 사담후세인의 개인태도 여하에 달려있다고 보고있음. 유엔의 최후 통첩일인 1.15 일 2 일전에 대규모의 관제데모가 바그다드에서 있을 예정 이었으며 그슬로건은 국민은 사담을 원하지 부웨이트를 원하는것이 아니다 라는것이였음. 그러나 이러한 데모가 최후순간에 취소되었음. 그이유는아래와같다고 추정하고있음.

-대통령주변인물 특히 사위인 국방장관등이 전황을 이락에 유리하게 전망

-전쟁이 제한적((1)지역전으로 부웨이트주변에한함.

(2)성격면에서 인명피해를 극소화하는 양상이 될것이므로 이락에 결정적인 피해는

중아국 장관 차관 1차보 2차보 미주국 정문국 청와대 안기부

0145

PAGE 1 91.01.28 22:52

외신 2과 통제관 FE

없을것임.

-확전이될경우 다국적군의 붕괴를 가져올 가능성이있음(이스라엘공격, 터키참전, 성지파괴등이 갖고올결과)

-3 월중순에있을 SAND STORM 시기를 이용 이락군이 육상전을 전개한다면 승산이 있으므로 평화협상을 한다고 하더라도 이시점이후에 하는것이 유리함.

-나. 사담은 여러가지 오판을 한외에 (예컨데 APRIL GLASPIE 대사의발언오해) 개인적으로 무바락 대통령에대한 반감(이락의 쿠웨이트침공직전 무바락은 자기부인을 사담에게 보내 전적인 우의를 보장 하였던 것으로 알려졌음)및 아랍세계에서의 이미지등으로 쉽사리 쿠웨이트 철수에 응하리라고는 보지않음.

다. 사담은 장기전 에대비 쿠웨이트의 요새화에 전념한것으로 알려지는바쿠 영토내 지상전시 다국적군은 대규모피해를 감수 해야할 것으로 보이며, 미사일또는 전투기에의한 공격시에도 상당량의 폭탄투하등 소모전이 뒷받침 되어야할것으로보임. 또한 사담은 현재 핵병기로도 파괴되지않을정도의 안전한 지하시설에 안주하며 자신의 안전을 꾀하고있는것으로 보임.

라. 이락은 이란과의 교역을통한 생필품등 물자의 공급을 받는외에 북한과의 접촉을 시도하고있음(최근 북한의 고위관리가 이락을 방문한적이있고 삼다대통령 측근이 북한을 방문하였다함)이러한 노력은 장기전에대비한 이락의 준비라고 풀이됨.

IRW-0088 호로 계속

PAGE 2

0146

관리번호	91-1480

원 본

외 무 부

종 별 : 지 급

번 호 : IRW-0088 일 시 : 91 0128 1630

수 신 : IRW-87 호의 계속

발 신 :

제 목 : IRW-0078 호의 계속

91.6.30. 재분류

3.이란,이락관계 가.사담대통령은 자국공군에대하여 다국적군에대한 자살공격을 명하였다는 소문이 나돌고있으며 이와같은 명령을 거부할수없는 공군조종사들은 전투에 참가하지않고 이란으로 대피하고있다고함.이란의 공식발표는 7대의 이락전투기가 이란에 착륙하였다고함(당관견해:이란에는 이미 4-5대의 이락 민간항공기가대피하여있으며, 전투기의경우 이란정부는 이란에 착륙한 교전상사국의 전투기는 전쟁이 종료될때까지 이를 억류하겠다고 발표하면서도 조종사들이 망명하였다는 언급을 하지않고있는점을 미루어보아 전쟁발발전 이락-이란간에 어떤합의가 있었을 가능성이 있는것으로 추정됨. 다만 이락항공기에대한 기지제공으로 문제가잘못비화되면 이란도 전쟁에 말려들어갈 우려가있음으로 종전의 어떤 양국간 양해에서 태도를 바꾸어 이락항공기를 억류한것으로 추정됨)

나. 현대근로자들은 이락의 화폐를 이란에 환전하였다고하면서 환전에 제한이 없는것같았다고하였음(당관추정:이락의 화폐는 대환권이 아니며 이란정부나 국민성격상 어떤이유가 없는한 불태환권인 이락화폐를 준공식 태환권인 자국화폐로 환전하여 주지는 않을것임. 이란은 이락이 쿠웨이트로부터 막대한 외한환을 압류하여왔으나 경제봉쇄등으로 이를 상용치못하고 보관하고있다는점을 감안 이락과의 비공식 교역을 양승하고 일단 대금결제는 이락화로 하되 추후 정부간 차원에서 이락은 자국화에해당하는만큼 원유또느 달러등으로 교환하여준다는 양해가 있기때문이라고 일단추정하여 볼수가있음)최근 이란은 인도적견지에서 이라크에 생필품및 의약품을지원하기로 결정하였는바, 이러한점에서 주목할 가치가있음.

다. 이란은 향후걸프만 세력구도형성에 주도적 역할을하고자하며, 동기회를 자국발전의 기회로활용코자하고있으므로 여하한 경우에도 전쟁에 개입되는것은 회피하려고하고있음, 4. 전망 전쟁종결을 좌우하는 변수는 다국적군의

중아국 장관 차관 1차보 2차보 미주국 정문국 청와대 안기부

0147

PAGE 1 91.01.28 23:21

외신 2과 통제관 FE

공중공격등에의한 이락의 굴복보다는 가. 사담후세인및 주위 몇몇측근을 제거되느냐의점(사담은 굴복의사도없고 그럴수도없으며 전쟁장기화가 자신에게 유리하다는 판단을하고있다는전제 나.3 월 중순부터 시작될 SAND STORM 시기를 이용한 이락지상군의대규모 공격및 그성공여부. 이경우 유리한 입지를 바탕으로 미측의 양보를 최대로한 협상에 응할수도있을것임. 다. 유일한 교역대상국으로의 이란의 태도변화여부등이라고봄.끝 (대사정경일-대책본부장) 예고:91.12.31 일반병

PAGE 2

0148

관리번호	91-1481

원 본

외 무 부

종 별 :

번 호 : SVW-0297 일 시 : 91 0128 1830

수 신 : 장관(중근동, 동구일)

발 신 : 주 쏘 대사

제 목 : 걸프만 사태

연:SVW-253

당관 서현섭 참사관은 금 1.28(월) 외무성 정책평가 기획국 OZHEGOV 참사관을 면담, 표제 관련 쏘측 평가등을 탐물한바, 동인의 언급요지 아래 보고함(동인은 24 년간 이란등 중동지역에 근무했으며 최근에는 아프간 대사관 차석으로 근무하다 90.8 월에 귀국하였다 함)

91.6.30.

1. 쏘련측 입장

-쏘련과 이라크는 전통적으로 군사, 경제, 문화적으로 긴밀한 관계를 유지해 왔으나, 신사고에 의한 외교정책에 따라 이라크의 쿠웨이트 침공을 비난하고 유엔 결의의 지지를 분명히 했음. 이와 같은 쏘련의 태도는 쏘련의 체코 침고, 미국의 파나마 침공시 적용되었던 냉전 체제하의 DOUBLE STANDARD 를지양하고 국제정치에 있어서 미.쏘 협조 체제를 구현했다는 점은 주목할 만함.

-일부에서는 쏘련도 다국적군의 일원으로 참전하자는 의견도 있었으나 리투아니아 사태등 국내 정국이 복잡해지고 있고더우기 600 억루블의 전비와 15,000 명의 전사자를 낸 아프간 신드럼 때문에 참전반대로 결정되었다 함

-전후에는 동 지역에서 미국의 입장이 강화되는 반면, 쏘련의 입장 약화가예상된다고 하면서 이를 어떻게 극복할 것인가가 과제라 함.

2. 종전 전망등

-후세인은 아랍인의 SOLIDARITY 를 과대평가하고 쿠웨이트 철군에 응하지 않았으나 아랍제국이 MORAL SUPPORT 이상의 지원을 하기는 경제적으로도 여유가 없는 상태임. 후세인은 이스라엘을 도발, 전쟁에 참전시켜 금번 전쟁의 성격을 아랍인에 대한 비아랍인의 침략으로 변모시키기 위한 지연 작전을 쓰고 있는 것으로 보임

-미국은 인도, 알제리아 등 비동맹권의 휴전 호소에 상관없이 걸프 지역에서의

중아국 장관 차관 1차보 2차보 구주국 청와대 안기부

 91.01.29 06:26 0149

외신 2과 통제관 FE

미국 국익 유지 내지 확보에 장애물이 되고있는 후세인을 제거할 때까지 군사적 공격을 계속할 것으로 보여 걸프전은 단기적으로 종결되지 않을 것으로 보임

3. 기타

-걸프전이 어떤 형태로 종결되든지간에 후세인의 정치 생명은 끝난 것으로 보아야 하며 군부에 의한 제거 가능성이 크다 함

- 미국은 종전후 걸프만에 미군을 잔류시킬 것이 분명하며 철수시까지기술적으로도 수개월이 소요될 것임

-아랍인의 SENTIMENTALISM 으로 미루어 볼때, 전쟁이 장기화 되고 아랍인의다수 살상자가 발생하게 될 경우 , 이란, 시리아, 요르단등이 이라크로 경사될가능성을 배제할 수 없음. 끝

(대사 공로명-국장)

91.12.31 일반

PAGE 2

0150

관리 번호	91 -916

원 본

외 무 부

종 별 :

번 호 : FRW-0324 일 시 : 91 0129 1620

수 신 : 장관(중근동,구일,미북,정일)

발 신 : 주 불 대사

제 목 : GULF 전(전망)

당지 EMMANUEL HAYMANN 교수(이스라엘 문제) 및 PIERRE LELLOUCHE 교수(ENA 출강: 국제문제) 양인은 표제건과 관련, 하기와 같이 분석함.

1. 미.영 진영의 입장

-그간의 공폭이 성과가 있었나고 판단, 많은 희생이 예상되는 지상전 개시전 제공권을 장악, 안전한 쿠웨이트 탈환작전을 구상하므로, 지상전 결행시기를 2-3 주일 정도 늦출것으로 보임.

-UN 결의의 기본정신인 쿠웨이트 해방과 주권회복외에 바그다드 진주까지를 념두에 두고있으나, 일단 쿠웨이트 탈환에 성공하면, 다국적군 참여국중 주재국 및 아랍, 아시아 국가들은 이락공격에 동조치 않을 가능성도 있음.

-미국은 자국의 인명 희생자가 많지않을 경우 전쟁의 장기화가 오히려 국익에 부합하다고 보고, 때로는 이락을 늦추어 주어 표면으로 유인, 때로는 강도있는 공격등 작전을 병행, 이라측의 탈진을 유도할 것으로 보임.

-영국은 금번 전쟁중 의외의 전의를 보이고 있는바, 이는 동국이 미국의 맹방으로서의 추종이란 의미도 있으나, 과거 이스라엘 건국, 이락. 쿠웨이트의 인위적인 국경선 분할을 위시한 현 분쟁지역 문제 전반을 주도하였으므로 이락의 도발이 자국의 중동식민지 정책에 대한 정면도전이란 면에서, ANGLO-SAXON 특유의 자존심을 회복키위한(과거 FALKLAND 전쟁의 경우와 같이) 감정적인 면도 있으므로, 영국은 미국과 최후까지 공동보조를 취할것으로 보임.

-미군이 이스라엘의 참전을 억제시키는 이유는

가) 전쟁이 아랍대 이스라엘의 대결로 변모 확대되는 위험성이란 기본적인 우려 외에

나)쿠웨이트 탈환 지상전시 최전선에 배치할 아랍권 다국적군이 와해되면, 사막전

중아국	장관	차관	1차보	2차보	미주국	구주국	정문국	청와대
총리실	안기부							

PAGE 1 91.01.30 01:44 0151

외신 2과 통제관 DO

무경험의 미군으로 일선을 담당키 어려운 작전상의 취약점도 념두에 두고있기 때문인 것으로 보임.

2. 이락 진영

-SADDAM HUSSEIN 은 자신의 거듭된 호언대로 미측의 공폭에 기대이상 견디고 있으며, 공중전은 승산이 없다고 판단, 지하 벙커에서 은신하다,3 월초를 기해 지상전으로 승부를 결하기 위해 현재는 다소 시간을 벌고있는 전략으로 대처하는 것으로 보임.

-과거 아랍세계의 영웅으로 추앙받던 NASSER 보다 우월한 인물임이 금번 전쟁시 29 개국과의 대전서 입증되었다고 보고, 비록 궁극적으로 패망할 망정, 아랍의 신화는 창조하였다고 자부하고 있을 것으로 보임.

-코란은 도덕성보다는 힘의 우위와 힘에대한 복종을 권유하고 있으므로, 마그레브, 애급, 시리아, 파키스탄등 회교국 국민의 지지를 얻는데 성공하였으며 또한 만성적인 분열을 보인 아랍권 결속에 실질적인 기여를 하였으므로, 비록 상기 국민들의 직접적인 도움은 되지 못하더라도, 이들이 자국의 약체 정권을 붕괴시켜, 금번 전쟁의 성격을 동서냉전을 대치한 남, 북대결의 양상으로 몰고 가려는 속셈도 있는것으로 보임.

-화학무기의 사용은 미측의 중성자탄등 신예무기로의 보복 명분을 주게되므로, SADDAM HUSSEIN 의 1.28. 발표에 불구, 생화학무기 사용은 절박한 상황까지 유보할 가능성이 있음.

3. 이스라엘의 기본전략

-금번 걸프전이 서방과 이락간의 대결임을 부각시키고 미국의 배후서 은신, 자국은 제 3 자로 처신, 자칫 SADDAM HUSSEIN 의 참전유혹에 빠지지 않도록 온건한 자세를 유지함.

-이락측의 7 차에 걸친 SCUD 미사일 도발에 대해서는 동 공격으로 치명적인 피해는 없었음에도, 서방 메디아를 동원, 과거와는 달리 이스라엘이 인내로써 자중하고 있는 것으로 인식시킴으로써, 국제여론의 동정을 얻고자 하고있음.

다만 이락의 화학무기 공격시는 참전의 명분이 정당화될 가능성이 많으며, 참전시 세계 최정예 지상군을 부입하면, 전부는 다국적군에 유리하게 전개될 것이나, 이스라엘의 참전은 다국적군 자체를 와해시킬 우려가 있으므로 득, 실 양면이 있을것임.

-이락의 패망은 기정사실로 간주, 국제여론화 되어있는 전후 "중동평화 국제회의"의 수락을 전제로, 이에대한 사전대응에 신경을 쓰고있음. 즉 점령지등 자국내 거주 팔인을 모두 현 요르단 영토로 이주시켜 팔인의 독립국가를 세우도록 하는 CARD 가 있는것으로 보이며, 이경우 현 HUSSEIN 왕의 요르단의 체제의 붕괴는 기정사실로 계산하고 있는 것으로 보임.

-이에 대비, 지난 90.6. 미.쏘 SAN FRANCISCO 정상회담시 미측으로 하여금 쏘 거주 유태인의 대량 이스라엘 이주를 쏘측에 지원토록 요청케하여, 쏘측은 이를 수락, 현재 약 20 만명의 쏘련계 유태인이 이 정부의 생활기반 제공으로 속속 점령지에 정착하고 있다함.

이하 4. 항 부터는 FRW-0325 PART II 로 계속됨

관리번호	91-917

원 본

외 무 부

종 별 :

번 호 : FRW-0325 일 시 : 91 0129 1620

수 신 : 장관(중근동,구일,미북,정일)

발 신 : 주 불 대사

제 목 : FRW-0324 의 PART II

4. 이스라엘의 대 PLO 대책

-이스라엘은 과거부터 ARAFAT 의 주변 강경노선의 인물을 서서히 제거, 현재 ARAFAT 중심의 지도부는 극도로 약화되어 동인은 고립무원한 존재가 되고있음.

-더욱이 금번 GULF 전을 위요, 아랍 왕정체제의 적극적인 재정지원을 받던 PLO 가 초기에는 이락과 다국적군 참여 아랍국간 사이에서 입장을 결정치 못하다, 최근 SADDAM HUSSEIN 의 노선에 동조하는 것은 PLO 와 이락의 동시 패망의 징후로 보고, 전후 중동문제 해결에 보다 유리한 고지를 점한것으로 자족하고 있는 것으로 보임.

-국제회의시 팔인의 주체를 점령지 거주인으로 설정, 약화된 PLO 와의 직접대화는 기피코자 할것이 예상됨.

5. 이란

-걸프전이 정치, 경제면에서 현재까지 적지않은 실익을 가져왔으므로, 상금 공식적으로 엄정 중립입장을 견지하고 있으며, 1.29. 현재 이란측이 접수한 69 기의 이락 공군기를 종전까지 압류한다고 발표함.

-그러나 국내 회교원리주의자의 압력등으로 인도적인 대이락 식량공급등은 계속하고 있으며, 이스라엘 참전 또는 별도 상황전개시, 이락 지원으로 방향을 선회할 가능성도 있고, 서방측이 망명임을 주장하는 이락 공군기도 귀환시켜, 이락측에 그간 피폭을 면할수있는 안전처를 제공한 것으로 인식시킬 가능성도 있음.

6. 시리아

-아사드 대통령은 9 프로선의 소수인 아라우위 출신으로, 현재까지 다수인 시아파 국민을 반 시오니즘 부쟁이란 기치로 지배해옴.

-금번 다국적군에의 참여로 동 대통령의 이미지는 변질 되었으므로, 이스라엘 참전시에도 다국적군에 잔류하면, 국민봉기의 위험성이 크게 대두되고 있음.

중아국	장관	차관	1차보	2차보	미주국	구주국	정문국	청와대
총리실	안기부							

0154

PAGE 1 91.01.30 02:40

외신 2과 통제관 DO

7. 중동평화 국제회의

-전쟁이 다국적군의 승리로 종결되는 즉시 미국이나 이스라엘은 동 국제회의의 원칙을 일단 수락, 동 회의를 용두사미화 시키는 전략을 모색할것임.

-주재국을 위시한 일부 EC 국은 동 회의형태를 90.11. 당지서 개최된 CSCE 방식을 도입할 것을 구상하나, 그 구체적인 면모는 상금 정하기가 어렵고 다만, 팔레스타인, 이스라엘, 미, 쏘, 불, 영 및 관련 아랍국(요르단, 이집트, 시리아, 레바논등)의 참여는 필수적인 것으로 보임.

8. 불란서의 대중동 정책

-주재국은 DE GAULLE 대통령 집권시부터 대중동 문제에 있어, 친 아랍적인 정책을 견지해옴.

-81 년 당선시 유태계열의 적극적인 지지를 받은 MITTERRAND 대통령도, 집권 초기에는 아랍, 이스라엘의 형평을 유지하다, 대이락 무기지원, ARAFAT 에대한 국가원수급의 예우등을 배려하므로써, 최근에는 이스라엘과의 관계가 소원해짐.

-주재국의 친 아랍정책에 대해 영, 미측은 이를, 전후 경제적 실리에 대비한 기회주의적인 정책으로 평가하고 있으며, 실상 여사한 고려가 전혀 없는 것은 아니나, 좀더 근원적인 사유는, 불란서, 이태리, 스페인, 폴투갈등 지중해권 국가는 역사적으로 회교권으로 부터 침략, 대결등을 통해 아랍문명과의 접촉이 많았으며, 때로는 이들과 문화교류등으로 상호 이해기반이 조성되어 있는 반면, 미국등 ANGLO-SAXON 국가는 청교도 중심의 사상에 입각, 생리적으로 용납이 안되는 이질적인 아랍권에 대한 이해를하고자 하는 자세조차 되어있지 않은데도 기인한다고 볼수있음.

-따라서 주재국은 전후 중동재편시 전과 동일한 영향력을 계속 행사코자 할것이고, 아랍 진영과의 정치, 경제등 교류도 서방 결속체제와는 별도로 더욱 강화할 것으로 보이며, 비록 미국의 대불 시각이 호의적인 것은 아니라해도 결정적인 시기에는 미국도 주재국의 역할을 인정, 필요한 협조를 요청케 될것으로 보임. 끝.

(대사 노영찬-국장)

예고:91.6.30. 까지

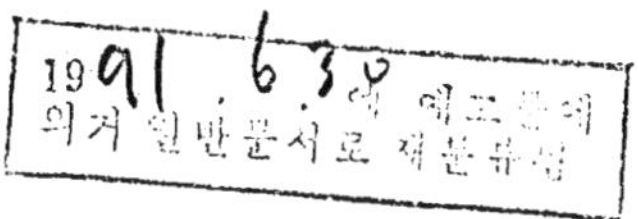

길

관리번호	91-165

외 무 부

M15

종 별 :

번 호 : PAW-0131 일 시 : 91 0130 0900

수 신 : 장관(아서,중근동,기정)

발 신 : 주 파 대사

제 목 : 걸프전쟁관련 주재국동향(자응5호)

연: PAW-115,106, 주파(정)760-456

1. 주재국 베그 육참 총장은 지난1.28(월)육본에서 600 여명의 군장교에게 행한 연설을 통해, 걸프전쟁관련, 자신의 견해를 밝힌바, 그요지는 아래와 같음.

가. 걸프전쟁의 원인은 1948,56,67 이스라엘-아랍전쟁에 있으며, 이락의 군사강국화로 인한 대이스라엘 위협을 사전제거키 위해 이락은 쿠웨이트를 침략토록 격로되었을 가능성이 있음.

나. 연합군측은 걸프사태의 평화적해결을 위한 노력을 다하지 않고, 성급히개전했으며, 유엔결의가 위임한 전쟁목적(쿠웨이트 해방)에서 벗어나, 이락의 경제적, 군사적 파괴로 전쟁목표를 확대하고있음.

다. 걸프전은 장기화되고 확대될것이며, 결과는 모두 패자가 될것임.이락은미국에게 소련의 아프간이 될것임.즉 전쟁은 교착상태로 여름까지 장기화될것인바, 연합군측은 공군력의 기술적 우위만으로 전쟁을 이길수 있다는 착오를 하고있으나, 이락의 지상군은 건재하고 끝까지 저항할것임.

라. 걸프사태는 회교권의 단합된 노력으로 평화적으로 해결해야하며, 우선 이락이 쿠웨이트로부터 철수하고, 동시에 연합군이 사우디에 철수해야함.

마. 걸프전후 걸프지역의 정치질서는 재편될것이며, 새로운 지역안보장치가마련될것인바, 이를 위해 이지역국가들간의 STRATEGIC CONSENSUS 를 이루어야함.

바. 종전후 소련의 아프간철수후와 같이 미국은 쇠퇴할것이며, 독일, 일본등이 독자적인 세력권을 형성해갈것임.

사. 한편, 주재국정부의 대걸프정책을 위요한 주재국 국내사태와 관련, 가두정치를 통한 해결은 바람직하지 않음. 이락에 대한 무차별폭격등으로 인한 국민감정등은

아주국	장관	차관	1차보	2차보	중아국	정문국	청와대	안기부
국방부								

0156

PAGE 1 91.01.30 15:49

외신 2과 통제관 BW

이해할수 있음.

2. 한편,1.22-28 간 연호 중동지역 6 개국순방후 귀국한 나와즈 수상은 1.28(월)저녁 기자회견에서 금번 순방성과가 고무적이나 불완전한것으로서, 향후 걸프전쟁종식을 위해 계속노력할것이라고 밝힘.이와 관련 야쿱칸 외상은 마지막 방문국인 사우디에 계속 잔류하면서 걸프사태관련, OIC 긴급총회또는 외상회의(이스라마바드)개최문제를 협의하고있는것으로 알려짐.그러나 대부분 당지 분석가들은 나와즈 수상의 이러한 외교적 INITIATIVE 의 실현가능성은 희박하며, 국내정치용인것으로 평가하고있음.

3. 분석및 평가

가. 베그장군의 동발언은 사우디에 파병을 하고있는 주재국정부입장과 상치될뿐만 아니라, 주재국내 회교원리주의 정당등이 국민선동에 사용하고있는 논리와 동일한바, 국민여론 무마용또는 국민에대한 일종의 인기영합전술로 볼수있음. 동 발언시기가 나와즈수상의 중동순방귀국 기자회견 10 시간전이었다는 점에서 베그 장군의 의중에 대한 여러가지 추측을 자아내고있는바, 지배적인것은 베그장군이 (금년 8 월 참모총장 임기만료)정치적 야심을 노출하고있는것이 아닌가하는점임.

나. 동연설은 주재국의 대미관계를 어렵게 할뿐아니라 현재 주재국의 대외정책 특히 걸프전쟁에 대한 주재국 입장에 혼선을 일으키고 있는바, 그 귀추가 주목됨. 끝.

(대사 전순규-국장)

예고 91.6.30 일반

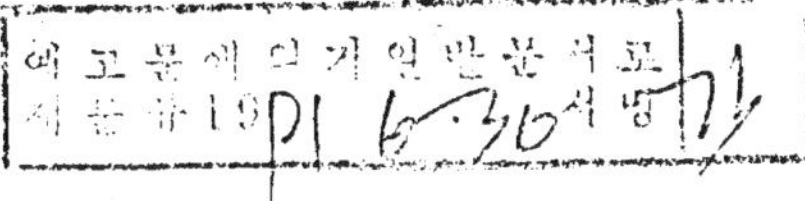

報告畢

長官報告事項

1991. 1. 30.

美洲局
北美課(4)

題 目 : 걸프 戰況에 관한 駐韓 美 大使館 通報 內容

駐韓 美 大使는 1.29. 長官님께 駐韓 美軍側이 提供한 걸프 戰況 브리핑 內容을 通報하여 왔는바, 아래 報告드립니다.

1. 戰況 槪要

ㅇ 미국은 현재까지 수행중인 전쟁 결과에 관해 만족하고 있음.

ㅇ 특히 다국적군은 제공권을 완전히 장악하고 있으며, 다국적군 공군기들은 이락 영공에서 큰 어려움없이 작전 수행 가능함.

- 지난 3일간 공습에서 다국적군 공군기 상실은 1대뿐임.

2. 이라크軍 戰勢

ㅇ 이라크 공군기들은 이란에 대피해 있거나, 또는 파괴되었기 때문에 다국적군에 위협이 되지 못하고 있음.

0158

ㅇ 이라크 남부지역 및 쿠웨이트 주둔 이라크군은 극심한 보급품의 부족으로 어려움을 겪고 있으며, 병사들은 1일 1회의 식사만 제공받고 있음.

ㅇ 이라크군은 잘 구축된 참호에 매복해 있거나 지뢰밭에 의해 보호를 받고 있는등 일응 군사적 측면에서 강점이 있는것 같으나 반면 이는 그들의 기동력을 제한하고 있기 때문에 이라크군의 약점이기도 함.

ㅇ 쿠웨이트 주둔 이라크군은 주로 보병들임.

ㅇ 이라크군이 보유하고 있는 화학 무기들은 장기 보관 및 보관시설 미비, 파괴등으로 화학 무기로서 그 성능이 크게 약화된 것으로 파악되고 있음.

3. 展 望

ㅇ 상기와 같은 다국적군의 제공권 장악은 다국적군으로 하여금 이라크의 화학무기 생산 및 저장시설과 기타 군수시설 등을 용이하게 식별, 파괴할 수 있게 해주고 있음.

ㅇ 다국적군은 고정 군사 시설들을 파괴, 보급선을 차단한 후 제2단계로 돌입할 것으로 예상되며, 전반적으로 낙관적임. 끝.

0159

관리 번호 91-197

외 무 부

종 별 :

번 호 : POW-0056 일 시 : 91 01301 1900

수 신 : 장관(중근동,미북,구이,정일)

발 신 : 주 폴투갈 대사

제 목 : 걸프전 동향(자료응신 10호)

1. 당지 1.29 주요 일간지 보도에 의하면, ARAFAT PLO 지도자는 최근 주재국 대통령에게 걸프분쟁의 평화적 해결을 위한 개인적 협력을 요청한바 있었다함. 그 결과 SOARES 대통령의 비서실장인 NUNES BARATA 대사는 SOARES 대통령의 명으로 1.29 튜니스로 파견되어 ARAFAT 와 면담한 것으로 파악됨 (SOARES 대통령은 사회주의 연맹 수뇌부 시절 부터 ARAFAT 와 친분이 있은 것으로 알려짐)

2. PLO 는 걸프분쟁 관련, 이락의 편을 들므로서 오히려 그간 INTIFADA 등으로 쌓아왔던 국제적 이미지가 크게 약화된바, 이를 만회키위한 시도의 일환으로주재국 대통령등 국제적인 정계인사 접촉을 시도하는것으로 판단해 볼수있음. 한편 이스라엘은 상기 주재국의 대 PLO 접촉에 불만을 갖고 지켜보고 있는것으로보도됨

3. 폴투갈, 스페인, 이태리, 프랑스의 남구 4 개국의 전문가들은 1.17 주재국 외무성 청사에서 회의를갖고 마그레브 5 개국 (모로코, 알제리아, 튜니지아, 리비아, 모리타니아)과의 협력방안을 협의한바 있으며, 1.18 에는 지중해 안보 및 협력회의(CSCM, DONFERENCE FOR SECURITY AND COOPERATION IN THE MEDITERRANEAN) 창설문제에 대해서 추가 협의한바 있었음

4. 현재로서는 91.2 월말 까지는 CSCM 창설을 위한 기초 문서가준비될 전망 이라하며, 걸프전쟁이 진행되는 와중에서도 지중해 국가간의 협력증진 방안은 꾸준히 외교적 경로 및 전문간 접촉을 통해 모색될것 이라는바, 그간걸프전 문제 관련, 통일적인 대외정책을 제시치 못했던 EC 제국들 중에서, 특히아랍제국과 긴밀한 유대관계를 가져온 남구 국가들은 걸프전쟁후의 문제와 관련, 발언권을 확보해 두고자 여사한 대 아랍권 협력의 강화를 모색할것으로 추정됨. 끝

(대사유혁인-국장)

예고:91.6.30 까지

일반문서로 재분류(1991.6.30.)

중아국	차관	1차보	미주국	구주국	정문국	청와대	안기부

0160

PAGE 1 91.01.31 07:54

외신 2과 통제관 BT

戰後 中東情勢 展望 및

對中東 中長期 對策

1991. 1. 31.

外 務 部
中東아프리카局

0161

戰後 中東情勢 展望

1. 域內 情勢 變化

o 中東地域 勢力 版圖에 있어서 이라크의 位相 低下

o 아랍지역 穩健勢力을 代辯할 이집트, 사우디의 影響力 增大 展望

- 戰後 아랍지역의 反美, 反西方 감정이 거세어질 경우 시리아, 이란의 影響力도 相對的으로 增加 豫想

o 이라크의 危險 除去로 一時的인 域內 政治的 安定 達成 可能

- 걸프戰爭에 따른 아랍 전반의 對西方 敵對感情 惡化, 걸프지역 王政國家 內部의 改革要求등 不安 要因 常存

o 蘇聯의 對中東 影響力 減少

- 向後 美國의 影響力은 아랍인들의 反美 感情 정도가 變數

2. 中東地域 安保 協力 體制 構築 問題

o 이라크와 같은 域內 勢力 均衡을 威脅하는 軍事 强國 擡頭 豫防이 目的

o 사우디등 GCC제국, 王政 維持와 國家 防衛를 위해 域外 强大國과의 안보 協力體制 構築 摸索

0162

o 미국등 西方國家들로 石油의 安定的 供給을 위해 中東地域 國家와의 안보 協力體制 構築 必要

- 역내 各國의 利害關係 相衝으로 中東地域 전체의 安保體制 構築 難望
- 이러한 경우 GCC 국가와 이집트등 一部 親西方 國家가 參與하는 安保 協力體制 우선 講究 可能
- 동 安保協力 體制에 親美 性向 隣接 非아랍 回敎國(터키, 파키스탄) 參與 可能

  . 아랍지역의 潛在的 覇權 追求國인 이란, 시리아, 이집트등 牽制

o 短期的으로는 戰後 쿠웨이트에 아랍 또는 유엔 平和 維持軍 駐屯 豫想

o 사우디등 GCC 국가와 兩者間 合意에 의한 戰後 걸프지역 美軍 駐屯 可能性 常存

3. 팔레스타인 問題

o 長期的인 中東情勢 安定에 必須的인 팔레스타인 問題 解決을 위한 國際的 努力 强化 豫想

o 팔레스타인 問題 解決에 있어서 이집트, 사우디, 시리아등 反이라크 아랍 國家의 역할 增大 展望

- 걸프사태 관련 친이라크, 반사우디 입장으로 PLO 立地 弱化

o 美國等 西方側도 中東情勢 安定과 아랍의 반서방 感情 緩和를 위해 팔레스타인 問題 外面 困難

0163

對中東 中長期 對策

1. 基本的 考慮事項

   o 中東地域의 原油 供給先 및 建設 進出 市場으로서의 重要性

   o 아랍권 내지 회교권의 國際政治 舞臺에서의 數的 比重에 비추어 韓半島 問題에 대한 아랍권의 支持 確保도 外交上 緊要

     - 아랍권 個別 國家와의 兩者關係 增進 圖謀 努力과 向後 中東地域 安保 協力 體制에 대한 關心 必要

   o 前後 中東政治 전면 부상이 豫想되는 시리아, 이집트와의 關係 正常化 努力

   o 이라크와는 後繼政權의 性向에 관계없이 原油導入, 建設進出을 위해 종래의 友好關係 維持

   o 팔레스타인 問題 解決을 위한 國際的 努力 支援 必要性

2. 向後 推進 計劃

   o 中東諸國과의 雙務關係 深化

     - 사우디를 비롯한 GCC國家와의 旣存 友好 關係 强化 (招請, 訪問外交 積極 推進)

     - 팔레스타인 問題에 대한 肯定的, 積極的인 立場 表明

     - 未修交 아랍國과 關係改善 (이집트, 시리아)

0164

- 이라크와의 종래 友好關係 維持
  . 戰後 生必品.醫藥品等 無償支援
  . 終戰後 아국 醫療支援團의 이라크내 診療活動 檢討
  . 殘餘 建設 工事 再開 및 新築 工事 受注
  . 이라크산 原油 政策 導入 檢討
- 大統領 特使 中東 巡訪 推進 (사우디, 이집트, 요르단, 쿠웨이트, 이라크, 이란등)
- 我國의 多國籍軍 參與로 인한 不利益 最小化 努力

o 戰後 復舊 事業 參與
- 이라크, 쿠웨이트, 사우디, 이란等 戰後 復舊事業
- 海外 青年 奉仕團 派遣 檢討
- 未收金 및 損失額 回收

o 經濟 協力擴大
- 貧困 아랍권에 대한 援助提供 (시리아,이집트, 요르단, 예멘등)
- 官民 經濟使節團 派遣 (국제협력단, 상의, 무역협회 포함)
- 中東平和 基金 參與 (팔레스타인 기금, 레바논 지원기금등)

o 原油의 安定的 供給 確保
- 長期 供給 契約先 確保
- 油田 合作開發
- 原油導入의 多邊化 (73% 依存度를 소련, 중국, 동남아, 중남미로 分散)

o 中東地域 外交體制 强化
- 中東地域 公館長 會議 定例化
- 駐 카타르 大使館 閉鎖計劃 再檢討

0165

관리번호	91-1444

원 본

외 무 부

종 별 :

번 호 : JOW-0134 일 시 : 91 0131 1300

수 신 : 장 관(중근동,마그,정일,기정)

발 신 : 주 요르단 대사

제 목 : 걸프전쟁에 관한 반응

1. 주재국을 비롯한 인근 아랍제국은 서방측 정부나 언론에서 보고있는 것과 같이 다국적군의 압도적 우세가 아니라, 이라크군이 다소 열세이기는 하나 다음과 같은 근거로 대등한 입장에서 교전하고 있는것으로 언론및 정가일부에서는 평가하고 있는바 참고바람

가. 이라크군의 대사우디 기습공격에서 보여준 이라크군의 사기및 지상군 동원 여력 시현

나. 미.소 외상회의에 이라크군의 쿠웨이트 철수약속시 적대행위 중지가능과 걸프전쟁 및 팔레스타인 문제와의 연계가능성을 밝힌 것은 이라크군 조기격멸이 용이치 않음을 나타냄

다. 다국적군의 계속적인 대규모 공습에도 다수의 이라크 군사시설이 아직 파괴되지 않고있으며, 이라크측에서 아직도 자신감을 가지고 화학및 생물학 무기를 사용치 않고 있다는 사실

라. 사담후세인 대통령의 아랍 인민간의 결속과 성전 참여 호소에 대한 고도의 호응, 특히 요르단 국민, 팔레스타인 인들의 열광, 환호및 정신적 자세등을 감안할때 장기적 측면에서 연합군측이 불리할 것이라는 아랍인들의 신념

2. 의견

가. 개전이래 다국적군의 압도적인 공중공격에도 불구하고 이라크 지상 전력에 결정적인 타격을 가하지 못하고 오히려 선제 공격을 감행하는 양상이 나타나게 되었는바, 이라크 전력을 일방적으로 과소평가할수 없는 면이 있을것임

나. 특히 정신전력면에서 이락자국의 운명과 직결된 전쟁이라는 점으로 전쟁 의지가 강할뿐아니라 회교도 특유의 성전에 대한 무조건적인 호응내지 결속력은 전쟁 지속에 결정적인 역활이 될수있을것으로 보임

중아국 차관 1차보 2차보 중아국 정문국 청와대 안기부

0166

PAGE 1 91.01.31 21:06

외신 2과 통제관 CF

(대사 박태진-국장)

91.6.30 일반

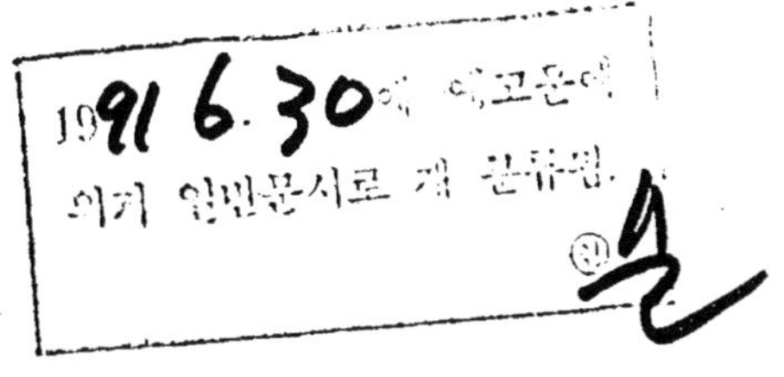

PAGE 2

0167

긴

관리번호	91-206

외 무 부

종 별 :

번 호 : FRW-0354 일 시 : 91 0131 1430

수 신 : 장관(중근동,구일,미북,정일,기정)

발 신 : 주 불 대사

제 목 : 걸프전(미.소 외상 공동성명)(자료응신 27호)

1. 표제건 관련, DANIEL BERNARD 주재국 외무성 대변인은 1.30. 있은 기자 간담회를 통해, 동 성명내용을 환영하며, 이는 사태 초기부터 개전 전일까지 불란서가 부단히 추진한 외교적 노력의 반복임을 강조함.

2. 한편 상기 미.소 공동성명 관련, 당지 주요언론은 하기와 같이 분석함.

가. 미국은 걸프전이 UN 안보리의 기본취지를 벗어나 이락 파괴까지 확산되는데 대한 국제여론의 우려를 우회시켜, 전쟁의 불행한 결과의 원천적인 책임이 이락측에 있을 재차 환기시키고자 하며, 국내문제로 고충이 많은 냉정체제의 강국인 소련을 끌어들여 소련의 발트 철군을 유도, 미 국내여론을 진정시키는 한편, 향후 전후에 있을 중동 질서재편의 주도적인 역할을 미.소가 계속 수행하겠다는 결의를 보인것임.더욱이 소련은 한동안 중동문제를 미국에 일임하고 국제 외교 무대에서 소외된 것으로 인식되었으나, 동 지역문제에 관한 소련의 주도적인 위치가 상금 건재함을 과시할수 있는 호기를 마련했다는 점에서 미.소 양측의 이해가 일치함.

나. 이에불구, 소련의 대이락 영향력은 전과 동일하지 못할것이며, 미.소 성명 내용과 같이 이락측이 무조건 철군과 정전을 받아드리지 않을것으로 보임.상기 강대국의 회동은 3 월중순 라마단 및 작전지역의 불리하 기후조건등을 염두에 두고, 본격적인 지상전 이전, 커다란 기대없이 시도한 외교 심리전의 일환으로 보임.

다. 또한 미.소 성명 내용이 전후 중동 정세, 국제회의 개최 필요성을 명시하지 않고 묵시적으로만 시사한것에 대해 이스라엘이 신경질적인 반응을 보인것은 미측이 동 성명내용과 관련, 서구국이나 이스라엘과 사전 협의가 없었음을 반증한 것임.

3. 상기와 같이 주재국 조야는 미.소 외상 공동성명이 새로운것이 아닌 외교적인 시위이며, 동 내용도 과거 주재국이 수차 제의할때는 시기상조라고 일축한바 있던 미국이 돌연 유사한 제의를 하는데 대해 회의를 갖고있음. 외무성은 동 미.소의

중아국 차관 1차보 2차보 미주국 구주국 정문국 청와대 안기부

PAGE 1 91.02.01 01:17 0168

외신 2과 통제관 CF

외교적 이니시아티브를 아주 이르거나 또는 아주 늦은 조치라고 평함으로서, 양측이 주재국과 사전 협의치 않은데 대한 불만감도 표시함. 끝.

(대사 노영찬-국장)

예고:91.6.30. 까지

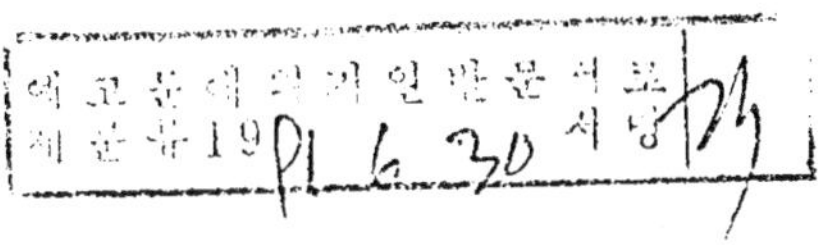

김

세국

관리번호	91-211

외 무 부

종 별 : 지 급

번 호 : CAW-0168 일 시 : 91 0131 2359

수 신 : 장관(중근동,마그,정일)

발 신 : 주 카이로 총영사

제 목 : 걸프전을 위요한 주재국동정

(자료응신 제 43 호)

연:CAW-0163

91.1.30. 주재국 무바락대통령은 EL SHERIF 공보장관, OSAMA EL BAZ 대통령정치담당 특보를 대동 전격적으로 리비아를 방문 GADDFY 와 면담후 SAUDI 를 방문 FAHD 국왕과 회담후 당일 귀국하였으며, 또한 연호 방미중인 MEGUID 외무장관은 걸프전 종식문제에 관한 미-소 양국 외무장관간 공동성명에 환영표시한바, 상기 방문내용 아래 보고함.

1. 무바락의 리비아및 사우디방문

가. 동 대통령의 리비아 방문은 동국이 친이락 아랍제국에 가담하지 않게 하기 위함이었으며, 사우디 FAHD 왕과는 역내의 현군사작전 상황과 향후 사태 진전상황에 관해 협의한것으로 보도됨. 동대통령은 또한 SADDAM HUSSEIN 이 쿠웨이트에서 철수한다는 조건이라면 그를 도우러 세계어느곳이든 갈 용의가 있으며, ASWAN 댐 파괴 위협설은 조금도 두렵지 않으며 어떤 댓가를 치르더라도 보복은 할 수 있다고 언급함.

나. FAHD 사우디왕 기자회견 보도요지

1) 이락-이란전때 사우디와 쿠웨이트는 이락이 이란을 침공토록 하기 위한것이 아니라, 동국이 이란침공을 격퇴시켜 잔존할수 있게 하기위해 도운것인데 SADDAM 은 우리의 원조자금으로 이번 걸프전을 준비해왔음.

2) 이란과 걸프제국은 괴로운 과거사를 잊고 형제애적 분위기로 살기를 희망함.

3) 전세계는 정의와 사우디 및 쿠웨이트편에 있는바 금명간 SADDAM 이 쿠웨이트에서 철수를 명하지 않으면 결과에 대한 책임은 전적으로 그가 져야함.

2. MEGUID 외무장관 성명요지

1) 평화대책은 기본적으로 쿠웨이트에서 이락철수의 연계가 명백해야 함.

중아국	장관	차관	1차보	2차보	중아국	정문국	청와대	안기부

미주국

PAGE 1 91.02.01 08:06

외신 2과 통제관 FE

0170

2) 이집트, 미국및 기타 당사자들은 중동평화 달성과 팔레스타인문제 해결에 역점을 둘것인바, 이와관련 이집트는 국제평화회의 개최에 지대한 관심을 가지고 있음.

3) 팔레스타인문제는 중동문제의 핵을 이루고 있는것으로 이집트는 동문제 해결을 위해 계속 노력과 희생을 치러왔음.

4) 전후 안보체제관련 미국은 동지역에 남지않을 것이라고 밝힌바있으며, 사우디는 아랍군의 잔류를 요청해 왔음에 비춰, 전후 동지역안보는 역내 군사력으로 유지되어야 할것이며, 이는 이집트와 아랍제국간에 공개적으로 토의해야할 문제임.

3. 평가

1) 상기 무바락대통령의 전격양국 방문은

걸프전이 무바락대통령의 예상(당초 10 일전후로 예견)보다 길어지는데 반해 친이락과격 아랍인들의 반이집트, 반사우디 데모가 아랍권내외에서 발생하고 있는가운데, 걸프전의 평화적 해결책 모색을 위한 북아프리카 아랍제국들의 휴전제의 추진을 포함한 친이락 아랍제국(수단, 예멘, 요르단, 알제리아, 리비아, 튜니지아및 팔레스타인)의 소아랍 정상회담 개최 움직임, 알제리아의 의용 의료진의 이락 향발설, 이락 공군기의 이란피신과 이란의 중립태도에 관한 의구심등에 관한 대책강구및 GADDAFY 의 친이락 노선이탈내지 중립입장 고수 설득과 FAHD 사우디왕과의 회담을 통해·동국왕이 직접 걸프전 발발 시말을 밝혀 SADDAM 을 비난함으로서

가. 아랍권내의 일반 아랍인들의 친이락 반이집트, 반사우디 분위기 진정

나. 그간 소원했던 걸프제국과 이란과의 관계개선 도모로 이란의 친이락화 방지

다. 향후 대량살상이 예상되는 쿠웨이트해방 지상전 회피를 위한 대 SADDAM마지막 호소를 통한 양지도자의 평화추구 이미지 제고를 하기위한것으로 풀이되며

2) MEGUID 방미결산 성명은 종전의 이집트 입장을 재천명한 것에 불과하나

가. 중동평화 해결 노력에관한 이집트의 노력을 재천명하고

나. 팔레스타인 문제해결 위한 동국의 과거 노력및 향후 관심을 표명하고

다. 향후 역내 안보체제 구상에 관한 동국의 입장을 천명하므로서 일부 아랍국가에서 일어나고 있는 반이집트 세력을 무마하고 전후 안보체제 구축에 있어중요한 역할을 담당하기 위한 의사를 밝힌것으로 보임.끝.

(총영사 박동순-국장)

예고:91.6.30. 까지

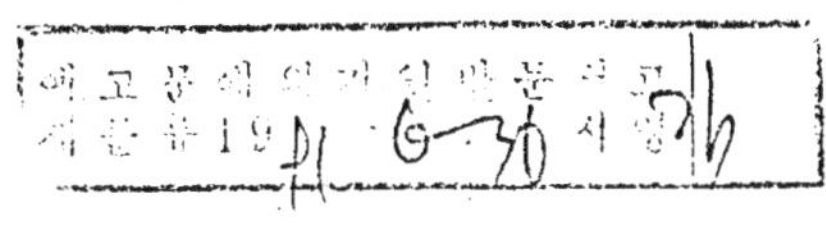

길

원 본

외 무 부

종 별 :

번 호 : USW-0529 일 시 : 91 0131 1609

수 신 : 장 관(미북,중근동,미안,대책반)

발 신 : 주 미 대사

제 목 : 걸프전 전황

금 1.31. 당지 주요 일간지의 걸프전 전황 관련보도 내용 요지를 하기 보고함.

1. 사우디 현지시간으로 1.29.저녁부터 이락군 약 3개기갑대대가 쿠웨트 국경부근의 KHAFJI 시를 공격하였는바, 걸프전 개전 이래 최초의 본격적 지상전임.동전투로 인해 미군측에 10여명의 사상자가 발생하고, 이락측도 수십대의 탱크가 파괴됨. 이락측은 다음과 같은 필요성에서 여사한 대사우디선 제공격을 개시한 것으로보임.

첫째, 다국적군의 대규모 공습으로 인해 별다른 군사적 행동을 취하지 못하고 있는 상황하에서, 전기 지상전을 통해 다국적군에 대해 타격을 가함으로써 이락 국민과 군 내부의 사기 진작을 위한 심리전 차원의 필요성

둘째, 대규모 지상전 개전 이전 다국적군의 전력과 전술을 실제 접전을 통해 파악하기 위한 사전정찰의 필요성

셋째, 가능한한 조기에 다국적군의 지상전 개입을 유도하기 위한 유인 작전의 필요성

2. 한편, 작일 슈와르츠코프 사우디 현지 주둔 미군사령관은 기자회견을 통해 미국의 대이락 공격이 예정대로 진행되고 있으며, 다국적군이 제공권 (AIR SUPREMACY)을 장악한 가운데 현재는 쿠웨이트 주둔 이락군의 보급로 (주요도로 및 교통등)차단 및 REPUBLICAN GUARD 주둔 지역에 대한 B-52 기의 융단 폭격이 대이락 공습의 주 목표가되고 있다고 밝힘.

기본적으로 미측은 비록 신속하지는 않으나, 기작성된 계획에 따라 조직적으로 이락군을 말살 (STRANGULATION)하는 작전을 효율적으로 진행시켜 나가고 있는 것으로보임.

(대사 박동진-국장)

미주국	장관	차관	1차보	2차보	미주국	중아국	정문국	청와대
총리실	안기부	대책반						

0172

PAGE 1 91.02.01 10:05 GW

외신 1과 통제관

정 리 보 존 문 서 목 록					
기록물종류	일반공문서철	등록번호	2012090547	등록일자	2012-09-17
분류번호	772	국가코드	XF	보존기간	영구
명 칭	걸프사태, 1990-91. 전12권				
생 산 과	북미1과/중동1과	생산년도	1990~1991	담당그룹	
권 차 명	V.8 걸프사태 전망 및 분석 II ,1991.2월				
내용목차					

0001

관리 번호	91-1450

원 본

외 무 부

종 별 :

번 호 : SVW-0369 일 시 : 91 0201 1800

수 신 : 장관(중근동,동구일)

발 신 : 주 쏘 대사

제 목 : 걸프만 사태

연:SVW-297

당관 서참사관은 금 2.1(금) 외무성 중동국 EFENDIEV 참사관(90.8 이라크 쿠에이트 침공시 주쿠웨이트 쏘대사대리로 근무)을 접촉, 표제 관련 쏘측의 움직임등을 파악한바, 동 요지 아래 보고함.

1. 쏘측동향

-작 1.31 개최된 당 중앙위 전체회의에서도 걸프 정세에 관해 논의가 있었는바, 당지도부는 전쟁의 양상이 쿠웨이트 해방이라는 차원을 넘어서 이라크를 궤멸시키려는 방향으로 진전되고 있는데 우려를 표명했다 함

- 1.22 고르바쵸프 대통령은 후세인 대통령에게 바그다드 주재 쏘대사를 통해 사태의 정치적 해결을 권고하는 내용의 메세지를 전달했으나 아직 아무런 회답을 받지 못한 상태라고 함.

-쏘측은 외교채널등을 통해 이라크측과 접촉을 유지하고 있는바, 이라크측은 걸프만 사태 관련 쏘측의 태도에 실망을 표시하고 이라크 입장에 대한 이해를호소하고 있다 함. 이에대해 쏘측은 쿠웨이트로부터 철군하는 것이 선결문제라고 설득하고 있다 함.

2. 기타

-최근 일부 서방 언론은 쏘측이 이라크에 공여한 무기등에 관한 상세한 정보를 주었다고 보도한바 있으나 이는 사실과 다르며 서방측이 쏘련과 이라크를 이간시키려는 술책에서 나온 것으로 보인다 함.

-쏘측은 이스라엘이 이라크의 미사일 공격에 대해 반격을 가하는 경우, 전쟁의 양상이 급변할 것을 우려하여 최근 당지 주재 레빈 이스라엘 총영사를 초치하여 자제를 요청하는 한편 텔아비브 주재 쏘련 총영사도 수시로 이스라엘측과 접촉, 협의를

중아국 장관 차관 1차보 2차보 구주국 청와대 안기부

PAGE 1 91.02.02 04:24 0002

외신 2과 통제관 CW

계속하고 있다 함

- 1.15 일 당지 이라크 대사관 앞에서 데모를 하던 쏘련인 50 여명과 이를 취재하던 쏘련 기자들에 대해 이라크대사관 직원이 발로 차고 카메라를 부순 사건이 있었는바, 최근 이라크 대사가 외무성을 방문, 이를 사과하고 카메라등을 변상하겠다고 했다 함. 끝

(대사-국장)

예고:91.12.31 일반

PAGE 2

0003

외 무 부

종 별 :

번 호 : USW-0563 일 시 : 91 0201 1828

수 신 : 장 관(경일,통일,미북,중근동)

발 신 : 주 미 대사

제 목 : 걸프전이 미국 경제에 미치는 영향

걸프전이 미국 경제에 미치는 영향에 대해 당지 연구기관의 전망 및 언론 보도 내용등을 종합, 하기 보고함.

1. 개관

0 걸프전이 미국 경제에 미치는 영향은 전쟁의 지속기간 (장기전 또는 단기전)에 크게 좌우될것이나, 미국의 경제 규모와 금번 전쟁의 제한적성격을 감안할때 경제의 흐름을 근본적으로 변경하지는 않을 것으로 전망됨.

0 대부분의 전문가들은 미국 경제가 걸프사태 발생전인 90년 중반이후 이미 경기침체 (RECESSION) 국면에 접어들고 있었으므로 금번전쟁이 단기간내에 종결될 경우 경기 촉진효과가 있을수 있으나 전쟁종결 자체가 경기 회복을 가져오지는 않을 것이며, 전쟁이 장기화될 경우 현재의 경기침체를 가속화 내지 장기화할 것으로 전망하고 있음.

2. 걸프전쟁이 미국 경제에 영향을 미치게되는 요인으로는 유가, 소비자 신뢰도 및 군수산업등을 들수있음.

가. 유가

0 개전 직전 배럴당 40불까지 급등하였던 유가는 전황이 예상보다 미국에 유리하게 전개되자 현재 20-23 불로 소강상태를 보이고 있음.

0 전쟁이 사우디 유전지대에 대한 타격이 별로 없이 단기전 (2개월)으로 종식될 경우, 각국의 전략원유 비축량의 방출, 단시일내 종전에 따른 심리적 안도감, 전후 이락, 쿠웨이트 내의 석유 생산시설의 복구, OPEC 내의 강경파인 이라크 영향력 퇴조에 힘입어 유가는 금년 상반기말에는 90.8 이전의 수준(20불) 이하로, 하반기 중에는 OPEC 회원국간의 재결속에 따른 안정화 추세에 따라 90.8 이전 수준으로 회복이 예상됨.

경제국	장관	차관	1차보	2차보	미주국	중아국	중아국	통상국
청와대	총리실	안기부						

0004

PAGE 1

91.02.02 10:06 WG

외신 1과 통제관

0 전쟁이 장기화 (6개월)하고 사우디 유전이 타격을받게 되는 경우, 심리적 요인에 따른 가격 상승효과 (WAR-PREMIUM), 각국의 전략 비축 원유의소진, 사우디 유전 복구에 소요되는 시일 (3-4 개월)로 인해 상반기 말에는 40-50불로 상승했다가, 하반기중에는 하향 안정화 추세를 보여 연말께 20불 수준으로 회복이 예상됨.

0 유가 하락은 에너지 비용 감소에 따른 기타 상품구매증대, 물가 안정,이자율 하락등을 통해 경기를 진작시키게 될것이나 전쟁의 장기화에 따른유가 인상은 전반적 물가 상승, 실질 소득 감소에 따른 구매력 감퇴, 이자율 인상등을 통해경기 침체를 악화시킬 것임.

나. 소비자 신뢰도

0 경기 동향을 결정하는 주요지수인 소비자 신뢰지수 (INDEX FOR CONSUMER CONFIDENCE)는 작년 7월101.7, 12월 61.3, 금년 1월 54로 10년 이래 최저를 기록하고 있는바, 소비자 신뢰도의 하락은 구매감소, 생산감소, 실업율 증가등의 결과를 초래함.

0이처럼 미국의 소비자 신뢰도가 하락한 이유는 90년봄 이후의 실업자 증가, 부동산가격 폭락, 금융기관도산, 산업 생산감소를 들수 있으며, 걸프사태 및 전쟁 발발은 위축된 소비자 심리를 더욱악화 시키고 있는 것으로 분석됨.

0 따라서 전쟁이 단기간내에 종결된다면 소비자 신뢰도가 단기간 급상승할수는 있으나 상기 미국경제의 근본 문제점들이 치유되지 않는한 다시 하락할 것이며 전쟁이 장기화될 경우 소비자 신뢰도는 더욱 하락, 경기침체를 가속화할 것이라는 것이 지배적 관측임.

다.군수산업

0 2 차 대전, 한국전, 월남전시 군수 산업 특수로 경기가 활성화 되었던것과는 달리, 금번 걸프전의 경우 그간 비축된 재고 군수품으로 전쟁수행이 가능하기 때문에 전쟁이 매우 장기화되기 전에는 전쟁 특수는 크게 기대되지 않고있음.

3. 경기 및 경제 성장 전망

0 미국 경제는 90년 3/4 분기중 1.4 푸로의 성장을 시현 하였으나 4/4 분기에는-2.1 푸로의 마이너스성장을 기록 하였음.

0 전쟁이 단기간내에 종결될 경우 유가 인하, 소비자 신뢰도 회복등을 통해 경기 회복이 촉진될 것이나 대규모 재정적자 (뉴계 3조 3천억불), 무역적자 (90년 1천억 불 내외) 및 부동산 경기후퇴, 금융 기관 약화, 서비스업 불황등 구조적 취약점등으로

인해 상반기 중에는 여전히 마이너스성장을 기록할 것으로 예상되며, 하반기중에는 FRB 의 금리인하등 경기 활성화 노력에 힘입어 1-3 푸로 의 경제 성장이 예상됨.

0 전쟁이 장기화될 경우 유가 인상, 소비자 신뢰도 하락에 따라 경기침체가 장기화, 가속화될 것으로 전망됨.

4. 무역 수지

0 전쟁이 단기간 내에 종결됨으로써 유가가 급등하지 않는다면 수출이 90년도의 호조를 유지, 무역적자가 1,000 억불 이하로 감소할 것으로 예상됨.

0 전쟁이 장기화될 경우 유가 상승, 해외시장 불경기 등으로 무역 수지가 악화될 것으로 전망됨.

5. 산업별 영향

가. 농업

0 개전후 유가가 안정화 추세를 보이자, 유가 앙등시 식량수입국이 고유가로 인해 미농산물을 수입할수 없으리라는 우려가 불식되어 농산물 가격이 상승추세

나. 군수품

0 철강, 알미늄등 군수품 원자재는 재고 군수품소비로 인해 1-3 푸로의 소폭 수요 증가 예상

0 화약, 미사일등 소모 군수품에 대한 주문은 급증하고 있으나, 산업 전반에 미치는 파급 효과는 크게 기대하기 어려움.

다. 자동차

0 유가에 대한 불안 심리로 생산량 감소 추세에있으나, 일부 탱크 및 군용차량 부속품 주문은 급증

라. 해운.항공.관광

0 테러 위험등 보안문제, 유가 불안, 보험료 급증으로 해운.항공업 및 관광업은 심각한 타격을 받고 있음.

마.컴퓨터

0 제품 성격상 전쟁의 영향을 별로 받고 있지않음.

바. 의약품

0 전쟁 발생후 항생제등 군용 의약품 수요가 급증하였으나 기타 의약품은 별다른 영향을 받고있지 않음.

사. 주택 건설

0 전쟁 발생후 주가 상승, 유가인하로 일부지역은 주택건설이 활성화되는 조짐을 보이고 있음.

아. 통신

0 군사통신 수요 증대 및 여행 감소에 따른 장거리통신 증가로 호황을 맞고 있음.(대사 박동진-국장)

21

관리 번호	90-221

외 무 부

종 별 :

번 호 : FRW-0399 일 시 : 91 0202 1200

수 신 : 장관(중근동,구일,정일,미북,기정동문)

발 신 : 주 불 대사

제 목 : 걸프전(이란 동정)

1. VELAYATI 이란 외상은 걸프전 전 교전국의 선박 및 항공기가 이란 영토에 진입할시, 이를 모두 납포, 종전까지 압류하며, 백여기의 이락 전부, 민간기의 이란 영토 체재에 관해 이락과 사전 비밀 묵계가 없었다고 최근 밝혔다함.

2. 또한 이란은 이락의 쿠웨이트 철군, 외군의 걸프지역 철군과 다국적 회교군의 쿠웨이트 배치, 즉각 정전 및 평화적 해결 모색등을 제의, 이를 최근 동국을 방한문 알제리, 예멘 외상등과도 협의, 2.11 벨그라드 개최 예정인 비동맹 회의서 본격 논의 할것을 주장한것으로 알려짐.

3. 상기 제반 동정 및 걸프전과 관련한 이락의 정책에 대해 당지 LIBERATION 지의 JOSE GARCON 외신 차장은 하기와 같이 분석함.

가. 이.이전시 서방의 견제로 국제적인 고립을 감수한바 있는 이란으로써는 현 걸프전이 외교, 경제면에서 자국의 이익을 최대한 추구할수 있는 호기로 판단, 융통성 있는 정책으로 대응하고 있음.

나. 과거 8 년간의 대 이락 전쟁으로 SADDAM 후세인 개인에 대한 원한이 있는것은 사실이나, 만약 이락이 금번 전쟁서 전면 패망하면 서방이나 이스라엘의 차기 타도 목표가 이란이될 가능성이 있으며, 또한 역사적으로 숙적이었던 터키가 미국과 서구의 지원으로 직접적인 위협으로 대두될 가능성이 있으므로 현재 대 이락 자세에 있어 유연성을 보이고 있음.

다. 또한 이란은 걸프전이 종식되면 비 아랍국으로는 최대의 경제력 및 군사력을 갖인 회교국이 되므로, 향후 중근동 질서 재편시 강력한 영향력 행사가 가능할것으로 보고, 이에 대비 현재 외교적인 해결 방안등을 제시, 자국의 특별한 위치를 부각시키고 있음.

4. 이락 항공기의 이란 압류도 현재는 이란측이 이락과의 사전묵계설이나 자유로운

중아국	장관	차관	1차보	2차보	미주국	구주국	정문국	청와대
총리실	안기부							

0008

PAGE 1 91.02.02 23:13

외신 2과 통제관 DO

왕래설을 부인하고는 있으나 이는 대미, 대터키, 대 이스라엘에대한 공고의 성격도 있으며, 이스라엘이 참전할시, 국내 회교원리주의자의 여론등을 구실로 중립 입장을 파기, 친 이락적인 자세로 전환할수 있는 가능성등에도 다각적으로 대처하는 방안의 일환으로 볼수 있음.

5. 따라서 이락내 성지 폭격등은 묵과할수 없는 일임을 수차 강조 하므로서, 현재의 중립적인 태도가 가변성이 있는것임을 암시하고 있음. 끝

(대사 노영찬-국장)

예고:91.6.30 까지

관리번호	10-221

외 무 부

종 별 :

번 호 : CAW-0173 일 시 : 91 0202 1515

수 신 : 장관(중근동,마그,정일)

발 신 : 주 카이로 총영사

제 목 : 걸프전관련 무바락및 GADDAFY 언급사항

(자료응신 제 44 호)

1. 1.31. 무바락대통령은 미 A.B.C. 와의 기자회견에서

1) 걸프전은 예측불가한 상황이 일어나지 않는한 향후 1 개월 이상은 가지않을것임.

2) 이스라엘이 이락의 미사일공격에 보복공격을 할지라도 이집트는 쿠웨이트 해방을 위한 다국적군의 일부로 계속 남을것이며

3) GADDAFY 대통령은 모든 사실을 알때에 명백하고 믿을수 있는 입장을 취한다는바, 그의 말을 믿어도 되는 자질을 갖춘 지도자라고 언급함.

2. 상기 3)항관련 당지신문은 2.1. 자 시리아발 통신을 인용, GADDAFY 대통령이 대학생들과의 모임(1.30)에서 하기와 같이 언급하였음을 보도함.

1) SADDAM HUSSEIN 은 쿠웨이트 침공을 10 여년 이상 준비했으며, 대이란전매에 걸프제국으로 부터 받은 수십억불을 동목적에 사용함.

2) SADDAM 이 나에게 상의했더라면 쿠웨이트점령은 용인할 수 없다고 했을것임

3) 현재 이스라엘은 아랍보다 강하나, 훗날 아랍의 단결력, 경제력및 기술력으로 팔레스타인 땅을 해방시킬수 있을것임

4) 이락은 상의도없이 전쟁준비가 안된 모든 아랍인들을 전쟁으로 끌고갈 자체계획을 만들었음.

5) 이상한 것은 SADDAM 이 나를 전쟁에 참여토록 촉구한것임

3. 상기 보도는 그간 리비아의 이락편 가담방지를 위해 끈질기게 노력해온 무바락대통령의 대 GADDAFY 설득외교 성공증좌로 간주됨. 끝.

(총영사 박동순-국장)

예고:91.6.30. 까지

중아국	장관	차관	1차보	2차보	미주국	중아국	정문국	정와대
총리실	안기부							

PAGE 1 91.02.02 23:22

외신 2과 통제관 DO

0010

관리 번호 91-293

외 무 부

종 별 :

번 호 : IRW-0109 일 시 : 91 0204 0900

수 신 : 장관(대책본부장,중근동,중미,기정,정일)

발 신 : 주 이란 대사

제 목 : 걸프전쟁

이라크 항공기의 이란착륙을 위요한 당관 관찰을 아래보고함.

1. 이라크입장

-사담 대통령은 다국적군에의한 40 여대의 이라크항공기 완전파괴를 계기, 더이상의 피해방지를위해 항공기를 안전한곳으로 대피하는 방안을 강구하게되었음. 사담은 요르단과 이란중 이란을 적정지로 선택한것으로보임(요르단은 적절한활주로가 결여되어있고 이스라엘및 다국적군의 직접공격대상이되며, 다국적군의 철저한 RADAR 사정권에 들어있음. 이에반해 이란은 중립을 선언했으며 항공기를 전쟁종료시까지 압류할것이라고 선언함에따라 최소한의 대피는 가능하다고 판단한것으로 분석됨)

2. 이란측입장

-이,이양국간 양해나 밀약가능성 배제할수없으나, 크지는않음. 비록 사전양해가 있었다 할지라도 이란이 현상황하에서 전쟁에 개입될 위험을 부담하면서 동양해에따른 실익이없기 때문에 항공기의 대수에있어서 다국적군발표에 상당한 차이를 보이고있긴하나 일단 국제법제규정에따라 중립국으로서의 방지의무(DUTIES OF PREVENTION) 를 수행하는것으로 충분하다고 판단한것으로보임.

-나아가 압류항공기를 미해결된 이, 이전처리시 교섭카드로 활용할수있다고판단한것으로보임(이란은 동 이라크 항공기들이 사담 개입인것이아니며 이라크회교국민들의 재산이므로 이를 보호하는것이 회교도의 의무라고 판단 압류를 명문화하고 따라서 만일의 경우 반환하지 않을수도있다고 보고있는것같음)

-당지시각에서 이락조종사들의 MASS DEFECTION 가능성은 크지않은것으로 판단됨.

3. 미, 영등(다국적군)입장

-다국적군(특히 영국)은 상기 이란의 입장이 매우 모호하며 위험스러운 것으로 보고있으나 미측은 이란에 압류된 이라크항공기가 다시 이락에 돌려보내져 전쟁에

중아국 장관 차관 1차보 2차보 미주국 정문국 청와대 총리실 안기부

PAGE 1

91.02.04 15:31 0011

외신 2과 통제관 BA

부입되지않는다는 이란의 태도를 받아드린다는 입장에서 대처하고있는것으로 판단됨(2차대전시 진주만 기습공격을 경험한 미국으로서 이란을통한 동이라크항공기의 기습가능성을 우려하고있는것으로 보임)

-참고로 쏘련은 자신이 이라크에 공급한 쏘련제 항공기의 낙후된 기술이 걸프사태계기 서방또는 제 3 세계에 알려지므로써 전략적, 경제손실이 발생하는것을 피하고자하며, 이러한점에서 이란의 이락항공기 압류조치에 어느정도 만족하고있는것으로 보임.끝

(대사정경일-대책본부장)

예고:91.12.31 일반

일반문서로 재분류(1991.12.31.)

검 토 필 (1991.6.30.)

PAGE 2

0012

걸프戰 展望과 對策

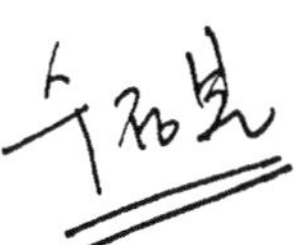

1991. 2. 4.

美 洲 局

0013

目 次

0014

I. 戰 況

1. 多國籍軍 作戰 現況

o 1.17. 09:00(韓國 時間) 開戰 이래 多國籍軍은 이라크, 쿠웨이트內 軍事目標에 대한 持續的 大規模 空襲 敢行(延~~35,000~~回 出擊), 制空權 確保
41,000

o 大規模 空襲으로 이라크의 核武器 施設 完全 破壞, 化學.生物 武器 貯藏庫 및 生産施設 相當部分 破壞. 이라크의 防空體制 및 指揮. 統制. 通信. 情報 體系(C³I)에도 심대한 打擊 評價

o 最近에는 空襲의 主目標를 Scud 미사일 移動 發射隊와 이라크 最精銳 "共和國 守備隊" 및 軍需, 兵站, 輸送網으로 轉換, 쿠웨이트 駐屯 이라크軍 兵站支援 體制에 상당한 打擊

- 걸프 駐屯 美 司令官, 쿠웨이트 駐屯 이라크軍 補給 90% 遮斷 評價

o 현재 多國籍軍은 地上軍을 쿠웨이트 國境 附近에 集結시키고, 上陸作戰을 위한 쿠웨이트 沿岸 小島嶼 奪還, 쿠웨이트 駐屯 이라크軍 砲擊等 地上戰 開始 準備中

2. 이라크의 對應

ㅇ 이라크軍은 戰爭勃發 以後 본격적인 反擊을 하지 않고 있었으나, 1.30 地上軍을 動員한 첫 反擊을 試圖, 사우디 領土內로 奇襲 攻擊 敢行 (國境 부근 Khafji時 일시 占領)

- 이라크軍의 돌연한 地上 攻擊은 이라크 軍.民의 사기 앙양 및 多國籍軍 早期 地上戰 開始 誘導와 아울러 이라크軍의 사우디 國境 前進 配置를 위한 攪亂 作戰의 目的도 있는 것으로 分析

ㅇ 1.18. 이래 거의 매일 이스라엘, 사우디에 대한 Scud 미사일 攻擊 敢行과 多國籍軍 捕虜 TV 會見 場面 放映 및 人間 防牌化 宣言 等으로 이스라엘의 걸프戰 參戰과 多國籍軍의 結束 弛緩, 美國等 西方圈內 反戰 輿論 擴散등 心理戰 展開

ㅇ 이라크는 1.23경부터 막대한 양의 原油를 걸프海域으로 放出, 이른바 '環境 테러' 作戰도 敢行中이며, 100여대의 精銳 戰鬪機를 이란으로 待避 시키고 있음.

- 待避 目的 및 經緯, 이란側의 態度에는 疑問點 尙存

參 考 雙方 被害 狀況(2.1. 現在)

1. 多國籍軍 被害 (多國籍軍 發表)

ㅇ 空軍機 24臺 喪失

- 美15~~(3臺는 機械 고장 등으로 墜落)~~, 英8, 이태리1, 쿠웨이트1, ~~사우디 1~~

~~- 操縱士 人命 被害 : 死亡 1名, 11名 捕虜, 17名 失蹤~~

0016

* 이라크側, 多國籍軍 27名 生捕 및 空軍機 160대 擊墜 主張

o ~~1.30-31 地上戰에서 美軍 12名 戰死, 2名 捕虜(1名은 女軍), 2名負傷,~~

~~장갑차 2臺 喪失~~

~~- 사우디, 카탈軍 被害狀況 未詳~~

2. 이라크 被害(多國籍軍 發表)

o 인명피해: 전사 30여명, 포로 500여명

o 空軍機 50臺 擊墜, 탱크 33대, 장갑차 28대 상실

o 艦艇 8隻 擊沈

~~o 捕虜 110名~~

~~o 1.30-31 地上戰에서 탱크 24臺, 장갑자 等 1臺 喪失, 200여名 戰死,~~

~~350여名 捕虜 發生~~

* 이라크側, 多國籍軍 空襲으로 軍人 90名 死亡, 民間人 320名 死亡,

400名 負傷 發表

*** 今番 戰爭의 特徵**

- 國際 秩序의 改編 過程에서의 戰爭

- 政治戰과 軍事戰의 混合

- 유엔 歷史上 最大의 會員國 介入
  (28個國이 多國籍軍 參與)

- 最尖端 科學技術에 의한 戰爭

- 冷戰 時代와 같은 美.蘇 代理戰 性格이 아님

Ⅱ. 展 望

1. 美國의 戰略

가. 軍事面

o 第1段階 : 戰略 目標(指揮.統制施設, 飛行場, 防空網, 核.化學.生物武器, 武器 및 燃料 貯藏庫, 미사일 基地)에 대한 爆擊을 통해 이라크의 戰爭 遂行 能力 除去

o 第2段階 : 이라크 精銳 "共和國 守備隊"에 대한 攻擊, 補給路 遮斷등 으로 聯合軍의 地上 作戰 遂行에 대한 抵抗 能力 除去

多國籍

o 第3段階 : 地上 作戰 展開

- 쿠웨이트로부터 이라크軍 逐出이라는 多國籍軍의 目標 達成을 위해 불가피한 段階

나. 政治.外交面

o 사담 후세인 除去를 통한 問題의 근본적 解決을 追究

o 단, 早期終結을 希求하는 世界 輿論을 의식, 이라크의 쿠웨이트 撤收 約束時 休戰可能 立場 表明(1.30 美.蘇 外務長官 共同聲明)

- 蘇聯 및 一部 回敎圈, 美國이 戰爭 目標를 쿠웨이트 收復에 局限 시키지 않고 이라크 領土內로 戰端 擴大 可能性에 憂慮
- 美國 政府, 戰爭 目標를 이라크軍 쿠웨이트 逐出, 쿠웨이트 合法 政府 復歸 , 中東地域 平和와 安定 回復에 限定하고 있다는 公式 立場 表明
- 英國 Major 首相은 多國籍軍의 이라크 領內 進入 可能性 不排除

o 多國籍軍 戰費의 國際的 分擔 繼續 推進

* 國別 戰費 追加 分擔 內譯

- 3個月間 戰費 600億弗中 150億弗 美國 負擔
- 나머지 450弗은 사우디(135億弗), 쿠웨이트(135億弗), 日本(90億弗), 獨逸(55億弗), 韓國(2.8億弗) 等이 分擔

* 英國도 獨, 日, EC, 中東 諸國에 戰費 支援 要請(目標 : 美國 支援額의 1/10)

- 獨逸 5.33億弗 支援 約束

2. 이라크의 戰略

가. 금번 戰爭을 政治戰 樣相으로 展開

o 쿠웨이트와 팔레스타인 問題의 連繫

o 이스라엘에 대한 아랍의 聖戰으로 擴大

- 對 이스라엘 攻擊을 통한 이스라엘 參戰 誘導로 아랍 世界의 反유태 感情 觸發

0019

나. 長期戰化

o 戰爭 遂行이 어렵게 될 3月 以後까지 遲延 戰術

o 美國內의 反戰 雰圍氣 誘發로 美國의 戰爭 계속 遂行 意志 弱化

- 地上戰時 美軍의 人命損失 極大化
- 多國籍軍 捕虜들의 人間 防牌化 威脅 등

o 多國籍軍의 團結 弛緩

o 西方 世界에서의 테러活動 積極化

3. 展 望

가. 多國籍軍, 2月初旬까지 最大限의 空中攻擊 敢行

o 이라크軍의 移動 미사일 發射臺 破壞(移動 미사일 發射臺는 30-40개 있는 것으로 推定)

o 이라크 地上軍의 戰爭遂行 能力 궤멸

o 攻擊 目標의 擴大

- 電氣, 水道등 一般市民 生活에 影響을 미치는 施設 破壞로 民心 離叛을 통해 후세인 政權에 負擔 加重

나. 本格的인 쿠웨이트 奪還 作戰은 2月中 開始 豫想

ㅇ 多國籍軍 人命 被害 最小化를 위해 본격적인 地上戰은 空襲을 통해 쿠웨이트 駐屯 이라크軍의 戰鬪力을 大幅 弱化시킨 후 開始 豫想

- 이라크軍의 最精銳인 "共和國 守備隊" 無力化
- 이라크 本國과의 補給路 遮斷으로 枯死作戰
- 이라크軍의 地上 攻擊 試圖에는 당분간 制限的 應戰으로 對應

ㅇ 다만, 걸프地域 氣候事情이 惡化되기 전에 戰爭을 終結시키기 위해서는 2月中 地上戰 開始 必要

다. 戰爭 終結 豫想 時期

ㅇ 終戰 展望에 대해서는 대부분의 戰略 專門家들이 2-3個月內의 短期戰이 될 것으로 分析

* 根 據

- 美.蘇.中國 等 強大國은 물론 外部로부터 이라크에 대한 軍事 및 財政的 支援이 없어서 戰爭 遂行 能力에 限界
- 國際的 經濟制裁 措置로 인해 이라크의 經濟가 크게 打擊을 받아 戰爭을 長期間 持續하는 데는 限界
- 武器, 戰略 側面에서 볼때 多國籍軍이 絶對的 優位
- 多國籍軍의 團結 鞏固 및 이스라엘 報復 自制
- 國內政治 側面이나 經濟的으로 美國은 걸프 戰爭을 가능한 한 早速히 終結시켜야 할 必要性 多大
- 多國籍軍도 금번 戰爭을 中東地域의 특수한 氣候條件上 3月 以前에 終結지어야 할 必要性

0021

o 다만, 이라크가 이스라엘과 사우디에 대한 Scud 미사일 攻擊을 계속하고 1.30 첫번째 地上 反擊을 통해 地上戰 遂行能力이 相當部分 健在함을 보여줌에 따라 금번 事態가 長期化될 可能性이 조심스럽게 대두

* 根 據

- 이라크는 아직도 相當量의 移動 Scud 미사일과 生.化學戰 能力 및 強力한 地上軍 戰力을 保有
- 이라크의 對이스라엘 攻擊이 계속되어 이라크에 대한 報復을 敢行할 경우, 걸프 戰爭이 中東地域 全域으로 擴散될 可能性
- 美.英 등 西方 國家들이 大量 人命 被害를 憂慮해 地上戰 돌입에는 매우 愼重
  - 地上戰時 兩側 犧牲者가 急增할 경우 聯合國側의 犧牲 감수 能力은 이라크에 비해 훨씬 微弱

o 그러나 금번 戰爭은 多國籍軍의 壓倒的 軍事力과 이라크에 대한 外部支援 勢力이 없음을 감안할 때, 當初 豫想보다는 다소 長期化 될 가능성이 있으나 베트남戰과 같은 長期 消耗戰은 되지 않을 것이 確實時

o 戰爭이 多國籍軍의 勝利로 끝나게 되면 사담후세인 政權의 崩壞는 거의 필연적 豫想

- 蘇聯의 中東 專門家는 軍部에 의한 사담 후세인 除去 可能性이 가장 큰 것으로 보고 리비아, 모리타니아 等으로의 亡命 可能性도 言及
- 단, 戰爭에서 敗北하더라도 사담 후세인이 아랍 民族主義의 象徵으로 남게 될 可能性 높음.

Ⅲ. 걸프戰의 影響

1. 我國에 미치는 影響

가. 安 保

o 短期的으로 우리나라의 防衛力에는 별다른 影響을 미치지 않을 것으로 判斷

- 駐韓 美軍의 걸프 地域으로의 移動 配置 等 戰力의 減縮은 없음.

o 但, 걸프 戰爭 關聯, 韓半島에서의 有事時에 對備 必要

- Team Spirit 訓鍊도 다소 規模는 縮小되나(약 30%), 基本 計劃대로 實施 豫定

o 이라크에 대한 國際社會의 응징이 成功的으로 이루어질 경우 우리의 安保에도 肯定的인 効果

- 武力侵略 行爲는 결코 容納될 수 없다는 先例 確立, 北韓의 武力 赤化統一 路線 間接 抑制 効果

나. 經 濟

o 原油 供給

- 短期戰으로 끝날 경우 世界的 次元에서의 原油生産 및 供給에는 큰 蹉跌이 없을 것으로 展望(現在까지 油價 安定勢 維持)
- 따라서, 우리나라에 대한 原油 供給에는 큰 支障이 없을 것으로 봄.

o 經濟 및 通商

- 우리나라의 경우, 中東地域에 대한 輸出商品 일시 船積中止, 建設 代金(總 15億弗) 支拂 遲延 等으로 인한 損失이 豫想되나 短期戰으로 끝날 경우 戰後 復舊 需要(쿠웨이트 戰後 緊急 復舊에 40-80億弗 所要 豫想) 등을 감안 今後 우리 經濟에 肯定的 効果도 期待 可能
- 다만, 걸프戰이 長期化 될 경우 株價下落, 需要 감퇴, 經濟成長 鈍化 등 不安 要因으로 作用할 것이며 이러한 世界經濟의 全般的인 下降 局面에 의하여 우리나라의 全體 輸出에 지장을 招來할 것으로 展望

參 考 北韓에 미치는 影響

- 걸프戰을 反美 敵愾心 鼓吹 및 體制 強化의 契機로 活用 試圖

- 對이라크 武器輸出 및 關係改善 企圖 可能性(이라크, 北韓과 80年 斷交)

- 油價 上昇 및 世界 原油供給 不足事態 發生 경우 北韓의 脆弱한 經濟基盤에 큰 打擊 豫想

- 韓.美 聯合 防衛 態勢 堅持 및 蘇.中의 牽制로 걸프戰을 틈탄 北韓의 挑發 可能性은 稀薄(오히려 이라크 敗退는 北韓 挑發에 대한 間接抑制 効果)

2. 中東 情勢에 미치는 影響

o 美國의 對中東 影響力 強化

- 美國등 西方國家들은 石油資源의 安定的 確保를 위해 中東地域의 安保 協力 體制 構築 및 美軍의 걸프地域 長期 駐屯 시도 可能性
  - · 地域安保 協力體制의 形態 및 參加範圍는 상금 不確實하나, 일부 에서는 'GCC Plus' 構想(GCC 6個國에 이집트 追加) 等 提示
- 금번 事態로 蘇聯의 對中東 影響力 弱化
  - · 蘇聯側은 "걸프地域의 非核.非化學 武器 地帶化를 위한 中東會議 開催"(Belonogov 外務次官) 提議 등 影響力 維持 努力

o 아랍地域 情勢의 不安定 持續

- 이집트, 시리아, 사우디 및 이란 等의 影響力 增大
- 이라크는 周邊國의 威脅이 되는 軍事强國으로서의 地位喪失(終戰後에도 對이라크 武器 禁輸 및 制限的 經濟制裁 계속 可能性)
- 中東地域內 各種 葛藤 構造(宗敎, 人種, 宗派, 理念), 특히 王政主義(親西方) 對 아랍 民族主義(反西方)間의 對立 尖銳化 豫想
- 長期的으로 王政體制의 漸進的 崩壞 可能性

o 아랍 團結(Arab Solidarity) 退潮

- 이라크의 쿠웨이트 侵攻以後 아랍 世界는 3個의 陣營으로 분열
  1 反이라크 國家 : 이집트, 시리아, 모로코, 사우디等 걸프國家
  2 親이라크 國家 : 수단, 예멘, 모리타니아, 요르단, P.L.O.
  3 中立 國家 : 알제리, 튜니지아

o 美.이스라엘 關係 緊密化

- 이라크의 미사일 攻擊에 대한 美側의 報復 自制 要請 수용
- 따라서 이스라엘 占領地域內 팔레스타인 蜂起(Intifada) 等으로 다소 소원했던 兩國關係 급격히 改善 展望

o 팔레스타인 問題 解決을 위한 國際的 努力 強化

- 팔레스타인 問題 解決 必要性에 대한 國際的 認識 提高로 戰後 팔레스타인 問題 解決을 위한 國際的 努力 強化 豫想
- 단, PLO 는 사우디 등의 財政支援 中斷으로 立地 弱化 豫想
- 팔레스타인 問題 解決 관련 美國이 이스라엘의 融通性 있는 態度 要求 可能性
  - 걸프戰 이후 高調된 아랍圈內 反美 感情 撫摩 및 親西方 아랍國家의 立地 強化를 위해 美國으로서도 팔레스타인 問題 解決에 誠意를 보일 필요성
  - 이스라엘의 強硬立場 固守時 이라크 미사일 攻擊에 대한 反擊自制에 비추어 美國이 이스라엘-아랍 사이에서 어려운 처지에 빠질 可能性

3. 美國 國內政治에 미치는 影響

o 그간 美國에서는 民主黨은 물론, 共和黨 保守 勢力도 脫 冷戰에 따른 新孤立主義를 主張하고, 軍事費 削減을 主張해온 바, 成功的인 걸프 政策 遂行으로 議會를 中心으로 한 政治圈의 雰圍氣가 反轉하고 있는 것으로 관찰

o 冷戰終熄 以後의 軍備 減少 主張 弱化 展望

- 걸프戰에서 Patriot 미사일 等 高價, 高度 精密 武器의 威力 實證
- Bush 大統領, 年頭敎書에서 戰略 防衛 計劃 ~~이니시어티브~~(SDI) 추진 ~~開發~~ 拍車 闡明

o 특히 금번 美國의 武力 介入이 成功的으로 終了될 경우, Bush 大統領의 國內的 地位는 確固해 지고, 再選에도 매우 유리한 位置에 서게 될 展望

o 그러나 걸프 戰爭은 아직 開戰 初期 段階이며 戰爭이 長期化되는 경우 Bush 大統領에 대한 支持度, 美 議會 및 與論의 向背, 中東에 대한 美 行政府의 戰略的 目標 등이 얼마든지 變化될 수 있는 狀況

- Bush 大統領도 이러한 危險을 감안, 機會가 있을 때마다 지나친 樂觀에 대한 警告

o 이미 심각한 지경에 이른 美國의 財政 赤字에 追加하여 금번 戰爭에 所要되는 막대한 軍事 經費로 인해 公共 財政은 물론 美國 經濟 全般에 否定的 影響을 미칠 것으로 展望

Ⅳ. 外交的 對應策

1. 對美 外交

ㅇ 多國籍軍 戰費 2.8億弗 및 C-130 輸送機 5臺 派遣 등 追加支援 決定(1.30)

- 現金支援 1.1億弗, 物資 支援 1.7億弗
- 걸프戰 勃發以後 美國의 戰費 負擔이 급격히 增大됨에 따라 日本, 獨逸 等 富國에 追加支援 提供 促求
- 我國의 國益 保護 觀點에서 積極的 能動的 對應

ㅇ 我國의 支援을 韓.美 協力關係, 특히 安保協力體制 強化 契機로 活用

- 美國 行政府, 議會, 言論, 學界 등에 我國의 支援 內容을 적극 弘報함으로써 我國이 美國의 確固한 友邦이라는 事實을 認識 시킴. (日本, 獨逸을 "필요할 때만의 친구(fair weather ally)"라고 非難)

ㅇ 韓.美間 연대 浮刻 弘報를 통해 兩國間 通商 摩擦 緩和에 活用

- 我國의 1.2차 支援(總 5億弗)및 醫療 支援團, 軍 輸送機 派遣 적극 弘報

2. 對中東 外交

ㅇ 我國의 旣存 對中東 外交政策 基調 堅持

- 原油의 安定的 供給 確保
- 建設 輸出市場의 重要性 등 감안 經濟 進出 強化

o 아랍권 國家와의 兩者關係 強化

- 특히 戰後 中東政治 전면 부상이 豫想되는 이집트, 시리아 등 未修交國과의 關係 正常化 達成

- 이라크와의 旣存關係 維持

o 팔레스타인 問題 解決을 위한 國際的 努力에 積極的 立場 表明

- 유엔 팔레스타인 難民救護機構(UNRWA) 特別 寄與金 提供, 팔레스타인 學生 奬學基金 追加支援 등 可視的 支援方案도 檢討 (國際 아랍 奬學財團 통해 81年 이래 125万弗 支援 實績)

o 戰後 經濟 復舊事業에의 參與 摸索

- 쿠웨이트 緊急 戰後 復舊에만 40-80億弗 所要 豫想

o 我國의 多國籍軍 支援 關聯 北韓의 아랍권내 歪曲 宣傳 可能性에 적극 對處

- 北韓의 對이라크 접근 움직임시 의연히 對處

o 아랍 테러 團體의 아국인 테러 企圖 可能性에 對備

3. 對 유엔 外交

ㅇ 걸프戰 終結時 유엔 平和維持軍 또는 休戰監視團 派遣등 유엔의 役割이 제고될 것에 對備, 我國의 유엔 平和維持軍 活動 支援與否 및 寄與 方案 등 檢討

ㅇ 걸프戰 長期化時 我國의 유엔加入 實現이 遲延될 可能性에 對備, 我國의 加入 當爲性을 周知시키는 外交的 努力 持續 傾注

- 安保理 常任 理事國 등과의 協議 繼續으로 關心度 維持
- 我國의 유엔을 통한 集團安保 措置 同參努力을 적절히 弘報

-끝-

길
세북

외 무 부

종 별 : 지 급

번 호 : UKW-0325 일 시 : 91 0204 2030

수 신 : 장관(중근동,구일,미북,기정)

발 신 : 주 영대사

제 목 : 걸프전쟁

1.전후 중동평화 구축 관련 허드 외상 언급요지 (91.2.2. LEICESTERSHIRE 연설)

가.전쟁 종결후 걸프 아랍제국은 자체적으로 안전보장 체제를 고안하여야 하며,그러한 구상하에서 해.공군력의 파견을 요청해오면 영국이 고려해볼수 있을것임. 그러나 영 지상군 주둔은 현명한 방법이 아닌것으로 생각함

나.중동지역 평화를 위해서는 화학. 생물. 핵무기에 관해서 이락을 포함한 어느나라도 제조 또는 사용하지 않도록 하는 조치가 취해져야 함

다.이스라엘과 팔레스타인 문제의 해결 없이는 중동의 항구적 평화는 달성될수없는바, 전후에는 새롭고 보다 원대한 상상력을 동원하여 해결책을 모색해야 할것임

라.긴급한 선결과제는 전쟁에서 승리하는 것이지만 전쟁의 희생을 값진것으로 하기 위해서는 전후 중동 평화체제의 구축이 뒤따라야 하며, 이점에 있어서 영국은 2번째 규모의 참전국으로서, 유엔 안보리 상임 이사국으로서, 또한 다수 아랍국가 및 이스라엘의 전통 우방국으로서 중심적인 역할을 수행해 갈것임

2.전황 특기사항(2.4.(월) 1800 현재)

가.영 공군은 그간 저공비행에 의한 이락 비행장 폭격에 큰 역할을 담당, 타국에 비해서 희생이 컸으며, 이에대해 영 여론의 비판이 있었음. 금 2.4. 영 군사당국 발표에 의하면 이제 비행장 폭격의 필요성이 감소되었는 바, 영 공군은 주로 이락의 지상군, 미사일 기지, 통신망, 도로 및 교량공격에 역점을 두고 있다고 함

나.연합군 발표에 의하면, 전쟁 발발후 현재까지 44,000 회의 출격이 있었으며, 평균 1 분에 1 회 폭격이 있었다 함

다.이락 군당국 성명은 연합군이 이락 주거지역에 대하여 무차별 공습을 자행하고 있다고 비난함

중아국 장관 차관 1차보 2차보 미주국 구주국 정문국 청와대
총리실 안기부 대책반

PAGE 1

91.02.05 06:59 DA
외신 1과 통제관 0032

3.각국 주요동향

가.금 2.4. 샤미르 이스라엘 수상은 세계 각국이 PLO를 팔레스타인의 대표기구로서 인정한 것을 철회해야 하며, 전후 중동 평화회의를 개최 하겠다는 생각을 버려야 한다고 말함

나.금 2.4. 라프산자니 이란 대통령은 자신이 부쉬 대통령과 후세인 대통령을 만나 즉각적인 휴전을 포함한 평화안을 제시할 것이라고 말함. 외교 소식통들은 최근 이란은 중동 신체제를 모색하는 중립국으로서 '걸프의 스위스'(THESWITZERLANDOF THE PERSIAN GULF) 로 자칭하며, 영향력 신장을 시도하고 있다 함.

끝

(대사 오재희-국장)

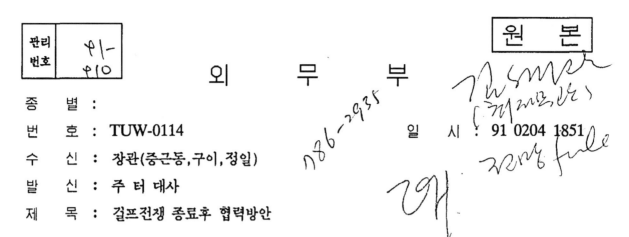

관리번호	91-910

원 본

외 무 부

종 별 :

번 호 : TUW-0114 일 시 : 91 0204 1851

수 신 : 장관(중근동,구이,정일)

발 신 : 주 터 대사

제 목 : 걸프전쟁 종료후 협력방안

1.2.3 일 주재국 OZAL 대통령은 DAVOS 에서 개최중인 WORLD ECONOMIC FORUM 의 위성중계 토의를통하여 걸프전쟁종료후 중동경제 협력체 창설등 전쟁종료후의협력방안에 관하여 제의하였는바, 주요내용은 아래와같음.

가. 지역평화를위하여 첫번째로 취할조치는 아랍-이스라엘분쟁및 파레스타인문제 해결이며 이를위한 미국및 서구의 건설적이며 적극적인 역활이 요망됨

나. 지역평화를 위해서는 CSCE 와같은 협정체결을 고려할수있으나 CSCE 의 복사판이 되어서는 안됨

다. 안보협력과 더불어 포괄적인 경제협력이 필요한바, 전쟁의 상처를 치유할 경제및 상업협력은 경제적인 상호의존을 통하여만 이룩될수 있으며 이분야에 적극적인 역활을 할 준비가 되어있음. 터키는 중동지역에 설치된 석유및 까스 파이프라인과 나란히 물 파이프라인을 설치하여 중동지역이 절대로 필요로하는 물을 아라비아반도에 공급하는등 INFRASTRUCTURE 개선에 참가할 용의가있음.

라. 석유수입의 일정비율과 선진 서방세계의 기부금에의한 중동경제개발 기금(ECONOMIC DEVELOPMENT FUND) 창설을 고려할수있으며, 터키도 동계획에 참여할수있음.

마. 중동전쟁 종료후 안카라또는 이스탄불에서 파레스타인문제를 포함한 모든문제를 토의키위한 중동평화회의 개최제의

2. 상기 제의는 주재국이 전쟁종료후 예상되는 중동질서 개편에서의 입지강화를 위한 외교노력의 일환으로 관찰됨.

(대사 김내성-국장)

예고:91.6.30. 까지

1991.6.30. 예고 의거 일반문서로 재분류

중아국	장관	차관	1차보	2차보	미주국	구주국	정문국	청와대
안기부								

PAGE 1 91.02.05 18:47 0034

외신 2과 통제관 BA

관리번호	91-235

외 무 부

종 별 :

번 호 : QTW-0045 일 시 : 91 0205 1200

수 신 : 장관(중근동)

발 신 : 주 카타르 대사

제 목 : 걸프전

대:WMEM-0010

1. 개전이래 연합군의 공중, 해상공격의 압도적 우세에도 불구하고 현재 지하에 온존하고 있다고 추정되는 이라크군 주력과의 전면지상전이 박두하고 있다고 전망되는 가운데 이라크군의 화학무기 사용가능성이 높아지고있음.

2. 이에 대한 대응책으로서 미국측은 화생무기에 의한 피해가 많을 경우 부득이 국제여론의 악화를 무릅쓰고 이라크군에 대한 전술핵사용이 불가피할 것이라고 관측되고 있는바 이를 뒷받침하는 사실 다음과 같음.

0 주카타르 HAMBLEY 미대사: 이라크군이 화학무기로 공격해올 경우 미국은 대량살륙무기로 반격할것이라고 하면서 핵무기 사용가능성을 부정치 않음.(91.1.15 자 QTW-0013 전문보고)

0 DAN QUALE 미 부통령: 이라크군의 화학무기 사용에 대한 미군의 대응 OPTION 은 여하한 것도 배제하지 않는다.(91.2.1 JOHN MAJOR 영 수상과 회담후 기자회견)

0 DICK CHENEY 미국방장관:지요한 기자질문에 대하여 대통령이 결정할 문제다 라고 답변하면서 핵무기 사용가능성 부정치 않음.(91.2.3 CNN 인터뷰)

끝

(대사 유내형-국장)

예고:91.6.30 일반

중아국	장관	차관	1차보	2차보	미주국	청와대	총리실	안기부

PAGE 1 91.02.05 18:41 0035

외신 2과 통제관 BA

관리 번호	91-234

외 무 부

종 별 :

번 호 : TUW-0114 일 시 : 91 0204 1851

수 신 : 장관(중근동,구이,정일)

발 신 : 주 터 대사

제 목 : 걸프전쟁 종료후 협력방안

1.2.3 일 주재국 OZAL 대통령은 DAVOS 에서 개최중인 WORLD ECONOMIC FORUM 의 위성중계 토의를통하여 걸프전쟁종료후 중동경제 협력체 창설등 전쟁종료후의협력방안에 관하여 제의하였는바, 주요내용은 아래와같음.

가. 지역평화를위하여 첫번째로 취할조치는 아랍-이스라엘분쟁및 파레스타인문제 해결이며 이를위한 미국및 서구의 건설적이며 적극적인 역활이 요망됨

나. 지역평화를 위해서는 CSCE 와같은 협정체결을 고려할수있으나 CSCE 의 복사판이 되어서는 안됨

다. 안보협력과 더불어 포괄적인 경제협력이 필요한바, 전쟁의 상처를 치유할 경제및 상업협력은 경제적인 상호의존을 통하여만 이룩될수 있으며 이분야에 적극적인 역활을 할 준비가 되어있음. 터키는 중동지역에 설치된 석유및 까스 파이프라인과 나란히 물 파이프라인을 설치하여 중동지역이 절대로 필요로하는 물을 아라비아반도에 공급하는등 INFRASTRUCTURE 개선에 참가할 용의가있음.

라. 석유수입의 일정비율과 선진 서방세계의 기부금에의한 중동경제개발 기금(ECONOMIC DEVELOPMENT FUND) 창설을 고려할수있으며, 터키도 동계획에 참여할수있음.

마. 중동전쟁 종료후 안카라또는 이스탄불에서 파레스타인문제를 포함한 모든문제를 토의키위한 중동평화회의 개최제의

2. 상기 제의는 주재국이 전쟁종료후 예상되는 중동질서 개편에서의 입지강화를 위한 외교노력의 일환으로 관찰됨.

(대사 김내성-국장)

예고:91.6.30. 까지

중아국	장관	차관	1차보	2차보	미주국	구주국	정문국	청와대
안기부								

PAGE 1 91.02.05 18:47 0036

외신 2과 통제관 BA

관리 번호 91-236

외 무 부

종 별 :

번 호 : FRW-0421 일 시 : 91 0205 0900

수 신 : 장관(통일,기협,미북,구일)

발 신 : 주 불 대사

제 목 : 미국의 대개도국 기술 수출제한

연:FRW-0267

연호 언론보도 관련, 외무성 경제국 PHILIPPE CARRE 민감품목 수출담당 부국장 면담내용 아래 보고함.(2.4. 조참사관 접촉)

1. 주요 서방국은 이라크에 대한 기술지원이 미사일 및 화학무기 개발에사용되어 서방의 직접적 위해가 되는등 걸프전으로 부터 많은 경험을 얻었으며,여사한 사례의 방지를 위해 군사적으로 민감한 기술 또는 품목의 제 3 국 수출(SENSITIVE EXPORTATION)을 보다 통제할 필요성을 느끼게됨.

2. 연이나 현재 국내외 언론이 서방제국간 대개도국 각종 무기 또는 무기기술 판매 제한 협력을 구체화하고 있는 듯한 보도를 계속하겨 있으나 대부분 사실이 아님.일부 국가가 자국의 견해를 비공식으로 밝혔을지는 모르나, 현재 어느 국가도 공식으로 새로운 국제협력을 제안한바 없을뿐 아니라 아국을 포함한 일부 국가가 대상이 될것이라는 설은 전혀 근거가 없음.

3. 미국은 최근 핵관련 기술 및 제품의 수출통제에 관한 기존 IAEA LONDON GUIDELINE 에 DUAL USE ITEMS(민수용과 군수용 겸용 가능품목)을 포함하는 문제는 공식 제안하였는바, 이것이 걸프전이후 서방제국내 유일한 협력 제안이며 최근 동 GUIDELINE 관련 국가간 1 차협의를 갖은바 있음.

4. 불란서는 "민감기술 또는 품목"의 교역에 상당히 CONSCIOUS 하며 이와관련된 국제협의에 있어 유보적 태도를 보인바 없음(NO RELUCTANCE). 일부 언론이 불란서가 자국의 독자적 안보.군사정책에 비추어 이러한 국제협력에 회의적 반응을 보이고 있다고 보도한 것은 사실이 아님.끝.

(대사 노영찬-국장)

예고:91.12.31. 까지

검 토 필 (1991.6.30.)

일반문서로 재분류(1991.12.31.)

통상국 장관 차관 1차보 2차보 미주국 구주국 경제국

0037

PAGE 1 91.02.05 18:58

외신 2과 통제관 BA

외 무 부

종 별 :

번 호 : IRW-0114 일 시 : 91 0205 1400

수 신 : 장관(대책본부장,중근동,중미,정일,기정)

발 신 : 주이란대사

제 목 : 걸프전쟁

표제건 주재국 동향 아래보고함.

1. 라프산자니 대통령 사담앞 친서전달(2.3)

-주요내용은 양측군대의 조속 철수 및 전부중지만이 해결방안이며, 이란은 계속중립을 지킬 것이라는 기존 이란측 입장 전달로 알려짐. 동 대통령은 자신의 메시지에 구체적인 해결안 제시는 없으나 일단 이라크측이 자신의 기본 IDEA 에 동의하면협의가 진행될 수 있을 것이라고 언급한 것으로 알려짐 (계속 탐문 보고위계)

2. 주이란 독일대사 VELAYATI 외무장관앞 겐셔외무장관 메시지 전달(2.3)

-이란의 중립 및 중재자로서의 이란의 주도적 역할등 언급된 것으로 추정

3. GRAND AYATOLAH GOLPAYEGANI (주재국내 최고 위성직인사중 2인): 미대통령앞서한을 통해 미측 만행규탄

4. 하메네이 지도자(2.4): 요르단 회교연합회장 접견시, 요르단을 포함 회교국에대한 이스라엘의 공격시 이들 회교국을 지원할 것이라고 언급 (MISS NOOPPORTUNITY TO HELP MUSLIM STATES)

5. 라프산자니 대통령 내외신기자회견 (2.4)시 이란측 입장 천명

-이란의 중립 재확인

-역내영토 현상변경반대 (이라크의 영토변경도 반대), 양측군대철수

-분쟁의 평화적 해결을위해 필요한 모든 노력경주

-터키의 전쟁개입시에도 중립유지 (어느면에서 터키는 이미 전쟁개입한 것으로 볼수 있음)

-전쟁이 계속되는한 압류 이라크 항공기의 이라크 반환은 있을 수 없음.

-이라크입장의 유연성은 감지되고 있지 않음.

-향후 역내 강대국으로서의 이란의 입장이 반영되지 않는 어떤한 안보구도형성에도

중아국 장관 차관 1차보 2차보 미주국 중아국 정문국 청와대
총리실 안기부

0038

PAGE 1

91.02.05 21:10 CG
외신 1과 통제관

반대함 (계속되는 미국의 역내주둔에 반대함)

-성지수례문제를 위요한 이,사우디간 접촉 및 양국 외무장관간 회담예정임.

-걸프사태해결을위해 필요하다면 미,이란간 접촉에 반대하지 않을 것임. 동건은지도자의 결정에 달려있으며 아직 이와관련 아무런 결정도 행해진바 없음.

-이,이라크 포로교환등 이.이간에는 미해결 문제가 남아있으며, 유엔은 이,이전쟁 책임을 규명하기위한 위원회를 구성해야할 것임.

6. 언론반응(종합)

-세계여론은 이라크의 사담후세인은 비난하지만 국민들에게는 동정하고있음. 사담은 이스라엘에 미사일을 폭격, 회교국들을 오도 이들을 자신의 편으로 유도하고자하였으나 아직 성공하지 못하였음.

-전후 개편되는 역내질서는 모든 걸프국가 (외부세결제외, 이집트, 파키스탄, 터어키도 제외되는 것으로 해석될수있음)가 참여해야할 것인바, 팔레스 타인문제는 가장 중요한 과제임.끝

(대사 정경일-국장)

외 무 부

종 별 :

번 호 : AGW-0084　　　　일 시 : 91 0205 1620

수 신 : 장관(비상대책반,미북,기정)

발 신 : 주 알제리 대사

제 목 : 걸프전

GHOZALI 외무장관은 2.3(일) 불란서 T.V대담에서 전후 아랍제국과 불란서간의관계전망을 묻는 질문에 아래와 같이 대답하였음.

1.전후에는 아랍세계에 모든면에서 큰 변화가 있을것임.

2.먼저,국내정치면에서 보면 정부가 여론의 지지없이 정책을 결정하지는 못할것임. 민주주의를 추구하는 이러한 자유운동은 최근 동구에 확산된바 있고 아랍세계에 까지 다가왔음.

3.둘째로,한 아랍국가에 대하여 자행되고 있는 모든 군사,경제,사회적 잠재력의파괴행위에 대하여 아랍국민이 느끼는 억울함과 모욕감은 나아가 분노와 폭동으로 변질되어 먼저 자국정부에 대한 반발로 나타날것이 불가피할것임. 끝.

(대사 한석진-대책본부장)

대책반	장관	차관	1차보	2차보	미주국	정문국	청와대	총리실
안기부								

PAGE 1　　　　91.02.06 00:46 DQ 0040

외신 1과 통제관

깁

외 무 부

암호수신

종 별 :

번 호 : FRW-0430 일 시 : 91 0205 1700

수 신 : 장관(중근동,구일,미북,정일,기정동문)

발 신 : 주 불 대사

제 목 : 걸프전(이란 중재안)

1. RAFSNDJANI 이란 대통령의 중재안에 대해 알제리, 파키스탄, 예멘등 회교국과 쏘련 및 UN 사무총장은 이를 즉각 환영하였으나, 미국은 외교적 노력은 이미 실기하였으므로 기수립된 작전에 따라 전쟁을 계속할 것이라는 반응을 보였다함.

2. 이란의 외교적 중재 노력등 현 상황 관련 FRANCOIS-PONCET 전 외상 및 주재국 주요 언론은 하기와 같이 분석함.

가. 현재 불란서를 위시, 일부 아랍국(알제리, 예멘)및 회교국(파키스탄 수상)을 중심으로 종전을 위한 외교적 노력이 비 교전 회교강국 이란을 구심점으로 전개되고 있으나, 미.이락 양 교전국은 현재 전쟁이 본격화 되었으므로 정전 또는 종전을 논의할 시기가 아니라고 판단하고 있으며, 이란의 중립을 회의적인 시각으로 보고 있는 미국으로서는 이란의 중재를 염두에 두지 않을 것이므로 동 외교적 노력이 실효를 거둘 가능성은 희박함.

나. 이란이 중재안을 제의한 배경은

1) 현 중립태도에 대한 친이락 회교원리주의자의 반발 및

2) 비 아랍 회교강국으로서의 국제적 위치 부각을 통한 외교 고립 탈피등 대. 내외적인 요인이 있으므로 , 동 제의의 성공 여부에 집착치는 않을것임.

다. 이란은 이락의 군사력과 사담 후세인의 약화는 환영하나, 종전후 이락이 분활(미국은 종전후 이락 남부 유전지역 일부를 쿠웨이트에 편입, GULF 지역 친미 정권 확대를 모색하는것으로 알려짐) 되고, 터키, 시리아등이 회교권의 강자로 등장하는것 또한 원치 않고 있음. 이란의 전후 목표는 현재 동국에 망명중인 바 SADDAM HUSSEIN 계 망명인사를 귀국케하여, 서바읏이 후원하는 국내 잔류 세력(군부내 반 SADDAM 파) 등과 최소한 친 이란성향 연정을 구성시키는 것으로 전망되므로 , 이란을 전쟁에 끌어들여 후방 기지화하려는 SADDAM 의 기도에 현혹 되지 않고 있음.

중아국	장관	차관	1차보	2차보	미주국	구주국	정문국	청와대
총리실	안기부							

PAGE 1 91.02.06 01:53 0041

외신 2과 통제관 DO

라. 이란은 전통적으로 2 중적인 외교정책을 견지하고 있는바, 현재 KHAMENEI 등 종교지도자와 RAFFSNDJANI 중심의 정부 사이에 입장에 처한것으로 비추어 질수 있으나, 이는 다분히 역할 분담성격이 있는것으로 보이며, 국익의 차원에서 시기적으로 필요할때 상호 입장을 활용 할수 있는 여지를 만드는것으로 이해 함이 좋을것임.끝

(대사 노영찬- 국장)

비밀 길

외 무 부

암 호 수 신

종 별 :

번 호 : PDW-0109 일 시 : 91 0205 1450

수 신 : 장관(중동, 동구이, 정일)

발 신 : 주 폴란드 대사

제 목 : 걸프사태 전망(자료응신 제 91-19호)

주재국측에서 보는 걸프사태 전망을 아래 보고함.

1. 후세인은 금번 전쟁결과로 자신뿐만 아니라 국가를 파멸에 빠뜨리게 될것이며 전후 정치지도자로서 남아있을수 없게 될것임.

2. 후세인의 전부수행능력은 연합군측 공습으로 계속 저하되고 있으므로 전쟁이 조기에 끝날 가능성이 더 크다고 봄.

3. 폴란드로서는 이라크로부터 받아야 할 원유 미수령등으로 경제적 손실이 크며 전쟁의 조기종식을 희망하고 있으나, 금번 전쟁의 목표는 쿠웨이트 해방뿐 아니라 이라크가 앞으로 동지역의 타국가에게 군사적 위협을 가할수 없도록 그 군사력을 파괴하는데 까지 이르러야 된다고 봄.끝

(대사 김경철-국장)

중아국	장관	차관	1차보	2차보	미주국	구주국	정문국	청와대
총리실	안기부							

0043

PAGE 1 91.02.06 04:23

외신 2과 통제관 CW

긴

관리 번호	91-234

외 무 부

종 별 :

번 호 : FRW-0434 일 시 : 91 0205 1740

수 신 : 장관(중근동,경이,구일,기정동문)

발 신 : 주 불 대사

제 목 : KUWAIT 전후 복구사업 참여

표제관련, 당지 주요 언론의 보도내용 아래 종합보고함.

1. 전후 KUWAIT 경제전망

-민주화로 일반상인, 기업가, 지식인들이 보다 많은 권리와 부의 배분을 요구하게 될것임.

-전쟁의 참화로 KUWAIT 산업시설의 대부분이 파괴되더라도, 원유수출 대금 적립등 해외자산이 1,000 억불 수준(이에 따른 연간 수익이 90 억불)에 달하므로,전후 KUWAIT 복구에는 큰 문제가 없을것임.

-KUWAIT 가 자국이 지분을 갖고있는 MISLAND 은행, DAIMLER-BENZ, HOECHST 등에서 철수할 경우 국제 증권시장에 다소의 혼란이 예상되나, 동 사태의 발생 가능성은 희박함.

2. 전후 복구사업 관련 동향

-현재 KUWAIT 망명정부가 소재한 SAUDI 의 TAEF 에는 미국을 비롯한 서방제국의 기업인, 정부인사들이 쇄도하여 전후 복구사업 참여를 위한 교섭을 진행중임.(당초 복구사업 위원회는 워싱턴 소재 세계은행내에 위치하다가 TAEF 로 이전한 것으로 알려짐)

-동 복구사업 관련, KUWAIT 의 INFRASTRUCTURE (도로, 공항, 정유시설, 통신시설) 복구에만도 250-400 억불이 소요될 것이며, 여타 시설 복구까지 감안할 경우 복구비는 800 억불 수준까지 육박할수도 있을 것임.

3. 각국의 참여동향

가. 미국

-전후 복구사업에서 가장 큰 목을 차지하게될 미국은 "URGENT PROGRAM FOR THE RECONSTRUCTION OF KUWAIT"라는 이름으로 이미 수백만불에 달하는 계약을 체결했거나

중아국 장관 차관 1차보 2차보 미주국 구주국 경제국 청와대
총리실 안기부

PAGE 1 91.02.06 04:27 0044
외신 2과 통제관 DO

또는 교섭중임.

-이와관련, 최근 KUWAIT 가 135 억불의 자금을 미국에 전비명목으로 지원했다는 발표가 있었으나, 실제로 이를 지불하지 않고 전후 복구시 동 금액에 상당하는 혜택을 미국에 제공키로한 것으로 알려지고 있음.

다. 영국

-전후 복구사업에 대한 미국의 단독참여를 우려하고 있는 영국은 미국과의 합작을 통한 사업참여를 적극 추진중임.

-현재 영국의 TRAFALGAR HOUSE 는 미국의 KAISER 와, CLEVELAND BRIDGE MIDDLE EAST(TRAFALGAR HOUSE 의 자회사)는 미국의 BECHTEL 과 공동진출을 추진중이며, TAYLOR WOODROW 도 합작 참여를 교섭중임.

다. 프랑스

-현재 DJEDDAH 에 주쿠웨이트 임시 대사관을 설치중인 주재국은 미.영에 비해서 활동이 저조한 편인바, KUWAIT 측은 통신분야에 한해서만 주재국의 참여를 고려중이라는 설이 있음. 끝.

(대사 노영찬-국장)

예고:91.12.31. 까지

일반문서로 재분류(1991.12.31.)

검 토 필 (1991.6.30.)

PAGE 2

0045

관리번호	91-238

외 무 부

종 별 :

번 호 : UKW-0330　　　　　일 시 : 91 0205 1800

수 신 : 장관(중근동,미북,구일)

발 신 : 주 영 대사

제 목 : 걸프사태

연: UKW-0325

당관 조참사관은 금 2.5(금) 외무성 중동과장 MR.E.GLOVER 를 면담한 바, 최근 걸프사태에 관한 동 과장 발언요지는 아래와 같음.

1. 걸프전쟁은 예상보다 시간이 오래걸릴 가능성이 있으나 전반적으로 큰 차질없이 진전되고 있는 것으로 평가하며, 연합군은 이락의 전쟁 수행능력이 현저히 감소될 때까지 공습을 계속하고, 이어 지상전에 돌입할 것으로 전망함.

2. 지상전의 개시 시점이나 소요기간에 관하여는 예측하기 어려우나 KHAFJI 전투에서 보는것 처럼 이락군의 상당한 저항이 예상되고, 스커드 미사일 공격, 석유방류등에 이어 화학무기를 사용할 가능성을 배제할 수 없는 상황하에서 계절적인 한계등 여건도 감안하여 연합군으로서는 신중을 기해 대처할 것임.

3. 이란은 중립 표방에도 불구하고 전후 역내 영향력 확보를 위해서 각종 책략을 기도할 것으로 보며, 라프산자니 대통령의 중재제안도 이러한 기도의 일환이나 이락의 철수가 관철되지 않는한 의미없는 것으로 봄. 이락 항공기들의 이란 대피 배경에 관해서는 확실치 않으나 양국간의 사전밀약은 없었다 하더라도 사담이 이란의 호의를 기대할 수 있는 정황하에서 이루어졌을 가능성이 큰 것으로 추측함.

4. 소련의 태도와 관련, 쉐바르드나제 외상 사임전후 군부를 중심으로 대 걸프정책에 대한 비판이 고조된바 있으나, 어떠한 심각한 정책전환이 있을 것으로 예상되지 않으며, 안보리결의 678 호에 따른 과정이 종결될 때까지 사태를 주시하면서 전후 지역내 자국의 이익확보를 모색해 나갈 것으로 봄.

5. 전쟁의 종결보다 더욱 어려운 상황이 전후에 전개될 것으로 보며, 지역안보 구상에 관해서 영국은 허드외상이 밝힌것 처럼 걸프협력위(GCC)를 중심으로하고, 이란의 역할을 감안한 집단적 안보체제가 태동하기를 기대하고 있으나, 해. 공군은

중아국 장관 차관 1차보 2차보 미주국 구주국 청와대 총리실
안기부

PAGE 1　　　　91.02.06 04:43 0046
외신 2과 통제관 CW

모르겠지만 지상군의 장기주둔을 염두에 두고있지는 않음.,6. 팔레스타인 문제는 전쟁개시 전보다 더욱 악화된 것으로 보며, PLO 가 이락을 지지하는 상황하에서 점령지역을 어떤 형태로든지 양보한다는데 대해 이스라엘의 여론이 강경히 반대해 나갈 것으로 관찰함. 끝

(대사 오재희-국장)

예고: 91.12.31 일반

일반문서로 재분류(1991.12.31.)

검토필(1991.6.30.)

PAGE 2

0047

관리번호	91-761

원 본

외 무 부

종 별 :

번 호 : IRW-0117 일 시 : 91 0206 1030

수 신 : 장관(대책본부장, 중근동,중미,기정,정일)

발 신 : 주 이란 대사

제 목 : ~~아국의 대중동 정책과 관련한~~ 걸프전후의 지역안보체제

WTU-0063 910207 1420 BX

걸프전쟁후의 ~~아국 대중동 정책관련~~ 걸프지역내의 안보체제가 어떤형태로 형성될것이며, 그러한 체재가 가능할것인가의 문제를 아래와같이 검토보고함.

1. 걸프지역내 안보체제의 유지는 이지역내 국가간의 힘의배분 그리고 이러한 힘이 배분구조의 틀이되는 정치적상황이 어떻게 작용하느냐에 달려있음. 정치적상황은 지역내 국가간의 관계만에서 또는 외부세력을 연계한 관계라는 측면에서 검토되어야 할것임.

가. 외부세력 연계구조

미국과 쏘련이라는 두 대표적 외부세력만을 놓고볼때 첫째, 전후 두세력이 협조하여 이지역의 안보를 관리하는 경우와 둘째, 미국이 단독으로 이러한 역할을수행한다는 가정을 할수있음

1)미, 쏘 양국의 협조관리는 전쟁에대한 양국의 미묘한 정책차이, 쏘련의 내부문제, 양국중 어느 일국에의한 이지역의 지배 반대때문에 그가능성이 희박하다고할수있음.

2)미국만의 독단관리는 미군의 주둔 또는 과거 영국이 이지역에서 보여주었던바와 같은 형태즉 모든국가가 미국을 주도적 영향력 행사국가로 인정하도록 함으로써 헤게모니를 갖는다는것이나 이란등이 미국의 개입을 완강히 반대하고있기때문에 현실성을 결여한 가정이라고 하겠음.

3)따라서 예상되는 상황은 종전과는 다른 양상일지라도 미, 쏘간의 이해대립이 계속되는 가운데 역내국가인 사우디, 이란, 시리아및 터키등이 서로를 견제경쟁하면서 이지역의 안정을 모색하는것이 될것임.

나. 역내 국가간 구조

이번전쟁의 결과는 이락의승리, 이락의패전 (다국적군에 의하든, 자체내부

중아국	장관	차관	1차보	2차보	미주국	정문국	청와대	총리실
안기부								

사본 주터어키 대사

PAGE 1 91.02.06 16:38

외신 2과 통제관 BN 0048

반대세에의하든), 협상에의한 종전이라는 세가지경우를 가정할수 있는바, 이락의 승리는 그가능성이 거의없다고 보기때문에, 두가지 경우만을 검토하여봄

1)이락패전

이락이 패한할경우, 이로인하여 생기는 정치적 진공상태를두고 이란, 터키,사우디등이 서로다른 이해로 긴장을 조성할것이며 지역적 무력충돌로까지 발전될가능성도있음. 이란이 가장 강력한 전후의 지역세력으로 등장할것임에따라 사우디는 미국과의 관계를 밀착시킬것임. 터키도 미국의 군원에의한 군비증강, 유프라데스강 댐을 이용한 대시리아 전력공급, 대이락 수로공급등을 통한 지원국으로써의 이메지 제고를 통하여 지역내 발언권을 강화시킬것임.

2)협상(NEGOTIATED SETTLEMENT)

이락의 현체제나 군사력이 유지된가운데 종전이되고 미군이 철수하는 상황하에서는 모든국가가 이락에대하여 위협을 느낄것임. 따라서 이란, 사우디관계는 양국간의 종교이념과 정치의 차이에도 불구 급속 개선될것이며 터키는 제 2 차적 세력권으로 이란, 사우디 이락과같은 영향력행사는 불가능하게 될것임.

2. 전후

--0118 호로 계속 --

관리번호	91-131

원 본

외 무 부

종 별 :

번 호 : IRW-0118 일 시 : 91 0206 1030

수 신 : 장관(대책본부장)

발 신 : 주 이란 대사

제 목 : IRW-117호의계속

2. 전후역내 새로운 질서의 정립을 모색하는 과정에서 주요역할을 담당하는주체는 이란 그리고 미국과 연계된 사우디및 다소 제한된 역할이기는하나 터키가될것임. 이란은 이락의 패망으로인한 진공상태 야기가 자국 이해에 불리한것으로판단 터키에의한 이락영토의 점유는 무력충돌을 각오하면서까지 반대 저지할것이며, 사우디와도 여러가지 마찰점을 갖고있기때문에 사우디와의 연합보다는 이란, 이락을 한축으로하고 터키, 그리고 미국과 연계한 사우디로 유지되는 새로운 질서를 모색하고저 할것임.사우디는 지역내에서 이란, 사우디로 유지되는 안보체제를 추구하면서 미국과 이집트를 자국지원세력으로, 터키를 이란 견제세력화하여이란의 제 2 이락화하는것을 견제할려고 할것으로 예상됨.

티키는 전후 STABILIZING ROLE 을 담당하겠다고 공언하면서 전쟁을통하여 노후한 군비를 현대화하면서 오랜 야망인 이락북부 국경지역의 유전소유라는 목표를 실현하기위하여 터키, 이락국경지역의 KURD 족 자치국 창설을 기도할것임.

가. 이란, 사우디 양축안보체제

어떠한 방법으로 전후 안보체제가 모색되더라도 이란을 포함한 역내 국가는 미국의 영향력행사를 기정사실로 받아들인다는 태도를 갖고있음. 이란으로써는 걸프전쟁중 쌓아놓은 이란, 이락관계를 바탕으로한 대이락 영향력을 미국과 사우디가 받아들인다면 미국과의 화해도 가능하다는 입장을 보이고있음. 이와같은 발전이 현실화될경우 역내 안보체제는 이란, 사우디의 두세력을 주축으로 이루어질것임.

나. 역내 다축안보체제

이락이 하나의 세력으로 남을경우, 사우디는 역내 반미감정등을 감안 미국과의 관계를 표면화하기보다는 이란과의 관계를 개선하여 이락을 견제하려고할것이며 이락, 이란-사우디, 시리아, 터키, 이집트등이 중심역활을하는 안보체제가 형성될수있음.

중아국	장관	차관	1차보	2차보	미주국	총리실	안기부

PAGE 1

91.02.06 17:17

외신 2과 통제관 BN

0050

4. 우리의 전후 대중동정책은 이러한 여러가지 상황과 가능성을 염두에 두고 추진되어야 할것임.전후 새로운 세력으로 부상할 국가에대한 관계 긴밀화를위한 노력을 가일층하여야 할것임은 물론 이러한 국가들의 역내 외교정책 노선을지지하는 우리의 적극적자세를 보이는것도 필요함특히 이러한 주요국가의 국가원수, 정부수반의 초청, 이에상응하는 우리의 방문외교는 이지역 국가의감정, 관습등에 비추어볼때 그어느때보다도 요망되는사항임.끝

예고:91.12.31 까지

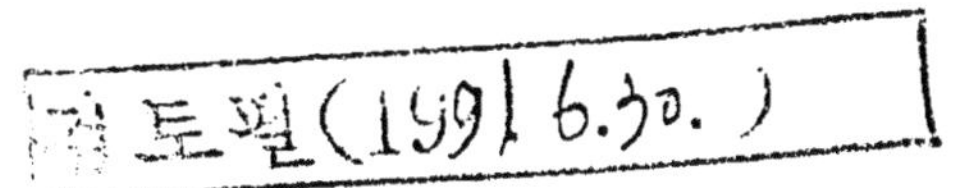

관리번호 91-331

M1급

외 무 부

71
12

종 별 :

번 호 : IRW-0119 일 시 : 91 0206 1500

수 신 : 장관(대책본부장,중근동,중미,정일,기정)

발 신 : 주 이란 대사

제 목 : 걸프전쟁

본직은 작 2.5 주재국 BROUJERDI 아. 대양주담당외무차관으로부터 표제사태에대한 주재국측입장을 청취하였는바, 요지아래보고함.(일, 호주, 중국등 아, 대양주지역국가 대사들도참석)

1. 기본입장(인도적 노력포함)

-이락의 정책이 변화할 조짐은 아직 보이지않고있음. 이란은 전쟁전후 계속이라크의 쿠웨이트로부터의 조속 철수를 요청하여왔음.

-이란으로써는 이락의 장래가 폭격등으로인한 파괴로 어려울것으로 보고 이라크의 철수문제를 이락부수상 방이시 협의하였으나 동부수상은 쿠웨이트로부터의 철수의가없음을 재천명하고 승리를 다짐하였음(라프산자니 대통령은 이러한 의사가 HAMADI 부수상 개인의사라고 보고 사담에게 메시지를 보내어 쿠웨이트로부터의 철수를 거듭요청하였음)

-이란은 이락의 TERRITORIAL INTEGRITY 에 깊은 관심을갖고있으며, 외국군의주둔은 역내평화와 안전에 도움이 되지않는다고 보고있음.(참고로 동차관은 사담의 제거에대한 호메이니옹의말 SADAM IS MAD, UNITL HE IS DESTROYED, NO SECURITY WILL BE ATTAINED 을 인용함)

-이란은 이락국민을 정치와 분리하여 보고있음(정치에대해서는 계속 쿠웨이트로부터의 철수를 권하고, 국민에대해서는 의약품과 식량을 공급할수있도록 UN 사무총장에게 서한을 보내 유엔의 허가를 요청하였으며, 유엔측은 이란측의 인도적노력을허가, 이에따라 식량과 의약품을 보내기 시작하였음. 이란은 중립적자세와 상치되지 않도록 모든 조치를 다할것임)

2. 이란의 외교적노력

-이와관련 이란이 현재까지 취한 외교적조치는 다음과같음.

검 토 필 (1991.6.30.)

일반문서로 재분류(1991.12.31.)

중아국 장관 차관 1차보 2차보 미주국 정문국 청와대 총리실
안기부 국방부

PAGE 1

91.02.06 21:37

외신 2과 통제관 BW

0052

가.OIC 개최추진:파키스탄, 터키, 방글라 와의 INITIAL 회의를 갖고 OIC 에통보, 11 개국이 EMERGENCY MEETING 에의 참가를 알려왔음. 2/3 의 회원찬성이 있어야 회의개최가 가능한바 계속 추진예정임.

나.NAM 개최추진:유고 외무장관과의 전화통화로 시작되었으며 인도 외무장관방이시 협의, 2.12 일 벨그라드에서 동회의가 개최예정이나 회의성과에는 회의적임.

-이란은 이락측에 보낸 라프산자니 대통령의 서한에대한 사담의 회답을 기다리고있음. 그내용에따라 필요한 조치를 취하려고함

-나아가 이러한 이란의 노력은 이락, 알제리아, 불, 쿠웨이트 외무장관등의방이와 요르단, 터키 외무장관의 방이를통해 계속되고있음(알제리와 예멘외상은현재의 전쟁은 유엔결의의 범위를 벗어난것이고 쿠웨이트해방을 구실로 이락을페허화하고있다고 설명하였으며, 쿠웨이트 외상은 쿠웨이트로 돌아가고 싶다는희망만을 표하였고, 프랑스 외무차관은 이락의 쿠웨이트철수를 종용한 자국의 외교노력을 설명하였음)

3. 이란의 중립(이라크항공기 이란도착)

-이란에 착륙한 이락항공기는 전쟁종료시까지 억류될것이며,(동인은 착륙대수를 잘모르겠다고 언급하며 질문을 자제할것을 요청함) 항공기대수 보다는 동 사안에대한 이란측의 조치가 중요함.

-이란의 허가를 받고 착륙한 이락항공기의 경우도 동일한 조치를 받을것임

-이이전 포로교환을위해 전쟁전 이란에와있었던 이락항공기 경우도 동일취급케될것임.

4. 기타

본직은 이락의 화학무기 사용가능성및 향후 역내질서개 편관련 이.사우디양국관계전망에대해 질의하였는바, 동차관은 화학전가능성을 인정하였으며 이.사우디관계에 대해서는 비공식 접촉이 이루어지고 있으며 양국 외무장관이 곧 회담할것이라고 설명하며 관계개선이 될것이라고 하였음

(대사 정경일-대책본부장)

예고:91.12.31 일반

지도관실941
참조2

암호수신

외 무 부

종 별 :

번 호 : ITW-0206 일 시 : 91 0205 1830

수 신 : 장관(중근동,미북,구일,정일)

발 신 : 주 이태리 대사

제 목 : 걸프전쟁 주재국 동향(자응 91-17)

1. 주재국은 그간 걸프전후 중동문제의 항구적 해결을 위해 안보협력회의를개최할 것을 주장하여 왔으며 작 2.4. 브렛셀에서 개최된 EC 외상회의에서도 동 문제가 협의되었는바, 이태리측은 명 2.6. 브렛셀에서 개최 예정인 정무 총국장회의에서 팔레스타인 문제와 이스라엘 안전문제를 포함한 지중해 및 중동 지역국가간의 안보협력회의(CSCM)를 공식 제의할 예정임.

2. 이태리는 90.9. 스페인과 공동으로 동 회의 개최를 제의한바 있으며 동 회의는 헬싱키회의와 유사한 성격의 지역안보협력 회의로서 남부 유럽및 북부 아프리카를 포함한 지중해 지역국가, 중동, 걸프및 흑해지역 국가를 망라할 것을 구상하고 있는바, 이태리측은 이를 위한 전문가회의, 준비회의를 거친후 1993 년중 본회의 개최를 목표로 하고 있음.

3. 이태리 외상은 동 회의 개최에 이스라엘 정부도 관심을 갖고 있다고 밝혔는바, 2.2. 방미후 귀로에 당지를 방문한 이집트 외상과의 회담시 이집트측은 동 회의 개최에 소극적인 반응을 보인 것으로 알려짐.

4. 기타 동향을 참고로 아래 보고함.

0 안드레오띠 수상은 작 2.4. TV 인터뷰를 통해 교황청이 이스라엘 국가를 승인할 것을 촉구하였음. 동 수상은 최근 교황이 이라크의 대이스라엘 공격 중지촉구와 이스라엘과의 결속을 주장한 것이 교황청과 이스라엘간의 관계 정상화를 위하 암시일 것이라고 언급하면서 교황청이 회교국가와도 외교관계를 맺고 있음에 비추어 이스라엘과 외교관계가 없는 것은 이상한 일이라고 논평함.

0 2.3. 예멘 P 재 이태리 대사관에 신원미상의 인물이 폭탄을 부척하였으나별다른 피해는 없었음. 여사한 테러행위는 동일 불란서, 일본대사관에도 있었으며 이라크 지지세력의 소행인 것으로 알려짐.

중아국	장관	차관	1차보	2차보	미주국	구주국	정문국	청와대
종리실	안기부							

PAGE 1

91.02.07 01:09

외신 2과 통제관 BW

0054

0 걸프에 파견중인 이태리 공군은 2.3. 11 번째 공격임무를 성공적으로 수행한바, 동 편대장은 이라크측의 대공사격이 약화되어가고 있다고 언급함. 끝

(대사 김석규-국장)

관리번호	91-343

	분류번호	보존기간

발 신 전 보

번 호 : WUS-0506 910207 1923 BX 종별 :

WJA -0541 WUK -0242
WFR -0248 WSV -0385

수 신 : 주 미, 일, 영, 불, 소 대사, ~~총영사~~

발 신 : 장 관 (미북) 중근동)

제 목 : 걸프전 전망

걸프전이 1.17. 개시된 이래 3주간 경과했는 바, 그간 다국적군의 대이라크 공습의 성과에 대하여 상반된 분석이 나오고 있음. 현재까지 다국적군의 전과에 대한 귀 주재국의 평가와 지상전 개시시기 및 향후 전쟁 추이에 대한 귀 주재국 정부 및 국방관계 전문가들의 견해를 파악 보고바람. 끝.

(장 관)

예 고 : 91.12.31. 일반

일반문서로 재분류(1991.12.31.)

검 토 필 (1991.6.30.)

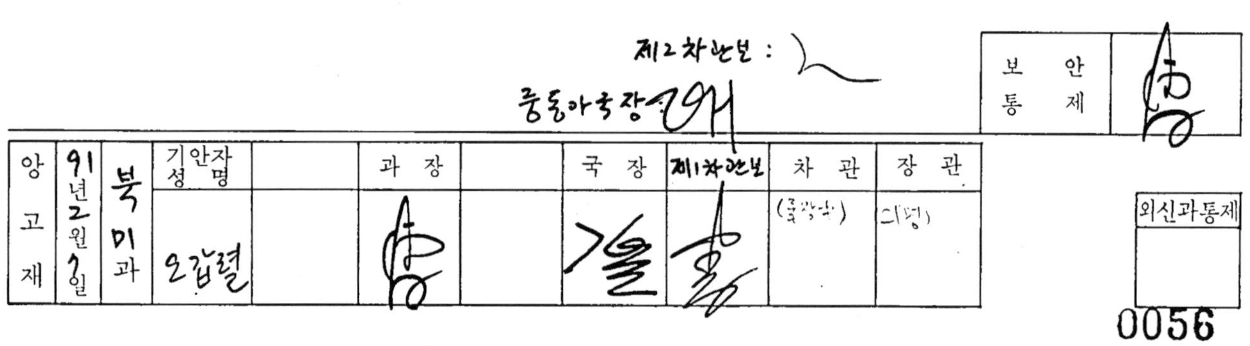

앙고재	91년 2월 7일	북미과	기안자 성명		과 장		국 장	제1차관보	차 관	장 관
			오갑렬						(중동아)	(대명)

보안통제

외신과통제

0056

관리번호	91-274

외 무 부

종 별 :

번 호 : JOW-0166　　　　일 시 : 91 0207 1320

수 신 : 장 관(중근동,마그,정일,기정)

발 신 : 주 요르단 대사

제 목 : 요르단 국왕 대국민 연설

대:WMEM-0018

1. 주재국의 후세인 국왕은 대국민 TV 연설을 통해 다국적군의 대이라크 공격을 강력히 비난하면서 요지 다음과 같이 주재국입장을 밝힘

가. 걸프전쟁은 이라크를 파괴하기 위한 전쟁인바, 전아랍인들에게 즉각적인 휴전을 호소하고, 미국.이라크 및 아랍. 아랍 대화를 제의함

나. 다국적군은 이라크 군사력을 파괴하고 아랍인의 현실과 미래를 위협하는 방향으로 중동지역을 조정코자 하고 있음. 외국세력들이 아랍세력 및 자원을 분할하여 정책적으로 콘트롤하고자 함

다. 걸프전쟁은 이라크만을 상대로 하는것이 아니라 전아랍및 이슬람 민족을 상대로 하고 있음

라. 유엔은 다국적군이 유엔결의의 한계를 이탈, 이라크의 존재를 말살시키고자 무자비한 전쟁을 확대 시켰음에도 하등의 조치를 취하지 않고 있음

마. 미국 주도하의 다국적군은 이라크의 무고한 여성과 어린이들을 야만적으로 살해하고 있으며, 사원, 교회, 병원, 분유공장, 수도시설등을 파괴, 이라크를 원시시대로 후퇴시키고 있음

바. 걸프전쟁은 사실상, 전후 아랍세계의 세력 균형의 변형에 목적이 있음. 전후에도 외국세력이 아랍영토내에 계속주둔할것인바, 이는 아랍의 발전을 저해할것임

사. 전후 이스라엘이 최대의 이익을 얻을것이고 그들은 팔레스타인 문제해결을 방해할 것이며, 외국세력이 원하는 방향으로 전재될것임

아. 아랍. 이스라엘 분재을 공정하게 실질적으로 해결하자는 시도는 전혀 없으며, 다국적군은 요르단의 사기를 꺽고자 노력하고 있음

자. 요르단이 전쟁에 개입하게 될때 전력을 다해 항전할것임

중아국	장관	차관	1차보	2차보	중아국	정문국	안기부

PAGE 1　　　　91.02.07 21:15 0057

외신 2과 통제관 CH

2. 분석및 전망

가. 금번 국왕의 연설은 걸프사태이래 최대의 강경 입장표명이며, 친이라크노선의 분명한 선회를 나타냄

나. 지상전을 포함 확전 내지 이스라엘 참전이 있을경우, 요르단은 이라크측에 동참, 이라크, 팔레스타인,요르단 연합전선 구축을 밝힘

다. 금번 국왕의 연설은 사우디의 원유공급중단에 이어 주재국의 유일한 원유 공급선인 이라크로 부터의 원유 수송 차량에 대한 다국적군의 공습에 대한 주재국 국민들의 분노를 대변 국왕및 주재국 정부의 입장을 나타낸것이며 또한 이러한 강경입장을 통해 이라크로 부터의 안전한 원유 공급확보를 미국측으로 부터받아내기 위한 것일수도 있을것임

라. 그러나 주원인은 걸프전쟁의 평화적 해결을 위한 아랍의 결속을 촉구하면서, 이스라엘이 참전하는 지상전이 개시되면 이라크측에서 부쟁하겠다는 입장을 보임으로써, 미국의 지상전 개시 결심에 영향을 주어 확전을 막고 조기 종전에 기여코자 하는 것으로 판단됨

마. 대호 이라크측의 6 개국 단교조치도 미국의 지상전 선택결심에 영향을 주기위한 것으로도 볼수있을것이며, 이번 요르단 국왕의 강경 친이라크 발언은 이라크의 단교조치와도 연계될수 있을 것이나 주재국은 이라크의 금번조치에 공식반응은 아직 없는상태임

(대사 박태진-국장)

예고:91.6.30 까지

PAGE 2

0058

미북
↳미안(시너)

길

관리 번호	FT-268

외 무 부

종 별 :

번 호 : FRW-0462 일 시 : 91 0207 1430

수 신 : 장관(중근동,구일,미북,정일,기정)

발 신 : 주 불 대사

제 목 : 걸프전(대이락 무기공여국)

대이락 무기공여국 현황을 하기 보고함.

1. 쏘련(200 억불):TUPOLEV 16-22 전투기,13 RDM 2 MOLOTOV 장갑차, 미사일등 이락무기의 65 프로 공여

2. 불란서(60 억불):MIRAGE F1 전투기, ROLAND 미사일 발사대, GAZELLE 헬기, VCR TH PANHARD HOT 장갑차, MILAN 대전차 미사일, THOMSON 레이다등

3. 브라질(12 억불):EE3 JARARACA 장갑차등

4. 애급(10 억불):SAKR 미사일 발사대등

5. 중국(20 억불):XIAN SHENYANG 전투기, NORINCO 59 전차,122-130-152 야포등

6. 체코(7 억불):OT6H SKOT 장갑차등

7. 영국:교량장비, 전차, 지뢰제거 장비등

8. 남아공:152-180 야포

9. 미국:REDEYE 미사일 발사대, SEA COBRA, CHINOCK, EAGLE 등 헬기, TOW EMERSON 대전차 미사일

10. 독일:화학무기

11. 이태리

해군장비(전함, 어뢰제거 장치등)

12. 오지리:155 야포등. 끝.

(대사 노영찬-국장)

예고:91.6.30. 까지

중아국	장관	차관	1차보	2차보	미주국	구주국	정문국	안기부

PAGE 1 91.02.07 23:13 0059

외신 2과 통제관 CH

김,

외 무 부

종 별 :

번 호 : NYW-0187 일 시 : 91 0207 1600

수 신 : 장 관(경일,통일,미북,중근동)

발 신 : 주 뉴욕 총영사

제 목 : BUSH 미대통령의 ECONOMIC CLUB 연설

1.BUSH 미대통령은 91.1.6. 뉴욕 힐튼호텔에서 당지 경제, 재계 협회인 THE ECONOMIC CLUB 주최만찬에 참석, 미국경제 전망, 걸프전등 관련아래 요지로 연설하였음.

가. 이라크의 쿠웨이트 침공은 기업및 소비자의 경기에 대한 불안을 야기, 미국경기를 침체국면으로 이끌었음.

나.그러나 예상보다 낮은 유가수준, 증시의 회복과경기에 대한 불안의 해소등으로 금년중반 이후에는 미국경제가 단기 침체국면을 벗어날것임.

다.미 정부로서도 비생산적인 정부규제 완화, 민간소비, 부자촉진, 교육, 공공사업, 우주기술개발 부자등을 통해 경제성장을 도모할것임.

라.걸프전쟁은 현재 미국입장에서 순조롭게 진행되고 있으며 월남전과는 달리, 오래지 않아 미국승리로 끝날것임.

라.걸프전 관련, 최근 일본의 90억불, 독일의 50억불 추가지원 약속은 적절한 수준 이라고 봄.

바.우루과이 라운드 회담은 앞으로 성공적으로 타결될것으로 낙관함.

일.독의 시장개방을 촉구함.

2.당관의 관찰

부시대통령의 금번 뉴욕방문은 91.1.16.대 이라크 개전이후 비군사 목적의 최초 국내출장으로, 기업 및 소비자들의 부자및 소비에 대한 불안심리에 대비하여, 경기회복, 신변안전에 대한 확신을 갖게하여, 부자.소비를 자극, 유발하려는 목적으로 행하여진 것으로 보임.

(총영사-국장)

경제국 1차보 2차보 미주국 중아국 통상국 안기부 차관 장관 청와대 총리실

PAGE 1

91.02.08 09:21 WG

외신 1과 통제관 0060

관리번호 91-348

원 본

외 무 부

종 별 : 지 급

번 호 : USW-0659 일 시 : 91 0207 1823

수 신 : 장관(미북,중근동)

발 신 : 주 미 대사

제 목 : 걸프전 전망

대:WUS-0506

그간 당관의 국무부, 국방부 관계관, 군사문제 전문가와의 접촉과 미행정부고위 관계자들의 발언 및 국방부 발표등을 통해 감지되고 있는 제반 상황 및 전망을 다음보고함.

1. 그간 작전의 성과

- 유종하 차관과의 면담시(2.4)ROWEN 차관보의 발언 및 기타 미 국방, 안보관계관들의 발언을 종합할때, 미측은 그간 공중 강습이 무난히 진행되었으며, 특히 목표물에 대한 타격은 계획대로 이루어졌다고 판단하고 있음.

- 그간 공습의 성과에 대해 엇갈린 평가가 나오고 있는것으로 보이는 것은,주요 목표물이 벙커 또는 보호물에 있어 실제 손상 여부에 대한 실사가 어려운것이 주요 원인이며, 공습 효과에 대한 기대치가 시각에 따라 다르기 때문임.

-최근 공습의 효과와 관련, 관심의 초점은 쿠웨이트 배치 이락 지상군, 특히 REPUBLICAN GUARD 의 전력 상실 정도 에 모아지고 있는바, 전력(병력, 장비 상실)은 약 20 % 정도로 추계되고 있고, 사기, 보급, 통신체제를 포함하면 그이상의 손상이 있을 것으로 추정되고 있음.

-다만, 여사한 성공적 공습이 실제로 이락군을 굴복시킬 정도까지 진행되었는지와 관련해서는, 상금 이락측 피해가 여사한 정도까지 이루어지지 않고 있으며, 상당한 피해가 발생하였더라도 공습만으로는 이락측이 굴복치 않을 것이라는것이 현 미국방부 및 NSC 측의 일반적 견해인것으로 보임.

2. 지상작전 돌입 문제

- 여사한 공통된 평가를 바탕으로, BUSH 대통령을 포함한 미 지휘부와 연합군측은 이락군을 몰아내기 위해서는 지상전이 필요하다는 잠정적 결론에 도달하고 있는것으로

미주국 장관 차관 1차보 2차보 중아국 청와대 총리실 안기부

PAGE 1 91.02.08 10:45 0061

외신 2과 통제관 FE

보이는바, 2.5. BUSH 대통령의 기자회견, 2.7 유종하 차관과 솔로몬 차관보 면담시 PAAL 보좌관과 HULL 중동과장의 발언이나, 2.7. MITTERAND 대통령 회견등이 이를 시사하고 있음.

- 2.6. 차관은 당지 방문중, CSIS 를 방문, 군사정세 전망(TAYLOR 군사안보문제 담당 부소장 담당)과 전후 지역 구조 조정전망(ROBERT HUNTER 지역문제 담당 부소장 담당)에 대한 브리핑을 들었는바, CSIS 측은 최근 국방부 및 의회와긴밀한 접촉을 가지면서 현 정세에 대한 분석 업무를 계속하고 있다고 전제하고, 미행정부는 이미 지상전을 개시키로 결정한것으로 믿어진다는 견해를 표시함.

- 현재 당지 전문가들 간에 거론되고 있는 지상전 돌입 시기와 관련된 제반요소는 이락 정예군의 사기 저하 및 피해정도, 미군등 연합군측의 예상 사상자수, 기후변화, 유럽주둔 미 최정예 군단의 배치 완료 여부 등인바, CSIS TAYLOR 박사에 의하면 미 7 군단 및 15 기갑군단은 2 월 15 일경에 배치가 완료될 것이라고 함.

- REPUBLICAL GUARD 는 전기 피해에도 불구, 기본 전투태세가 훼손된것으로보이지 않으며, 쿠웨이트내 주둔 이락군은 악화된 보급선에도 불구, 현재 5-6 개월분의 전투 소모품을 비축하고 있는 것으로 추정됨.

- 또한 현지의 기후는 약 10 일내지 2 주후부터 악화(우천, 강풍)되어 공격작전에 매우 어려운 조건이 될것으로 예상되며, 사우디-이락 국경(중서부전선)은 기갑군 이동이 불가능한 진흙탕으로 변할 가능성이 높다고 함.

- 여사한 요인을 감안할때, 지상전 돌입 시기는 빠르면 빠를수록 좋다는것이 군사적 측면에서의 평가이나(CSIS 측은 빠르면 내주말 이내로 예측), 동 지상작전의 경우 대규모 사상자가 발생될 것으로 예상되기 때문에 미 행정부 고위층으로서는 상금 확실한 결정을 하지 못하고 있는것으로 보임.

- 2.7 의회는 CHENEY 장관과 POWELL 합참의장을 불러 비공개 브리핑을 가졌는바, 행정부측은 지상전에 서둘러 돌입하지 않겠다는 점을 강조한 것으로 보도되고 있음.

- 또한 당관 무관부가 감지한바에 의하면 일부 군지휘부 계통에서는 당분간지상전을 자제하고, 장기간에 걸친 공중작전으로 이락군을 소진시킨다면, 다국적군측이 피해가 적은 승리를 거두는것이 가능하다는 주장을 계속 펴고 있다고함.

3. 군사작전 전망

-지상전이 개시되는 경우 미국의 작전목표는 대량 사상의 방지, 전방 이락군의 고립 포위, 후방 예비 정예군(REPUBLICAN GUARD)의 궤멸이 될것인바, 다국적군은

PAGE 2

0062

고도의 훈련과 기동력을 갖춘 최정예 미 7 군을 서측으로부터 이락영내 깊숙히 진격시켜 쿠웨이트 주둔군을 차단, 궤멸시키는 시나리오도 검토하고 있는것으로 보임.

- CSIS 분석에 의하면, 동작전에는 해안으로부터의 수륙양용 공격, 후방 보급선에 대한 공정단 부입, 중동부에서의 다국적군의 제한적 진격등이 수반될수 있을 것이라고 함.(중동부 지역은 이락측이 방어선을 요새화하고 있는바, 정면돌파는 바람직하지 않은것으로 분석)

- 일단 작전이 개시되면, 작전 종료에는 45 일-60 일이 소요될 것으로 추정됨.

4. 관찰

- 현재 상황으로서는 미행정부가 실제로 언제 지상전에 돌입하게될지 속단하기 어려움.다만 현재 행정부내 전반적 분위기는 불원 지상전이 불가피하다는 분위기인것으로 보임.

- 지상전 개시에 따라 대량 사상 발생시 미국민과 의회의 걸프전 지지도는 급격히 떨어질것으로 예상되며, 지상전 돌입 여부는 BUSH 대통령으로서는 정치적생명을 건 결정이될수 밖에 없는바, 당분간 신중한 관찰이 요망됨.(대사 박동진-국장)

예고:91.12.31 일반

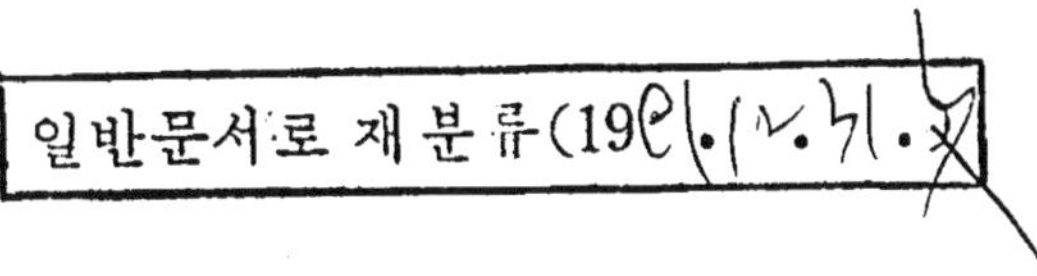

검 토 필 (1991.6.30.)

PAGE 3

0063

관리번호	91-353

원 본

외 무 부

종 별 :

번 호 : JAW-0660　　　　일 시 : 91 0208 1826

수 신 : 장관(미북,중근동,아일)

발 신 : 주 일 대사(일정)

제 목 : 걸프전 전망

대:WJA-0541

1. 금 2.8. 본직은 구리야마 외무차관과의 월례업무오찬시 걸프전 전망에 대한 일측의 견해를 문의 하였는바, 동 차관은 다음과 같이 언급 하였음.(일측: 다께나까 아주국 참사관, 이마이 북동아과장, 아측:유병우 참사관, 박승무 정무과장 배석)

0 SOONER OR LATER 다국적군과 이락군과의 지상전이 개시될 것으로 봄.

0 이락이 지금단계에서 쿠웨이트로 부터 철군한다면, 물론 미국도 지상전으로 까지 가지않고 끝낼수 있을 것임.

0 이란이 중재안을 내는등 여러가지 방안이 논의되고 있으나, 이락이 철군 SIGNAL 을 전혀 보내지 않고 있어 결국 이락이 지상전을 할 생각이라고 밖에 생각되지 않음.

0 지상전후 사태에 대해서는 예상하기 어려우나, 군사력만으로는 모든문제가 해결하기 어려우므로 어느 단계에서 외교적으로 최종결말을 짓지 않으면 안될것임.

2. 본건 관련, 기타 일측견해 계속 파악 추보 예정임.끝.

(대사 이원경-장관)

예고:91.12.31. 일반

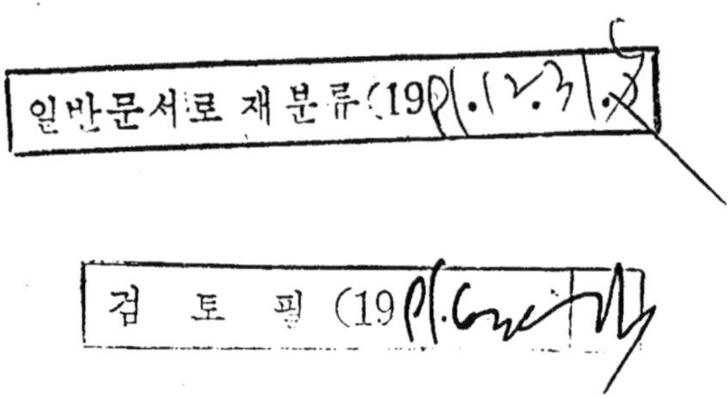

미주국	장관	차관	1차보	2차보	아주국	중아국	청와대	총리실
안기부								

PAGE 1　　　　91.02.08　19:10　0064

외신 2과　통제관 BW

외 무 부

종 별 :

번 호 : FRW-0474 일 시 : 91 0208 1030

수 신 : 장 관 (중근동,구일,미북,정일,기정)

발 신 : 주 불 대사

제 목 : 걸프전 (MITTERRAND 대통령 회견)

(자료응신 제 31호)

연:FRW-0461

1.MITTERRAND 대통령은 2.7. 20:00 당지 TV 시사논평가 4명과 회견을 갖고 표제건에 관해 하기와 같은 전망 및 입장을 밝혔음.

가.전쟁전망

-지상전이 수일내 또는 늦어도 2월중 개시될 것이므로, 걸프전은 가장 어려운국면에 돌입케 될것이나, 봄철을 지나 장기화될 것으로는 보지않음.

-지상전이 다소 잔혹한 양상을 띄게될 것이나, 불국민은 이에대한 심적인 준비가 있어야 하나, 동전쟁이 세계대전으로 확대될 것으로는 보지않음. 그러나 이락의 현 강력한 군사력을 이번 기회에 제압치 못하면 전쟁의 위협은 상존할 것임을 인식해야 할것임.

-이락의 화생무기 사용 가능성이 있다 하더라도, 이는 고성능 재래식 무기로도충분히 제어가 가능하므로, 핵무기 등으로의 보복이 있어서는 않될것임.

2.전후설계와 불입장

-불란서는 전쟁을 원하지 않았으나, 쿠웨이트 주권회복이란 UN 결의안의 명분을존중, 참전케된 것이므로, 대이락 공격으로의 확대는 원칙적으로 반대함. 그러나 이문제는 작전상황에 따라 다국적군 전체와 협의를 요하게 될것임.

-전후 처리를 위해, 각종 국제회의 개최가 절실하며, 동 회의를 통해

1)분쟁방지를 위한 국제적 보장,현 국경선존중및 지역균형 회복

2)고유 중동문제 (팔-이스라엘 문제, 레바논등) 및

3)복구사업을 위한 지역은행 또는 개발기금 창설, 석유로인한 부의 균형분배 및 현 국제무기 판매방식에 대한 제도적인 통제등 제반문제가 복합적으로 논의 되어야

중아국	장관	차관	1차보	2차보	미주국	구주국	정문국	정문국
청와대	총리실	안기부	대책반					

PAGE 1

91.02.08 22:41 DA

외신 1과 통제관

0065

할것임.

-전쟁이 장기화 되지는 않을 것이므로, 불 경제의 일시적인 위축도 극복될 것이며, 이를 위해서는 국민 개개인이 심리적인 불안으로 부터 탈피하는것이 급선무가될것임.

-전쟁후 불란서를 비롯한 서방 각국은 테러의 표적이 될것이므로 이에대한 효과적인 대책을 수립할 것임.

끝.

(대사 노영찬-국장)

PAGE 2

0066

관리 번호 91-282

외 무 부

종 별 :

번 호 : YGW-0099 일 시 : 91 0208 1800

수 신 : 장관(국연,미북,동구이,정일,기정동문)

발 신 : 주 유고 대사

제 목 : 걸프전쟁 관련 비동맹 15개국 외상회의

연:YGW-88

1. 금 2.8 당관 이태식 참사관이 MILENA VLALOVIC-LAZAREVIC 외무성 비동맹담당 부과장을 면담, 2.11-12 간 당지에서 개최될 예정인 비동맹 15 개국 외상회의 관련 사항에 관해 파악한바를 아래 보고함

가. 회의진행 형식및 절차

1)금번회의는 걸프전쟁 토의를 위한 비공식, 비공개 회의로서 참가 대표들간걸프전쟁 해결을 위한 제반 건설적 의견들을 자유스럽게 교환하는 비동맹 차원에서의 최선의 해결책을 모색코저 하는데 주안점이 있으므로 가능한 많은 의견을상호 교환할수 있도록 준비하고 있음

2)회의는 2.11-12 간 오전(09:00-13:00)및 오후(15:00-18:00)에 걸쳐 개최될예정이며, 제 1 일은 고위 실무자회의, 그리고 제 2 일은 외상회의가 될것임

나.DRAFT COMMUNIQUE

1)주최국인 유고측으로서는 회의결과의 하나로서 DRAFT COMMUNIQUE 를 준비중에 있는바, 고위실무자 회담에서 콘센서스 도달이 가능할 경우, 외상회의 합의문서로서 제출할 예정임

2)유고측이 작성중인 동문서는 유엔안보리 결의와 같이 이락의 '선쿠웨이트철군'을 전제로 걸프사태 해결노력과 아울러 금후 중동문제의 포괄적인 해결방안 모색을 위해 노력한다는 내용이 될것임

3)금번 회의참석국중 알제리, 쿠바등이 포함되어 있음에 비추어 상기 유고측 작성초안이 그대로 수락되는데는 문제가 있을것으로 판단됨

다. 각국 정부의 입장

1)걸프전쟁 해결문제를 둘러싼 비동맹각국의 입장의 차이는 '선출군 후적대행위

국기국	장관	차관	1차보	2차보	미주국	구주국	정문국	안기부

PAGE 1 91.02.09 07:15 0067

외신 2과 통제관 BT

중지'방식과 '선적대행위 중지후 철군방식 의 2 가지 방안으로 양분되어 있는바, 어느정도 의견 접근을 볼수 있을지는 회의결과를 두고 보아야 할것임

2)한편 금번회의에는 말레이시아를 비롯하여 약 40 개 비동맹 국가로 부터 참여 요청이 있었으나, 유고측은 회의의 가시적 성과 달성을 위하여 범위를 축소한것임

라. 북한의 입장

-북한은 금번 15 개 외상회담 대신 비동맹 조정위 전체 회의를 소집할 것을요청한바 있으며 쿠바와 리비아도 여기에 동조한바 있음

바. 이란의 역할

-LONCAR 외상의 지난 90.11 월 이란방문을 통하여 유고측은 금번 사태 해결을위하여 이란이 건설적인 역할을 할수 있을것으로 보고 동국외상을 초청한 만큼결과가 주목됨

바. 관찰및 평가

1)유고측은 금번 15 개국 외상회담을 통하여 점차 악화되고 있는 걸프전쟁의조기해결을 위한 비동맹차원의 노력을 적극적으로 전개하는데 주안점을 두고 있으나, 참가국가간의 입장에 차이가 있음을 감안하여 가급적 많은 의견을 수렴하는데 주력할 것으로 보임

2)유고측은 금번 회담 결과와 관련하여 걸프전쟁의 조기해결이 후세인의 결심 여하에 달려 있다고 보고 있으며, 또한 쏘련, 불란서등을 통한 강대국간의해결 노력이 별무 성과를 보이고 있는점을 감안하여 사담 후세인에게 가능한한철군명분을 제공할수 있는 기회가 된다면 최대한의 성과가 될것으로 보고있으나결과에 대해서는 크게 낙관하고 있지 않는것으로 판단됨

2. 동회의 결과및 진전상황에 관해 계속 추보 위계임.끝

(대사 신두병-국장)

예고:91.12.31 까지

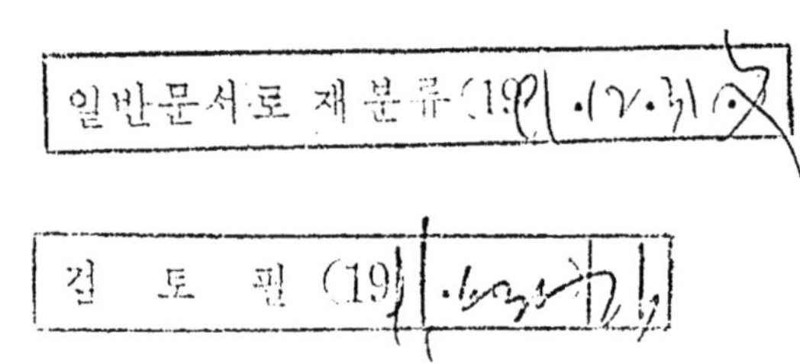

관리 번호 91-2005

외 무 부

원 본

종 별 : 지 급

번 호 : UKW-0376 일 시 : 91 0208 1930

수 신 : 장관(중근동,미북,구일,기정)

발 신 : 주 영 대사

제 목 : 걸프전 전망

대:WUK-0242

본직은 금 2.8(금) 이임 예방차 주재국 외무성의 SIR PATRICK WRIGHT 사무차관을 면담한 기회에 대호 걸프전 평가 및 전망 관련 논의한 바, 동 차관 언급요지 아래 보고함.(황서기관 배석)

1. 연합군 전과 평가

가. 상금 연합군의 전과에 대해서는 군사전문가들이 분석중이므로 상세히는모르지만, 이락의 공군력과 해군력이 현저히 약화된 것으로 알고 있으며, 이락공군기의 100 대 이상 이란 대피가 연합군의 제공권 장악을 이락측이 인정하고있는 것으로 해석할 수 있을것임

나. 이락 공군기의 이란 대피 관련, 양국간에 사전 협의가 있었는지 여부는불확실하지만 사담의 의도에 따른 것으로 보여짐

다. 이락군 포로들의 진술과 모습으로 미루어 보건대 쿠웨이트내 이락군의의, 식 등과 관련된 기본적인 공급 부족으로 곤란을 겪고 있는 것으로 보여짐.그러나 정예부대인 REPUBLICAN GUARD 에 대한 공격 성과에 관해서는 확실한 정보를 받지 못했음

라. 이락군의 전쟁수행 능력이 현저히 저하된 것으로 관측됨에도 불구하고 사담의 쿠웨이트 병합 의사에 변화가 생기고 있다는 증거는 전혀 없음

2. 지상전 개시시기

가. 전면적인 지상전 돌입이 불가피한 것 처럼 보이며, 그 개시시기는 쿠웨이트내 이락군에 대한 군수지원및 지휘통제 체제가 충분히 약화되고 따라서 지상전에서 연합군측 인명피해가 상당히 낮을 것으로 판단되는 때가 될것임

나. 지상전 개시시기 결정에 있어서 상기 군사적 고려사항 외에 정치적 요인이

중아국	장관	차관	1차보	2차보	미주국	구주국	청와대	안기부

PAGE 1 91.02.09 07:46 0069

외신 2과 통제관 BT

끼어들 여지는 거의 없는 바, 연합국의 무력행사에 대한 지지여론(특히 아랍내 여론)이 상당히 확고하고 전쟁의 목표 또한 UN 안보리 결의에 의해 정당성이 확보되어 있기 때문임

다. 지상전의 추이에 따라서는 이락 영토로 연합군이 진입하는 사태도 가능할 것으로 보이는바, 이에대한 결정은 정치적 고려보다는 전쟁목표 달성을 위한군사 작전상 필요 여부에 대한 판단에 따를 것으로 사료됨

3. 화학무기 사용 가능성

이락의 화학무기 사용 가능성(PROPABILITY 보다는 POSSIBILITY)은 상존하고있으며, 연합군측은 이에 충분히 대비하고 있음. 이스라엘은 비교적 대비가 잘되어 있으나 이락이 다란, 리야드, 바레인 등을 목표로 화학무기 공격을 할 경우 인명 희생이 클 것으로 봄.끝

(대사 오재희-국장)

예고:91.12.31. 일반

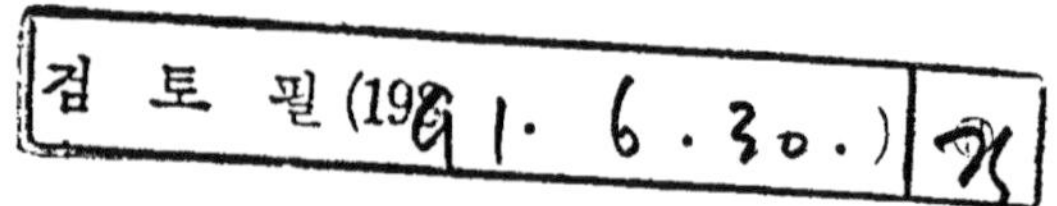

외 무 부

암호수신

종 별 :

번 호 : FRW-0496 일 시 : 91 0209 1130

수 신 : 장관(중근동,구일,미북,정일)

발 신 : 주 불 대사

제 목 : 걸프전(지상전 전망)(자료응신 32호)

1. 사우디 기지서 불군을 총괄지휘하고 있는 SCHMITT 주재국 합참의장은 표제건 관련, 하기와 같이 전망함.

가. 전부는 상금 제공권 완전장악을 위한 제 1 단계 작전과, 지상장애물, 군수시설, 바그다드와 작전지역간 통신망등을 제거하는 제 2 단계작전을 병행하고 있음. 본격적인 지상전을 위해 5-6 주의 사전작전이 필요함.

나. 이락의 공화국 수비대는 KUWAIT CITY 와 RYAD 를 연결하는 지역및 쿠웨이트 서남해안선등 양개 축선에 집중 포진되어 있으며, 이들의 장비는 소제무기가 주종임. 공화국 수비대는 과거 이.이전부터 명성이 있는 최강의 정예지상군이고, 특히 사막전에는 특유의 전략을 터득한 특공대이므로, 이들과의 대적은 다국적군측의 많은 희생을 요하게됨. 더욱이 이들은 SADDAM HUSSEIN 에 대한 각별한 충성심을 갖고 있으므로, 쿠웨이트 탈환작전만도 최소한 3-4 주가 소요될 것임.

다. 1.17. 이후 현재까지 있은 다국적군의 맹폭에 불구, 이락의 군사력은 15 프로 정도 파괴된 것으로 보이므로, 지상전을 정식으로 시작하기전 가급적 많은 준비기간을 갖는것이 필요하며, 지상전의 시기를 정하는데는 기상조건이 가장 중요한 고려사항임.

라. 이락의 화생무기 사용은 자칫 자국민에도 피해를 줄것이므로 신중을 기할것으로 보이며, 이락측의 화학무기 공격이 있다해도 이를 제어할수 있는 충분한 준비가 되어있으므로, 유사한 방법으로의 보복등은 바람직하지 못함.

마. 이락측이 선공치 못하는 이유는 다국적군의 우세한 공군력때문이며, KAHFJI 기습은 이락군의 건재를 과시키위한 심리전이었음.

바. 쿠웨이트 탈환이 예정대로 수행된다면 이락군사력은 절반정도 소멸될 것이나, 작전을 이락진주로 확대하는 문제는 정치적인 고려에 속하므로 신중을 기해야 할것임.

2. 전쟁에 대한 장기전망 및 전후질서에 관한 주재국 각계의 예견은 관계인사

중아국 장관 차관 1차보 2차보 미주국 구주국 정문국 청와대
총리실 안기부

PAGE 1 91.02.09 23:25 0071

외신 2과 통제관 CW

접촉후 추보할 것임.끝.

(대사 노영찬-국장)

외 무 부

종 별 :

번 호 : UKW-0378 일 시 : 91 0209 1100

수 신 : 장 관 (중근동,미북,구일)

발 신 : 주 영 대사

제 목 : 걸프전 전망

표제관련 주요사항을 아래와 같이 보고함.

1. 다국적군 전과 평가

가. TOM KING 국방장관은 2.8(금) 기자회견에서 쿠웨이트내 이락군의 탱크, 화력등 지상군전력의 15-20 가 파괴된 것으로 평가함으로써 이락의 군사력이 아직도 상당한 수준에 있음을 시사함.

나. 사우디주둔 영국군 사령관 SIR PERTE DE LABILLIERE 장군은 2.7(목), 공중폭격에도 불구하고 이락군이 지상전 임박한 시기에 굴복할 것으로 보이지 않는다고 관찰하고, 지난 3주간의 대 이락공격이 그 강도에 있어 보잘것 없는 것이 될만큼 금후개시될 공격은 강한 것이 될 것이라고 말함.

다. 사우디주둔 영국군 대변인은 2.8. 이락군의 보급로로 이용되고 있는 교량의절반이 파괴되었으며, 이란으로 대피한 이락 항공기는 147대에 달한다고 말함. 이락 항공기는 상기 대피한 항공기외에 약 100대가 파손되고 약 60대가 활주로 사정등으로 운항불가 상태로서, 현재 약 200대가 전투에 사용될수 있는 것으로 추정되는 것으로 보도됨.

2. 지상전 개시시기

가. TOM KING 국방장관은 2.8. 회견에서 지상전개시를 결정하는데 있어 미국이 영국을 비롯한 연합국내 다른 국가들과 협의절차를 가지게 될 것이라고 강조했으며, 당지 언론은 동국방장관이 내주 방미 예정인 것으로 보도함.

나. DE LA BILLIERE 장군은 2.7. 전황이 공중전에서 지상전에로의 이전되는 과정에 있다고 말하고, 지상전이 불가피하다고 지적함.

다. 당지 언론은 연합군이 금주말에 이어 내주초 대이락 공습을 가속화하고 이어 지상전에 돌입할 것으로 전망하고 있으며, 특히 연합국에 가담한 아랍제국내의

중아국 장관 차관 1차보 2차보 미주국 구주국 정문국 청와대
총리실 안기부 대책반

PAGE 1 91.02.09 23:58 FG

외신 1과 통제관

0073

국내여론과 라마단 기타 계절적 요인으로 지상전에 의한 조속한 전쟁종결이 긴요한 사정임이 지적되고 있음.끝

(대사 오재희-국장)

주미대사 등 파송.
장세원

외 무 부

종 별 :

번 호 : CNW-0186 일 시 : 91 0209 1600

수 신 : 장 관(중근동,미북,정일,국방부)

발 신 : 주 카나다 대사

제 목 : 걸프전쟁 전후평화 구상관련 연설

김/위

(자료응신 제 14 호)

1. 주재국 멀루니 수상은 2.8. 오타와 CONFEDERATION CLUB 초청 연설에서 걸프전쟁후의 일련의 평화구상과 관련한 카 정부의 입장을 밝히면서 유엔 주관하의 전쟁수단 및 대량 파괴 무기에 관한 세계 정상회담(GLOBAL SUMMIT ON THEINSTRUMENTS OF WAR AND WEAPONS OF MASS DESTRUCTION)의 개최를 제창하고 이를 2.12.(화) 당지를 방문하는 케야르 유엔 사무총장에게 공식 제안할 예정이라고 밝힘.

2. 또한 클라크 외무장관도 2.8. 퀘벡시에서의 카나다 국제문제 연구소 초청 오찬 연설에서 상기 멀루니 수상 연설과 같은 맥락에서 종전후의 주요 과제와 관련한 주재국의 정책 방향을 밝혔는 바 상기 2개 연설에서 표명된 카 입장 요지는 아래와 같음.

가. 4개의 기본 원칙

- 이락의 쿠웨이트로 부터의 완전한 철수문제에 관한한 불타협
- 동지역 제반 문제의 해결책은 관련정부 및 국민의 지지를 받는 것이어야 함.
- 유엔을 중심으로한 해결책 모색
- 동지역 안보는 정치,경제,군사,인도적 문제등 상호 연관된 모든 문제를 포괄적으로 다루어야 함.

나. 전쟁종료 직후의 중점추진 과제

- 민간 전쟁 피해자들에 대한 국제기구등을 통한 인도적 원조제공
- 유엔 평화유지군에 의한 쿠웨이트 국경선 안전보장 및 동 평화유지군 활동(주로 아랍국, 비아랍 회교국, 북구 국가등으로 구성) 관련 적극지원
- 전쟁에 의한 걸프지역 환경 오염제거를 위한 국제적 노력 참여

다. 중장기적인 걸프 및 중동지역 안보 및 신뢰구축 모색

중아국	장관	차관	1차보	2차보	미주국	정문국	청와대	총리실
안기부	국방부	대책반						

0075

PAGE 1 91.02.10 10:20 FK

외신 1과 통제관

- 유럽에서의 CSCE 경험을 참고한 제도적인 지역안보 장치 마련. 이와 관련 걸프지역을 포괄하는 CSCM (CONFERENCE ON SECURITY AND COOPERATION IN THE MEDITERRANEAN) 구상검토

- 유엔안보리 결의 242 및 338 호에 기초한 아랍-이스라엘 분쟁의 항구적이고 평화적인 해결책 모색 및 걸프전쟁 종료전이라도 관련 국제회의 개최 추진 지지

- 중동지역 역내 국가간의 경제적 불균형 해소.

이를 위해 2차대전후의 마샬프랜과 유사한 사업(역내 국가자금 활용)추진 및 유엔과의 연계하에 지역적 경제협력기구 창설

라. 재래식무기 및 신무기 확산규제를 위해 유엔 주관하에 전쟁수단 및 대량학살무기에 관한 세계 정상회담 개최 추진

3. 상기 멀리니 수상 및 클라크 외무장관의 연설전문 별첨 FAX 송부함.

4. 한편, 클라크 외무장관은 상기 멀루니 수상의 전쟁수단 및 대량학살무기관계세계정상회담 제안의 적극 추진을 위해 내주 런던 개최 영연방 외상회의 참석을 계기로 10여일간 관계국을 순방, 협의 예정인 것으로 알려짐.

끝

첨부: CNW(F)-0016

(대사 - 국장)

0076

REMARQUE:
NOTE:

CANW(F)-0016 910209 1600
(15매)

(CNW-0186 의 첨부물)

배부처	장관실	차관실	一차보	二차보	기획실	의전장	아주국	미주국	구주국	중아국	국기국	경제국	통상국	정문국	영교국	총무과	감사관	공보관	외연원	청와대	총리실	안기부	국방부	대책반
	/	/	/	/				/		0				/						6	/	/	/	1

THE RIGHT HONOURABLE JOE CLARK,

AT A LUNCHEON HOSTED BY

THE CANADIAN INSTITUTE OF INTERNATIONAL AFFAIRS

AT THE AUBERGE DES GOUVERNEURS

QUEBEC CITY, Quebec
February 8, 1991

0077

1/15

I am very pleased to be with you here today under the auspices of the Canadian Institute of International Affairs. The Institute has earned the reputation over the years of being a leading forum for the discussion of the world's great questions and the issues that they confront our country with.

Nothing could be more normal under the circumstances than to pursue with you the indispensable dialogue which the government wishes to sustain with Canadians at a time when our country is passing through a crucial period in the history of international relations over the past 40 years.

It was with full consideration for the significance of its action that the government made the weighty decision to involve our forces in the fight. One must have the courage of one's convictions. When the international community unanimously calls for the defence of peace, and when the basic principles underlying the international order are involved, Canada, including Quebec, must respond: As an architect of the UN system, we must fulfil our international responsibilities to the letter and must do our part to apply the principles upheld by the UN.

The forceful occupation of the territory of a United Nations member is unacceptable and violates the basic principles of the international order. Faced with the invasion of Kuwait, the international community had a certain options, one of which was inaction and passivity. This would have been an unpardonable abdication, recognition of the secular power of the strong over the weak. An immediate, unilateral counter-strike by a limited number of countries would have amounted to a small group of countries appropriating the role of world policeman. These options were both unacceptable and would both have had disastrous consequences for the future of world relations.

With wisdom but not without some reticence, the community of states resolved to resort wholly to the United Nations to face this threat to its collective security. This was a great victory for the UN system and for countries like Canada, which have based their diplomacy on the construction of a credible, effective multilateral system.

Rarely have such unanimity and such determination been shown within the Security Council, and with the support of the vast majority of UN members. Let us not forget that countries as disparate as Pakistan and Argentina, Senegal and Bulgaria, Australia and Spain have played an active part in the 29-country coalition established to apply the sanctions.

0078

The diplomatic community has never, in the modern era, seen such a feverish and intense period as that between last August and mid-January. Every possible effort was made to avoid war. Every available means was sought to obtain the withdrawal of Iraq from Kuwait. The disappointing and painful recourse to force is the result of our having reached the limits of diplomacy -- not the absence of efforts to apply it. The blame for this failure can be placed squarely on the shoulders of the Iraqi President.

Why, you might ask, were the sanctions not prolonged? The answer is simple: we tried, but we had to face facts -- sanctions could not succeed where diplomacy had failed. For the entire period during which they were in force, he was also pillaging Kuwait, building up huge reserves for his forces and compelling the Kuwaiti population to take flight. Within a short time, the coalition would have liberated nothing but a desert and a few inhabitants in total subjection to Saddam Hussein.

No, the United Nations had no choice, under the Charter, but to use force in the interest of justice and thus begin an operation to restore peace and international security.

The Canadian forces are an integral part of this operation. I take this opportunity to pay tribute to the men and women, Quebeckers among them, who are doing their duty with such a noble attitude over there. I know they can count on your confidence and your encouragement. Their commitment will be a source of pride and inspiration for generations to come.

The soldiers who are courageously discharging their mission are entitled to expect the politicians to do everything possible to prevent us from finding ourselves in such straits in the future. They are perfectly justified in this.

THE BUILDING OF PEACE

Paradoxical as it may seem, this war expresses the firm desire of the international community to build a better world founded on justice and the peaceful resolution of conflicts. This determination must go far beyond the restoration of Kuwaiti sovereignty. We have waited too long for this kind of attitude, this demonstration of responsibility on the part of the United Nations not to feel collegially committed to ensuring that this new spirit also manifests itself in the search for long-term solutions to the inextricable problems of the Middle East.

Canada is playing an active part in this undertaking. I would like to share with you today my thoughts on the matter,

0079

FEB 08 '90 14:57 EXT.AFF.MEDIA REL...

3

along with certain initiatives that the Prime Minister and I might promote in the coming months.

To begin with, we must, above all, be realistic. For Canada at this stage to claim to have the answers to the problems of the Middle East would be presumptuous. Why? Simply because it is first and foremost the business of the countries in the region to together find solutions to the current situation. No lasting solution can be imposed from without. A commitment on the part of the countries immediately involved is essential to stability and security in this region.

This having been said, the task is a considerable one and will also require the co-operation of the countries beyond the Middle East. In fact, many of the causes of instability in this region, such as the central problem of the proliferation of arms, call for solutions that would involve the whole international community. We will also have to count on the mobilization of international resources, notably those of the United Nations, to respond to the humanitarian and security problems that have been aggravated by Saddam Hussein's adventurism.

Let us now look at what the post-war issues will be, and what kind of contribution a country like ours can make.

IMMEDIATE POST-WAR ISSUES

To begin with, three pressing questions will arise once the objectives of the Security Council resolutions have been achieved and the ceasefire has been established:

- humanitarian assistance will have to be provided to the civilian populations and to displaced persons;

- a peacekeeping force will have to be established;

- the damage caused to the environment by the huge oil slicks in the Gulf will have to be repaired.

i) HUMANITARIAN ASSISTANCE

In terms of humanitarian assistance, we must continue the magnificent co-ordination and co-operation effort that the various international organizations have begun. These organizations (the High Commissioner for Refugees, the International Committee of the Red Cross, UNDRO [the United Nations Disaster Relief Organization] and so on) have already done a tremendous job and continue to provide effective assistance. Canada has made a substantial contribution to these

0080

efforts, supplying about $75 million. We intend to continue our commitment. To meet the needs of countries such as Turkey, Jordan and Egypt, however, we will have to mobilize the resources of the entire international community, especially countries that have shown considerable surplus oil revenues and those whose military commitment within the coalition has been limited.

2) A PEACEKEEPING FORCE

Moreover, the borders of Kuwait must initially be guaranteed by a peace-keeping force, ideally under the authority of the United Nations. Canada feels that this force must consist mainly of troops from the countries of the region. Their expertise, however, is limited. That is why Canada, which has a well established reputation in this field, has offered its services to the Secretary-General of the United Nations and to the countries of the region. We are prepared to assist both in setting up such a peace-keeping force and in the planning operations that its deployment requires. We are also prepared to co-operate with the United Nations in calling a meeting of experts in Canada with the responsibility of analyzing needs and identifying the various alternatives that are worth exploring.

It is of great importance to Canada that the United Nations, with their renewed credibility, play a central role in implementing postwar arrangements. Their commitment guarantees the new international order that we seek to consolidate.

3) RESTORATION OF THE ENVIRONMENT

On the environmental front, we must collectively tackle the clean-up of the damage caused by the insane dumping of unprecedented quantities of crude oil into the Gulf. A team of Canadian specialists is already on site and is busy planning thi operation together with colleagues from many countries. But we must also look further ahead and examine how to strengthen present conventions on the use of the environment for military purposes. We have already taken the initiative of contacting certain countries to pursue this project further. At the same time, we will examine the possibility of reinforcing the international mechanisms currently provided to respond to such emergencies.

MEDIUM-RANGE CHALLENGES: SECURITY IN THE GULF AND THE MIDDLE EAS

But these immediate post-war problems seem almost laughable compared to the challenges of establishing lasting peace and security in this region of the world.

0081

.../

5

The specific problems that arise will largely depend on the situation as it stands once the war is over. It is already clear that certain problems will be unavoidable.

1) A GLOBAL APPROACH TO SECURITY

First, let us consider security. While a peacekeeping force is a factor in maintaining equilibrium, it cannot in and of itself claim to fully guarantee the security of the Gulf states. [illegible] arrangements must thus be complemented by international guarantees which could take the form of international accords committing some of the countries in the coalition under the authority of the United Nations. Such multilateral arrangements would no doubt be more acceptable to the people of the region. In the same spirit, Canada feels that it would be preferable for these guarantees not to include the permanent deployment of foreign forces in the Gulf.

On a longer-range basis, however, these countries must work to establish mechanisms and structures that will enable them to resolve their disputes peacefully and contribute to greater trust among them. While the experience of the Conference on Security and Co-operation in Europe (CSCE) cannot be transferred to this region as is, some of its lessons may offer promising avenues.

Several European countries are engaged in actively exploring this concept. After the war ends, they may propose the creation of a CSCM, a Conference on Security and Co-operation in the Mediterranean, which would also include the Persian Gulf region for this purpose. This is an ambitious project, and Canada is carefully monitoring its development.

In the same spirit, when visited recently by my colleague, Dr. Meguid, the Egyptian Minister of Foreign Affairs, we agreed on the importance of beginning immediately a study of post-war security structures. This would include a consideration of possible mechanisms to incorporate into a regional security structure. Border guarantees, a peaceful mechanism for the resolution of disputes, and the establishment of confidence-building measures would form the bases for this structure. Such a mechanism would also allow the discussion of non-military matters, as in the case of the CSCE's second and third baskets.

Such a global approach to security matters, based on the establishment of genuine dialogue among the various regional partners, would serve to raise such issues as the development of democratic institutions in the region. But if they are to have any chance at all of succeeding, efforts to achieve greater regional security and stability must courageously address the

0082

very roots of the problems that exist in the Middle East. These root causes are well known.

2) THE ISRAELI-ARAB CONFLICT

The thorniest issue involves relations between Israel and the Arab countries. After decades of conflict, the build-up of hatred and misunderstanding has been enormous.

No regional security plan can expect to succeed unless it i firmly determined to make progress toward a comprehensive, lasting, negotiated settlement of the Israeli-Arab conflict, including the Palestinian question. Such a negotiated settlemen must be founded on Resolutions 242 and 338 of the Security Council. In this regard, even before the Gulf war, Canada let i be known that it favoured holding an international conference. While we should not exclude other options, a well-organized conference with reasonable chances of success could indeed be useful and contribute to the peace process.

3) ECONOMIC DISPARITIES

When faced with numerous conflicts, especially those involving less developed countries, Canada has always emphasized social and economic imperatives. This need is even more urgent in the Middle East. Reconstruction is doomed to fail if it ignores social and human dimensions and does not address economi disparities.

The region requires a new framework, which must be defined by the nationals and the states that make up the region and the people who live in them. There can be no peace without prosperity, and no stability without justice either within state or between states. Democracy also promotes justice, prosperity and peace. Long-term security cannot be built solely on military structures and political agreements. Long-term security, in the Middle East as elsewhere, can rest only on genuine co-operation between states, a guarantee of dialogue and confidence. It is in this context that I developed the concept of co-operative security before the most recent General Assembly of the United Nations.

Our role is to encourage the countries of this region to strive toward such an objective. For instance, after the hostilities have ceased, the Gulf states and indeed the entire Middle East might consider creating an organization for the purpose of economic cooperation. Such an organization, which might be affiliated with the United Nations and maintain contact with th

0083

major international economic and financial institutions, would help to ensure greater economic stability in the region.

LESSONS OF THE CRISIS

Finally, we must begin now to learn the important lessons o this conflict. We bear a considerable burden of responsibility. Over the years, to varying degrees, we have all helped to create a military apparatus in this region, especially in Iraq, that is beyond human comprehension. Military assistance in the region has exceeded economic assistance. This must stop. The governments most concerned are already making a commitment in this regard.

To be credible, any peace plan must include strict measure to check the proliferation of weapons of mass destruction and t stockpiling of conventional weapons in the region. Multilateral negotiations have already begun regarding these crucial issues, such as the proliferation of nuclear, chemical and biological weapons and missile launching techniques. So far, however, thei success has been limited owing to the lack of political will or the conflicting interests of the various parties involved. It i urgent that we make further efforts to display a strong politica will.

In this belief, Canada plans to promote a world summit on instruments of war and weapons of mass destruction in the comin months. This summit would become a showcase for a new politica consultation. It would aim to develop a strict plan of action that would result in the adoption by 1995 of an integrating framework for systems ensuring the non-proliferation and contro of weapons, including conventional weapons.

I have broadly outlined the views and initiatives that the Prime Minister and I will seek to promote in the coming months.

Canada and the world community must invest as much energy--and even more--in winning the postwar as we are in winning the war.

If this war is to have any meaning, it must serve to build peace. It is on our ability to build this peace that we will be judged. We are aware of this, and Canada does not intend to spare any effort to meet this extraordinary challenge.

0084

Office of the Prime Minister

CANADA

Cabinet du Premier ministre

NOTES FOR AN ADDRESS

BY PRIME MINISTER BRIAN MULRONEY

ON THE SITUATION IN THE PERSIAN GULF

OTTAWA

FEBRUARY 8, 1991

CHECK AGAINST DELIVERY

0085

Ottawa Canada K1A 0A2

9/15

Since August 2, when he invaded Kuwait, Saddam Hussein has ignored every effort of the international community to end his illegal occupation of that country. His intransigence presents the world community with two crucial challenges: first, to win the war and free Kuwait; and, second, to secure the peace, by reinforcing the principle of collective security enshrined in the United Nations Charter and by creating a system of order in the Middle East based on justice and equity. We must win the war and win the peace. While victory must come first, a just peace is of no less importance.

The action against Saddam Hussein is being carried out under the authority of the United Nations Charter. The express purpose of that Charter is to spare future generations from "the scourge of war". But the world has been powerless to deter or stop aggression while the Security Council was deadlocked in ideological competition. That deadlock has been broken and the dreams of the visionaries who created the United Nations can now be realized. But old ways die hard.

No one has thrown down a more hostile or brazen challenge to the values enshrined in the U.N. Charter than Saddam Hussein. Never has the need been more urgent for the world community to respond effectively. The U.N. must succeed in this direct challenge to its authority. Failure would mean that the United Nations would be ignored in the future by major powers and potential aggressors alike. Failure would once again condemn the U.N. to impotence, and make it incapable of protecting any country's security, including Canada's. A discredited U.N. would make the world an even more dangerous and unpredictable place than it is already, as nations around the world, left to their own devices to ensure their security, armed themselves against potentially hostile neighbours.

The stakes in the war in the Gulf go well beyond the Middle East. The case for U.N. action against Saddam Hussein could not be stronger. He has turned his country into a police state, launched an eight year long war with Iran, which cost more than a million casualties, and used poison gas against Iranian troops, in contravention of the Geneva conventions, and then turned that gas on his own people. His forces have perpetrated terrible atrocities against the people of Kuwait, as documented by Amnesty International.

We have all witnessed the indiscriminate missile attacks against the civilian populations of Saudi Arabia and Israel, the latter a non-combatant country. We have all been angered by the pictures we have seen of the prisoners of war he has abused. We have all been disgusted by his deliberate and senseless destruction of marine life of the Persian Gulf. We have all been chilled by his threats, repeated most recently last week, to use chemical and biological weapons against the men and women of the coalition forces and against the people of Israel. And, in the backs of our minds, we are all alarmed by his nuclear ambition.

The international community has a moral obligation to step in and put an end to Saddam Hussein's brutality against Kuwait. Canada shares in that obligation and will fulfil its responsibilities. There are times, regrettably, when we have to fight for peace and this is one of those times. Super-powers, major powers, middle powers and

0086

10/15

- 2 -

mini-powers from around the world -- sustained by the moral authority of the United Nations and the most basic principles of international law -- have joined in the fight against Saddam Hussein. It is a war that must end in victory by the forces of international law and the standard-bearers of human decency. And it will end in victory.

In the past few weeks, coalition aircraft have reduced or destroyed Iraq's nuclear, chemical and biological weapons production capabilities. As well, they have substantially reduced Saddam Hussein's ability to threaten population centres in Israel and Saudi Arabia with SCUD missiles. The effectiveness of Iraq's navy has been curtailed and coalition forces currently have air supremacy over the skies of Iraq and occupied Kuwait. Surprises are still possible, however, and vigilance continues to be necessary. Saddam Hussein's enormous, heavily equipped army -- perhaps the fifth largest force in the world -- remains dug in deep in Kuwait and along the Iraq-Kuwait border.

The next few weeks will likely be the decisive phase of the war. Canada will do its full share to achieve victory in the Gulf. Because victory in the Gulf is victory in the cause of international law and order. Victory will send powerful new messages around the world.

To other potential aggressors who might hope that aggression still pays, the message will be clear; times have changed. To military powers, who feel they need not rely on the U.N., the message will be persuasive; there is no force more compelling than global consensus and unity. And to all countries, large and small, victory will send a third message: the United Nations works, as its architects intended, and we can all count on the U.N. to help us meet the challenges of the next century.

To meet those challenges, the world must learn the larger lessons of this war. This war cannot be allowed simply to set the stage for the next war as so often has been the case in the Middle East. Durable peace in this unfortunate region requires more than dealing with Saddam Hussein. Peace requires a broader focus and a longer time-frame. The war is far from over, and the post-war picture far from clear. We must be very cautious in any assessments we make at this stage. But, despite the uncertainties, it is not too early, especially for a region as complex and volatile as the Middle East, to begin planning for the post-war peace.

I want to outline, today, Canada's perspective on some of the issues that must be addressed if the war is to end successfully and produce a durable peace. Canada's approach is based on four principles. First, there can be no compromise when it comes to Saddam Hussein's complete withdrawal from Kuwait. That is a precondition to peace. Second, solutions to the problems of the region must have the support of the governments and of the people concerned. Third, the United Nations must be an integral part of the solution to these problems, because it is under its auspices that the new international order must be built, if it is to endure. And fourth, regional security for the region must cover the whole range of inter-related issues -- political, economic, military and humanitarian -- that have plagued this region and fuelled this conflict.

0087

11/15

- 3 -

We must address three main issues: the short-term needs for humanitarian aid and peacekeeping, the longer-term security requirements and, finally, the larger issues that go beyond the region. In the short-term, three immediate needs can be anticipated: assistance for people affected and displaced by the war, coordinated through international agencies; a peacekeeping force, under U.N. auspices; and a cooperative effort to clean up the environmental damage done by the war, especially to the Persian Gulf itself. Canada has committed $77.5 million in economic and humanitarian assistance to countries most affected by the war -- primarily Jordan, Egypt and Turkey.

When the fighting stops, we will provide humanitarian assistance to the direct victims of the war. We would welcome, as well, a broad-based effort under the auspices of the U.N. Disaster Relief Organization and the High Commission for Refugees for people harmed by the war -- migrant workers, Kuwaitis and Iraqis. The coalition is at war with Saddam Hussein -- not with the people of Iraq. The people of Iraq must be eligible for short-term assistance, as needed, when the fighting stops.

Over the longer term, Iraq's oil revenues, freed from the burden of wasteful arms purchases and the costs of war with its neighbours, should be able to finance its own reconstruction effort. The relief and reconstruction of Kuwait will require expertise, skills and material; Canada is willing to participate. We assume that this effort can be financed largely by the Government of Kuwait and the other Arab governments of the Gulf. Once the fighting stops, observers must be available to oversee the disengagement of soldiers and the repatriation of prisoners of war. Peacekeeping will also be needed while longer-term security arrangements are designed and put in place. Peacekeeping forces should be drawn primarily from Arab states, from Moslem non-Arab states, and possibly from the Nordics and others with peacekeeping experience.

We have told Secretary General Perez de Cuellar that Canada is willing to participate in the design and training of that force and to contribute to it ourselves, if necessary and appropriate. And we have offered to host a small gathering of specialists, under U.N. auspices, to review requirements and suggest ideas. I will discuss these issues with Mr. Perez de Cuellar when he visits Ottawa next week.

We will, also, contact the countries of the region and other potential participants in the coming days. Canada will contribute expertise and equipment to Bahrain and Qatar to help clean up the environmental damage caused by the vandalism done by Saddam Hussein to the Persian Gulf. We will provide personnel and equipment to help map the oil slick and coordinate the effort to deal with it. We will also provide equipment and expertise to help save affected wild-life. I will, also, discuss with the U.N. Secretary-General whether a conference of legal experts should be convened to explore ways of strengthening international law to prevent the environment from being used as a weapon of war or an instrument of extortion. Canada would be willing to host such a meeting.

0088

12/15

Over the longer-term, the security of all of the countries in the region will depend on solutions to the interlinked problems -- political, economic and military -- that have made it so unstable for so long. Military security arrangements must be based on the principle of collective security, as provided for in the U.N. Charter. These arrangements must go beyond the simple containment of Iraq to include a system of regional security based on guaranteed borders and collective defence. All of the countries of the region must have the opportunity to participate fully in the design and implementation of any security regime. Respect for the sovereignty of these countries is of fundamental importance.

International guarantees, preferably under the aegis of the U.N. Security Council would be advisable. Developing a regional security system for countries as divided as those in the Middle East will be an enormous challenge to diplomatic creativity and perseverance. But there is no viable alternative. And there is a recent precedent. It has been done, in equally difficult circumstances, in Europe. Slowly and steadily, over two decades, the Conference on Security and Cooperation in Europe laid the basis for the thaw in East-West relations and for the cooperation which has followed. The CSCE model cannot simply be transferred to the Middle East. But we have learned some lessons in the CSCE process that are relevant: for example, procedures for the peaceful settlement of disputes and for the advance notification of military manoeuvres, to name only two of many.

Canada played an active role in development of the CSCE, especially in its human rights work, and we are prepared to contribute expertise on this and other elements of a regional security system for the Middle East. No plan for regional security can hope to succeed in the absence of progress on the Arab-Israeli dispute, the most worrisome fault line in the Middle East. Saddam Hussein has tried cynically to exploit this conflict to attract support from the Arab world and to sow dissension among coalition members. We believe that U.N. resolutions 242 and 338 continue to form the appropriate basis for a solution of this issue.

One lesson that is clear from this crisis is that in an era of increasingly sophisticated high technology weapons everyone is vulnerable, the possession of territory in the cauldron of the Middle East does not alone guarantee security. Canada continues to support the convening, at an appropriate time once hostilities are over, of a properly structured conference to facilitate efforts to achieve a settlement between the parties directly concerned.

The Middle East is a region of vast riches and disparate poverty. This disparity contributes to social instability and feeds the politics of extremism. A more equitable distribution of the benefits of wealth and the burdens of growth in the area would contribute to the security of all states, as long as resources were used for development and not for more weapons. At the end of World War II, the Marshall Plan built the foundations of security and stability in Europe. A similar approach, perhaps based in existing regional institutions and financed in substantial measure from regional resources, would contribute to economic development and ultimately to peace in the region.

13/15

0089

- 5 -

One of the main lessons to be learned from this war is the danger to us all of the proliferation of both conventional and non-conventional weapons and of missiles and other high technology delivery systems. Iraq has more combat aircraft than Germany, France or the United Kingdom. And it has more than twice as many main battle tanks as the United Kingdom and France, combined. And Iraq is far from being the only country in the region that is very heavily armed.

Iraq also has weapons of mass destruction. These weapons of mass destruction have not been used but the threat to use them against civilians and combatants alike has been made repeatedly. These threats raise the risk of a very dangerous escalation at a time of great tension and animosity. When the war is over, the world community must cooperate to prevent the proliferation of these weapons and to roll back that proliferation which has already occurred. Controlling the most dangerous, non-conventional weapons -- chemical, biological and nuclear and the means to deliver them -- is already the subject of negotiations. But success to date has been spotty because political will has been lacking.

The world is being given a very expensive and very persuasive lesson on how dangerous these weapons are. Left to proliferate, they seriously threaten the peace around the world. The major arms-exporting firms and nations have contributed to the current crisis. The great majority of weapons in Iraq's arsenal come from suppliers in the countries of the five permanent members of the Security Council. This problem must be brought under control and the time to act is now.

Next week, I will propose to the U.N. Secretary General, Mr. Perez de Cuellar, that the United Nations convene a Global Summit on the Instruments of War and Weapons of Mass Destruction. The objective is to convene world leaders in order to mobilize political will and to re-energize international efforts that are underway to produce results urgently. A high level follow-up meeting, or a series of such meetings, could be scheduled to ensure results.

We must act wisely so that this war leads to peace and not to another conflict. We have been to the brink of the precipice and we have seen the chaos that lies below. The world cannot simply return to business as usual, because business as usual in that region usually means war. And we cannot risk another war vastly more dangerous and destructive than this one.

Wars begin in the minds of men and women. Peace begins there, too. We must persuade people that true security comes from cooperation and common purpose, not bullets and ballistic missiles. We must change attitudes and create political will for peace.

0090

141

- 6 -

Canada will work with diligence and determination to make the best use of the best hope there is for peace -- the United Nations and its capacity for collective security. An effective United Nations would make the entire world population the victors in this war. With the cooperation of all states, the objectives in creating the United Nations in 1945 can yet be realized. Future generations can be spared "the scourge of war". But this war -- a just war -- must first be won. Because in the crucible of that victory will be forged the bonds of peace.

Canadians can be counted on to do their part in winning the war. And, once the war is won, we will play our part in winning a durable and just peace.

- 30 -

0091

15/15

관리번호	p1 - 128

원 본

외 무 부

종 별 :

번 호 : TUW-0134 일 시 : 91 0210 1148

수 신 : 장관(중근동,구이,정일,대책본부장)

발 신 : 주 터 대사

제 목 : 걸프전후 지역안보체제 개편및 터키의 의도 (PART 1)

조회전문 재수신분

대:WTU-0026

표제건에 관하여 아래와같이 보고함.

1. 걸프전 종료

걸프전은 다국적군이 지상전을 전개, 이라크군을 쿠웨이트에서 몰아냄으로써 이라크의 패전으로 종료될것이며, 이경우 SADDAM 집권체제는 붕괴될것으로 보이나, 계속 유지될 가능성도 전혀 배제할수는 없을것임. 그러나, 어느경우에든 이라크의 패전은 동국의 국력, 특히 군사력을 크게 약화시키는 결과를 초래할것임.

2. 전후 걸프지역 안보체제

가. 이란, 사우디 세력증대

이라크는 패전에따른 체제붕괴 내지는 군사력약화로 지역안보체제에 큰영향력을 미치지 못할것이므로, 따라서 단기적으로는 이란, 사우디 양국의 세력균형으로 지역안보체제가 구축될것으로 보임. 특히 이경우 군사력이 우세한 이란의 세력이 크게 부상할것임.

나. 이라크 영토보존및 이라크의 이란 견제세력으로서의 가치존재

(1)이란, 시리아, 터키의 이해관계 상충으로인하여 전후 이라크 영토분활내지는 이라크 북부에 KURD 독립국 또는 자치구 창설 가능성은 많지않으며, 이라크의 영토는 종전대로 보존될 것으로 보임.

(2) 전후 세력팽창이 예상되는 이란을 견제하기위해서는 아랍국인 이라크의영토보존및 일정수준의 군사력 보유가 필요할것이며, 이점에서 아랍제국과 미국의 이해가 일치될수 있을것임

(3)전후 이라크의 군사력은 오직 방위력만 보유하고 인접국에 위협을 주는 공격력은 가지 못하도록 하는 국제적인 제한조치가 취해질 가능성이 많음

중아국	장관	차관	1차보	2차보	미주국	구주국	정문국	청와대
안기부								

0092

PAGE 1 91.02.13 08:47

외신 2과 통제관 BW

다. 집단안보체제 태동 가능성

(1)전후 쿠웨이트, 이라크 국경에는 다국적군을 대신해서 아랍연맹 또는 유엔에서 평화유지군을 파견할 가능성이 있음.

(2)연이나, 장기적으로 이라크및 이란의 세력을 견제하기 위하여 미국을 배후세력으로하고 사우디, 쿠웨이트등 GCC 국가와 이집트등을 잇는 안보체제가집단적으로 또는 개별적으로 이루어질 가능성이 있음

(3)이경우 아랍지역의 특성에 비추어볼때, 집단안보기구의 창설보다는 오히려 다수의 양자 안보조약체결 형태를 취하면서 집단안보의 효과를 거양토록 하는방안이 채택될 가능성이 높음

라. 장기적 안보체제

장기적으로 볼때, 전후 걸프지역은 이라크의 영토가 보존되고 또한 그세력이 약화된 상태에서 STATUS QUO ANTE 로 돌아갈 것으로 예상되며 이란, 이라크, 사우디, 시리아등이 MAIN ACTOR 로 세력균형을 이루면서 지역안보체제가 유지되어 나갈것으로 보임.

//3. 항 이하는 PART II (TUW-0135)로 계속됨.//

관리 번호	91- 726

원 본

외 무 부

종 별 :

번 호 : TUW-0135 일 시 : 91 0210 1149

수 신 : 장관(중근동,구이,정일,대책본부장)

발 신 : 주 터 대사

제 목 : TUW-0134 의 계속분(PART II)

3. 터키의 의도및 역할

가. 터키의 안보유지

(1)터키는 동남부 지역안보에 위협을 줄수있는 인접국(시리아, 이라크, 이란)의 군사강국화를 불원하고 있으므로 이라크의 패전, SADDAM 정권붕괴를 내심 환영할것임. 연이나, 이라크의 분할 또는 극도의 세력약화는 이란및 시리아 견제세력의 사실상의 소멸을 의미하므로, 터키로서는 이를 받아들이기가 어려울것임.다만 가능성은 희박하나 시리아및 이란이 이라크 패전후 힘의 공백상태(POWER VACUUM)를 이용, 영토확장등 세력확대 기도시 터키는 이에 개입하게 될것이며, 무력행사도 불사할것임.

(2)터키는 이라크 북부지역에 KURD 독립국(또는 자치구) 설립기도가 있을시, 적극 반대또는 저지할것으로 예상되는바, 이는 동기도가 실현될경우 터키 동남부 KURD 족(약 8 백만명 추정)거주 지역에대한 영토권 주장을 제기할수 있고, 아울러 터키내 KURD 분리주의 테러리스트(PKK) 지원세력으로 나설 우려가 있어 사실상 터키안보에 위협을주는 존재로 부상할 가능성이 있기 때문임.

나. 걸프전을 이용한 실리추구

터키는 걸프지역 3 개국과 접경하고있는 지리적 위치를 십분활용 NATO 회원국으로서의 전략적 중요성을 미국등 서방진영에 인식시키고, 미국, 서구제국등과의 관계 긴밀화 도모및 군사경제 원조획득으로 정치군사 강대국화를 기도할것임.

다. 지역안보 체제에서의 터키의 역할

(1)터키는 걸프지역이 터키의 안보및 경제적 이익에 직결되는 지역이므로 전후처리에 참여, 대아랍권 입지강화를 기도할것으로 보이며, 걸프지역에 인접한친서방 군사강국으로서 터키는 지역안보체제 재편 과정에서 큰 역할을 담당코져

중아국 장관 차관 1차보 2차보 구주국 정문국 청와대 안기부

PAGE 1 91.02.11 07:19 0094

외신 2과 통제관 BW

노력할것으로 보임.

(2)연이나, 터키의 과거 아랍 지배 역사, 터키가 비아랍국인 점, 이에따른 체제의 상이및 이해관계 상충등으로 인하여 터키의 역할이 아랍측의 우려내지 반발을 야기시킬 가능성이 있음.

걸프전 개전후 터키의 미국에대한 INCIRLIK 공군기지 사용허가가 다수의 아랍제국의 반발을 야기한것이 하나의 사례임.

(대사 김내성-국장)

예고:1991.6.30. 까지 예고문에 의거 일반문서로 재 분류됨.

PAGE 2

0095

관리번호	91-372

외 무 부

종 별 :

번 호 : NDW-0254　　　　일 시 : 91 0211 1920

수 신 : 장관(아서,미북)

발 신 : 주 인도 대사

제 목 : 주재국 외무장관 방중결과

금 2.11 최근 SHUKLA 주재국 외무장관을 수행, 중국을 방문(2.1-8 간)한바 있는 주재국 외무부 SYAM SALAN 동아국장이 본직과의 면담시 밝힌 걸프전에 관한중국측 시각및 인.중국 관계를 다음 보고함.

1. 걸프전에 관한 중국측 시각

가. 걸프전은 연합국측이 계획했던 대로의 단기전은 안될 것임.(PROTRACTEDWAR 가 될 것으로 본다 함)

나. 장기적 관점에서 볼때 걸프전 종식후 이지역에서 어느 특정세력(미국을암시)이 두드러지게 영향력을 증대케 되는 상황을 우려함.(이점은 중국의 이붕수상이 강조하여 지적한바 있음)

다. 이락의 쿠웨이트 침공은 잘못된 것이며 이락은 무조건 쿠웨이트로부터 철수해야 됨.

2. 인.중국 관계

가. 금번 주재국 외무장관의 방문은 성공적이었으며 2-3 개 주요한 구체적 결실이 있는바, 상하이와 봄베이에 양국 총영사관을 각각 교환개설하고 국경무역개설에 원칙적인 합의를 봄.(국경무역 개설을 위하여 금년 상반기중에 실무교섭을 개시하기로 함)

나. 양국간 걸프전등 국제정세에 관한 진지한 의견교환과 협력분위기를 조성함.(중국은 인도의 비동맹내 역할을 평가하고 지지함)

(대사 김태지-국장)

예고:91.6.30. 일반

예고문에의거일반문서로 재분류19 91.12.31 서명

아주국 장관 차관 1차보 2차보 미주국 청와대 안기부

PAGE 1　　　　91.02.11 23:10

0096

외신 2과 통제관 CH

관리 번호	91-330

외 무 부

종 별 :

번 호 : FRW-0539　　　　일 시 : 91 0212 1910

수 신 : 장관(중근동,구일,미북,동구일,정일)

발 신 : 주 불 대사

제 목 : 걸프전(관련국 입장)

THIERRY DE MONTBRIAL 불 국제문제 연구소(IFRI) 소장 및 소련 전략전문가인 BESANCON 교수는 현 단계에서의 각국 입장을 하기와 같이 분석함.(당관 박참사관 강연회 및 대담 참석)

1. 미국

가. 3 월중순 라마단 시작전 가급적 지상전을 종결시키고자 2.15-20 사이에 지상전을 결행한다는 1 차적인 작전계획을 수립하였으나 다국적군의 희생을 고려한 현지 지휘관들의 의견에 따라, 당분간 공폭을 계속하여, 이락 지상 군사력을 최대한으로 약화시킨후, 지상전을 수행한다는 것으로 기본전략을 수정한 것으로 보임.

나. 사막전은 기상조건으로 보아 다국적군에 불리한 요소가 있는바, 즉

1)고온으로 인한 고도의 정밀 전자무기의 오차 발생

2)사막풍으로 인한 공폭시 시계 장애 및 지형변화에 대한 적응력 미숙

3)이락 공화국 수비대의 강력한 화력, 제반장비 및 SADDAM 에 대한 충성심등이 가장 어려운 요소로 간주되고 있음.

다. 상륙작전 및 지상전의 제 1 선을 담당할 아랍 다국적군(애급, 시리아등) 사병은 막상 이락군과 접전이 벌어지면 이락측의 회교권 단결호소등 심리전에 휘말릴 가능성이 있으므로, 이들에 대한 신뢰도 기대키 어려우며, 아랍 다국적군의 1 선이 무너지면 부득이 미국의 해병이나 보병이 1 선을 맡게되면 희생이 클것이므로, 이는 미국내 여론의 동요를 초래할 위험성도 있음.

마. 미국은, 전쟁범위를 쿠웨이트 해방외에 이락의 파멸까지도 염두에 두고있을 것이나 이는 EC, 소련 및 전세계 회교권의 반발을 야기할것임. 일설에 의하면 미국은, 쿠웨이트 탈환후 이락 진주를 통해

1)이락 남부 분할, 쿠웨이트에 편입시켜 원유 자원의 균형분포 도모및 이락북부

중아국	장관	차관	1차보	2차보	미주국	구주국	구주국	정문국
청와대	총리실	안기부						

쿠르드지역의 분할 또는 자치권 인정 및

2)전후 일단 사우디에서는 철수하는 대신 쿠웨이트에 합법정권 수립후, 동 정권과 양자간 안보협약 체결, GULF 에 장기주둔 함으로써, 원유수급의 조정권 장악및 이스라엘 보호등의 기본목적으로 달성코자할 가능성이 있다고 하나, 이는 이란, 시리아를 위시한 회교강국과 쏘련, 불란서등의 반대에 봉착할 것이므로 실현 가능성은 회의적임.

2. 소련

가. 90.9. 헬싱키 미.소 정상회담 및 안보리 결의안 동조등을 통해 개전전까지는 미국을 일선에 내세우고 배후서 미국을 지원하며 정세를 관망함.

나. 서방 정보기관 분석에 의하면, 소제 전차 400 대가 이란 경우, 이락에 제공되었으며, 지난 1.4. 소 화물선(무기류 적재)이 요르단 AQUABA 항에 진입, 이락으로 향하던중 다국적군에게 적발된 것이라던지 소측의 공식 부인에 불구 상금 상당수의 소 군사고문이 이락에 체류하고 있는등, 개전후 소련 태도에 있어 이중적인 면이 들어나고 있음.

다. 그실례로 GORBACHEV 는 개전후 이락을 비난하는 동시에, 개전 자체에 유감을 표명하였으며 소련이 그간 평화적 해결을 위해 전력했음을 수차 강조함. 또한 BESSMERTNYKH 신임 외상도 다국적군의 이락 전면파괴에 대해서는 유보를 표명한바 있음.

라. 더욱이 소련은 국내에 4700 만의 회교도가 있으며 특히 아제르바이잔의 550 만의 시아파 인구를 념두에 둘때, 대미 공동보조가 일정선을 넘으면 소연방 와해 우려도 있으므로 이에 신중을 기하게 되었으며, 따라서 이락의 파괴나 분할을 좌시할 입장이 안됨.

마. 미국은 소련이 시장경제 체제 구축을 위한 서방 원조의 필요성 증대 및 발트내 군사력 개입등을 활용가능한 소련의 약점으로 간주하고 있으나, GORBACHEV 도 미국의 걸프독점 및 장기주둔에 극력 반대하는 K.G.B., 군부 및 새로히 부상하는 수구세력(이락지원 필요성 주장)의 입장이 소 국익에 부합한다고 판단, 최근에는 직접적인 대미 지원 대신, 특사 파견등으로 최소한의 외교력이라도 행사, 전후에도 중동에 대한 영향력을 완전 포기치는 않으려고 부심하고 있음.

3. EC 국

가. EC(영국 제외)도 전후 미국이 걸프에 장기주둔, 동 지역의 주도권을 독점하는

PAGE 2

0098

것은 내심 바라지않고 있으므로, 불란서는 빈번한 아랍국과의 접촉, 독일은 통독안정을 핑계로 대미 협조에 미온적인 자세를 보이고 있음.

나. 더욱이 주재국은 UN 안보리 서방 상임이사국으로서의 서방결속의 핵이란 위치와 친 중동국이란 정반대되는 입장사이에서 표류하고 있으며 특히 불측이 기대하는 전후 대중동 영향력 유지라는 명제가 양측 모두로 부터 도전을 받게될 것이므로, 정책적인 위기에 처해있는 실정임.

4. 일본

가. 일본의 대중동 이해는 원유공급에 국한되었으나 금번 전쟁을 계기로 다국적군에 대한 적극적인 재정지원으로, 외교적 입지는 향상되었음.

나. 이에 불구, 전후처리에 있어서는 중동에 대한 전통적인 VOICE 가 없으므로 현 단계 이상의 적극적인 외교적 역할을 할수있는 위치에는 있지않음.

5. 회교권

가. 터키

-이락의 약화를 가장 환영하는 국가로서 미국의 지원을 받아 회교권의 강자로 등장할것이나, 이란과의 경쟁관계에 봉착할 것임.

나. 시리아

-ASSAD 는 다국적군 가담으로 전후 이에 상응하는 댓가를 염두에 두고 있으나, 오랜 장기집권과 걸프참전으로 인한 ARAB CAUSE 의 퇴색등으로 국내적으로 어려운 입지에 처할것임.

-미국은 상기 ASSAD 의 입장을 간파, ASSAD 가 계속 서방과 공동보조를 취하면 다행이고, 국민에 의해 실각하더라도 전후 부담스러운 인물을 자연스럽게 제거시킬수 있다는 관점에서 시리아의 전후 위치에 대해 특별한 고려를 배려치 않고, 오히려 터키 강화, 이란 회유등의 정책으로 대응할 것으로 보임.끝.

(대사 노영찬-국장)

예고:91.6.30. 까지

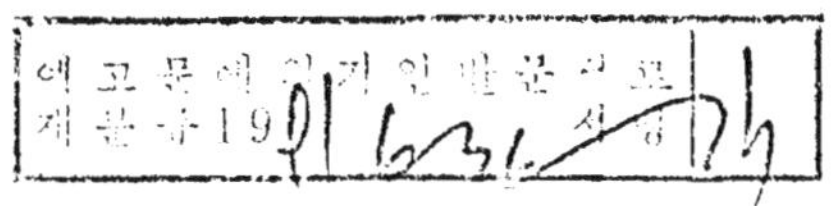

관리번호	91-308

원 본

외 무 부

종 별 : 지 급

번 호 : YGW-0114 일 시 : 91 0212 1900

수 신 : 장관(미북,동구이,국연)

발 신 : 주 유고 대사

제 목 : 걸프전쟁관련 비동맹 15개국 외상회의

연:YGW-106

1. 연호 비동맹 15 개국 외상회의는 작일의 고위실무자회담에이어, 금 2.12(화) 각료회의(비공개)를 진행중에있는바, LONCAR 주재국 외상은 회의에 즈음하여 아래 요지의 기조연설을 행하였음

가.90.10 월 뉴욕비동맹조정위결의안 상기

1)쿠웨이트의독립, 주권및 영토적 일체성의 회복

2)유엔원칙에 따른 사태의 정치적, 평화적 해결원칙 강조

나. 현걸프전쟁 해결을위한 4 단계 해결방안(아래)제시

1)제 1 단계:이락의 쿠웨이트 철군및 적법정부 회복

2)제 2 단계:교전당사자의 적대행위중지

3)제 3 단계:사태의 평화적, 정치적 해결

4)제 4 단계:중동지역 전체문제, 특히 팔레스타인 문제 해결을위한 PEACE PROCESS 개시

다. 비동맹운동이 걸프전쟁과 이로인한 참화및 팔레스타인 문제에 무관심한입장을 취할수 없음을 강조

라. 사태의 더이상 악화방지를 위한 이락의 유엔안보리 결의 660 호 이행촉구

2. 상기 LONCAR 외상의 연설은 유엔안보리 결의 660 호에 입각한 이락의 선철군 원칙을 강조하면서 이락측이 요구한 팔레스타인 문제해결을 위한 국제회의개최 방안도 아울러 포함하고 있는것이 특징이며 주최국인 유고측이 준비한 최종문서도 이러한 입장을 반영하고 있는바, 인도및 이란측이 제시한것으로 예상되는3 단계 해결원칙 즉 1)이락의 철군 약속 공표, 2)적대행위 중지, 3)유엔 감시하의 철군실시, 4)중동문제해결을 위한 지역회의 방안과의 조정을 오한 통일된 입장도출

미주국 장관 차관 1차보 2차보 구주국 국기국 청와대 총리실 안기부

PAGE 1

91.02.13 05:44 0100

외신 2과 통제관 CA

여부가 주목되고 있음

3. 한편 회의참석 각국 대표들은 2.11 이락측의 쿠웨이트 철수 불가 입장고수 원칙 발표가 회의 전망을 더욱 어둡게 하고 있다고 우려하고 있음

(대사 신두병-국장)

예고:91.12.31 까지

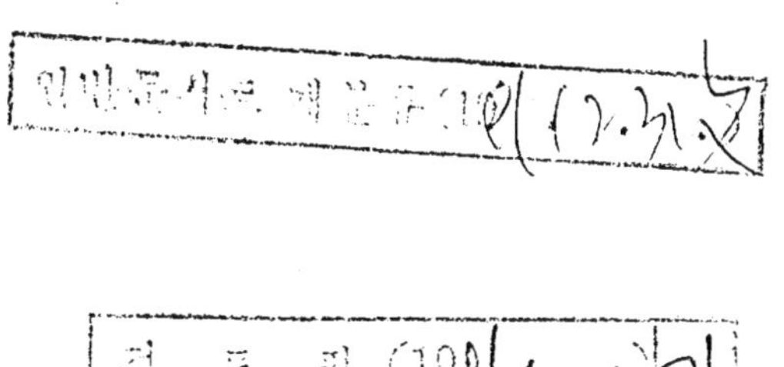

PAGE 2

0101

원 본

관리 번호 91-392

외 무 부

종 별 : 지 급

번 호 : YGW-0115 일 시 : 91 0212 2330

수 신 : 장관(미북,국연,동구이,기정)

발 신 : 주 유고 대사

제 목 : 15개 비동맹 외상회의

연:YGW-114

1. 연호 금 2.12(화) 개최된 15 개국 비동맹외상회의는 금일저녁, 가능한한최단시일내에 이락과 미국을 비롯한 연합국및 EC, 유엔안보리에 2 개의 평화사절단을 각각 파견하기로 결정하고 회의를 종료하였음

2. 연이나 상기사절단의 구성, 정확한 파견시기, 순서및 구체적 MISSION 등세부사항에 관해서는 상금 결정된바 없으며, 의장국인 유고측이 주요관계국과의 협의를 거쳐 결정할것으로 알려지고 있음

3.LONCAR 외상은 상기사절단의 파견결과를 보아, 다시 비동맹국가간의 회의를 추후 개최할 예정이라고 밝혔음(시기및 장소미정)

4. 금일 외상회의에서는 당초 유고측이 제시한 이락의 전철군후 평화협상을골자로한 4 단계 해결방안에 대한 알제리및 큐바등의 적극적인 반대와 상반된 각국의 입장으로 많은 논란을 벌인결과 최종문서에는 합의를 보지못하였으나, 사태해결을 위한 비동맹차원에서의 실질적인 노력의 일환으로 2 개의 평황사절단을파견키로 결정하게된것은 하나의 성과로 평가되고있음

5.LONCAR 외상은 금일 저녁 가진기자회견에서 동평화사절단 파견결정을 하게된 배경에는 최근 워싱턴에서 개최된 미.소외상간의 합의사항인 이락의 선철군약속을 전제로한 적대행위 중지방안이 중요한 FORMULA 로 작용하였다고 말하였음

6. 금번회의에는 초청을 받은 4 개국 대표들외에 PLO 와 이락특사가 초청을받지않은채 2.11 당지에 도착하였으며, 이들의 참석문제를 둘러싸고 오랜 논란을 벌였으나 알제리등의 적극적인 발언으로 PLO 는 참석시키기로 결정한대신, 이락은 교전당사국임을 이유로 참석을 허용하지 않기로 한것으로 알려지고있음.(이락대표는 도착후 3 시간 체류후 당지를 떠났다고함). 또한

미주국	장관	차관	1차보	2차보	구주국	국기국	청와대	총리실
안기부								

PAGE 1 91.02.13 08:14 0102

외신 2과 통제관 BW

유엔안보리의장의 특사, 이스람기구및 아랍연맹특사도 옵저버로 참여하였음

7. 금일회담은 비공개의 비밀회담으로 개최된바 각국의 입장등 상세내용은 추보예정임.끝.

(대사 신두병-국장)

예고:91.12.31 까지

일반문서로 재분류(1991.12.31)

검토필(1991.12.31)

0103

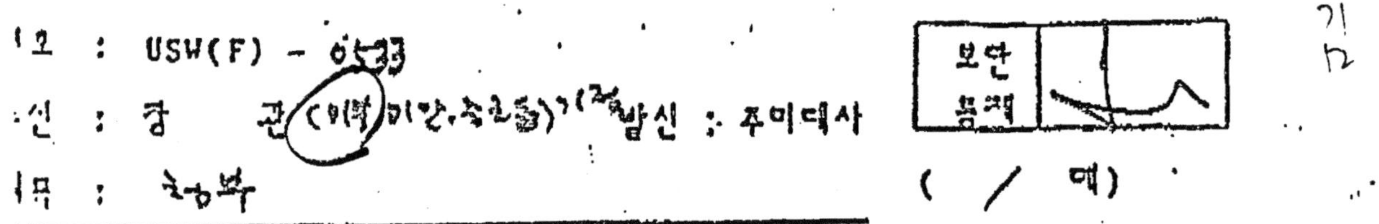
번 호 : USW(F) - 0533
수 신 : 장 관 (미북, 미안, 중동1) 기(정) 발신 : 주미대사
제 목 : 청복
보안 통제
(/ 매)

STATE DEPARTMENT/REGULAR BRIEFING, BRIEFER: MARGARET TUTWILER
11:59 A.M. EST, TUESDAY, FEBRUARY 12, 1991

Q Margaret, is the United States concerned that North Korea may be funneling some kinds of arms or spare parts to Iraq?

MS. TUTWILER: What I would say to you there is that North Korea has said throughout that they are abiding by the 12 United Nations resolutions. We would certainly hope that just like every other nation, that that is true. I would remind you at our officials level, we have now had 14 meetings between our officials and officials of the North Korean government. It is the policy of this administration that we do not discuss the substance of any of those meetings, so I cannot address whether we have or have not raised the issue.

Q Two followup questions. One, do you believe the North Koreans when they say they are abiding by the sanctions? And two, when was the last of these meetings?

MS. TUTWILER: The last meeting was in Beijing on February 4. That was the 14th meeting. And as I said, we expect North Korea to honor its commitment to abide by the sanctions. We would be very concerned about any action that would contribute to the destabilizing proliferation of missile parts or missiles to any part of the Middle East-Persian Gulf region, particularly at this time.

Q This suggests to me that there may be some concern on the US part.

MS. TUTWILER: Those are your words. I cannot tell you that we are concerned. I can tell you that we are aware of such allegations. I cannot discuss any substance at all of these meetings that are held. That's standard policy. And I can only tell you that they have stated publicly that they will abide by the UN resolutions.

Q Margaret, does the United States have evidence to substantiate the allegations?

MS. TUTWILER: This is just another way really of kind of asking me what Carol just asked me. I cannot move this forward any further for you than as far as I've been able to take it.

533

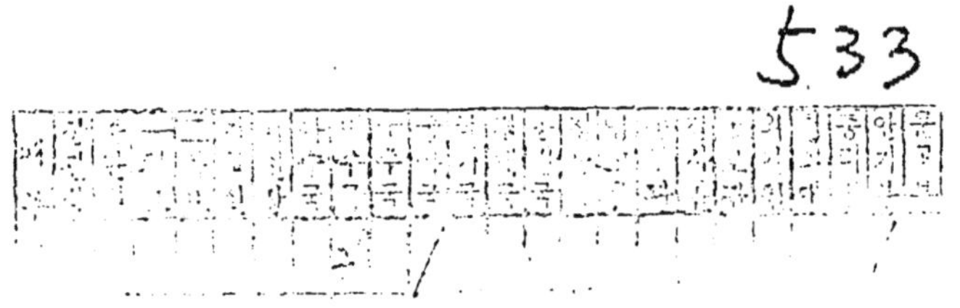

0104

P.003

FEB.14 '91 19:05 KOREAN EMBASSY WASHINGTON DC

걸프戰 終戰 및 終戰以後 中東地域 秩序再編 構想

91. 2.

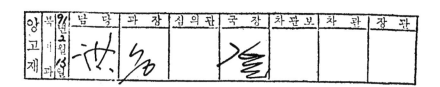

앙 고 재	북미과	91년 2월 13일	담 당	과 장	심의관	국 장	차관보	차 관	장 관

美 洲 局

0105

目 次

添 附 : 1. Baker 長官 美 上.下院 外交委 證言文 1部

2. Clark 外相 카나다 國際 問題 硏究所 招請 午餐 演說文

3. Kissinger Newsweek紙 寄稿文 寫本 1部.

0106

1. 美側 構想

* 2.6, 2.7, Baker 國務長官, FY92 豫算提出 關聯 上.下院 外交委에서 證言

가. 戰後 處理問題 接近 基本姿勢

o 向後 地上戰 開始時 많은 死傷者 발생등 제반 어려움과 미래에 대한 불안감 增大로 인해 戰後 處理問題에 대한 接近에 있어 愼重함(Sense of Modesty)의 필요성을 강조함.
  - 域內 國家의 主權尊重 및 平和定着 노력 필요

나. 終戰後 當面 諸般 挑戰

(걸프地域을 包含한 中東地域 全體의 安全保障 體制 樹立)

o 安全保障 體制의 目的과 원칙
  - 侵略의 沮止
  - 領土의 不可侵性
  - 國家간 제분쟁의 평화적 해결

o 域內 國家, 國際機構 및 國際社會의 役割
  - 上記 原則과 目標達成에는 域內 모든 國家들과 GCC 等이 主導的 역할 수임 필요
    . 戰後 이라크, 이란등의 建設的 役割 기대
  - UN과 友邦國들은 强力한 支援 계속 제공필요

o 美國은 트루만 行政府 以來 中東地域에 海軍力을 配置하고 사우디 等 域內 國家들과 兩者關係를 강화시켜 왔으나 終戰後 美 地上軍을 계속 유지할 계획은 없음.

0107

1

o 終戰 直後의 過渡期的 狀況에 있어서의 平和維持軍 구성 문제

- UN 또는 GCC 旗幟아래 域內 國家 地上軍으로 編成된 平和 維持軍을 일정기간 또는 반영구적으로 駐屯케하는 方案과
- 域外 友邦國들의 地上軍으로 구성된 平和維持軍 配置 또는 決議案 또는 安全保障 確約等 政治的 보장 방안 等을

관련국들간 廣範圍한 協議를 통해 決定이 필요함.

(在來式 武器 및 大量 殺傷武器의 擴散 防止)

o 戰後 域內 國家들의 大量 殺傷武器 生産 및 保有能力을 없애고 域內 國家間 武器 保有競爭 억제와 중동지역에 일종의 信賴構築 措置의 적용 방안 검토가 要求됨.

- 化學武器 協定 早期妥結 및 尖端技術 移轉 統制等

(經濟 復舊 및 再建 措置)

o 쿠웨이트 및 이라크 經濟復舊에 協力 支援

- 經濟 再建後 域內 自由貿易 및 투자확대
- 水資源 開發에도 力點

o 中東地域 銀行 設立을 통한 경제재건 및 開發 방안제시

- 과거 경험상 地域銀行 設立 및 IBRD/IMF와의 協調 關係 중요성 감안

(이스라엘과 아랍國家 및 팔레스타인 民族間 和解)

o 相互間 尊重. 忍耐 및 信賴를 基盤으로한 이스라엘과 아랍국간 對話進展은 中東地域 全般의 平和定着 과정의 필수적 부분임.

- 이스라엘과 팔레스타인 民族間 和解를 위한 兩側의 具體的 行動, 동 과정에 있어서의 아랍 國家들의 역할, 域內 軍備統制 推進의 영향, 最適 外交的 手段 講究 等이 검토 대상

(美國의 對中東 原油 依存度 減縮)

o 美國의 對中東 原油 依存度 減縮을 위한 綜合對策 施行이 요구됨.

- 에너지의 節約, 效率性 增大 방안, 원유 비축분 증대, 代替燃料 사용 증대등의 綜合 시행

0109

2. 카나다측 構想

* 2.8. 멀루니 首相은 오타와 Confederation Club 招請 演說에서 闡明

  - Clark 外務長官, 퀘벡시 소재 카나다 國際問題 研究所 招請 演說時 同一 內容 發表

가. 걸프전 終戰 관련 4대 基本原則

o 이라크군의 쿠웨이트로 부터의 完全 撤收 目標는 妥協의 여지가 없음.

o 걸프 地域의 諸般 問題 解決 방안은 관련국 및 國民들의 支持를 받는 것이어야 함.

o UN을 中心으로 한 諸般問題 解決이 바람직함.

o 中東地域 安保體制는 政治, 經濟, 軍事 및 人道的 問題等 관련 問題를 包括的으로 다루어야 함.

나. 終戰 直後 推進 課題

(人道的 援助 提供)

o 國際 難民 고등판무관실(UNHCR), UNDRO, 國際 赤十字社 等과의 협조를 통한 民間人 戰爭 被害者들에 대한 인도적 援助 提供 노력 전개 필요

4

0110

(平和 維持軍 構成)

o UN 旗幟下에 域内國家 地上軍들로 구성된 平和維持軍에 의한 쿠웨이트 國境線 安全保障 활동 적극 지원
  - 域外 國家들의 參加도 考慮

(環境 汚染 除去 努力)

o 이라크의 걸프만에의 原油 放流로 인한 海洋汚染 被害 縮小를 위한 國際的 노력 지원
  - 專門家 팀等 現地派遣

다. 中.長期的 中東地域 安保體制 樹立

(地域 安保 體制 樹立)

o 地域 安保 體制는 UN과 聯合軍 파견국들간의 國際的 協約 等에 의한 國際的 保障이 필요함.
  - 걸프 地域에의 항구적 外國軍 駐屯은 불요

o 유럽에서의 CSCE 成功 經驗을 참고로 한 中東地域 전역을 대상으로 한 '地中海에서의 安保協力 會議' (Conference on Security and Cooperation in the Mediterranean) 構想 檢討 提議

o 國境 保障, 國家間 紛爭의 平和的 解決, 會員國間 信賴 構築 方案 確立等이 同 安保 體制의 主要 任務가 될 것임.

o 域内 國家들간 진정한 대화를 기초로한 域内 安保 問題에 대한 巨視的 接近은 中東地域内 民主主義的 경향 확대에 기여할 것임.

0111

(이스라엘-아랍 民族間 對立 解消)

o 包括的이고 항구적인 이스라엘-아랍 民族間 대립 해소 없이는 地域 安保 體制의 성공이 미지수임.
  - UN 安保理 決意 242호 및 338호를 기초로 한 交涉 解決 方案이 바람직
  - 同 問題 討議를 위한 國際會議 開催 歡迎

(域內 國家間 經濟的 不均衡 解消)

o 中東 地域內 모든 국가들의 균형적인 經濟 發展을 위해 2차 대전후 마샬플랜과 유사한 域內 經協機構 設立 推進을 積極 支援함.
  - UN과 連繫된 地域 經濟協力機構 創設

라. 戰爭手段 및 大量 殺傷武器 除去에 관한 頂上會談 開催 提議

o 이라크를 포함한 中東地域 國家들에 武器를 販賣한 서방 先進國들의 무모했던 과거 形態의 變更이 절실히 요구됨.

o 中東地域 平和案에는 大量 殺傷武器의 전파와 재래식 병기의 備蓄을 엄격히 제한하는 裝置 마련이 포함되어야 함.
  - 同件 관련 多者間 協議는 이미 開始

o 카나다는 同 頂上會談의 積極的 推進을 위해, Clark 外相이 來週 런던 開催 英聯邦 外相會議 參席은 물론, 10여일간 관계국을 巡訪, 同件 協議 豫定임.

6

0112

3. 프랑스側 構想

* 미테랑 大統領, 2.7. T.V. 會見時 立場 表明

(基本 立場)

o 쿠웨이트 駐屯 이라크군 逐出을 통한 쿠웨이트 主權回復 이라는 UN 決議案의 名分을 尊重 參戰한 바, 同 目標가 達成되면 戰後 處理를 위해 地域 安保機構 設立, 쿠웨이트, 이라크 經濟再建 및 이스라엘-아랍 國家間 和解 모색을 위한 국제회의 개최가 必要함.

(國際會議를 통한 協議 議題)

o 紛爭 再發 防止를 위한 國際的 保障 問題
  - 現 國境線 尊重 및 地域 均衡 回復

o 固有 中東 問題
  - 팔레스타인-이스라엘 問題 및 레바논 問題 等

o 戰爭 被害 復舊 事業을 위한 지역 은행 또는 開發基金 參席문제
  - 石油로 인한 富의 均衡 분배 문제
  - 現 國際武器 販賣 方式에 대한 制度改善 및 통제 문제

4. 팔레스타인 問題 暫定解決 方案

* Henry Kissinger 前 美 國務長官의 91.1.28.자 Newsweek지 기고문

가. 基本 認識

o 現 段階에서 팔레스타인 문제의 완전한 解決은 現實的으로 不可能함.

- 당사자간의 懸隔한 立場差異로 반목과 불화만 增幅

o 美國의 仲裁와 걸프戰 終戰 以後 影響力이 증대될 온건 아랍국의 役割을 활용함.

o 終戰後 수개월내 해결 노력 개시 필요

- 너무 시간을 끌면 사담후세인 류의 過激 勢力 影響力 回復 危險

나. 具體的 內容

o 유엔 事務總長의 후견하에 美, 이스라엘 및 걸프 戰時 美國과 공동 보조를 취한 아랍국(온건 아랍국)간의 會議 召集

o 온건 아랍국은 일정期間(例 ; 5-10년간) 아랍측에 返還될 領土의 受託者(trustee)役割 擔當

o 온건 아랍국은 유엔 監視下에 同 地域의 非武裝化 實施

- 이스라엘, 同 檢證 過程 參與

8

0114

o 이스라엘은 Gaza 全域과 West Bank中 人口 密集地域을 아랍 側에 返還

- West Bank 中 이스라엘 安保에 直決되는 地域만 繼續 維持

o 이스라엘이 返還한 領土를 다스릴 政府 構成 問題는 合意에 의해 決定 단, 暫定 期間中에는 完全 獨立國家 수립은 보류

- 受託國들은 PLO側이 받아들일 수 있는 人士를 包含, 政府 構成 豫想

9

0115

5. 터어키의 戰後 걸프 地域 安保體制 構想

가. 戰後 걸프 地域 安保體制

(終戰後 이란, 사우디 勢力增大)

o 이라크는 敗戰에 따른 體制崩壞 내지는 군사력 약화로 地域安保體制에 큰 影響力을 미치지 못할 것이므로 短期的으로는 이란, 사우디 兩國의 勢力 均衡으로 地域安保體制가 構築될 것으로 보임.
  - 軍事力이 우세한 이란의 勢力이 크게 浮上 豫想

(이라크 領土保存 및 이라크의 이란 牽制勢力으로서의 價値)

o 이란, 시리아, 터키의 理解關係 상충으로 인하여 戰後 이라크 領土分割내지는 이라크 北部에 Kurd 獨立國 또는 自治區 創設 가능성은 많지 않으며, 이라크의 領土는 종전대로 보존될 것으로 보임.

o 戰後 勢力 膨脹이 예상되는 이란을 견제하기 위해서는 아랍국인 이라크의 領土保存 및 일정 수준의 軍事力 보유가 필요할 것이며, 이점에서 아랍 諸國과 美國의 理解가 일치될 수 있을 것임.

o 戰後 이라크의 軍事力은 오직 防衛力만 보유하고 인접국에 위협을 주는 攻擊力은 가지 못하도록 하는 國際的인 制限措置가 취해질 가능성이 많음.

0116

10

(集團安保體制 胎動 可能性)

o 戰後 쿠웨이트, 이라크 國境에는 多國的軍을 대신해서 아랍 연맹 또는 유엔에서 平和維持軍을 派遣할 가능성이 있음.

o 長期的으로 이라크 및 이란의 勢力을 牽制하기 위하여 美國을 背後 勢力으로 하고 사우디, 쿠웨이트등 GCC 國家와 이집트등을 잇는 安保體制가 집단적으로 또는 개별적으로 이루어질 가능성이 있음.

o 이 경우 아랍 地域의 特性에 비추어 볼때, 集團安保機構의 創設보다는 오히려 다수의 양자 安保條約締結 형태를 취하면서 集團安保의 효과를 거양토록 하는 방안이 採擇될 가능성이 높음.

(長期的 安保體制)

o 장기적으로 볼때, 戰後 걸프 地域은 이라크의 領土가 보존되고 또한 그 勢力이 弱化된 상태에서 Status quo ante로 돌아갈 것으로 豫想되며, 이란, 이라크, 사우디, 시리아 等이 Main Actor로 勢力均衡을 이루면서 地域安保體制가 維持되어 나갈 것으로 보임.

나. 터키의 意圖 및 役割

(터키의 安保維持)

o 터키는 東南部 地域安保에 威脅을 줄 수 있는 隣接國 (시리아, 이라크, 이란)의 軍事强國化를 불원하고 있으므로 이라크의 敗戰, Saddam 政權崩壞를 內心 歡迎할 것임.

0117

o 연이나, 이라크의 분할 또는 極度의 勢力弱化는 이란 및 시리아 牽制勢力의 사실상의 消滅을 의미하므로, 터키로서는 이를 받아들이기가 어려울 것임.

o 다만, 可能性은 稀薄하나 시리아 및 이란이 이라크 敗戰後 힘의 공백상태(power vacuum)을 이용, 領土擴張等 勢力擴大 기도시 터키는 이에 介入하게될 것이며, 武力行事도 불사할 것임.

(걸프戰을 利用한 實利追求)

o 터키는 걸프 地域 3개국과 接境하고 있는 지리적 위치를 십분활용, NATO 會員國으로서의 戰略的 중요성을 美國等 西方 陣營에 認識시키고, 美國, 西歐諸國等과의 關係 긴밀화 도모 및 軍事經濟 援助獲得으로 政治軍事 强大國化를 기도할 것임.

(地域安保 體制에서의 터키의 役割)

o 터키는 걸프 地域이 터키의 安保 및 經濟的 利益에 직결되는 地域이므로, 戰後 處理에 참여, 對아랍권 立地强化를 기도할 것으로 보이며, 걸프 地域에 인접한 親西方 軍事强國으로서 터키는 地域安保體制 再編 過程에서 큰 역할을 擔當코저 努力할 것으로 보임.

o 연이나, 터키의 過去 아랍 支配歷史, 터키가 비아랍국인 점, 이에따른 體制의 相異 및 理解關係 상충등으로 인하여 터키의 役割이 아랍측의 우려내지 반발을 야기시킬 가능성이 있음. 걸프戰 開戰後 터키의 미국에 대한 Incirlik 空軍基地 使用許可가 다수의 아랍 諸國의 반발을 야기한 것이 하나의 사례임.

0118

6. 걸프戰 平和的 解決 仲裁 動向

가. 蘇聯 特使 이라크 訪問 結果

o 이라크 訪問中인 '프리마코프' 蘇聯特使, 후세인 大統領을 面談하고 메시지 傳達

o 사담 후세인 大統領의 反應

- 이라크는 事態의 平和的, 政治的 解決策 摸索을 위해 蘇聯을 비롯한 其他 國家의 平和案에 協力할 용의가 있음.

- 그러나 多國的軍 爆擊이 우선 中止되어야 하며 이라크는 어떠한 犧牲이 따르더라도 侵略에 對抗할 것임.

o 美國의 反應

- 事態 解決은 이라크가 쿠웨이트 撤收 문제에 대해 어떤 立場을 취하는가에 달려 있으며, 걸프戰과 팔레스타인 問題를 連繫시키려는 동일한 戰略의 反復으로 평가

o 유엔 事務總長

- 이라크의 平和的 解決 움직임 歡迎하나, 쿠웨이트로부터 完全 撤收가 前提條件이 되어야 할 것임.

o 한편, 蘇聯도 提案의 내용에 대해, 유엔 決議와 相反되는 內容을 包含하고 있지 않으며, 이라크의 쿠웨이트로 부터 撤收가 前提 條件임을 명백히 밝힘.

나. 非同盟 15개국 外相會議

* 2.11. 高位實務者 會談, 2.12. 閣僚會議, 베오그라드

0119

SECRETARY'S FEBRUARY 6 TESTIMONY ON THE GULF

THE FOLLOWING IS AN ORAL MESSAGE FROM THE SECRETARY TO THE FOREIGN MINISTER, ALONG WITH THE GULF PORTION OF THE SECRETARY'S TESTIMONY BEFORE THE HOUSE FOREIGN AFFAIRS COMMITTEE.

BEGIN TEXT OF ORAL MESSAGE:

-- I WANT TO SHARE WITH YOU THE TEXT OF A STATEMENT I MADE IN TESTIMONY BEFORE CONGRESS. IN THE STATEMENT, I EMPHASIZED SEVERAL POINTS:

-- FIRST, OUR COMMITMENT TO FULL IMPLEMENTATION OF THE UNSC RESOLUTIONS RELATED TO IRAQ'S AGGRESSION AGAINST KUWAIT REMAINS UNSHAKEABLE. THE INTERNATIONAL COALITION CONTINUES TO HOLD STEADILY AND RESOLUTELY TO THIS COURSE.

-- SECOND, THE COALITION IS SHARING RESPONSIBILITY FOR THE ECONOMIC BURDENS OF THE CONFLICT.

-- THIRD, THE COALITION'S MILITARY EFFORT TO REVERSE IRAQ'S AGGRESSION FULLY REFLECTS OUR POLITICAL PURPOSES. WE HAVE NO QUARREL WITH THE PEOPLE OF IRAQ. OUR GOAL IS THE LIBERATION OF KUWAIT, NOT THE DESTRUCTION OF IRAQ OR CHANGES IN ITS BORDERS.

-- AND FOURTH, WE MUST ALL PUT JUST AS MUCH EFFORT AND IMAGINATION INTO SECURING THE PEACE AS WE HAVE PUT INTO WINNING THE WAR.

-- ON THE LAST POINT, I SOUGHT IN MY STATEMENT SIMPLY TO HIGHLIGHT A NUMBER OF THE CHALLENGES THAT WE WILL ALL HAVE TO ADDRESS ONCE IRAQ IS EVICTED FROM KUWAIT. WHAT I OUTLINED WAS NOT A BLUEPRINT FOR POSTWAR ACTION, BUT THE HIGHLIGHTS OF AN AGENDA THAT WILL REQUIRE VERY CAREFUL CONSULTATION AND COORDINATION AMONG US.

-- WE ARE WORKING TO DEVELOP OUR OWN THINKING, ALTHOUGH MUCH OBVIOUSLY DEPENDS ON THE ACTUAL SHAPE OF THE OUTCOME OF THE CRISIS. I LOOK FORWARD TO STAYING IN TOUCH WITH YOU ON THESE IMPORTANT QUESTIONS IN THE WEEKS AND MONTHS AHEAD.

-- IN THE MEANTIME, OUR FIRST PRIORITY REMAINS REVERSAL OF IRAQ'S AGGRESSION AND COMPLETE IMPLEMENTATION OF THE UNSC RESOLUTIONS. WITH CONTINUED SOLIDARITY WITHIN THE INTERNATIONAL COALITION, THERE CAN BE NO DOUBT ABOUT THE OUTCOME. END TEXT OF ORAL MESSAGE.

BEGIN TEXT OF GULF PORTION OF SECRETARY'S ORAL TESTIMONY:

MR. CHAIRMAN,

IT IS A PRIVILEGE TO APPEAR BEFORE THIS COMMITTEE TO TESTIFY ON BEHALF OF OUR FOREIGN AFFAIRS FUNDING PROPOSAL FOR FY 1992. WITH YOUR PERMISSION, I WOULD HAVE MY DETAILED WRITTEN

0120

STATEMENT ENTERED INTO THE RECORD. THIS YEAR, EVEN MORE SO THAN MOST YEARS, THE FUNDS REQUESTED SHOULD BE SEEN AS AN INVESTMENT IN A BETTER FUTURE -- A WORLD OF SECURE NATIONS, FREE PEOPLES, AND PEACEFUL CHANGE.

I REALIZE THAT AS ARMIES FIGHT IN THE PERSIAN GULF SUCH A WORLD SEEMS FAR DISTANT. YET I BELIEVE THAT IT IS VITALLY IMPORTANT TO SEE THE CHALLENGES WE FACE ALSO AS OPPORTUNITIES TO BUILD A MORE SECURE AND JUST WORLD ORDER. AND SO, TODAY I WOULD LIKE TO MAKE A FEW COMMENTS CONCERNING OUR IDEAS ABOUT POST-CRISIS CHALLENGES AND ARRANGEMENTS.

THE GULF WAR

THE INTERNATIONAL COALITION HAS BEEN WAGING WAR AGAINST IRAQ FOR THREE WEEKS NOW WITH VERY CLEAR OBJECTIVES: TO EXPEL IRAQ FROM KUWAIT; TO RESTORE THE LEGITIMATE GOVERNMENT OF KUWAIT; AND TO ENSURE THE STABILITY AND SECURITY OF THIS CRITICAL REGION. I WANT TO MAKE SEVERAL OBSERVATIONS ABOUT THE COURSE OF THE CONFLICT SO FAR.

FIRST, THE INTERNATIONAL COALITION HAS HELD STEADILY TO ITS PURPOSE AND ITS COURSE. AN OUTSTANDING ACHIEVEMENT OF THE CURRENT CRISIS HAS BEEN THE ABILITY OF THE UNITED NATIONS TO ACT AS ITS FOUNDERS INTENDED. BEFORE JANUARY 15, A DOZEN SECURITY COUNCIL RESOLUTIONS GUIDED THE UNITED STATES AND OTHER NATIONS AS TOGETHER WE WAGED A CONCERTED DIPLOMATIC, POLITICAL, AND ECONOMIC STRUGGLE AGAINST IRAQI AGGRESSION. WE DID SO BECAUSE WE ALL SHARE A CONVICTION THAT THIS BRUTAL AND DANGEROUS DICTATOR MUST BE STOPPED AND STOPPED NOW. SINCE JANUARY 16, IN ACTIONS AUTHORIZED BY SECURITY COUNCIL RESOLUTION 678, WE HAVE BEEN ABLE TO WAGE WAR BECAUSE WE ARE EQUALLY CONVINCED THAT ALL PEACEFUL OPPORTUNITIES TO END SADDAM'S AGGRESSION HAD BEEN EXPLORED AND EXHAUSTED.

LET ME GIVE YOU SOME IDEA OF THOSE EXHAUSTIVE EFFORTS, BOTH BY THE UNITED STATES AND OTHER NATIONS. IN THE 166 DAYS BETWEEN THE INVASION OF KUWAIT ON AUGUST 2, 1990 AND THE EXPIRATION OF THE UN DEADLINE FOR IRAQI WITHDRAWAL ON JANUARY 15, 1991, I PERSONALLY HELD OVER 200 MEETINGS WITH FOREIGN DIGNITARIES, CONDUCTED 10 DIPLOMATIC MISSIONS, AND TRAVELLED OVER 100,000 MILES. FOR OVER SIX AND ONE HALF HOURS, I MET WITH THE IRAQI FOREIGN MINISTER -- SIX AND ONE-HALF HOURS IN WHICH THE IRAQI LEADERSHIP REJECTED THE VERY CONCEPT OF WITHDRAWAL FROM KUWAIT, EVEN THE MENTION OF WITHDRAWAL. AS YOU KNOW MANY OTHERS ALSO TRIED -- THE ARAB LEAGUE, THE EUROPEAN COMMUNITY, THE UN SECRETARY GENERAL, KINGS, PRESIDENTS, AND PRIME MINISTERS. NONE SUCCEEDED BECAUSE SADDAM HUSSEIN REJECTED EACH AND EVERY ONE.

SECOND, THE COALITION IS SHARING RESPONSIBILITY FOR THE ECONOMIC BURDENS OF CONFLICT. SUPPORT FOR U.S. MILITARY OUTLAYS COVERS BOTH 1990 COMMITMENTS FOR DESERT SHIELD AND 1991 COMMITMENTS FOR THE PERIOD OF JANUARY THROUGH MARCH FOR DESERT SHIELD/STORM. IN ADDITION, FUNDS HAVE ALSO BEEN FORTHCOMING TO OFFSET THE ECONOMIC COSTS CONFRONTING THE FRONT LINE STATES IN

0121

THE REGION.

TO DATE, WE HAVE PLEDGES OF OVER $50 BILLION TO SUPPORT OUR MILITARY EFFORTS AND OVER $14 BILLION TO ASSIST THE FRONT LINE STATES AND OTHERS WITH THEIR ECONOMIC NEEDS.

THIRD, OUR UNFOLDING MILITARY STRATEGY FULLY REFLECTS OUR POLITICAL PURPOSES. THIS IS THE PLACE TO RESTATE, AS THE PRESIDENT HAS DONE SO OFTEN, THAT WE HAVE NO QUARREL WITH THE IRAQI PEOPLE. OUR GOAL IS THE LIBERATION OF KUWAIT, NOT THE DESTRUCTION OF IRAQ OR CHANGES IN ITS BORDERS.

A THOROUGHLY PROFESSIONAL AND EFFECTIVE MILITARY CAMPAIGN IS UNDERWAY. OUR YOUNG MEN AND WOMEN AND THE FORCES OF OUR COALITION PARTNERS ARE WRITING NEW ANNALS OF BRAVERY AND SKILL. BUT THE TASK IS FORMIDABLE, AND NO ONE SHOULD UNDERESTIMATE SADDAM'S MILITARY CAPABILITIES. IRAQ IS NOT A THIRD RATE MILITARY POWER. BILLIONS HAVE BEEN DIVERTED FROM PEACEFUL USES TO GIVE THIS SMALL COUNTRY THE FOURTH LARGEST ARMY IN THE WORLD. IRAQ HAS MORE MAIN BATTLE TANKS THAN THE UNITED KINGDOM AND FRANCE COMBINED. IT HAS MORE COMBAT AIRCRAFT THAN EITHER GERMANY, FRANCE, OR THE UNITED KINGDOM. EJECTING IRAQ FROM KUWAIT WILL NOT BE EASY, BUT, AS THE PRESIDENT SAID, "SO THAT PEACE CAN PREVAIL, WE WILL PREVAIL."

WE ARE ALSO TRYING OUR BEST TO WAGE A JUST WAR IN A JUST WAY. OUR TARGETS ARE MILITARY, AND WE ARE DOING ALL WE CAN TO MINIMIZE CIVILIAN CASUALTIES AND AVOID DAMAGE TO RELIGIOUS AND CULTURAL SITES. AND AS GENERAL SCHWARZKOPF HAS POINTED OUT, THE COALITION FORCES ARE EVEN PUTTING THEMSELVES IN DANGER TO MINIMIZE THE RISK TO INNOCENT LIVES.

IN SHOCKING CONTRAST, SADDAM HUSSEIN'S CONDUCT OF THE WAR HAS BEEN NOT UNLIKE HIS CONDUCT BEFORE THE WAR: A RELENTLESS ASSAULT ON THE VALUES OF CIVILIZATION. HE HAS LAUNCHED MISSILES AGAINST ISRAELI CITIES AND SAUDI CITIES, MISSILES AIMED NOT AT TARGETS OF MILITARY VALUE BUT FULLY INTENDED TO MASSACRE CIVILIANS. HE HAS ABUSED AND PARADED PRISONERS OF WAR AND HE SAYS HE IS USING THEM AS "HUMAN SHIELDS" -- ACTIONS TOTALLY IN VIOLATION OF THE GENEVA CONVENTION. AND HE HAS EVEN ATTACKED NATURE ITSELF, ATTEMPTING TO POISON THE WATERS OF THE PERSIAN GULF WITH THE PETROLEUM THAT IS THE PATRIMONY OF THE REGION'S ECONOMIC FUTURE.

WE HAVE HEARD, AND WE TAKE AT FACE VALUE, SADDAM'S THREATS TO USE CHEMICAL AND BIOLOGICAL WEAPONS. WE HAVE WARNED HIM -- AND HE WOULD BE WELL ADVISED TO HEED OUR WARNING -- THAT WE WILL NOT TOLERATE THE USE OF SUCH WEAPONS. ANY USE OF CHEMICAL OR BIOLOGICAL WEAPONS WILL HAVE THE MOST SEVERE CONSEQUENCES, AND WE WILL CONTINUE TO INSIST THAT IRAQ FULFILL ITS OBLIGATIONS UNDER THE GENEVA CONVENTION WITH RESPECT TO COALITION POW'S.

I THINK THAT OUR CONDUCT OF THE WAR IS IN ITSELF A GREAT STRENGTH, THE STRENGTH THAT COMES FROM DOING THE RIGHT THING IN THE RIGHT WAY. AND SADDAM'S CONTINUING BRUTALITY REDOUBLES OUR RESOLVE AND THE ENTIRE COALITION'S CONVICTION ABOUT THE

0122

RIGHTNESS OF OUR COURSE. ENDING SADDAM'S AGGRESSION WILL ALSO BE A BLOW TO STATE-SPONSORED TERRORISM.

THIS IS ALSO THE PLACE TO NOTE OUR DEEP APPRECIATION AND GREAT ADMIRATION FOR THE EXTRAORDINARY RESTRAINT OF THE GOVERNMENT OF ISRAEL. ISRAELI CITIES HAVE BEEN ATTACKED BY SADDAM HUSSEIN BECAUSE PART OF HIS STRATEGY HAS BEEN TO CONSOLIDATE HIS AGGRESSION BY TURNING THE GULF CRISIS INTO AN ARAB-ISRAELI CONFLICT. DESPITE ITS CLEAR RIGHT TO RESPOND, THE ISRAELI GOVERNMENT HAS ACTED WITH RESTRAINT AND RESPONSIBILITY. THE UNITED STATES HAS BEEN AND WILL CONTINUE TO BE IN CLOSE CONTACT AT THE HIGHEST LEVELS WITH ISRAEL. WE HAVE OFFERED AND ISRAEL HAS ACCEPTED BATTERIES OF PATRIOT MISSILES -- SOME WITH AMERICAN CREWS -- TO DEFEND AGAINST SCUD ATTACKS. WE CONTINUE TO DEVOTE SPECIAL MILITARY EFFORTS TO DESTROYING THE SCUDS AND THEIR LAUNCHERS.

EVERYONE SHOULD KNOW: WHEN WE SPEAK ABOUT OUR UNSHAKEABLE COMMITMENT TO ISRAELI SECURITY, WE MEAN IT.

THE FOURTH OBSERVATION I WOULD MAKE IS THIS: THE GREAT INTERNATIONAL COALITION THAT IS NOW WINNING THE WAR MUST ALSO BE STRONG ENOUGH TO SECURE THE PEACE. WINSTON CHURCHILL ONCE OBSERVED THAT "WE SHALL SEE HOW ABSOLUTE IS THE NEED OF A BROAD PATH OF INTERNATIONAL ACTION PURSUED BY MANY STATES IN COMMON ACROSS THE YEARS, IRRESPECTIVE OF THE EBB AND FLOW OF NATIONAL POLITICS." IF WE ARE GOING TO REDEEM THE SACRIFICES NOW BEING MADE BY THE BRAVE MEN AND WOMEN WHO DEFEND OUR FREEDOM WITH THEIR LIVES, THEN WE MUST FASHION A PEACE WORTHY OF THEIR STRUGGLE. AND THAT CAN BE DONE IF WE CAN HOLD TOGETHER IN PEACE THE COALITION TEMPERED BY WAR.

I BELIEVE THAT WHEN CONGRESS VOTED THE PRESIDENT AUTHORITY TO USE FORCE IN SUPPORT OF THE UNITED NATIONS RESOLUTIONS, IT VOTED ALSO FOR PEACE -- A PEACE THAT MIGHT PREVENT SUCH WARS IN THE FUTURE. I BELIEVE THAT THE AMERICAN PEOPLE SUPPORT OUR ROLE IN THE COALITION NOT ONLY TO DEFEAT AN AGGRESSOR BUT TO SECURE A MEASURE OF JUSTICE AND SECURITY FOR THE FUTURE.

POST-WAR CHALLENGES

MR. CHAIRMAN, WE AND EVERY NATION INVOLVED IN THIS CONFLICT ARE THINKING ABOUT THE POST-WAR SITUATION AND PLANNING FOR THE FUTURE. IT WOULD BE IRRESPONSIBLE NOT TO DO SO. AT THE SAME TIME, IT WOULD BE BOTH PREMATURE AND UNWISE FOR US TO LAY OUT A DETAILED BLUEPRINT FOR THE POSTWAR GULF OR, FOR THAT MATTER, THE REGION AS A WHOLE.

THE WAR ITSELF AND THE WAY IT ENDS WILL GREATLY INFLUENCE BOTH THE SECURITY OF THE GULF AND THE REST OF THE AREA. THE DEEPEST PASSIONS HAVE BEEN STIRRED. THE MILITARY ACTIONS NOW UNDERWAY NECESSARILY INVOLVE MANY CASUALTIES, GREAT HARDSHIPS, AND GROWING FEARS FOR THE FUTURE. TOUGH TIMES LIE AHEAD.

WE SHOULD THEREFORE APPROACH THE POSTWAR PROBLEMS WITH A DUE SENSE OF MODESTY. RESPECT FOR THE SOVEREIGNTY OF THE PEOPLES

0123

OF THE GULF AND MIDDLE EAST MUST BE UPPERMOST. IN ANY EVENT, MODERN HISTORY HAS SHOWN THAT NO SINGLE NATION CAN LONG IMPOSE ITS WILL OR REMAKE THE MIDDLE EAST IN ITS OWN IMAGE. AFTER ALL, THAT IS PARTLY WHY WE ARE FIGHTING SADDAM HUSSEIN.

YET AMONG ALL THE DIFFICULTIES WE FACE, ONE FACT STANDS OUT: THE PEOPLES OF THE GULF AND INDEED THE ENTIRE MIDDLE EAST DESPERATELY NEED PEACE. I TRULY BELIEVE THAT THERE MUST BE A WAY, WORKING IN CONSULTATION WITH ALL OF THE AFFECTED NATIONS, TO SET A COURSE THAT BRINGS GREATER SECURITY FOR ALL AND ENDURING PEACE. WE SHOULD THEREFORE MAKE EVERY EFFORT NOT JUST TO HEAL THE PERSIAN GULF AFTER THIS WAR BUT ALSO TO TRY TO HEAL THE REST OF THE REGION WHICH NEEDS IT SO BADLY.

SO I WOULD LIKE TO DISCUSS SEVERAL CHALLENGES THAT I BELIEVE WE MUST ADDRESS IN THE POST WAR PERIOD.

ONE CHALLENGE WILL BE GREATER SECURITY FOR THE PERSIAN GULF. AFTER TWO WARS IN TEN YEARS, THIS VITAL REGION NEEDS NEW AND DIFFERENT SECURITY ARRANGEMENTS. IN OUR VIEW, THERE ARE THREE BASIC ISSUES TO BE RESOLVED: THE PURPOSES OR PRINCIPLES OF THE SECURITY ARRANGEMENTS; THE ROLE OF THE LOCAL STATES, REGIONAL ORGANIZATIONS, AND THE INTERNATIONAL COMMUNITY; AND IN THE AFTERMATH OF THE WAR, THE MILITARY REQUIREMENTS UNTIL LOCAL STABILITY IS ACHIEVED, AND THEREAFTER.

I THINK WE WOULD FIND ALREADY A WIDE MEASURE OF AGREEMENT ON THE PRINCIPLES. THEY WOULD INCLUDE:

O DETERRENCE OF AGGRESSION FROM ANY QUARTER.

O TERRITORIAL INTEGRITY. THERE MUST BE RESPECT FOR EXISTING SOVEREIGNTY OF ALL STATES AND FOR THE INVIOLABILITY OF BORDERS.

O PEACEFUL RESOLUTION OF DISPUTES. BORDER PROBLEMS AND OTHER DISPUTES THAT HAVE LONG HISTORIES -- AND THERE ARE MANY BEYOND THE IRAQ-KUWAIT EXAMPLE -- SHOULD BE RESOLVED BY PEACEFUL MEANS, AS PRESCRIBED BY THE U.N. CHARTER.

THESE PRINCIPLES MUST BE PUT INTO ACTION FIRST AND FOREMOST BY THE LOCAL STATES SO THAT CONFLICTS CAN BE PREVENTED AND AGGRESSION DETERRED. WE WOULD EXPECT THE STATES OF THE GULF AND REGIONAL ORGANIZATIONS SUCH AS THE GULF COOPERATION COUNCIL TO TAKE THE LEAD IN BUILDING A REINFORCING NETWORK OF NEW AND STRENGTHENED SECURITY TIES. NO REGIONAL STATE SHOULD BE EXCLUDED FROM THESE ARRANGEMENTS. POST-WAR IRAQ COULD HAVE AN IMPORTANT CONTRIBUTION TO PLAY. AND SO COULD IRAN AS A MAJOR POWER IN THE GULF.

THERE IS A ROLE, TOO, FOR OUTSIDE NATIONS AND THE INTERNATIONAL COMMUNITY, INCLUDING THE UNITED NATIONS, TO ENCOURAGE SUCH ARRANGEMENTS AND TO STAND BEHIND THEM.

AS FOR THE UNITED STATES, WE HAVE DEPLOYED SMALL NAVAL FORCES IN THE PERSIAN GULF EVER SINCE THE TRUMAN ADMINISTRATION IN 1949. WE HAD AND CONTINUE TO HAVE VERY STRONG BILATERAL TIES

0124

WITH SAUDI ARABIA AND OTHER LOCAL STATES. AND THROUGH THE YEARS, WE HAVE CONDUCTED JOINT EXERCISES WITH AND PROVIDED MILITARY EQUIPMENT FOR OUR FRIENDS IN THE REGION. THE PRESIDENT HAS SAID THAT WE HAVE NO INTENTION OF MAINTAINING A PERMANENT GROUND PRESENCE ON THE ARABIAN PENINSULA ONCE IRAQ IS EJECTED FROM KUWAIT AND THE THREAT RECEDES.

BEFORE SECURITY IS ASSURED, HOWEVER, IMPORTANT QUESTIONS MUST BE ANSWERED. WE WILL BE GOING THROUGH AN IMPORTANT TRANSITIONAL PHASE IN THE IMMEDIATE AFTERMATH OF THE WAR AS WE TRY TO ESTABLISH STABILITY. LET ME LIST JUST A FEW OF THE QUESTIONS THAT NEED TO BE ANSWERED.

O SHOULD THERE BE A PERMANENT, LOCALLY STATIONED GROUND FORCE MADE UP OF LOCAL TROOPS UNDER U.N. AUSPICES OR UNDER REGIONAL AUSPICES, SUCH AS THE GCC?

O HOW CAN THE INTERNATIONAL COMMUNITY REINFORCE DETERRENCE IN THE GULF, WHETHER BY CONTRIBUTING FORCES OR THROUGH OTHER POLITICAL ARRANGEMENTS, SUCH AS RESOLUTIONS OR SECURITY COMMITMENTS?

NO ONE HAS THE ANSWERS YET TO THESE AND OTHER QUESTIONS. SOME MAY NEVER BE ANSWERED. BUT HOWEVER WE EVENTUALLY PROCEED, WE WILL CONDUCT EXTENSIVE CONSULTATIONS AMONG ALL OF THE CONCERNED PARTIES TO SUCH ARRANGEMENTS.

2 A SECOND CHALLENGE WILL SURELY BE REGIONAL ARMS PROLIFERATION AND CONTROL. THIS INCLUDES BOTH CONVENTIONAL WEAPONS AND WEAPONS OF MASS DESTRUCTION. THE TERRIBLE FACT IS THAT EVEN THE CONVENTIONAL ARSENALS OF SEVERAL MIDDLE EASTERN STATES DWARF THOSE OF MOST EUROPEAN POWERS. FIVE MIDDLE EASTERN COUNTRIES HAVE MORE MAIN BATTLE TANKS THAN THE UNITED KINGDOM OR FRANCE. THE TIME HAS COME TO TRY TO CHANGE THE DESTRUCTIVE PATTERN OF MILITARY COMPETITION AND PROLIFERATION IN THIS REGION AND TO REDUCE ARMS FLOWS INTO AN AREA THAT IS ALREADY OVERMILITARIZED. THAT SUGGESTS THAT WE AND OTHERS INSIDE AND OUTSIDE THE REGION MUST CONSULT ON HOW BEST TO ADDRESS SEVERAL DIMENSIONS OF THE PROBLEM:

O HOW CAN WE COOPERATE TO CONSTRAIN IRAQ'S POST-WAR ABILITY TO RETAIN OR REBUILD ITS WEAPONS OF MASS DESTRUCTION AND MOST DESTABILIZING CONVENTIONAL WEAPONS?

O HOW CAN WE WORK WITH OTHERS TO ENCOURAGE STEPS TOWARD BROADER REGIONAL RESTRAINT IN THE ACQUISITION AND USE OF BOTH CONVENTIONAL ARMAMENTS AND WEAPONS OF MASS DESTRUCTION? WHAT ROLE MIGHT THE KINDS OF CONFIDENCE BUILDING MEASURES THAT HAVE LESSENED CONFLICT IN EUROPE PLAY IN THE GULF AND THE MIDDLE EAST?

O FINALLY, WHAT GLOBAL ACTIONS WOULD REINFORCE STEPS TOWARD ARMS CONTROL IN THE GULF AND MIDDLE EAST? THESE COULD INCLUDE RAPID COMPLETION OF PENDING INTERNATIONAL AGREEMENTS LIKE THE CHEMICAL WEAPONS CONVENTION, AS WELL AS MUCH TIGHTER SUPPLY RESTRAINTS ON THE FLOW OF WEAPONS AND DUAL-USE TECHNOLOGY INTO

0125

THE REGION. AND WHAT IMPLICATIONS DOES THAT HAVE FOR ARMS TRANSFER AND SALES POLICIES?

3 A THIRD CHALLENGE WILL BE ECONOMIC RECONSTRUCTION AND RECOVERY. AN ECONOMIC CATASTROPHE HAS BEFALLEN THE GULF AND THE NATIONS TRADING WITH IT. KUWAIT HAS BEEN LOOTED AND WRECKED. HUNDREDS OF THOUSANDS OF WORKERS HAVE LOST JOBS AND FLED. TRADE FLOWS AND MARKETS HAVE BEEN DISRUPTED.

I AM CONFIDENT THAT THE PEOPLE OF KUWAIT WILL REBUILD THEIR COUNTRY. AS WE HAVE WORKED WITH THE KUWAITIS IN THEIR MOMENT OF TRIAL, SO WE SHALL LOOK FORWARD TO COOPERATING WITH THEM IN THEIR HOUR OF RECOVERY.

AND NO ONE SHOULD FORGET THAT FOR THE SECOND TIME IN A DECADE, THE PEOPLE OF IRAQ WILL BE RECOVERING FROM A DISASTROUS CONFLICT. THE TIME OF RECONSTRUCTION AND RECOVERY SHOULD NOT BE THE OCCASION FOR VENGEFUL ACTIONS AGAINST A NATION FORCED TO WAR BY A DICTATOR'S AMBITION. THE SECURE AND PROSPEROUS FUTURE EVERYONE HOPES TO SEE IN THE GULF MUST INCLUDE IRAQ.

OF NECESSITY, MOST OF THE RESOURCES FOR RECONSTRUCTION WILL BE DRAWN FROM THE GULF. YET, SHOULD WE NOT BE THINKING ALSO OF MORE THAN RECONSTRUCTION? IT MIGHT BE POSSIBLE FOR A COALITION OF COUNTRIES USING BOTH LOCAL AND EXTERNAL RESOURCES TO TRANSFORM THE OUTLOOK FOR THE REGION -- IN EXPANDING FREE TRADE AND INVESTMENT IN ASSISTING DEVELOPMENT, AND IN PROMOTING GROWTH-ORIENTED ECONOMIC POLICIES WHICH HAVE TAKEN ROOT ACROSS THE GLOBE.

ANY ECONOMIC EFFORT MUST HAVE A SPECIAL PLACE FOR WATER DEVELOPMENT. WELL OVER HALF THE PEOPLE LIVING IN THE MIDDLE EAST DRAW WATER FROM RIVERS THAT CROSS INTERNATIONAL BOUNDARIES OR DEPEND ON DESALINATION PLANTS. WE HAVE ALL BEEN INCENSED BY SADDAM HUSSEIN'S DELIBERATE POISONING OF THE GULF WATERS, WHICH COULD AFFECT A LARGE PORTION OF SAUDI ARABIA'S DESALINIZED DRINKING WATER.

FINALLY, WE WILL WANT TO CONSULT WITH GOVERNMENTS BOTH FROM THE MIDDLE EAST AND FROM OTHER REGIONS ABOUT SPECIFIC ARRANGEMENTS THAT MIGHT BEST SERVE THE PURPOSES OF REGION-WIDE ECONOMIC COOPERATION. SUCH COOPERATION WOULD SURELY BE HELPFUL IN REINFORCING OUR OVERALL OBJECTIVE: REDUCING ONE BY ONE THE SOURCES OF CONFLICT AND REMOVING ONE BY ONE THE BARRIERS TO SECURITY AND PROSPERITY THROUGHOUT THE AREA.

4 A FOURTH CHALLENGE IS TO RESUME THE SEARCH FOR A JUST PEACE AND REAL RECONCILIATION FOR ISRAEL, THE ARAB STATES, AND THE PALESTINIANS. BY RECONCILIATION, I MEAN NOT SIMPLY PEACE AS THE ABSENCE OF WAR, BUT A PEACE BASED ON ENDURING RESPECT, TOLERANCE, AND MUTUAL TRUST. AS YOU KNOW, I PERSONALLY HAD DEVOTED CONSIDERABLE EFFORT BEFORE THE WAR TO FACILITATING A DIALOGUE BETWEEN ISRAEL AND THE PALESTINIANS -- AN ESSENTIAL PART OF AN OVERALL PEACE PROCESS. LET'S NOT FOOL OURSELVES. THE COURSE OF THIS CRISIS HAS STIRRED EMOTIONS AMONG ISRAELIS AND PALESTINIANS THAT WILL NOT YIELD EASILY TO CONCILIATION.

0126

YET IN THE AFTERMATH OF THIS WAR, AS IN EARLIER WARS, THERE MAY BE OPPORTUNITIES FOR PEACE -- IF THE PARTIES ARE WILLING. AND IF THEY REALLY ARE WILLING, WE ARE COMMITTED TO WORKING CLOSELY WITH THEM TO FASHION A MORE EFFECTIVE PEACE PROCESS.

THE ISSUES TO BE ADDRESSED ARE OF COURSE FAMILIAR AND MORE CHALLENGING THAN EVER.

O HOW DO YOU GO ABOUT RECONCILING ISRAELIS AND PALESTINIANS? WHAT CONCRETE ACTIONS CAN BE TAKEN BY EACH SIDE?

O WHAT WILL BE THE ROLE OF THE ARAB STATES IN FACILITATING THIS PROCESS AND THEIR OWN NEGOTIATIONS FOR PEACE WITH ISRAEL?

O HOW WILL REGIONAL ARMS CONTROL ARRANGEMENTS AFFECT THIS PROCESS?

O WHAT IS THE BEST DIPLOMATIC VEHICLE FOR GETTING THE PROCESS UNDERWAY?

AGAIN, WE WILL BE CONSULTING AND WORKING VERY CLOSELY WITH OUR FRIENDS AND ALL PARTIES WHO HAVE A CONSTRUCTIVE ROLE TO PLAY IN SETTLING THIS CONFLICT.

5 A FIFTH AND FINAL CHALLENGE CONCERNS THE UNITED STATES: WE SIMPLY MUST DO MORE TO REDUCE OUR ENERGY DEPENDENCE. AS THE PRESIDENT HAS STRESSED, ONLY A COMPREHENSIVE STRATEGY CAN ACHIEVE OUR GOALS. THAT STRATEGY SHOULD INVOLVE ENERGY CONSERVATION AND EFFICIENCY, INCREASED DEVELOPMENT, STRENGTHENED STOCKPILES AND RESERVES, AND GREATER USE OF ALTERNATIVE FUELS. WE MUST BRING TO THIS TASK THE SAME DETERMINATION WE ARE NOW BRINGING TO THE WAR ITSELF.

AS YOU CAN SEE, MR. CHAIRMAN, SOME OF THESE ELEMENTS ARE POLITICAL, SOME ARE ECONOMIC, AND SOME OF NECESSITY ARE RELATED TO SECURITY. THAT SUGGESTS THAT WE SHOULD VIEW SECURITY NOT JUST IN MILITARY TERMS BUT AS PART AND PARCEL OF THE BROADER OUTLOOK FOR THE REGION. WE'RE NOT GOING TO HAVE LASTING PEACE AND WELL-BEING WITHOUT SOUND ECONOMIC GROWTH. WE'RE NOT GOING TO HAVE SOUND ECONOMIC GROWTH IF NATIONS ARE THREATENED OR INVADED -- OR IF THEY ARE SQUANDERING PRECIOUS RESOURCES ON MORE AND MORE ARMS. AND SURELY FINDING A WAY FOR THE PEOPLES OF THE MIDDLE EAST TO WORK WITH EACH OTHER WILL BE CRUCIAL IF WE ARE TO LIFT OUR EYES TO A BETTER FUTURE.

0127

REMARQUE:
NOTE:

CANW(F)-0016 910209 1600
(15매)

(CNW-0186 의 첨부물)

THE RIGHT HONOURABLE JOE CLARK,

AT A LUNCHEON HOSTED BY

THE CANADIAN INSTITUTE OF INTERNATIONAL AFFAIRS

AT THE AUBERGE DES GOUVERNEURS

QUEBEC CITY, Quebec
February 8, 1991

0128

I am very pleased to be with you here today under the auspices of the Canadian Institute of International Affairs. The Institute has earned the reputation over the years of being a leading forum for the discussion of the world's great questions and the issues that they confront our country with.

Nothing could be more normal under the circumstances than to pursue with you the indispensable dialogue which the government wishes to sustain with Canadians at a time when our country is passing through a crucial period in the history of international relations over the past 40 years.

It was with full consideration for the significance of its action that the government made the weighty decision to involve our forces in the fight. One must have the courage of one's convictions. When the international community unanimously calls for the defence of peace, and when the basic principles underlying the international order are involved, Canada, including Quebec, must respond: As an architect of the UN system; we must fulfil our international responsibilities to the letter and must do our part to apply the principles upheld by the UN.

The forceful occupation of the territory of a United Nations member is unacceptable and violates the basic principles of the international order. Faced with the invasion of Kuwait, the international community had a certain options, one of which was inaction and passivity. This would have been an unpardonable abdication, recognition of the secular power of the strong over the weak. An immediate, unilateral counter-strike by a limited number of countries would have amounted to a small group of countries appropriating the role of world policeman. These options were both unacceptable and would both have had disastrous consequences for the future of world relations.

With wisdom but not without some reticence, the community of states resolved to resort wholly to the United Nations to face this threat to its collective security. This was a great victory for the UN system and for countries like Canada, which have based their diplomacy on the construction of a credible, effective multilateral system.

Rarely have such unanimity and such determination been shown within the Security Council, and with the support of the vast majority of UN members. Let us not forget that countries as disparate as Pakistan and Argentina, Senegal and Bulgaria, Australia and Spain have played an active part in the 29-country coalition established to apply the sanctions.

0129

2

The diplomatic community has never, in the modern era, seen such a feverish and intense period as that between last August and mid-January. Every possible effort was made to avoid war. Every available means was sought to obtain the withdrawal of Iraq from Kuwait. The disappointing and painful recourse to force is the result of our having reached the limits of diplomacy -- not the absence of efforts to apply it. The blame for this failure can be placed squarely on the shoulders of the Iraqi President.

Why, you might ask, were the sanctions not prolonged? The answer is simple: we tried, but we had to face facts -- sanctions could not succeed where diplomacy had failed. For the entire period during which they were in force, he was also pillaging Kuwait, building up huge reserves for his forces and compelling the Kuwaiti population to take flight. Within a short time, the coalition would have liberated nothing but a desert and a few inhabitants in total subjection to Saddam Hussein.

No, the United Nations had no choice, under the Charter, but to use force in the interest of justice and thus begin an operation to restore peace and international security.

The Canadian forces are an integral part of this operation. I take this opportunity to pay tribute to the men and women, Quebeckers among them, who are doing their duty with such a noble attitude over there. I know they can count on your confidence and your encouragement. Their commitment will be a source of pride and inspiration for generations to come.

The soldiers who are courageously discharging their mission are entitled to expect the politicians to do everything possible to prevent us from finding ourselves in such straits in the future. They are perfectly justified in this.

THE BUILDING OF PEACE

Paradoxical as it may seem, this war expresses the firm desire of the international community to build a better world founded on justice and the peaceful resolution of conflicts. This determination must go far beyond the restoration of Kuwaiti sovereignty. We have waited too long for this kind of attitude, this demonstration of responsibility on the part of the United Nations not to feel collegially committed to ensuring that this new spirit also manifests itself in the search for long-term solutions to the inextricable problems of the Middle East.

Canada is playing an active part in this undertaking. I would like to share with you today my thoughts on the matter,

0130

along with certain initiatives that the Prime Minister and I might promote in the coming months.

To begin with, we must, above all, be realistic. For Canada at this stage to claim to have the answers to the problems of the Middle East would be presumptuous. Why? Simply because it is first and foremost the business of the countries in the region to together find solutions to the current situation. No lasting solution can be imposed from without. A commitment on the part of the countries immediately involved is essential to stability and security in this region.

This having been said, the task is a considerable one and will also require the co-operation of the countries beyond the Middle East. In fact, many of the causes of instability in this region, such as the central problem of the proliferation of arms, call for solutions that would involve the whole international community. We will also have to count on the mobilization of international resources, notably those of the United Nations, to respond to the humanitarian and security problems that have been aggravated by Saddam Hussein's adventurism.

Let us now look at what the post-war issues will be, and what kind of contribution a country like ours can make.

IMMEDIATE POST-WAR ISSUES

To begin with, three pressing questions will arise once the objectives of the Security Council resolutions have been achieved and the ceasefire has been established:

- humanitarian assistance will have to be provided to the civilian populations and to displaced persons;

- a peacekeeping force will have to be established;

- the damage caused to the environment by the huge oil slicks in the Gulf will have to be repaired.

i) HUMANITARIAN ASSISTANCE

In terms of humanitarian assistance, we must continue the magnificent co-ordination and co-operation effort that the various international organizations have begun. These organizations (the High Commissioner for Refugees, the International Committee of the Red Cross, UNDRO [the United Nations Disaster Relief Organization] and so on) have already done a tremendous job and continue to provide effective assistance. Canada has made a substantial contribution to these 人道的

0131

efforts, supplying about $75 million. We intend to continue our commitment. To meet the needs of countries such as Turkey, Jordan and Egypt, however, we will have to mobilize the resources of the entire international community, especially countries that have shown considerable surplus oil revenues and those whose military commitment within the coalition has been limited.

2) A PEACEKEEPING FORCE

Moreover, the borders of Kuwait must initially be guaranteed by a peace-keeping force, ideally under the authority of the United Nations. Canada feels that this force must consist mainly of troops from the countries of the region. Their expertise, however, is limited. That is why Canada, which has a well established reputation in this field, has offered its services to the Secretary-General of the United Nations and to the countries of the region. We are prepared to assist both in setting up such a peace-keeping force and in the planning operations that its deployment requires. We are also prepared to co-operate with the United Nations in calling a meeting of experts in Canada with the responsibility of analyzing needs and identifying the various alternatives that are worth exploring.

It is of great importance to Canada that the United Nations, with their renewed credibility, play a central role in implementing postwar arrangements. Their commitment guarantees the new international order that we seek to consolidate.

3) RESTORATION OF THE ENVIRONMENT

On the environmental front, we must collectively tackle the clean-up of the damage caused by the insane dumping of unprecedented quantities of crude oil into the Gulf. A team of Canadian specialists is already on site and is busy planning this operation together with colleagues from many countries. But we must also look further ahead and examine how to strengthen present conventions on the use of the environment for military purposes. We have already taken the initiative of contacting certain countries to pursue this project further. At the same time, we will examine the possibility of reinforcing the international mechanisms currently provided to respond to such emergencies.

MEDIUM-RANGE CHALLENGES: SECURITY IN THE GULF AND THE MIDDLE EAST

But these immediate post-war problems seem almost laughable compared to the challenges of establishing lasting peace and security in this region of the world.

0132

The specific problems that arise will largely depend on the situation as it stands once the war is over. It is already clear that certain problems will be unavoidable.

1) A GLOBAL APPROACH TO SECURITY

First, let us consider security. While a peacekeeping force is a factor in maintaining equilibrium, it cannot in and of itself claim to fully guarantee the security of the Gulf states. Regional arrangements must thus be complemented by international guarantees which could take the form of international accords committing some of the countries in the coalition under the authority of the United Nations. Such multilateral arrangements would no doubt be more acceptable to the people of the region. In the same spirit, Canada feels that it would be preferable for these guarantees not to include the permanent deployment of foreign forces in the Gulf.

On a longer-range basis, however, these countries must work to establish mechanisms and structures that will enable them to resolve their disputes peacefully and contribute to greater trust among them. While the experience of the Conference on Security and Co-operation in Europe (CSCE) cannot be transferred to this region as is, some of its lessons may offer promising avenues.

Several European countries are engaged in actively exploring this concept. After the war ends, they may propose the creation of a CSCM, a Conference on Security and Co-operation in the Mediterranean, which would also include the Persian Gulf region for this purpose. This is an ambitious project, and Canada is carefully monitoring its development.

In the same spirit, when visited recently by my colleague, Dr. Meguid, the Egyptian Minister of Foreign Affairs, we agreed on the importance of beginning immediately a study of post-war security structures. This would include a consideration of possible mechanisms to incorporate into a regional security structure. Border guarantees, a peaceful mechanism for the resolution of disputes, and the establishment of confidence-building measures would form the bases for this structure. Such a mechanism would also allow the discussion of non-military matters, as in the case of the CSCE's second and third baskets.

Such a global approach to security matters, based on the establishment of genuine dialogue among the various regional partners, would serve to raise such issues as the development of democratic institutions in the region. But if they are to have any chance at all of succeeding, efforts to achieve greater regional security and stability must courageously address the

0133

6

very roots of the problems that exist in the Middle East. These root causes are well known.

2) THE ISRAELI-ARAB CONFLICT

The thorniest issue involves relations between Israel and the Arab countries. After decades of conflict, the build-up of hatred and misunderstanding has been enormous.

No regional security plan can expect to succeed unless it is firmly determined to make progress toward a comprehensive, lasting, negotiated settlement of the Israeli-Arab conflict, including the Palestinian question. Such a negotiated settlement must be founded on Resolutions 242 and 338 of the Security Council. In this regard, even before the Gulf war, Canada let it be known that it favoured holding an international conference. While we should not exclude other options, a well-organized conference with reasonable chances of success could indeed be useful and contribute to the peace process.

3) ECONOMIC DISPARITIES

When faced with numerous conflicts, especially those involving less developed countries, Canada has always emphasized social and economic imperatives. This need is even more urgent in the Middle East. Reconstruction is doomed to fail if it ignores social and human dimensions and does not address economic disparities.

The region requires a new framework, which must be defined by the nationals and the states that make up the region and the people who live in them. There can be no peace without prosperity, and no stability without justice either within states or between states. Democracy also promotes justice, prosperity and peace. Long-term security cannot be built solely on military structures and political agreements. Long-term security, in the Middle East as elsewhere, can rest only on genuine co-operation between states, a guarantee of dialogue and confidence. It is in this context that I developed the concept of co-operative security before the most recent General Assembly of the United Nations.

Our role is to encourage the countries of this region to strive toward such an objective. For instance, after the hostilities have ceased, the Gulf states and indeed the entire Middle East might consider creating an organization for the purpose of economic cooperation. Such an organization, which might be affiliated with the United Nations and maintain contact with the

0134

major international economic and financial institutions, would help to ensure greater economic stability in the region.

LESSONS OF THE CRISIS

Finally, we must begin now to learn the important lessons of this conflict. We bear a considerable burden of responsibility. Over the years, to varying degrees, we have all helped to create a military apparatus in this region, especially in Iraq, that is beyond human comprehension. Military assistance in the region has exceeded economic assistance. This must stop. The governments most concerned are already making a commitment in this regard.

To be credible, any peace plan must include strict measures to check the proliferation of weapons of mass destruction and the stockpiling of conventional weapons in the region. Multilateral negotiations have already begun regarding these crucial issues, such as the proliferation of nuclear, chemical and biological weapons and missile launching techniques. So far, however, their success has been limited owing to the lack of political will or the conflicting interests of the various parties involved. It is urgent that we make further efforts to display a strong political will.

In this belief, Canada plans to promote a world summit on [illegible] of war and weapons of mass destruction in the coming months. This summit would become a showcase for a new political consultation. It would aim to develop a strict plan of action that would result in the adoption by 1995 of an integrating framework for systems ensuring the non-proliferation and control of weapons, including conventional weapons.

I have broadly outlined the views and initiatives that the Prime Minister and I will seek to promote in the coming months.

Canada and the world community must invest as much energy--and even more--in winning the postwar as we are in winning the war.

If this war is to have any meaning, it must serve to build peace. It is on our ability to build this peace that we will be judged. We are aware of this, and Canada does not intend to spare any effort to meet this extraordinary challenge.

0135

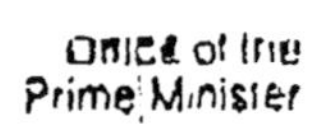

Office of the Prime Minister

Cabinet du Premier ministre

CANADA

NOTES FOR AN ADDRESS

BY PRIME MINISTER BRIAN MULRONEY

ON THE SITUATION IN THE PERSIAN GULF

OTTAWA

FEBRUARY 8, 1991

CHECK AGAINST DELIVERY

9/15

0136

Since August 2, when he invaded Kuwait, Saddam Hussein has ignored every effort of the international community to end his illegal occupation of that country. His intransigence presents the world community with two crucial challenges: first, to win the war and free Kuwait; and, second, to secure the peace, by reinforcing the principle of collective security enshrined in the United Nations Charter and by creating a system of order in the Middle East based on justice and equity. We must win the war and win the peace. While victory must come first, a just peace is of no less importance.

The action against Saddam Hussein is being carried out under the authority of the United Nations Charter. The express purpose of that Charter is to spare future generations from "the scourge of war". But the world has been powerless to deter or stop aggression while the Security Council was deadlocked in ideological competition. That deadlock has been broken and the dreams of the visionaries who created the United Nations can now be realized. But old ways die hard.

No one has thrown down a more hostile or brazen challenge to the values enshrined in the U.N. Charter than Saddam Hussein. Never has the need been more urgent for the world community to respond effectively. The U.N. must succeed in this direct challenge to its authority. Failure would mean that the United Nations would be ignored in the future by major powers and potential aggressors alike. Failure would once again condemn the U.N. to impotence, and make it incapable of protecting any country's security, including Canada's. A discredited U.N. would make the world an even more dangerous and unpredictable place than it is already, as nations around the world, left to their own devices to ensure their security, armed themselves against potentially hostile neighbours.

The stakes in the war in the Gulf go well beyond the Middle East. The case for U.N. action against Saddam Hussein could not be stronger. He has turned his country into a police state, launched an eight year long war with Iran, which cost more than a million casualties, and used poison gas against Iranian troops, in contravention of the Geneva conventions, and then turned that gas on his own people. His forces have perpetrated terrible atrocities against the people of Kuwait, as documented by Amnesty International.

We have all witnessed the indiscriminate missile attacks against the civilian populations of Saudi Arabia and Israel, the latter a non-combatant country. We have all been angered by the pictures we have seen of the prisoners of war he has abused. We have all been disgusted by his deliberate and senseless destruction of marine life of the Persian Gulf. We have all been chilled by his threats, repeated most recently last week, to use chemical and biological weapons against the men and women of the coalition forces and against the people of Israel. And, in the backs of our minds, we are all alarmed by his nuclear ambition.

The international community has a moral obligation to step in and put an end to Saddam Hussein's brutality against Kuwait. Canada shares in that obligation and will fulfil its responsibilities. There are times, regrettably, when we have to fight for peace and this is one of those times. Super-powers, major powers, middle powers and

10/15

0137

02/09/91 19:25 613 252 0928

010

- 2 -

mini-powers from around the world -- sustained by the moral authority of the United Nations and the most basic principles of international law -- have joined in the fight against Saddam Hussein. It is a war that must end in victory by the forces of international law and the standard-bearers of human decency. And it will end in victory.

In the past few weeks, coalition aircraft have reduced or destroyed Iraq's nuclear, chemical and biological weapons production capabilities. As well, they have substantially reduced Saddam Hussein's ability to threaten population centres in Israel and Saudi Arabia with SCUD missiles. The effectiveness of Iraq's navy has been curtailed and coalition forces currently have air supremacy over the skies of Iraq and occupied Kuwait. Surprises are still possible, however, and vigilance continues to be necessary. Saddam Hussein's enormous, heavily equipped army -- perhaps the fifth largest force in the world -- remains dug in deep in Kuwait and along the Iraq-Kuwait border.

The next few weeks will likely be the decisive phase of the war. Canada will do its full share to achieve victory in the Gulf. Because victory in the Gulf is victory in the cause of international law and order. Victory will send powerful new messages around the world.

To other potential aggressors who might hope that aggression still pays, the message will be clear: times have changed. To military powers, who feel they need not rely on the U.N., the message will be persuasive: there is no force more compelling than global consensus and unity. And to all countries, large and small, victory will send a third message: the United Nations works, as its architects intended, and we can all count on the U.N. to help us meet the challenges of the next century.

To meet those challenges, the world must learn the larger lessons of this war. This war cannot be allowed simply to set the stage for the next war as so often has been the case in the Middle East. Durable peace in this unfortunate region requires more than dealing with Saddam Hussein. Peace requires a broader focus and a longer time-frame. The war is far from over, and the post-war picture far from clear. We must be very cautious in any assessments we make at this stage. But, despite the uncertainties, it is not too early, especially for a region as complex and volatile as the Middle East, to begin planning for the post-war peace.

I want to outline, today, Canada's perspective on some of the issues that must be addressed if the war is to end successfully and produce a durable peace. Canada's approach is based on four principles. First, there can be no compromise when it comes to Saddam Hussein's complete withdrawal from Kuwait. That is a precondition to peace. Second, solutions to the problems of the region must have the support of the governments and of the people concerned. Third, the United Nations must be an integral part of the solution to these problems, because it is under its auspices that the new international order must be built, if it is to endure. And fourth, regional security for the region must cover the whole range of inter-related issues -- political, economic, military and humanitarian -- that have plagued this region and fuelled this conflict.

0138

11/15

We must address three main issues: the short-term needs for humanitarian aid and peacekeeping, the longer-term security requirements and, finally, the larger issues that go beyond the region. In the short-term, three immediate needs can be anticipated: assistance for people affected and displaced by the war, coordinated through international agencies; a peacekeeping force, under U.N. auspices; and a cooperative effort to clean up the environmental damage done by the war, especially to the Persian Gulf itself. Canada has committed $77.5 million in economic and humanitarian assistance to countries most affected by the war -- primarily Jordan, Egypt and Turkey.

When the fighting stops, we will provide humanitarian assistance to the direct victims of the war. We would welcome, as well, a broad-based effort under the auspices of the U.N. Disaster Relief Organization and the High Commission for Refugees for people harmed by the war -- migrant workers, Kuwaitis and Iraqis. The coalition is at war with Saddam Hussein -- not with the people of Iraq. The people of Iraq must be eligible for short-term assistance, as needed, when the fighting stops.

Over the longer term, Iraq's oil revenues, freed from the burden of wasteful arms purchases and the costs of war with its neighbours, should be able to finance its own reconstruction effort. The relief and reconstruction of Kuwait will require expertise, skills and material; Canada is willing to participate. We assume that this effort can be financed largely by the Government of Kuwait and the other Arab governments of the Gulf. Once the fighting stops, observers must be available to oversee the disengagement of soldiers and the repatriation of prisoners of war. Peacekeeping will also be needed while longer-term security arrangements are designed and put in place. Peacekeeping forces should be drawn primarily from Arab states, from Moslem non-Arab states, and possibly from the Nordics and others with peacekeeping experience.

We have told Secretary General Perez de Cuellar that Canada is willing to participate in the design and training of that force and to contribute to it ourselves, if necessary and appropriate. And we have offered to host a small gathering of specialists, under U.N. auspices, to review requirements and suggest ideas. I will discuss these issues with Mr. Perez de Cuellar when he visits Ottawa next week.

We will, also, contact the countries of the region and other potential participants in the coming days. Canada will contribute expertise and equipment to Bahrain and Qatar to help clean up the environmental damage caused by the vandalism done by Saddam Hussein to the Persian Gulf. We will provide personnel and equipment to help map the oil slick and coordinate the effort to deal with it. We will also provide equipment and expertise to help save affected wild-life. I will, also, discuss with the U.N. Secretary-General whether a conference of legal experts should be convened to explore ways of strengthening international law to prevent the environment from being used as a weapon of war or an instrument of extortion. Canada would be willing to host such a meeting.

12/15

0139

- 4 -

Over the longer-term, the security of all of the countries in the region will depend on solutions to the interlinked problems -- political, economic and military -- that have made it so unstable for so long. Military security arrangements must be based on the principle of collective security, as provided for in the U.N. Charter. These arrangements must go beyond the simple containment of Iraq to include a system of regional security based on guaranteed borders and collective defence. All of the countries of the region must have the opportunity to participate fully in the design and implementation of any security regime. Respect for the sovereignty of these countries is of fundamental importance.

International guarantees, preferably under the aegis of the U.N. Security Council would be advisable. Developing a regional security system for countries as divided as those in the Middle East will be an enormous challenge to diplomatic creativity and perseverance. But there is no viable alternative. And there is a recent precedent. It has been done, in equally difficult circumstances, in Europe. Slowly and steadily, over two decades, the Conference on Security and Cooperation in Europe laid the basis for the thaw in East-West relations and for the cooperation which has followed. The CSCE model cannot simply be transferred to the Middle East. But we have learned some lessons in the CSCE process that are relevant: for example, procedures for the peaceful settlement of disputes and for the advance notification of military manoeuvres, to name only two of many.

Canada played an active role in development of the CSCE, especially in its human rights work, and we are prepared to contribute expertise on this and other elements of a regional security system for the Middle East. No plan for regional security can hope to succeed in the absence of progress on the Arab-Israeli dispute, the most worrisome fault line in the Middle East. Saddam Hussein has tried cynically to exploit this conflict to attract support from the Arab world and to sow dissension among coalition members. We believe that U.N. resolutions 242 and 338 continue to form the appropriate basis for a solution of this issue.

One lesson that is clear from this crisis is that in an era of increasingly sophisticated high technology weapons everyone is vulnerable, the possession of territory in the cauldron of the Middle East does not alone guarantee security. Canada continues to support the convening, at an appropriate time once hostilities are over, of a properly structured conference to facilitate efforts to achieve a settlement between the parties directly concerned.

The Middle East is a region of vast riches and disparate poverty. This disparity contributes to social instability and feeds the politics of extremism. A more equitable distribution of the benefits of wealth and the burdens of growth in the area would contribute to the security of all states, as long as resources were used for development and not for more weapons. At the end of World War II, the Marshall Plan built the foundations of security and stability in Europe. A similar approach, perhaps based in existing regional institutions and financed in substantial measure from regional resources, would contribute to economic development and ultimately to peace in the region.

13/15

0140

- 5 -

One of the main lessons to be learned from this war is the danger to us all of the proliferation of both conventional and non-conventional weapons and of missiles and other high technology delivery systems. Iraq has more combat aircraft than Germany, France or the United Kingdom. And it has more than twice as many main battle tanks as the United Kingdom and France, combined. And Iraq is far from being the only country in the region that is very heavily armed.

Iraq also has weapons of mass destruction. These weapons of mass destruction have not been used but the threat to use them against civilians and combatants alike has been made repeatedly. These threats raise the risk of a very dangerous escalation at a time of great tension and animosity. When the war is over, the world community must cooperate to prevent the proliferation of these weapons and to roll back that proliferation which has already occurred. Controlling the most dangerous, non-conventional weapons -- chemical, biological and nuclear and the means to deliver them -- is already the subject of negotiations. But success to date has been spotty because political will has been lacking.

The world is being given a very expensive and very persuasive lesson on how dangerous these weapons are. Left to proliferate, they seriously threaten the peace around the world. The major arms exporting firms and nations have contributed to the current crisis. The great majority of weapons in Iraq's arsenal come from suppliers in the countries of the five permanent members of the Security Council. This problem must be brought under control and the time to act is now.

Next week, I will propose to the U.N. Secretary General, Mr. Perez de Cuellar, that the United Nations convene a Global Summit on the Instruments of War and Weapons of Mass Destruction. The objective is to convene world leaders in order to mobilize political will and to re-energize international efforts that are underway to produce results urgently. A high level follow up meeting, or a series of such meetings, could be scheduled to ensure results.

We must act wisely so that this war leads to peace and not to another conflict. We have been to the brink of the precipice and we have seen the chaos that lies below. The world cannot simply return to business as usual, because business as usual in that region usually means war. And we cannot risk another war vastly more dangerous and destructive than this one.

Wars begin in the minds of men and women. Peace begins there, too. We must persuade people that true security comes from cooperation and common purpose, not bullets and ballistic missiles. We must change attitudes and create political will for peace.

0141

- 6 -

Canada will work with diligence and determination to make the best use of the best hope there is for peace -- the United Nations and its capacity for collective security. An effective United Nations would make the entire world population the victors in this war. With the cooperation of all states, the objectives in creating the United Nations in 1945 can yet be realized. Future generations can be spared "the scourge of war". But this war -- a just war -- must first be won. Because in the crucible of that victory will be forged the bonds of peace.

Canadians can be counted on to do their part in winning the war. And, once the war is won, we will play our part in winning a durable and just peace.

- 30 -

15/15

0142

(론카르 유고 外相 基調演說 要旨)

o 現 걸프戰 解決을 위한 4段階 解決 方案 提示

- 1段階 : 이라크의 쿠웨이트 撤軍 및 適法政府 回復
- 2段階 : 交戰 當事者間의 敵對行爲 中止
- 3段階 : 事態의 平和的, 政治的 解決
- 4段階 : 中東地域 全體 問題, 특히 팔레스타인 問題 解決을 위한 平和 節次 開始

o 事態의 더이상 惡化 防止를 위해 이라크측이 UN 安保理 決意 660호의 이행을 촉구함.

- 이라크의 쿠웨이트로 부터의 先撤軍 原則 强調
- 이라크측이 要求한 팔레스타인 問題 解決을 위한 國際會議 開催 方案도 包含

o 印度 및 이란측 제시 4段階 解決 原則

- 1段階 : 이라크의 撤軍 約束 公表
- 2段階 : 敵對 行爲 中止
- 3段階 : UN 監視下의 兩側 撤軍 實施
- 4段階 : 中東問題 解決을 위한 地域會議 開催

o 上記 유고측과 이란, 인도측 解決原則과의 調整을 통한 統一된 方案 導出에 失敗하고 聯合國 및 유엔 安保理에 2개의 平和使節團을 각각 파견키로 決定하고 會議를 종료함.

添　附 : 1. Baker 長官 美 上.下院 外交委 證言文 1部
　　　　2. Clark 外相 카나다 國際 問題 硏究所 招請 午餐 演說文
　　　　3. Kissinger Newsweek紙 寄稿文 寫本 1部.　끝.

0143

A Postwar Agenda

A new balance of power could create prospects for progress in the Arab-Israeli conflict

BY HENRY A. KISSINGER

When I first heard that the war had begun, I thought of President Bush. In a movie, people run around during a crisis, picking up telephones and yelling instructions. In a real crisis, the top people are very much alone. Many officials head for the foxholes, occasionally throwing out memoranda designed to absolve them of responsibility for their actions. Usually there are only two or three people willing to make tough decisions. President Bush has earned the nation's gratitude for his fortitude in holding the coalition together during the months of buildup, gaining Congressional backing and steering the country to the point where allied and domestic support coincided. But even in the best-planned operation, there are hours in which a leader in his position must wonder why he ever expended so much time and effort trying to get elected.

THE WAR LOOKING AHEAD

I also thought of the challenges the President will have to face once the war is over. After all, the purpose of victory is to ensure a lasting peace. To that end, the United States should move to implement a number of measures in the immediate aftermath of the war:

- An arms-control policy for the gulf to prevent a recurrence of the weapons race that contributed to this conflict.
- Some kind of agreement on economic and social development under the auspices of the Gulf Cooperation Council, which embraces the nations of the gulf. Other Arab allies of the U.S. could join this effort, which would be designed to defuse the argument that this is a conflict of rich against poor.
- A process to address the original Iraqi-Kuwaiti dispute. Direct negotiations between the two countries would be inherently unbalanced, because of the disparity in their size, which has only been compounded by Iraq's invasion and pillaging of its neighbor. But some issues are susceptible to legal determination, such as drilling rights or the location of the boundaries. These could be put to the International Court of Justice, while remaining issues are handled within the framework of the Gulf Cooperation Council.
- An international program for imposing tough sanctions against terrorism. The world must not again stand impotently transfixed by thousands of hostages. Countries harboring terrorist groups must be confronted with severe reprisals, including military measures if other pressures fail.

Over the long run, our biggest challenge will be to preserve the new balance of power that will emerge from this conflict. And that will not prove easy, given conventional American thinking about foreign policy. Today, it translates into the notion of "a new world order," which would emerge from a set of legal arrangements and be safeguarded by collective security. The problem with such an approach is that it assumes that every nation perceives every challenge to the international order in the same way, and is prepared to run the same risks to preserve it. In fact, the new international order will see many centers of power, both within regions and between them. These power centers reflect different histories and perceptions. In such a world, peace can be maintained in only one of two ways: by domination or by equilibrium. The United States neither wants to dominate, nor is it any longer able to do so. Therefore, we need to rely on a balance of power, globally as well as regionally. We must prevent situations where the radical countries are tempted by some vacuum every few years, forcing us to replay the same crises over and over again, albeit with different actors.

This is why, in the final analysis, all of the so-called diplomatic options would have made matters worse. Each would have left Iraq in a militarily dominant position. None addressed the root problem of the gulf's lack of security, which drew 415,000 Americans into the region in the first place—a deployment that certified the gap in military capability between Iraq and the moderate Arab countries. Any diplomatic solution that did not produce a dramatic reduction of Iraq's military power would have been a victory for Saddam Hussein. From then on, he would not have needed to engage in actual physical aggression. He could have let Iraq's demonstrated superiority speak for itself, progressively undermining the governments that supported the United States. He would have

An Israeli soldier with Hawk anti-aircraft missiles near the Jordan Valley

0144

BAITEL-HIRES—GAMMA-LIAISON

been able to exploit his position within OPEC to achieve an increase in oil prices, as well as a greater share of production. These two steps would have given Iraq vast additional resources to increase its already huge military buildup, including nuclear and missile programs. The United States would have been left with the choice of keeping major ground forces in the gulf, or of destabilizing the region by withdrawal. The practical result of the military operations now in motion will be to bring into balance the military capability of Iraq against its neighbors in the gulf.

Yet ironically, maintaining equilibrium in the region requires us to navigate between a solution that leaves Iraq too strong and an outcome that would leave Iraq too weak. After all, one of the causes of the present crisis is the one-sided way the Western nations rushed to the defense of Iraq in its war against Iran, forgetting that if Iran was excessively weakened Iraq might become the next aggressor. It would be ironic if another bout of tunnel vision produced an Iraq so weak that its neighbors, especially Iran, seek to refill the vacuum.

A revived peace process should begin by redefining the objectives

Ideally, one military goal should be to pull the teeth of Iraq's offensive capability without destroying its capacity to resist invasion from covetous neighbors. We should take care that Scud missiles are not reintroduced. We should prevent Iraq from importing high-technology equipment, including high-performance aircraft with long ranges, and from reacquiring the means to manufacture biological and nuclear weapons. However, Iraq's capacity to defend itself with conventional weapons against ground attack from its neighbors would in the long run not be a threat to stability but a contribution to it.

The new balance of power in the region cannot be based on the permanent presence of American ground forces. This was the weakness of diplomatic solutions that would have kept Iraq's military preponderance intact. A major Western ground force in the area would inevitably become the target of radical and nationalist agitation. The cultural gap between even the best-behaved American troops and the local population is unbridgeable. After a brief period, American ground forces would be considered foreign intruders. There would be a repetition of our experiences in Lebanon, including terrorism and sabotage. American ground forces in the area should be withdrawn after victory; residual forces should be stationed beyond the horizon—at sea or perhaps at a few remote air bases. Any monitoring of Iraqi withdrawal from Kuwait should be done by Arab members of the coalition.

The difficulty of stationing Western ground forces in the area for an extended period was one reason why sanctions almost surely could not have achieved our objective. It would have been impossible to keep over 400,000 troops in the area for the 12 to 18 months that even optimists thought were needed for sanctions to succeed. But if we started to withdraw any American forces during that time—or to rotate them, as the term of art had it—it would have set off a panic among our Arab allies.

Military equilibrium, however, cannot be the sole aim of American policy in the gulf. It is essential that America learn to become less dependent on oil and generate a viable energy program. We cannot suffer through an energy crisis every decade. We should stress conservation and develop alternative sources of energy, avoiding the self-indulgent attitudes of the 1980s, when plentiful oil caused the search for alternative energy sources to be largely abandoned.

We must also remember the possibility of renewed Soviet designs on the region. For the time being, domestic problems keep the Soviets from running any significant foreign risks. But 200 years of Russian expansionism toward the gulf indicate a certain proclivity. And this drive may be compounded as Moscow's preoccupation with its more than 50 million Muslim citizens grows. After some domestic equilibrium is restored, the Kremlin may become more active in the Middle East—especially in Iran, Iraq, Pakistan and Turkey, which border the Soviet Union. The intensity of that thrust will depend on internal developments within the Soviet Union. If the Muslim republics remain Soviet, Moscow will be wary of Muslim radicalism lest it inflame its own Muslim population. But if the Muslim republics break off and become independent, Moscow may seek favor in the breakaway states by embracing Islamic radicalism—especially if the Muslim world turns more extremist.

Finally, and perhaps most importantly, a new balance of power will revive prospects for progress on the Arab-Israeli conflict. A peace process dominated by Saddam Hussein, or heavily influenced by him, would have been a debacle. For it would have taught the lesson that radicalism, terrorism and force are the road to diplomatic progress in the Middle East. This is why President Bush was right in resisting the linkage of the Kuwait and Palestinian problems.

But with Saddam defeated, moderate Arab leaders will gain in stature, America's credibility will be enhanced and Israel will have a breathing space. This new equation should be translated into a major diplomatic effort within a few months of victory. Far from amounting to linkage and a submission to blackmail, such a move, after Saddam has been defeated, should be viewed as an opportunity resulting from the success of the moderate forces.

ERIC BOUVET—ODYSSEY-MATRIX

Iranians parading in Teheran before Friday prayers

If Iraq is left too weak, Iran may seek to fill the vacuum

Progress will depend on a proper perception of the issues involved. The Arab-Israeli problem is usually stated as a negotiating issue: how to convene an international conference that returns Israel to the 1967 frontiers, defines a new status for Jerusalem, induces the Arabs to "accept" Israel and provides international guarantees for the resulting arrangements. I have grave doubts about every one of these propositions.

First, I am very skeptical about an international conference. For the United States would be totally isolated at such a forum. The behavior of France just prior to the gulf war is a small foretaste of what would happen. Instead of being a mediator, America would be maneuvered into the role of Israel's lawyer, while Israel would regard any independent position we took as a betrayal of its interests. No sensible nation would voluntarily throw itself into such a maelstrom. Since everything depends on our influence with Israel anyway, I would much prefer a diplomatic process in which the United States, the moderate Arab countries and Israel are the principal participants.

Second, for Israel a return to pre-1967 borders and the creation of a Palestinian state are not negotiating issues but matters of life and death. The distance from the Jordan River to the sea is less than 50 miles; the corridor between Tel Aviv and Haifa in terms of the 1967 frontiers is about 10 miles wide. It would be difficult to squeeze two states into such a limited area in the best of circumstances. But the PLO has been in mortal conflict with Israel during the entire existence of both groups. How can such an arrangement possibly be compatible with security?

Moreover, a return to pre-1967 borders would still leave almost as many Arabs under Israeli control as live on the West Bank minus Gaza. How is one going to justify that one group of Arabs must live under Israeli rule while other Arabs are entitled to self-determination? Thus a restoration of pre-1967 borders, coupled with the formation of a Palestinian state, could easily turn into the first step to the further reduction of Israel, if not its ultimate destruction.

Third, acceptance of Israel is not only a legal but above all a psychological challenge. And I find it hard to believe that any legal formula can by itself provide for Israeli security. After all, Kuwait lived in a state of legal peace with Iraq without being able to prevent Iraqi aggression. And Saddam attacked Israel in a war from which Israel had kept totally aloof because it calculated that many Arabs would support Iraq against Israeli retaliation, no matter how justified. American leaders understandably felt this danger real enough to advise against retaliation. But when reaction to an unprovoked attack becomes an international issue, Israel is still certified

0146

as a pariah and is held hostage for the actions of others.

Fourth, how does one define "credible guarantees"? After all, even in the case of Kuwait, where there was unanimous international support for the victim (something that would be inconceivable with Israel), it took six months to organize resistance while the country was looted and pillaged and the population expelled.

For all these reasons, the peace process as currently conceived is likely to lead to a dead end. It forces each side to accept something they find unbearably difficult: for the Israelis, it is a Palestinian state; and for the Arabs, it is the Israeli state. I know of no conflict between Arab nations—let alone between the Arabs and Israel—that has ever been resolved by the method suggested for the Palestinian issue: namely, with one conclusive negotiation resulting in a legal document intended to last for all time.

A revived peace process should begin by redefining the objectives. A final settlement at this moment seems a legalistic mirage. On the other hand, the status quo will sooner or later sound the death knell for moderates on all sides. As it is, too many Israelis consider the peace process a one-sided means to gain acceptance without sacrifice. They are unwilling to give up any occupied territory, or will do so only if de facto Israeli control is maintained. Too many Arabs, especially in the PLO, see in the Middle East a replay of Vietnam, where peace talks were used to soften up the opponent for escalating pressures leading to his ultimate collapse.

An interim solution might seek to introduce the moderate Arab governments, fresh from the victory over Iraq, as a buffer between Israel and the PLO. It might reduce the amount of territory Israel is asked to give up in return for something less than formal peace. A possible approach, mediated by the United States, might unfold like this:

- A conference would be assembled, under the aegis of the U.N. secretary-general, composed of the United States, Israel and the Arab states allied with America in the gulf crisis.
- The moderate Arab countries would agree to act as trustees for territories that are returned to Arab control for a specified amount of time, say five to 10 years.
- The moderate Arab states would also commit themselves to demilitarizing these areas under U.N. supervision.
- Israel would give up all of Gaza and the most heavily populated areas of the West Bank, retaining only territories essential to its security. It would be allowed to participate in verifying the demilitarization of any territory it evacuates.
- Precise government arrangements would be established by agreement, but would not for the interim period lead to a separate state. As a practical matter, the trustee powers would undoubtedly establish an administration containing individuals acceptable to the PLO.

If this particular scenario turned out to be impractical, some other interim approach must be sought to break the deadlock. The aftermath of an allied victory over Iraq will offer a perhaps never-to-recur opportunity. Moderate Arab states are disillusioned with the PLO, which in effect has backed Iraq. They are also dismayed by the fact that the PLO has never unambiguously dissociated itself even from terrorism aimed at the moderate Arabs. As a result, these governments may no longer be prepared to give the PLO a veto over their actions.

AL JAWAD—SIPA

Syrian troops driving a tank from Damascus to Lebanon

Even Assad, hardly a moderate, might go along with an interim approach

As for Israel, it must avoid two possible nightmares. If it insists on holding onto every square inch of occupied territory, it could suffer the fate of South Africa and find itself ostracized, and even ultimately under U.N. sanctions. On the other hand, if it follows the maxims of conventional wisdom and gives up all the occupied territories, it runs the risk of winding up like Lebanon, gradually squeezed to the point of obliteration. For its own sake, Israel must find a middle way. And there is no better moment to do that than when its most dangerous enemy has been defeated.

I do not envy the American negotiator assigned the task of distilling an interim settlement from the confusing passions of the Middle East. Still, with Iraq's military capacity reduced, the moderate Arab leaders, as well as Israel, should be able to turn to the peace process with authority and confidence. President Mubarak of Egypt, King Fahd of Saudi Arabia—and even King Hussein of Jordan, whatever the maneuvers imposed by his vulnerability—are unusually intelligent and prudent. Even President Assad of Syria, by no means a moderate, signed an interim agreement with respect to the Golan Heights which has been in force for 17 years and has been meticulously observed. All these leaders might in the end go along with an intermediate approach as the only way to break an even more dangerous deadlock. And there are surely Israeli leaders who recognize that a gradual approach will provide their best prospect for a satisfactory outcome—especially when the moderate Arabs are triumphant and radical Arabs are in retreat.

America should act as a mediator in this effort, having earned the trust of both sides. Our initial challenge may well be philosophical. The best way to produce a successful negotiation is to advance a new concept, to convince both sides that the proposed new course serves their common interest. If that demonstration cannot be made, no negotiating gimmick can serve as a substitute.

In several thousand years of recorded history, the Middle East has produced more conflicts than any other region. As the source of three great religions, it has always inspired great passions. It is therefore unlikely that any one negotiation can bring permanent tranquility to this turbulent area. An Arab-Israeli negotiation will not end all the turmoil, because many Middle East problems are quite independent of that conflict. Fundamentalism in Iran has next to nothing to do with the Palestinian issue, though Teheran has exploited it. And Saddam Hussein would have tried to dominate his neighbors even if the Palestinian problem did not exist. But what the Arab-Israeli conflict has done is to make it difficult for the voices of moderation in the Arab world to cooperate with their supporters in the West. Victory in the gulf will create a historic opportunity to alter that particular equation—and it should be seized. ■

0147

관리번호	91-329

외 무 부

김

종 별 :

번 호 : FRW-0552 일 시 : 91 0213 1650

수 신 : 장관(중근동,동구일,구일,미북,정일,기정)

발 신 : 주 불 대사

제 목 : 걸프전(소련 동정)

1. PRIMAKOV 쏘 대통령 특사의 SADDAM HUSSEIN 면담후, 바그다드 방송은 이락이 쏘련을 위시한 수개국과 협의, 사태해결에 노력할 용의가 있으며 2.17. AZIZ외상을 쏘련에 파견할 것임을 밝혔다 함. 그러나 동 방송은 쿠웨이트 철군에 대한 시사는 없었다 함.

2. VAUZELLE 주재국 하원 외무위원장(1 월초 이락 방문, SADDAM HUSSEIN 과 회담)은 이락이 실상 사태해결의 의사는 전혀 없으나 시간을 벌거나 또는 별도의 목적으로 유화적인 제스츄어를 보이는 것이며, SADDAM HUSSEIN 은 최후까지 응전할 것으로 보인다고 말함.

3. 한편 PEREZ DE CUELLAR 유엔 사무총장도 동 방송내용에 즉각 환영의 뜻은 표시하였으나, 이락의 쿠웨이트 철군이 사태해결의 제 1 단계 이므로 이에대한 명시가 없는한 진전이 없을 것이라는 반응을 보였다 함.

4. 2.12. 쏘련을 방문, GORBACHEV 대통령및 BESSMERTNYKH 외상과 회담을 가진 주재국 DUMAS 외상은, 회담후 회견을 통해 쏘측은, 자국이 다국적군 전열서 이탈한 것이 아니라고 밝히고 현재 신원이 파악안되는 일부 쏘련국적 용병 유무는 명시치않고 쏘 군사고문단이 상금 이락을 지원한다는 설을 강력 부인했다고 말함.

5. 분석

-쏘련은 개전전까지 이락의 맹방이었으며, GORBACHEV 는 최근 친이락 수구세력의 압력을 받고 있다함.

-페레스트로이카 및 WARSAW 기구해체로 쏘련이 구주에서의 위치는 포기하는 대신, 전통적인 영향권인 중동에 대해서는 미국 단독의 세력권 구축을 방관할 입장도 아니므로, 비록 실현 가능성은 없더라도 금번 외교적인 시도를 통해 쏘련이 상금 중동에 대해서는 계속 영향력이 있음을 과시하는 효과를 기대할수 있을 것임.

중아국 장관 차관 1차보 2차보 미주국 구주국 구주국 정문국
청와대 총리실 안기부

PAGE 1 91.02.14 03:10 0148

외신 2과 통제관 DO

-이락 또한, 개전후 외교적 고립에 직면, 과거 우방인 쏘련에게 외교적인 이니셔티브를 주도케하여, 발트 및 서방원조로 외교적인 입장이 약화된 쏘련을 간접 지원하는 대신, 이에대한 댓가로 쏘련 보수세력을 사주, 쏘련의 비공식적인 군사, 민수지원을 계속 받고자하는 의도가 있는 것으로 보임.

-따라서 쏘.이락간 협의에 의한 산발적인 협상 움직임은 상기 양국의 이해에 상호 부합하는 외교적 제스츄어에 불과하므로, 이락의 쿠웨이트 철군을 대전제로하지 않은 협상을 미측이 수락할 가능성은 전무할 것으로 보임.끝.

(대사 노영찬-국장)

예고:91.6.30. 까지

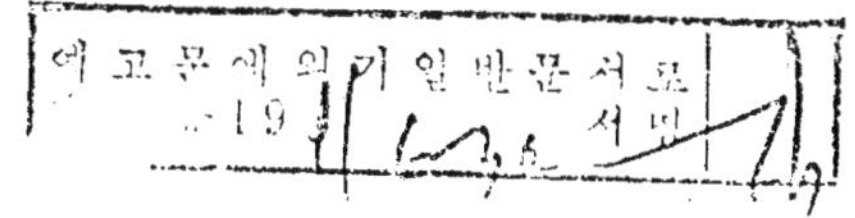

PAGE 2

0149

관리번호	91-323

외 무 부

종 별 :

번 호 : LYW-0106 일 시 : 91 0214 1300

수 신 : 장관(중근동,마그)

발 신 : 주 리비아 대사

제 목 : 걸프전쟁 관련 동향

대:WLY-0062

연:LYW-0065,0099

1. 카다피 지도자가 터키의 공군기지 제공에 대해 터키 언론과의 인터뷰등을 통해 불만만을 표시한바 있으나 주재국은 연호와 같이 이라크의 패전을 기정사실로 보고 걸프전에 연루되지 않으려고 노력하고 있고, 불란서및 독일과는 관계를 더욱 긴밀하게 하고 있어 주재국이 다국적군 지원에 대해 압력을 행사할 가능성은 희박한 것으로 사료됨

2. 터키에 대해서는 과거 터키가 아랍을 지배한 역사적 특수관계 때문에 주재국 터키의 기지제공에 관심을 가졌으나 연호와 같이 상호 입장 전달및 의견교환 차원이었고 공식적인 항의는 아니었으며, 당지 주재 터키대사도 최근 본직에게 당지 일부 터키 캠프에 돌을 투척하는등 경미한 사건은 있었으나 주재국으로 부터 하등의 압력을 받은바 없고 건설공사와 관련한 불이익 조치도 없었다고 하면서 주재국과의 미수금 문제는 언제나 있었던 문제로 새로운 사실이 아니라고 언급한바 있음

3. 상기에 비추어 아국의 다국적군 지원이 아국 업체에 부정적인 영향을 줄것으로 우려되는 상황은 아니나 주재국의 반응 추이는 계속 주시하겠음

4. 주재국 카다피 지도자는 작 2.13. 이집트를 방문하였는바 동 방문은 카다피 지도자가 사담후세인의 파멸을 전제로 이집트와의 관계강화및 대미관계 개선 노력을 경주할 가능성을 시사하는 것이며, 카다피로서는 이라크에 대한 지원 보다는 사담후세인 퇴장 이후 아랍권에서 자신의 위상을 어떻게 부각시키는가에 관심을 가지고 있는 것으로 보임.끝

(대사 최필립-국장)

예고 91.12.31. 까지

일반문서로 재분류(1991.12.31.)

검 토 필(1991.6.30.)

중아국	장관	차관	1차보	2차보	미주국	중아국	청와대	안기부

PAGE 1 91.02.14 21:24 0150

외신 2과 통제관 CE

관리번호	91-321

외 무 부

종 별 :

번 호 : SVW-0536 일 시 : 91 0214 2100

수 신 : 장관(중동일,동구일)

발 신 : 주 쏘 대사

제 목 : 걸프만사태

1. 금 2.14(목) 방쏘중인 쿠웨이트 '아흐메드'외무장관은 외무성 프레스 센타에서 회견을 갖고 아래요지로 언급함

-쿠웨이트측은 쏘련의 유엔결의 존중입장에 대해 만족하고 있으며 쏘측이 프리마코프 특사의 이라크 방문결과를 설명해준데 대해 기쁘게 생각함

-이라크의 입장에 신축성이 엿보임

-전후 복구사업에 쏘련의 참여를 기대함

2. 한편 외무성 추루킨 대변인은 상기 쿠웨이트 외상의 회견직후, 이란 VELAYATI 외상이 걸프만 사태협의위해 금일 긴급 방쏘 예정이라고 밝히고 다음요지언급함.

-2.13 다국적군에 의한 폭격으로 이라크 민간인 희상자가 다수 발생한 것은유감임. 이와같은 참사에 접한 쏘측은 사태의 정치적, 외교적 해결의 필요성을절감함.

-쏘측은 이라크 TARIQ AZIZ 외상의 쏘련 방문에 대해 기대를 갖고 있으며, 금번 방문에도 사태해결의 실마리를 찾지 못하면 쏘련으로서 더이상 취할 조치가없다고 생각함. 끝

(대사-국장)

예고:91.12.31 까지

일반문서로 재분류(1991.12.31.)

검 토 필(1991.6.30.)

중아국 장관 차관 1차보 2차보 미주국 구주국 청와대 안기부

PAGE 1 91.02.15 06:17 0151

외신 2과 통제관 CE

가　　원 본

외 무 부

종 별 :

번 호 : CGW-0141　　　　일 시 : 91 0214 1600

수 신 : 장 관(미북,중근동,기협,정이,기정)

발 신 : 주 시카고 총영사

제 목 : 전미육참총장 걸프전관련 연설(자료응신91-5)

금 2.14 당지 소재 국제문제 관련 주요 단체인 NATIONAL STRATEGY FORUM 주최 오찬연설회에서EDWARD MEYER 전 미육군 참모총장이 발표한걸프전관련 연설 주요요지 아래와같음

(지혜양영사 참석)

1.걸프전 발발 사유 및 조기공격

0 전쟁 발발 주요 사유는 미.소관계의 변화에있음. 중동지역은 아랍,이스라엘의대치하에미.소가 균형자 (BALANCER) 역할을 해왔음.소련의 전세계 전략변화에 따른힘의 공백을이락이 악용하려는데 대해 미국이 대응한것임.

0 1.16 공격일로 정한것은 미미한 경제 제재효과,기습공격을 감행하여 군사적 효과를 높이려는점과 의회,언론이 개입해 여론이 악화되기전에전쟁을 개전해야 된다는점이 고려됨

2.미국의 전략 및 전술

0 월남전은 두가지 교훈을 줌. 전쟁 결정에는사전에 군사적으로 충분한 준비가필요하고 국민의지지를 획득해야 한다는것임. 군사적으로는충분한 준비없이 전쟁을하면 많은 사상자가발생하고 이로인해 여론은 이반됨

0 미국의 주요 전술은 적진지 심층부를 폭격한뒤,중요도에 따라 차례로 적지를폭격후 지상전에돌입하는것임 . 미국의 폭격으로 핵무기 관련시설이 파괴되어 이락의 핵공격은 없을것임.현재로는 미국의 핵공격은 없을 것이나, 이락의생화확전 전개로대규모 사상자가 발생시에는핵무기 사용도 배제되지 않음. 이는 부시행정부의 정치적 도덕적 원칙과도관계가있음.

0 핵시설, 탱크,공군기지, 생화학 시설 대부분이파괴되었으나 이락은 상당한 전쟁 수행능력이상금있으며 지상전이 불가피할 것으로 보임.

미주국　중아국　경제국　정문국　안기부　대책반

PAGE 1　　　　91.02.15 11:51 CT　0152

외신 1과 통제관 하

3.국가별 종전후 득실

0 미국은 단기적으로는 승자이나 장기적으로는 각종국내 정치적 문제와 중동국가와의 관계에서많은 문제가 야기될것이므로 별다른 큰득이되는전쟁이 못됨. 소련은 주요 국제정세의 변화에대응치 못했기때문에 패자로 평가될것이며,동구 문제 처리에도어려움이 있을것임.

0 유엔은 장기적 관점에서 득이큼. 많은 국가가유엔이 다국적 군을 형성 대응치못할것으로여겼음. 이집트,시리아, 터키,이스라엘등은 국내적지지를 강화시켜 승자로 평가될것임. 기타 요르단등중동의 왕국들은 패자가될것임. 종전후 이들국가는 정치,경제,사회적으로 많은 것을이반국민들과 공유해야 될것임. 군사,경제적으로충분한 기여를 못한 일본,독일은 손해를 받는국가가 될것임.

4.종전후 미국의 과제

0 미국은 중동 지역 상호 안보동맹 (MUTUALSECURITY ALLIANCE)체재를 창설해야하며, 이체제는팔레스타인과 이스라엘 문제를 포함해야 됨.

(총영사 강대완-국장)

외 무 부

종 별 : 긴 급

번 호 : USW-0757 일 시 : 91 0215 0929

수 신 : 장관(미북,중근동,대책반)

발 신 : 주미대사

제 목 : 걸프전(이락의 철군 시사)

1.이락의 쿠웨이트 로 부터의 철군 시사 성명과 관련, 백악관 FITZWATER 대변인은 금 2.15. 08:30 짤막한 성명을 발표,

(1) 이락 성명의 전문을 입수하지는 못하였으나 이락의 철군 제의는 전제조건을단것으로 이해되며 ,

(2) 이락은 말보다 행동으로 철군의지를 보여야 할것이라고 함.

2. BUSH 대통령은 금 2.15. 메사츄세츠주 엔도버에 소재하는 PATRIOT 미사일공장을 방문하고,메인주 KENNEBUNKPORT 에서 주말을 보낼 예정이었는바, BUSH 대통령이 동 계획을 취소할지 여부는 알려지지 않고 있음.

3.당지 방송에 의하면 미 국방성은 이락의 금번 성명에 관계없이 군사작전을 계속 수행할 의지를 표명하였다 하며, 한편 사담 후세인이 금번 성명을 통하여 쿠웨이트로 부터 철군 할 경우

(1) 후세인이 계속 상당한 군사력을 유지하게 하고,

(2) 미국을 비롯한 서방 세계에 대해 아랍의 저력을 보여준 지도자라는 정치적 소득을 누리게 되며,

(3) 금번 성명이 PRIMAKOV 소련 특사의 이락방문등 소련을 중심으로 한 외교적 중재의 소산이라는 인상을 주게 될 경우 금후 중동 정치에 있어 소련의 영향력이 증대될것이라는 등의 분석이 대두되고 있는바, 금번 성명에 대한 주재국 평가등 추보위계임.

4. FITZWATER 대변인 성명 팩스 (USW(F)-0561)

송부함.끝

(대사 박동진-국장)

미주국	장관	차관	1차보	2차보	√중아국	정문국	√상황실	정와대
총리실	안기부	√대책반						

0154

PAGE 1

91.02.16 00:21 DQ

외신 1과 통제관

관리 번호	91 1387

외 무 부

종 별 : 긴 급

번 호 : USW-0766 일 시 : 91 0215 1548

수 신 : 장관(미북,중근동,대책반)

발 신 : 주 미 대사

제 목 : 이라크 철군 발표에 대한 미측 반응(1)

대 WUS-0600

연 USW-0757

1. 금 2.15 오전(10:00) 부쉬 대통령은 미 과학 진흥협회(AMERICAN ACADEMYFOR ADVANCEMENT OF SCIENCE)회의 석상에서의 연설을 통해 이락측의 금번 철군제안이 "터무니 없는 속임수(CRUEL HOAX)"에 불과할뿐만 아니라, 오히려 새로운 조건을 제시하고 있다고 동 제안을 일축하였는바, 부쉬 대통령 주요 언급 요지 하기 보고함(관련내용 USW(F)-0568 로 FAX 송부)

가. 이라크 군은 쿠웨이트로부터 무조건 철수 하여야하는바, 역내 여타 문제와의 연계는 철수라고할수 없음.

나. 이락군의 대규모 철수가 가시적으로 실현 되지 않는한, 다국적군의 현재 작전은 계속 진행될것임.

다. 이락군부와 이락 국민들이 후세인 축출을 위해 자발적으로 필요한 조치를 취하는것도 걸프 사태를 평화적으로 해결하는 또다른 한 방법일것임..

2. 당관 관찰

가. 전기 연설시, 부쉬 대통령은 자신도 이락측의 철군 소식을 듣고 당초는다행으로 생각하였으나 이락측 발표문을 정밀 분석하고 우방국들과 의견을 긴급히 교환해 본바, 이락측이 속임수를 쓰고 있는것으로 결론이 내렸다고 하고, 이에 따라 현재의 군사 작전을 계속 진행 시켜 나가기로 하였다고 언급하였는바,심리전적 차원에서 미국 내외의 여론이 이락측 제안에 현혹되지 않도록 주의를환기 시키고 있는것으로 보임.

나. 기본적으로 현재 미 행정부는 금번 이락측 제안을 시간을 벌기 위한 전술적 차원의 태도 변화로 평가하고 있는것으로 관찰되는바, 이락측이 철군하고 있다는

미주국 장관 차관 1차보 2차보 중아국 정문국 청와대 안기부

0155

PAGE 1 91.02.16 07:20

외신 2과 통제관 CW

명시적 증가가 드러나기 전까지는 여사한 부정적 평가를 계속 유지할것으로 전망됨.

다. 또한 공습 위주의 대이락 공격이 성공적으로 진행되고 있는 현 상황하에서, 미측으로서는 군사적인 관점에서 볼때 동 작전을 중단하지 않는것이 바람직 하다고 인식하고 있는것으로 보이며, 금번 걸프 사태가 향후 어떠한 방향으로전개되든(즉, 이락측이 쿠웨이트로부터의 철군을 실행에 옮기든, 아니면 지상전이 개시되든지 간에 상관없이) 미측으로서는 이락측 지상 전력의 50 프로 파괴라는 당초의 군사적 목표를 그대로 추구하는것이 유리하다고 판단하고 있는것으로 보임(이락측 전력의 파괴 정도등에 대해서는 FAX 편 기 송부한 금일자 NYT 기사 참조)

라. 현재까지의 미측 태도로 보아 이락측이 "연계"조건등을 포기하지 않는한 미측의 대이락 공격은 계속 진행될것으로 보이는바, 이와 관련 다국적군에 참여하고 있는 아랍권 국가들의 동향 및 쏘련의 태도가 향후 주요 변수로서 작용할것으로 전망됨. 한편, 금일 연설시 부쉬 대통령도 다국적 우방국간의 협의 과정에서 이락측이 쿠웨이트 철수 의사를 처음으로 인지한 점은 주목을 받았다고(RECOGNIZE)언급 하였는바, 이 행정부로서도 외교적으로 수세에 처하지 않도록 세심한 배려를 하고 있는것으로 보임.

(대사 박동진-국장)

예고:91.12.31 일반 91.6.30. 검토필 (인)

관리 번호	91 -1388

외 무 부

종 별 : 긴 급

번 호 : USW-0774 일 시 : 91 0215 1727

수 신 : 장관(미북,중근동,대책반)

발 신 : 주 미 대사

제 목 : 이라크 철군 발표에 대한 미측 반응(2) 중동일

연 USW-0757(1),0766(2)

1. 금 2.15 오후 부쉬 대통령은 메사추세츠주 앤도버 소재 RAYTHEON MISSILE SYSTEMS PLANT(패트리어트 미사일 제조 공장)를 방문, 미사일 생산 공정에 참여하는 근로자들을 위한 격려 연설에서도 연호(2)와 동일한 내용으로 이락측의 무조건 철군을 재 촉구함(연설문 전문은 USW(F)-0588 로 FAX 송부)

2. 한편, 부쉬 대통령은 PRESIDENT'S DAY(2.18)가 포함된 이번 주말 연휴 기간을 연호(1)의 예정대로 KENNEBUNKPORT 별정에서 보낼 예정이라함.

3. 또한 전기 1 항의 연설에 앞선 기자들과의 질의, 응답시도 부쉬 대통령은 대이락 공격을 중단치 않을것이라는 점을 재강조 하고, 금번 이락측 제안이 다국적군 참여국간의 결속에 아무런 영향을 미치지 못하고 있다고 강조함(질의, 응답 전문은 USW(F)-0587 로 FAX 송부)

(대사 박동진-국장)

예고:91.12.31 일반 91.6.30. 일반

미주국	장관	차관	1차보	2차보	중아국	정문국	청와대	안기부

PAGE 1 91.02.16 07:58

외신 2과 통제관 CW

0157

: USW(F) - 0586

: 장 관 (중근동, 미북, 대책반) 발신 : 주미대사

: 이라크 철군 제안 성명 영역본

보안 통제

(2 매)

IRAQI GOVERNMENT ANNOUNCEMENT ON "WITHDRAWAL" TRANSLATION RELEASED BY FBIS, (FOREIGN BROADCAST INFORMATION SERVICE) OF THE DEPARTMENT OF STATE FRIDAY, FEBRUARY 15, 1991

[Excerpt] [passage omitted] O dear Iraqis, O honest Arabs, O Muslims who truly believe in Islam, O honest and free men of the world:

Proceeding from this firm and right feeling and this assessment of the nature of the showdown, and in order to rob the evil US-Zionist-Atlantic alliance of the opportunity to achieve their premeditated goals; and in appreciation of the Soviet initiative conveyed by the envoy of the Soviet leadership; and in compliance with the principles outlined in leader President Saddam Hussein's initiative on 12 August 1990, the Revolution Command Council has decided to declare the following:

First: Iraq's readiness to deal with Security Council resolution No. 660 of 1990 with the aim of reaching an honorable and acceptable political solution, including withdrawal. The first step that is required to be implemented as a pledge by Iraq regarding withdrawal will be linked to the following:

A. A total and comprehensive cease-fire on land, air, and sea.

B. For the Security Council to decide to abolish from the outset resolutions 661, 662, 664, 665, 666, 667, 669, 670, 674, 677, and 678 and all the effects resulting form all of them, and to abolish all resolutions and measures of boycott and embargo, as well as the other negative resolutions and measures that were adopted by certain countries against Iraq unilaterally or collectively before 2 August 1990, which were the real reasons for the Gulf crisis, so that things may return to normal as if nothing had happened. Iraq should not receive any negative effects for any reason.

C. For the United States and the other countries participating in the aggression, and all the countries that sent their forces from the region to withdraw all the forces, weapons and equipment which they have brought to the Middle East region before and after 2 August 1990, whether in land, seas, oceans, or gulfs, including the weapons and equipment that certain countries provided to Israel under the pretext of the crisis in the Gulf, provided that these forces, weapons, and equiment are withdrawn during a period not exceeding one month from the date of the cease-fire.

D. Israel must withdraw from Palestine and the Arab territories it is occupying in the Golan and southern Lebanon in implementation of the UN Security Council [UNSC] and the UN General Assembly resolutions. In case Israel fails to do this, the UNSC should then enforce against Israel the same resolutions it passed against Iraq.

E. Iraq's historical rights on land and at sea should be

0586-1

0158

guaranteed in full in any peaceful solution.

F. The political arrangement to be agreed upon should proceed from the people's will and in accordance with a genuine democratic practice and not on the basis of the rights acquired by the Al Sabah family. Accordingly, the nationalist and Islamic forces should primarily participate in the political arrangement to be agreed upon.

Second, the countries that have participated in the aggression and in financing the aggression undertake to reconstruct what the aggression has destroyed in Iraq in accordance with the best specifications regarding all the enterprises and installations that were targeted by the aggression and at their expense. Iraq should not incur any financial expenses in this regard.

Third, all the debts of Iraq and countries of the region -- which were harmed by the aggression and which did not take part in the aggression, either directly or indirectly -- to the Gulf countries and to the foreign countries that took part in the aggression should be written off. Besides, relations between the rich nations and poor nations in the region and the world should be based on justice and commitments regarding the realization of development in poor nations, and thus removes their economic sufferings. This should be based on the saying that the poor have a share to claim in the wealth of the rich. Moreover, the duplicitous approach pursued in handling the issues of peoples and nations should be halted, whether this approach is being pursued by the UNSC or by this or that country.

Fourth, the Gulf states, including Iran, should be given the task of freely drawing up security arrangements in the region and of organizing relations among them without any foreign interference.

Fifth, to declare the Arabian Gulf region a zone free of foreign military bases and from any form of foreign military presence. Everybody must undertake to observe this.

This is our argument, which we declare before the world, clear and shining against the traitors and their imperialist masters.

Our basic source of confidence, in addition to our reliance on the one and only God, will remain to be our great Iraqi people, our valiant and struggling armed forces, and those who believe in the path that we have chosen in fighting oppression and the oppressors. Victory will certainly be realized against the oppressors in the coming days, as it had been certain in past times. God is with us. May the despicable be damned.

[Signed] The Revolution Command Council.

[Dated] 29 Rajab 1411 Hegira, corresponding to 15 February 1991.

END

0586-2 (END)

0159

관리 번호	91-1388

외 무 부

종 별 : 지 급

번 호 : USW-0777 일 시 : 91 0215 1754

수 신 : 장관(미북,중근동,대책반)

발 신 : 주 미 대사

제 목 : 이락의 철군 발표에 대한 미측 반응

대: WUS-0600

1. 대호 관련, 당관 유 참사관은 금 2.15 국무부 정무 차관실 KARTMAN 보좌관을 면담하여 미측의 반응을 문의한바, 다국적군 지상군의 투입이 임박함을 감지한 후세인 대통령이 이를 지연시키기 위하여 어중간한 성격의 철수 제안을 내놓은것으로 본다고 말하고, 동 제안 발표직후 바그다드 시민들이 축제 분위기로 들떠 있었다는 사실은 이락측의 이번 전쟁이 국민적 지지를 받지 못하고 있다는점을 여실히 들어내고 있는바, 이러한 분위기가 쿠웨이트등 일선의 이락군들에게도 전달되는 경우는 오히려 군부내의 전투 의지가 크게 저하됨으로서 추후 다국적군의 지상 작전을 보다 용이하게 만들수도 있을것으로 본다고 설명함.

2. 또한 동 보좌관은 지상 전투가 개시되든 아니든 지금까지의 상황을 종합적을 볼때 전쟁이 오래 지속되지 않을것으로 본다는 낙관적인 견해를 표명하면서,최근 소련이 전후 아랍국에 대한 발언권 및 입지 확보를 위해 외교적인 제스쳐를 강화 함으로서 미국으로서도 다소 부담이 되고 있다고 말함.

(대사 박동진-국장)

91.12.31 일반

91. 6. 30. 검토필 · 순

미주국	장관	차관	1차보	2차보	중아국	정문국	청와대	총리실
안기부								

PAGE 1 91.02.16 09:42

0160

외신 2과 통제관 BW

관리번호	91-2006

원 본

외 무 부

종 별 :

번 호 : FRW-0575 일 시 : 91 0215 1750

수 신 : 장관(중일,구일,미북,정일)

발 신 : 주 불 대사

제 목 : 걸프전(주재국 전망)

연:FRW-0538

대:WFR-0248

당관 박참사관은 2.14. 불 국제관계연구소(IFRI) KODMANI-DARWISH 중동 연구부장과의 면담 및 동 2.15. 외무성 SASTOURNE 걸프전 전담과장과 오찬을 갖고,주재국 정부 및 학계의 사태전망을 청취하였는바, 동 주요 요지를 하기 보고함.

1. 전쟁추이

-미국은 막강한 이락의 지상군사력, 기상조건 및 최근 있은 이락 민간인 살상공개동 예기치 않은 상황에 불구, 지상전을 속히 결행하고자 할 가능성이 많아졌음.

-라마단은 전쟁에 크게 우려되는 요소는 아니나, 작전지역의 기상(고온) 및사막지형 적응 미숙 또는 6 월 성지순례 기간까지 전쟁이 장기화 되면 사우디 주둔 명분이 퇴색되고, 아랍권 및 회교권의 반미 감정만 고조시킬 것이므로, 미측은 이를 염두에 두지 않을수 없음.

-이락은, 미측이 핵무기를 사용치 않는한, 현대전에서도 지상군이 가장 중요한 위력을 지닌다고 판단, 가급적 조속한 시일내 지상전 대결을 기다리고 있으나, 선도발은 삼가고 소련을 통한 외교적 노력 및 이락 민간인 살상을 서방 언론에 PLAY UP 시켜, 서방의 감상적인 인권중시 여론에 호소, 미국을 정책적인 혼란에 빠트려, 상황과 국제여론을 자국에 다소 유리하게 전개되도록 심리전을 계속할 것으로 보임.

-이락의 쿠웨이트 철군이 선행되지 않는한 소련을 중심으로한 외교적 중재노력의 성공 가능성은 많지 않음. 또한 그간 일개월여에 걸쳐 있은 서방의 공폭등 맹공으로 인해, 이락측의 저항이 무너지기 시작하였으며, 계속 전쟁을 하려면전렬을 재정비키 위한 시간을 벌 필요가 있으므로 이락은 소련등을 통해 종전과는 달리 협상해결의

중아국	장관	차관	1차보	2차보	미주국	구주국	정문국	청와대
안기부								

PAGE 1 91.02.16 07:52 0161

외신 2과 통제관 CW

자세가 있음을 시사하는 것으로 보임.

2. 전후 판도

가. 전쟁이 가열되어 양측 민간 희생자가 속출하면, 이락의 파괴나 분할은 국제사회및 회교권의 반발을 야기시킬 것이므로, 현 이스라엘 리쿠드 정부의 강력한 압력에 불구, 미국이 전쟁을 이락까지 확대시키기는 어려울 것임.

나. 이를 토대로 볼때, 하기와 같은 가정이 가능한바

1)회교권의 반발을 의식, 미국은 일단 사우디 철수, 쿠웨이트에 합법 친미정권 수립, 동국과 양자 안보조약 체결로 쿠웨이트에 잔류

2)재건된 쿠웨이트, SADDAM 이 없어진 이락등을 현 유명무실한 G.C.C. 에 편입, 미국과 G.C.C. 간 집단 안보조약 체결로 GULF 지역의 미 군사력 유지 및

3)전후 주요한 역할이 기대되는 애급, 시리아 및 G.C.C. 전체를 총망라한 광범위한 집단안보 체제 구축등이 있음.

다. 이를 위한 미국은, 단기적으로는 이란의 친이락 참전 방지, 장기적으로는 이란의 미국 걸프잔류 묵인등을 위해, 대이란 관계개선 및 제반 회유책을 강구할수 있으나, 이란이 전후 미국 중심의 아랍권 집단 안보체제가 구축되는 것은극력반대할 것이므로 미국도 이에대한 별도 대책을 수립해야 할것임.

라. 중동 재편 관련, 이스라엘과 시리아는 요르단 붕괴, 레바논 분할 및 팔레스타인 약화등 일맥 이해가 일치하는 면이 있으므로, 시리아는 조만간 대이스라엘 관계개선 작업(과거에도 비밀교섭이 있었다 함)에 박차를 가할것임.시리아가 기대하는 골란고원의 반환은 이스라엘측이 응하지 않을 것이나, 대미 관계개선에 있어 이스라엘의 도움은 필수적이므로 쏘 지원상실후 다국적군에 합류한 시리아로 볼때는 대이스라엘 관계개선은 필요 불가결한 현실임.

마. 이스라엘은 전후 중동평화 국제회의 수락에 계속 냉담할 것으로 보이는바, 이는

1)이스라엘의 대화 상대는 약화된 PLO 가 아닌, 점령지 팔인이란 기본입장 고수 및

2)BUSH 대통령의 재선에 필요한 미국내 유태인 로비의 제반 지원 필요성등을 감안할때 93 년 이전까지 미국이 이스라엘에게 국제회의 수락을 강력히 권고할 입장이 못됨을 잘알고 있기 때문임.

바. 쏘련은 더이상 중동문제를 방관하면, 미국이 걸프지역에 계속 주둔, 쏘련과 국경을 같이하는 4 국(터키, 시리아, 이락, 이란등)을 조정, 쏘련을 포위, 위협하는

사태가 발생할 것에 대비, 현재 발트와 서방의 경제원조라는 불리한 입장에도 불구, 향후 걸프전 문제에 있어 보다 적극적인 외교적 역할을 모색할 것임. 끝.

(대사 노영찬-국장)

예고:91.12.31. 일반

검 토 필(1991. 6. 30.)

PAGE 3

0163

관리번호	91-325

외 무 부

종 별 :

번 호 : CNW-0213 일 시 : 91 0215 1730

수 신 : 장 관(중근동,미북,정일)

발 신 : 주 카나 다 대사대리

제 목 : 이락의 쿠웨이트 철수제의 관련 반응

(자료응신 제 17 호)

1. 멀루니 수상은 2.15. 오전이락측의 쿠웨이트 철수 제의 방송과 관련 기자 문답에서 이락측의 제의에는 많은 전제조건이 포함되어 있으며, 새로운 내용이 없으므로 이를 받아들일수 없다고 하면서 이락의 무조건 철수 실현을 위해 공중 폭격이 계속되어야 한다고 밝힘.

2. 클라크 외무장관도 연합국측의 단호한 태도가 사담 후세인에게 어느정도효과를 발휘하고 있기 때문에 이락측의 제의가 나온 것으로 평가하나, 이락측이 제시한 조건들은 동 철수 제의 자체를 의미없게 하는 것이라고 언급 하였으며, 맥나이트 국방장관 역시 현재로서는 사담 후세인이 쿠웨이트로부터 철수할 것임을 믿게 해주는 어떠한 징후도 없다고 하면서 이락측의 제의에 냉담한 반응을 보였음.

3. 한편, 일부 재야 평론가(LEWIS 전 주유엔 대사등)는 금번 이락측의 발표는 이락이 걸프사태 발생이후 처음 취한 매우 중대한 입장의 변화 이므로 금후 유엔, 소련, 이란 불란서등이 적극적인 외교활동을 전개할수 있는 계기가 될수 있다는 견해를 피력하고 있음. 끝

(대사대리 - 국장)

예고문 : 91.12.31. 까지

일반문서로 재분류(1991.12.31.)

중아국	장관	차관	1차보	2차보	미주국	정문국	청와대	안기부

PAGE 1 91.02.16 09:34 0164

외신 2과 통제관 BW

관리번호	91-328

외 무 부

종 별 : 지 급

번 호 : UNW-0355 일 시 : 91 0215 1930

수 신 : 장관(중일,기정)

발 신 : 주 유엔 대사

제 목 : 이라크 쿠웨이트 철수

대:WUN-0309

1. 대호 이라크의 쿠웨이트 철수발표에 대해 미국을 비롯한 COALITION 측은이를 일축하면서 예정된 군사행동을 계속한다는 반응을 보이고 있는반면, 예멘,큐바등 친이락 입장국가들은 이라크가 안보리결의 660 호에 따라 쿠웨이트 철수를 천명하고 있다는점을 강조하면서 이는 걸프사태 해결을 위한 하나의 중요한진전인만큼 이를 계기로 걸프사태의 평화적 해결을 위한 진지한 노력이 있어야한다는 반응을 보임.

2. 한편 다수국가들은 이라크가 걸프전 발발이후 처음으로 쿠웨이트 철군의사를 밝힌점에 주목하면서도 서방측이 수락할수 있는 조건을 내세우고 있어 이라크의 진의를 좀더 확실히 파악해야 할 필요가 있으므로 앞으로 수일간 관련 진전상황을 지켜 보아야 할것이라는 견해를 표명하고있음.

3. 또다른 견해는 이라크의 금번 발표는 이라크가 그간의 MNF 의 대 쿠웨이트 및 이라크 공격으로 이제 더이상 이에 저항하기 어려운 상황에 처해 쿠웨이트로 부터 철수하지 않을수 없는 상황에 이르게 된 것으로 보면서 부대조건을 제시하고는 있으나 이는 대내외적인 철군 명분용에 불과함으로 결국은 적절한 방법으로 동 조건들을 완화해 나갈것이라고 함.

4. 한편, 금 2.15. 속개된 안보리 비공개회의에서 인도 대표는 이라크의 성명과관련, 걸프사태 해결을 위한 외교적 노력이 필요한 시점에 왔다고 말하면서 적대행위의 즉각중지와 유엔사무총장의 중재역할등을 제안하였으며 큐바대표는 상기 인도 입장을 지지하면서 적대행위 즉각중지, 사무총장의 중재역할및 걸프사태해결을 위한 AD HOC COMMITTEE 구성에 관한 3 개결의안을 안보리에 제출하였음.끝

(대사 현홍주-국장)

예고:91.6.30 일반

예고문에 의거 일반문서로 재분류19 91.6.30. 서명

중아국	장관	차관	1차보	2차보	정문국	청와대	총리실	안기부

미주국

PAGE 1 91.02.16 09:52 0165

외신 2과 통제관 BW

관리 번호 91-324

7h 1275

외 무 부

종 별 :

번 호 : IRW-0145 일 시 : 91 0216 1300

수 신 : 장관(대책본부장,중근동,중미,정일,기정)

발 신 : 주 이란 대사

제 목 : 걸프전쟁

표제건 주재국동향 아래보고함.

1. 라프산자니 대통령은 유엔 사무총장앞 구두메시지(2.13)를통해 이란의 걸프전쟁 평화적해결중재노력및 이를위한 동대통령의 사담 면담의사표명에대해 언급하고, 사태의복잡성에도불구, 현재 평화적해결의 실마리가 엿보이는바 인도적견지에서도 정치적해결이 이루어져야할것이라고 설명함. 어떠한 역내안보체제의 강요도 반대하며, 미국의 전쟁종결후 즉각철수가 선행보장되기를 바란다고설명하였음. 하메네이지도자는 당지 회교권대사접견(2.13)시 미국은 승리할수없을것이라고 언급하며, 미국을 강력비난함.

2. 당지에서 파악된바에의하면 VELAYATI 주재국외무장관은 2.15 쏘련방문 고르바쵸프 대통령에게 걸프전쟁의 평화적해결을위한 이란측입장을 설명하고 이라크측 철수안에대해 의견교환, 사태의 즉각해결방안강구를위해 계속 협력할것을확인한것으로 알려짐.나아가 양측은 이라크측 철수안관련 이라크측으로부터 동제안이 나왔다는 사실에 우선 관심을표하고 월요일로 예정된 이라크외무장관의 고르바쵸프 면담시 상세한 이라크입장이 설명되기를 기대한다고 언급한것으로 알려짐.(동면담시 양측은 일단 동제안을 POSITIVE BREAKTHROUGH 로 본다고 언급하였으며, 당지 언론은 이를 ONE STEP TOWARDS PEACE 로 논평함). 이와관련 HAMMADI 이라크부수상의 2.15 당지방문이 예상되었으나 아직확인되지않고있음

3.VELAYATI 외무장관은 쏘련방문전 제네바군축회의참석기회에 사우디 FAISAL 외무장관과도 만나 걸프전쟁및 이를위요한 양국관계에대해서 의견교환을 가졌는바, 양측은 역내평화를위한 양국간 협력및 수교를위한 이견조정을위해 계속접촉할 필요가있음을 강조한것으로 알려짐.

4. 참고로 일부 당지언론이 향후 역내안보구조 SHAPING 관련 이란및 사우디의

중아국 장관 차관 1차보 2차보 미주국 정문국 청와대 총리실
안기부 국방부

PAGE 1 91.02.16 19:22 0166

외신 2과 통제관 CA

역할의 중요성을 설명하며, 걸프와 직접연결된 지정학적 이해가 없는 이집트및 터키의 참여배제를 강조한것은 특기할만한 사실임.끝

(대사정경일-국장)

예고:91.6.30 까지

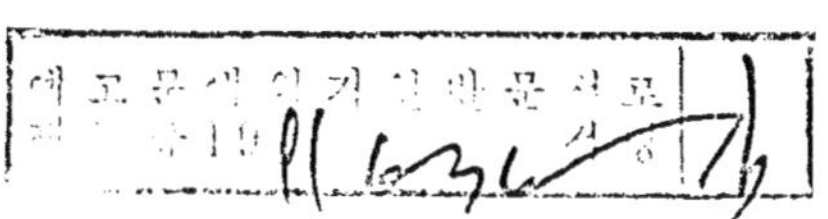

PAGE 2

0167

관리 번호	91-340

외 무 부

종 별 : 지 급

번 호 : SVW-0575 일 시 : 91 0219 0930

수 신 : 장관(중동일,동구일)

발 신 : 주 쏘 대사

제 목 : 걸프사태

1.2.18(월) 고르바쵸프 대통령은 방쏘중인 TAREG AZIZ 이라크 외무장관을 만나, 걸프사태 해결을 위한 제안을 이라크측에 제시하였다고 함. 동 회담후 가진 기자회견을 통해 IGNATENKO 대통령실 대변인은 동제안의 구체적인 내용은 발힐수 없다고 하면서, 다만 금번 제안은 걸프전의 확대를 방지하고 유엔안보리 결의안에 입각, 이라크의 쿼웨이트로부터의 무조건 철수가 이루어져야 한다는 쏘련의 입장을 반영하는 '정치적 방안'(POLITICAL MEASURES) 이라고 말하였음. 또한 동인은 금번 제안에 관해 미국등과는 사전 협의한바 없으며, 금일오후 미국, 프랑스, 이태리, 이란 등에는 동제안내용을 통보할 것이라 함

2.AZIZ 외무장관은 동 쏘측제안을 갖고 이란 요르단을 경유 급거 귀국중인것으로 알려졌으며 후세인 대통령의 쏘측안에 대한 긍정적 회신이 있을경우 재차방쏘계획중인것으로 알려지고 있음

3. 당관은 동건관련 외무성 중동국 EFENDIEV 참사관을 접촉한바, 동인은 쏘측제안을 아직 공개할수 없다는 반응을 보였음. 동 내용 파악 추후 보고위계임.끝

(대사-국장)

예고:91.12.31 까지

일반문서로 재분류(1991.12.31.)

검 토 필(1991.6.30.)

중아국	장관	차관	1차보	2차보	미주국	구주국	청와대	총리실
안기부								

PAGE 1 91.02.19 19:03 0168

외신 2과 통제관 BA

관리번호	91-461

외 무 부

종 별 : 지 급

번 호 : SVW-0588 일 시 : 91 0219 2130

수 신 : 장관(중일,동구일)

발 신 : 주 쏘 대사

제 목 : 걸프전쟁(쏘평화안)

연:SVW-0575

1. 고르바쵸프 대통령은 당지를 방문한 AZIZ 이라크 외상과 작 2.18 회담을갖고 걸프사태의 평화적 해결을 위한 5 개항의 쏘측안을 제시하였으며, 동 외상은 본국과의 협의를 위해 회담직후 쏘련측이 제공한 특별기편으로 급거 귀국하였음

2. 금 2.19 이그나텐고 대통령 대변인은 정례 기자회견에서 이라크측이 2-3 일내로 쏘측안에 대해 회답할 것으로 기대한다고 하는 한편, 쏘측안에 대해서는 '이라크의 쿠웨이트로부터 무조건 철수'와 '이라크 국경선 및 국가체제유지' 등이 포함되어있다고만 언급하고 구체적 내용은 밝히지 않았음.

3. 쏘 외무성측관계자는 일체접촉을 기피하고 있는바 당관에서 외국 대사관및 특파원들과 접촉, 파악한 바에 의하면 쏘측의 5 개항의 주요골자는 아래와 같음

가. 이라크의 쿠웨이트로부터 무조건 철수

나. 이라크의 현 정권유지

다. 후세인 개인에 대해 불이익 불가

라. 대이라크 경제제재 불감행

마. 중동문제에 대한 국제적 해결모색(미테란 대통령안)

4. 한편 이와같은 쏘측 제안과 관련, 당지 서방언론은 미.쏘 협조체제에 불협화음이 초래할 가능성이 높아졌다 보고 있으며 만약 쏘측안이 실현될 경우 쏘 국내 보수파의 발언권은 더욱 강화될 것으로 보고 있음. 끝

(대사-국장)

예고:91.12.31 일반

일반문서로 재분류(1991.12.31.)

검 토 필(1991.12.31.)

중아국	장관	차관	1차보	2차보	구주국	청와대	총리실	안기부

PAGE 1 91.02.20 06:10 0169

외신 2과 통제관 CH

외 무 부

종 별 :

번 호 : UKW-0459　　　　일 시 : 91 0219 1600

수 신 : 장관(중근동,미북,구일)

발 신 : 주 영대사

제 목 : 걸프사태

1. 허드 외상은 2.18(월) 하원에서 지난주 이락의 제의는 쿠웨이트로 부터의 철수를 명백히 선언하는 것이 아니고, 연합국측이 일련의 조건을 받아 들이도록 요구하고 있는 것이므로 받아들일수 없다고 하면서 하기요지 언급함.

가. 외무성은 지난 금요일 이락이 제의한 내용에 관한 영문번역을 전달받은바, 일부보도와 다르게 이락의 제의가 극히 조건부적 성격임이 명백함.

나. 이락의 제의는 연합국의 균열을 유발하기 위한 것이나, 모로코를 제외하고는 연합국내 모든 회원국들이 이락의 제의가 받아들일 수 없는것이라는데 이의가 없을 것임.

다. 쏘련이 이락에 제의한 내용이 안보리 결의의 범위내의 것이될 것이라는데대해 어느정도 자신을 가지고 있음.

2. 당지 쏘련대사는 2.18(월) 밤 메이저 수상에게 쏘련의 평화제의 내용을 전달했으며, 2.19(화) 주재국 전시 각의는 동 내용을 협의함. 한편, 외무성은 금 2.19(화) 군사작전이 계속될 것임을 강조함.

3. EC 외상회담은 2.19(화) 룩셈부르그에서 개최되어 EC의 전후 중동정책이 협의되며, ANDRIESSEN EC 외교 집행위원장 등의 주말 모스크바 방문 결과를 논의하게 될것임. EC 내에서 이태리 및 스페인은 이락의 제의에 대해 협상은 불가하다해도 대화를 위한 기초가 된다고 보고있어, 이락이 시간을 벌기위한 책략이라고 보는 영국 및 화란등과 대조를 보이고 있는 것으로 보도됨.

4. 이락의 쿠웨이트로 부터의 철수에는 2주내지 1개월 이상이 소요될 것인바, 연합국 측은 휴전협상에 14일 정도의 신속한 철수를 주장하여, 이락이 쿠웨이트에 가지고 있는 중장비등을 철수시킬 여유가 없도록 시도할 것으로 당지 군사 전문가들이 보고있는 것으로 보도됨.

중아국	장관	차관	1차보	2차보	미주국	구주국	정문국	청와대
총리실	안기부	대책반						

PAGE 1　　　　91.02.20 06:25 DA

외신 1과 통제관

0120

7b

외 무 부

종 별 :

번 호 : ITW-0270 일 시 : 91 0219 1740

수 신 : 장관(중근동,미북,구일,정일,기정)

발 신 : 주 이태리 대사

제 목 : 걸프전쟁 관련 주재국 외교동향(자응 91-24)

1. 주재국 안드레오띠 수상은 작 2.18. 당지 주재 소련대사로 부터 고르바쵸브 대통령이 아지즈 이라크 외상과 면담한 내용 및 동외상에게 제시 소련측 안이 포함되어 있는 멧세지를 접수함.

2. 소련측이 제시한 제안은 공식으로 밝혀지지 않았으나 비공식 적으로 밝혀진바에 의하면 아래 4개항과 같음.

0 신속한 평화 회복을 위해 이라크는 쿠웨이트로 부터 무조건 철수해야 함.

0 소련은 이라크의 현체제와 국경을 보장할 것임.

0 소련은 사담 후세인 대통령에 대한 징벌을 포함., 이라크에 대한 어떠한 제재에도 반대 함.

0 팔레스타인 문제를 비롯한 모든 (중동) 문제를 토의함.

3. 상기관련, 주재국 데 미켈리스외상은 동제안이 전쟁을 종식시킬수 있고, 이라크가 유엔 결의안을 주수하는 긍정적인 회답을 할것을 희망 한다고 언급 하였음.

4. 한편 당지 언론은 모스크바발 외신을 인용 이라크의 입장에 큰 변화가 있으며 이라크는 쿠웨이트로 부터 무조건 철수를 수락할 것이라고 보도하고 아지즈 이라크 외상이 소련안에 대한 회신을 가지고 수시간내에 모스크바를 방문할 것이라함. (이라크의 회신 시한은 당지 시간 명 2.20. 14:00로 알려짐).

끝

(대사 김석규-국장)

중아국	장관	차관	1차보	2차보	미주국	구주국	정문국	청와대
총리실	안기부	대책반						

PAGE 1

91.02.20 06:28 DA

외신 1과 통제관

0171

관리번호	91-886

외 무 부

종 별 : 지 급

번 호 : USW-0787 일 시 : 91 0219 1718

수 신 : 장관(미북,중근동,동구일,미안)

발 신 : 주 미 대사

제 목 : 부쉬 대통령의 소련측 중재안 거부

1. 금 2.19 백악관에서의 의회 지도자 면담에 앞서 부쉬 대통령은 금번 소련측 중재안이 전쟁 종결을 위한 요건에 크게 미흡하다고 언급함으로써, 미측으로서는 이를 수락할수 없다는 입장임을 밝힘.

여사한 미측 입장은 소련측에도 이미 전달되었다하며, 소련측 중재안의 구체적 내용은 소련측 요청에 따라 밝혀지지 않았는바, 전기 부쉬 대통령 발언 내용 전문은 USW(F)-0607 로 FAX 편 송부함.

2. 한편 금일자 W.P 지의 THE GORBACHEV PEACE PLAN 제하의 사설은 기본적으로 금번 소련측 중재안을 전후의 걸프지역 국제관계를 재정립해 나가는 과정속에서 소련의 영향력을 확보해 나가기 위한 사전 포석의 성격으로 분석하는등, 대부분의 당지 언론이 비판적인 시각에서 고르바쵸프 대통령의 제안을 보도하고 있는점이 주목됨.

(대사 박동진-국장)

예고:91.12.31 일반

91.6.30 검토필

미주국	장관	차관	1차보	2차보	미주국	구주국	중아국	정문국
청와대	안기부							

PAGE 1

91.02.20 07:38 0172

외신 2과 통제관 BW

호 : USW(F) - 0607

수 신 : 장 관(미북, 중근동, 동구일, 미안) 발신 : 주미대사

제 목 : 부쉬 대통령의 소련측 중재안 거부 (1 매)

보안 통제	

QUESTIONS AND ANSWERS WITH PRESIDENT BUSH DURING PHOTO OPPORTUNITY WITH BIPARTISAN CONGRESSIONAL LEADERS FROM THE HOUSE AND SENATE, THE CABINET ROOM, THE WHITE HOUSE, TUESDAY, FEBRUARY 19, 1991

Q Mr. President, is the Soviet proposal acceptable to you?

PRESIDENT BUSH: Well, let me -- let me just make one comment and then I won't take any questions about it. But I do appreciate President Gorbachev's providing me a copy of his proposal -- not the Iraqi proposal -- or his proposal to Iraq, actually -- concerning the Gulf, the conflict there. And we provided last night comments to the Soviet Union.

Let me just reiterate, as far as I'm concerned, there are no negotiations. The goals have been set out; there will be no concessions. We're not going to give. And so on his proposal, President Gorbachev asked that I keep the details of it confidential and I'm going to do that. I will -- will respect that -- that request in the interest of thoroughly exploring the initiative.

But very candidly, it -- and I have been frank with him on this -- while stressing appreciation for his sending it to us, it falls well short of what would be required. And I would leave it right there for now.

Q Does that mean we're going to have a ground war?

PRESIDENT BUSH: That means I'm going to leave it right there for now.

STAFF: (To press) Okay, lights please. Thank you.

END

0173

02/19/91 17:34 2 797 0595 EMBASSY OF KOREA --- WOI 001/001

관리번호	91-350

외 무 부

종 별 :

번 호 : FRW-0615 일 시 : 91 0219 1850

수 신 : 장관(중일,구일,동구일,정일)

발 신 : 주 불 대사

제 목 : 걸프전(쏘 평화안)

1.BILD ZEITUNG 지(함부르그 발간 독 일간지)가 보도한 4 개항의 쏘 중재안은 하기와 같음.

가. 이락의 즉각적이고도 조건없는 쿠웨이트 철수

나. 이락의 현 국가구조 및 국경선 유지 보장

다. 이락 및 SADDAM HUSSEIN 에 대한 보복금지 보장

라. 팔레스타인 문제를 포함한 제반 중동문제 해결을 위한 국제회의 개최

2. 상기 쏘련 중심의 외교적인 움직임에 대한 당지 분석은 하기와 같음.(BESANCON 파리 1 대학 쏘련 연구실장외)

가. 미측은 최근 쏘련의 외교적 노력에 대해 부정적인 시각으로 보고있으나,58 년 이락 왕정붕괴 후부터 동국에 영향력있는 쏘련의 국제적 위치를 완전히 무시할수도 없으므로 이를 일단 방관하는 자세임.

나. 다국적군의 공폭등 맹공으로 인한 현 이락의 방어가 한계에 이른 시점서 이락이 쏘련제의를 무시하지는 못할것으로 보이며, 쏘 제안 수락시 2-3 개의 조건을 첨가할 가능성이 많으므로, 미국이 이를 거부함은 예정된 수순임.

다. 전쟁 전개 상황으로 볼때 미측은 자신감을 얻었으므로 향후 있을 지상전서 미군의 희생이 크지 않는한 전쟁을 현 유리한 고지에서 포기할 이유가 없으며, 만약 쏘 제의가 성립되어 정전이 실현되는 동시에 SADDAM HUSSEIN 이 계속 건재하고, 복구사업 및 군비 재정비에 착수한다면, 지금까지 막대한 전비와 아랍권의 반발을 극복하고 수행한 전쟁의 명분이 퇴색하므로, 미국으로서는 이락이 쏘 제의를 막상 수락해도 난감한 입장이 될것임.

라.GORBACHEV 가 금번 외교적 노력을 경주하는 이유는:

1)중동에 관한한 쏘련의 영향력이 건재함을 미측에 과시함으로써 전후 미국의

중아국	장관	차관	1차보	2차보	구주국	구주국	정문국	청와대
안기부								

0174

PAGE 1

91.02.20 07:46

외신 2과 통제관 FE

중동지역 잔류를 견제

2)이락과 미국을 동일한 위치에 놓고 자신은 최고의 심판관으로 처신함으로써 국내, 외적인 개인입지 강화

3)냉전을 종식시키고, 걸프전 또한 종식시키는 평화 창조자로써의 위치 부각

4)이락의 현 체제파괴를 예방, 전후 국경을 갑이하는 이락, 이란과 3 각체제 구축 모색등임.

마. 한편, 걸프전을 위요, 국내 수구세력의 재부상과 관련, GORBACHEV 로서도 이를 감안하여야 하며, 더욱이 2.8. 자 프라우디지가 서방의 걸프전 작전이 신제국주의의 서곡이라고 평을 한것이라던지, 지난주 PAVLOV 수상이, 쏘 경제와 GORBACHEV 를 붕괴시키기 위해 서방이 음모를 꾸미고 있다고 발언한것 등은, 상기 쏘련국내 상황변화를 반증하는 단적인 예로 간주할수 있음.

바. 결국 쏘련의 노력은 현 단계에서는 미측의 계속적 거부반응으로 성공 가능성이 희박하나, 쏘련으로서는 현 외교적 노력이 전후 중동에 대한 영향력 견지를 위해 도움이 된다고 판단한 것으로 보이므로, 지상전이 개시되어도 쏘련 단독 또는 EC 등과 제휴한 중재노력은 계속될 것으로 보임.끝.

(대사 노영찬-국장)

예고:91.6.30. 까지

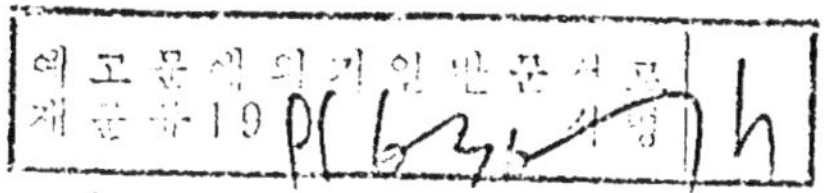

PAGE 2

0175

76

報告事

長 官 報 告 事 項

1991 . 2 . 20.
國際機構條約局
國際法規課(9)

題 目 : 걸프사태의 종료와 관련한 국제법 문제 검토

걸프사태의 종료문제가 현실적 이슈로 대두되고 있으며, 이를 위요한 관계국가들간의 외교노력이 활발히 전개되고 있는 바 사태종료와 관련된 국제법 문제검토를 아래와 같이 보고드립니다.

I . 일반적 평가

1. 걸프사태의 종료방식에 관한 논의는 동 사태의 법적성격에 대한 이해와 연계되어 있음.

2. 걸프사태는 유엔의 결의에 기초한 제재조치로서의 성격과 전통적 의미의 전쟁으로서의 성격이 혼재해 있으며, 유엔에 의한 제재조치로서의 무력사용이 종료된 전례가 없으므로(한국전이 유일한 예이나 사태의 종료에 이르지 못하고 휴전상태에 있음) 사태종료의 구체적 내용을 예견할 수 있는 법원칙이나 관행을 발견하기 어려움.

3. 또한 걸프사태 관련 당사국(교전당사국 및 소련등 이해관계국)간의 정치적 이해가 첨예하게 교차하고 있어 법이론에 기초한 해결보다는 외교적 타협과 힘의 논리에 의하여 해결될 가능성이 큼.

4. 사태종료와 관련된 구체적 이슈로서는 (1) 종전방식, (2) 종전당사국, (3) 전범자 처리, (4) 전쟁배상 등이 있는바 이하에서 구체적 내용을 검토함.

0176

Ⅱ. 이슈별 검토

1. 종전방식

가. 걸프사태에 적용가능한 현실적인 적대행위종료 방안으로서는,

(1) 이라크측의 적대행위 중지 또는 쿠웨이트 철수와 평화조약 체결

(2) 관련국간 협상에 의한 사태종료와 평화조약 체결

(3) 다국적군에 의한 유엔결의내용 실현과 평화조약 체결

등을 상정할 수 있음.

나. 상기 방안중 (1), (2)는 이라크, 소련, EC 국가 등이 선호하고 있으며, (3) 방안은 미국, 영국 등이 주장하고 있는 방안임.

다. 어느 방안에 의하더라도 궁극적으로는 평화조약이 체결될 것으로 판단되며 이점에 있어 전통국제법상 의미의 전쟁개념이 유효하게 적용될 수 있음.

2. 종전 당사국

가. 걸프사태가 유엔에 의한 무력제재이므로 법리상으로는 유엔과 이라크가 종전당사자이나 다국적군을 통합하는 법적실체의 부재, 관계국의 역학관계 등에 비추어 이해관계국이 포괄적으로 참가하는 종료방식이 채택될 가능성이 큼.

나. 우리나라도 인적·물적지원 공여국으로서 당사자 적격은 갖추었다할 것이나 현실적 참여여부는 정책적 판단의 문제임.

0177

3. 전범자 처리 문제

가. 전쟁도발행위가 전쟁범죄를 구성함은 물론이나, 이라크의 다국적군 포로 학대행위에 대하여 미국 등은 후세인을 전쟁 범죄자로 처벌할 것임을 공언한 바 있음.

나. 전쟁범죄에 대하여는 지휘관 개인을 처벌하는 것이 국제법원칙이며 국가원수의 경우도 위법성이 조각되지 아니함.

- 런던협정, 인류의 평화와 안전에 대한 범죄의 법전초안, 제내바협약 제1추가의정서(제87조 제1항)

다. 전범자에 대한 관할권

(1) 국제재판

(가) 특별(ad hoc) 국제군사재판소 설치

(나) UN 에 의한 형사법원 설치

(2) 국내재판

(가) 점령군 또는 전승국의 법원

- 미국 또는 다국적군 구성국의 법원

(나) 범죄행위지국의 법원

- 쿠웨이트 국내법원에서의 형사처벌

0178

4. 전쟁배상

가. 배상책임

ㅇ 현행 국제법상 무력의 사용은 전쟁금지의무를 위반한 위법행위이므로 국제관습법상 침략국은 전승국 및 중립국에게 야기한 모든 손해를 배상할 책임을 부담함.

나. 배상의 범위

ㅇ 일반적인 손해배상원칙이 적용되며, 배상의 종류와 액수 등에 관한 사항은 평화조약에서 결정됨.

다. 배상의 내용

가) 원상회복(현물반환)

나) 금전배상이나 동가의 상품이나 용역

다) 일실이익과 배상액에 대한 적정이자

라. 청구국

ㅇ 국가책임원칙에 기초하여 교전국 뿐만 아니라 손해를 입은 중립국도 청구가능

ㅇ 아국의 경우에도 현실적으로 피해국이므로 배상청구에 참여할 자격 있음.

마. 결론

ㅇ 전쟁배상의 성격, 종류, 범위, 배상절차에 관하여 국제법상 일반적인 원칙은 없으며, "법이나 형평의 문제"라기보다는 전승국이 행사하는 "힘의 문제"임.

0179

관리 번호	91-891

원 본

외 무 부

종 별 :

번 호 : OMW-0042 일 시 : 90 0220 1830

수 신 : 장관(중일,정일)

발 신 : 주 오만 대사

제 목 : 걸프전쟁후 "신아랍질서" 관련동향(자응제90-2호)

금 2.20(수) 주재국외무부에서 외무장관 주재로 외교단에 대해 1.16. 카이로 개최 GCC, 이집트, 시리아 외상회담시 논의된 걸프전쟁후의 "새로운 아랍안보체제"수립문제에 관하여 설명및 질의 응답이 있었는바, 동요지를 아래 보고함.

1. 현걸프사태는 아랍권내 기존안보체제의 취약성으로 인해 발발된것으로 보고 아랍연맹체제내에서 보다 강화되고 UP GRADE 된 새로운 안보체제를 구축하기 위하여 현재 8 개국이 논의중이며. 앞으로 3.5. 다마스크에서 외상회의를 재개하여 전번회의시 사우디, 이집트및 시리아가 제시한 기본안을 기초로 다른의견들을 수렴할 예정임.

2. 이는 어디까지나 아랍연맹 헌장 제 9 조에 따른것이며 아랍권내에 새로운 동맹이나 기구를 창설하는것은 아님.

3. 우선 VITAL INTEREST 를 가진 8 개국이 주동이되어 NEW ARAB ORDER 를 마련하고 여타 아랍국가들도 이에 동의하는경우 이락, 모로코, 지부티등 어떤국가도 이에 참여하도록 개방할것임.

3. 이란도 GULF 연안의 한쪽에 위치하고 중요한 이해 당사국이므로 보다 WIDE AND BIG SCALE ARRANGEMENT 를 구상하기 위하여 현재 GCC 국가와 이란이 협상중에 있는바 이를 위해 주재국 외상이 2.21. 테헤란으로 향발 협의할 예정임.

5. 역외국가 또는 UN 의 개입 가능성에 관해서는 세계 모든국가가 이해관계를 갖는것이 현실이나 아랍연맹 22 개국 또는 OIC 42 개국으로는 너무 광범하여 합의 도출이 어려우며, UN 은 특히 안보리의 상임이사국 전원일치 가능성도 희박하므로 우선 8 개국이 새로운 구상을 하려는 것임.

6. 금일 설명시 배포한 전기 카이로 외상회담시의 PRESS RELESE 는 차기 파편

중아국	장관	차관	1차보	2차보	정문국	청와대	총리실	안기부

0180

PAGE 1 91.02.21 05:14

외신 2과 통제관 CA

송부하겠음. 끝

(대사 강종원-국장)

예고:91.6.30. 일반

1991. 6. 30. 에 예고문에
의거 일반문서로 재 분류됨.

PAGE 2

0181

관리 번호	91-362

외 무 부

종 별 :

번 호 : CNW-0235 일 시 : 91 0220 1800

수 신 : 장 관(중근동,미북,동구일) 사본 : 박건우대사

발 신 : 주 카나다 대다대리

제 목 : 걸프전 전망

조공사는 주재국 외무부 BALLOCH 정책개발국장(걸프전 TASK-FORCE 의 일원), WANG 중동국장을 2.19.-20 각각 면담하여 걸프사태, 특히 소련의 평화안에 대하여 탐문한바, BALLOCH 국장은 보안을 요구하면서 요지 다음과 같이 언급함.

1. 미국등 연합국측은 후세인 대통령의 체면을 세워주므로서 결과적으로 이락에게 정치적 승리를 안겨주는 평화안은 절대로 수락할수 없음. 이에 관하여는 미국, 영국등 서방 제국 보다 오히려 이집트, 사우디, 기타 GCC 제국의 입장이 더욱 단호함.

2. 걸프전을 종결시키고 평화를 회복하기 위한 방안은 12 개 유엔 안보리 결의에 모두 반영되어 있는바, 이락이 쿠웨이트로 부터 무조건 철수하면서 기타 안보리 결의 내용도 전반적으로 충족시키는 방향으로 소련평화안을 금명간에 수락하는 경우에는 연합국측에서 지상공격을 개시하기 어렵게 될것임. 이락측이 일방적으로 즉각적인 철군 용의를 표명할 경우에는 미국, 카나다등이 국내여론의 비난을 감수하면서 지상군 투입등 전부를 확대하기는 어려운 상황이 될것임.

3. 그러나 이락측이 명일 또다시 무모한 철군조건을 제시하거나 시간을 벌기 위해 장기간의 철군전 휴전, 복잡한 철군 절차를 제시할 경우에는 연합국은 즉각적으로 지상 공격을 개시할 것임.(금주말경이 될수도 있음을 시사)

4. 후세인 대통령의 거처가 파악되면 연합국측에서 폭격을 할것이나 동 대통령이 민간인 밀집지역 거처로 수시 이전하므로 정확한 거처 파악이 어려움.

5. 후세인 대통령이 제거될 경우에는 철군후 이락의 배상문제(안보리 결의 664 호)는 크게 거론되지 않을것이나 동 대통령이 살아남을 경우에는 연합국측에서 배상문제를 계속 제기할 것임.

6. 걸프전에서 소련제 항공기, 미사일등 소련 병기가 우세한 미국 병기에 의하여 일방적으로 무참하게 파괴되는 상황이므로 소련인들에게는 걸프전이 매우굴욕적인

미주국 장관 차관 1차보 2차보 미주국 구주국 중아국 청와대 안기부

PAGE 1 91.02.21 10:21 0182

외신 2과 통제관 BN

전쟁이라고 볼수 있음. 국내적으로 소련인(특히 군부) 들이 그러한 열등의식을 어느정도 극복하도록 하기위한 국내 홍보 목적상 고르바쵸프 대통령이 현 단계에서 이락과의 교섭에 적극성을 보이고 있음. 종전후 중동지역에서의 발언권 제고등 외교적 고려는 부차적인 것임.

7. WANG 국장(86-88 주이락대사 역임)은 훗세인 대통령이 최근 지연 작전을쓰고 있다는 견해도 있으나, 자기로서는 훗세인이 자기 권력 기반인 군부, 특히 REPUBLICAN GUARD 가 궤멸되는 것을 방지하기 위해 최소한의 체면만 유지되면쿠웨이트로 부터 철수하기로 결심한 것으로 본다고 했음. 끝

(대사대리 조원일 -국장)

예고문 : 91.12.31. 일반

일반문서로 재분류(1991.12.31.)

검 토 필 (1991.6.30.)

가

외 무 부

암호수신

종 별 :

번 호 : FRW-0624 일 시 : 91 0220 1520

수 신 : 장관(중일,구일,미북,정일,기정)

발 신 : 주 불 대사

제 목 : 걸프전(쏘 제의-주재국 반응)(자료응신 제40호)

1. 미국이 이락의 공식답변전 거부한 쏘 제의 평화안에 대해 주재국 DUMAS 외상은, SADDAM HUSSEIN 이 즉각적이고 조건없는 철군과 동 구체일정등을 조속 발표하는 것만이 현 상황에서 필요할 것이라고 말함.

2. 한편 BERNARD 외무성 대변인은 금 2.20. 이락의 쿠웨이트 철수선행을 촉구하는 내용의 성명을 발표함. 끝.

(대사 노영찬-국장)

중아국 차관 1차보 2차보 미주국 구주국 정문국 청와대 안기부

PAGE 1

91.02.21 03:06

외신 2과 통제관 CF

0184

외 무 부

종 별 : 지 급

번 호 : UKW-0473 일 시 : 91 0220 1850

수 신 : 장관(중근동,미북,구일,기정)

발 신 : 주영대사

제 목 : 걸프 사태

금 2.20(수) 당지 보도요지는 아래와 같음

1.허드 외상은 2.20(수) 오전 ZAMYATIN 당지 소련대사를 외무성으로 불러 소련의 평화안이 유엔결의를 완전히 반영하는것이 아니므로 수락할수 없다는 입장을 피력함

2.소련 제안의 내용에 관해서는, 이락이 무조건 철수의사를 선언하고, 24시간내철수 개시의 징표를 보이며, 그 이후에 유엔제재 조치 해제,팔레스타인 문제등에 관해서 소련이 협조하는 것을 주요내용으로 하는것으로 알려짐

3.영측은 상기 소련 제안이 전쟁포로 석방,쿠웨이트 왕정 복구,기타 유엔 결의 내용을 포함하고 있지 않은데 대해 불만을 가진 것으로관측됨

4.불란서 DUMAS 외상은 2.20(수) 상원 외교위 비공개 회의에서 연합국측이 이락으로 하여금 2.21밤 까지 24 시간의 시한을 주고, 철수를 요구했다고 언급한 것으로 알 려짐.끝

(대사 오재희-국장)

중아국	장관	차관	1차보	2차보	미주국	구주국	정문국	청와대
총리실	안기부	대책반						

PAGE 1

91.02.21 06:16 DQ

외신 1과 통제관

0185

외 무 부

종 별 :

번 호 : ITW-0279 일 시 : 91 0220 1800

수 신 : 장 관(중동일,미북,구일,정일,기정,국방부)

발 신 : 주 이태리 대사

제 목 : 걸프전쟁관련 주재국 동향(자응 91-25)

연:ITW-0270

1. 주재국은 금 2.20. 각의에서 연호 소련측안을 협의한바, 동회의에서 안드레오띠 수상은 소련안은 유엔결의에 부합한다고 표명한 것으로 알려짐.

동회의후 크리스토포리 수상실 차관은 소련안은 '유엔결의와 완전히 일치'하는 것으로 판단한다고 밝히고 동문제 관련 이태리및 유럽과 미국간에 의결 불일치가 있는 것으로 알려진 것은 사실과 다르다고 부인하였음.

동 수상실 차관은 또한 부쉬대통령이 왜소련안에 대해 더이상의 논평을 하고 있지 않는가를 이해해야 한다고 부언하였음.

2. 작 2.19. EC 외상회의후 데 미켈리스외상은 소련제안 관련, 소련은 안을 제시한 것이 아니라 단지 이라크 지도자들에게 쿠웨이트로부터의 무조건철수를 APPEAL한것 이며, EC 12국은 이를받아들이지 않을수 없다고 언급하였음.

3. 주재국 언론은 금번 소련안 관련 DE CUELLAR유엔사무총장은, 지상전을 피하고 더이상의 유혈사태를 방지하는 획기적인 기회임을 표명하면서 부쉬대통령이 이를 거부 하여서는 안된다고 언급하였다고 보도하는 한편, 부쉬대통령은 비록 동 안이 불충분하다고 생각하지만 국제적인 여론은 대체로 사담이 무조건 철수를 한다면 미국측이 입장을 보다 온건하게 변경시킬것으로 보고 있다고 논평함.

4. 주재국 언론은 또한 모스코바발 소련 외무성 대변인 발표를 인용, 아지즈 외상이 이라크 회신을 가지고 곧 모스코바를 방문할 것이라는 INDICATION을 아직 받지 못하였으며, 그러나 가까운 시일내에 동 가능성을 배제하지는 않았다고 소개하면서 소련은 미국이 동안을 거부한 것으로 받아들이지 않고 있는 것 같다고 보도함.끝

(대사 김석규-국장)

중아국 1차보 미주국 구주국 정문국 안기부 국방부 2차보 차관 장관
총리실 청와대

PAGE 1

91.02.21 09:25 WG

외신 1과 통제관 · 0186

외 무 부

종 별 : 지 급

번 호 : USW-0847 일 시 : 91 0221 1846

수 신 : 장 관(미북,중동 1,미안)

발 신 : 주 미 대사

제 목 : 후세인 연설에 대한 미측 반응

금일 바그다드 라디오 방송을 통해 발표된 강경일변도의 후세인 연설관련, 백악관 FITZWATER대변인 및 국무부 TUTWILER 대변인은 여사한 이락측 반응에 대해 공히 실망을 표시하면서 다국적군의 대이락 공격은 예정대로 계속 진행될 것이라는 입장을 표시한바, 양인 발언 내용 USW(F)-0632 FAX 편 송부함.

(대사 박동진-국장)

미주국	장관	차관	1차보	2차보	미주국	중아국	정문국	청와대
총리실	안기부							

PAGE 1

91.02.22 09:03 WG

외신 1과 통제관

0187

: USW(F) - 0632

: 장 관(미북, 중동1, 미안) 발신 : 주미대사

: 후세인 연설에 대한 미측 반응

(2 매)

STATE DEPARTMENT REGULAR BRIEFING
BRIEFER: MARGARET TUTWILER
THURSDAY, FEBRUARY 21, 1991

Q No, I'm just asking. Okay. Has the Secretary and his group of advisors heard the speech from Saddam Hussein this morning? And do you have any preliminary reaction?

MS. TUTWILER: Yes. The Secretary didn't personally listen to the speech. He has obviously had experts in the building who did, and Arab translators, bring him what, you know, our translation of the speech was.

The State Department's reaction is obviously very similar to the one that Marlin just gave from the White House, is that we see nothing in Saddam Hussein's speech today which indicates that he understands and accepts the necessity for Iraq to comply fully with United Nations Security Council resolutions related to the Gulf. We and other members of the coalition have made clear that this is the only way for a peaceful resolution of the conflict. We regret that the Iraqi leadership continues to defy the will of the international community in this regard. The coalition's military effort will continue on schedule.

Q Do you see any degree of difference, the fact that he, for the first time in my recollection, is talking publicly of a withdrawal?

MS. TUTWILER: Well, my memory serves me correct, I believe last Friday, Jim, he put out a statement on Baghdad Radio saying that he would withdraw "if," and then had about nine conditions.

Q But that was the Revolutionary Council. This was him, personally, as President of the republic of Iraq. Did -- well, a short question. Do you see any nuance, any degree of difference or any -- any handhold anywhere that might indicate that he's looking for a way out?

MS. TUTWILER: I want to be fair, and as you yourself said, in our preliminary look at this speech, and I'm not sure that we have had an opportunity in the 40 minutes I believe it's been since it was given, to have an exact literal word-by-word Arabic translation of it. Having said that, I would say that we do not have or see much room for optimism. We basically found it to be yet another disappointment. We would once again say that, as you all know, that he, Saddam Hussein, can stop the suffering that he is personally in our opinion inflicting on his own country and is showing again a total disregard for the people of Iraq.

0632-1

0188

02/21/91 19:13 ☎20

: USW(F) -

: 장 관 발신 : 주미대사

:

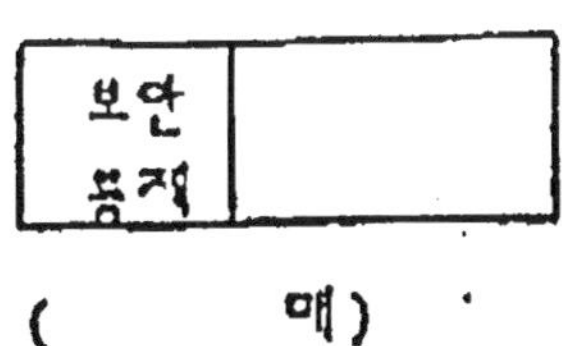

(매)

STATEMENT BY WHITE HOUSE SPOKESMAN MARLIN FITZWATER PRIOR TO WHITE HOUSE BRIEFING, THE WHITE HOUSE, 11:20 A.M., EST
THURSDAY, FEBRUARY 21, 1991

MR. FITZWATER: Well let me just read a few sentences in response to Saddam Hussein's speech.

The statement by Saddam Hussein this morning is disappointing. He repeats the same invective and disregard for the United Nations mandate that we have heard so often since August 2nd. In vowing to continue the war he once again demonstrates his determination to maintain the aggression against Kuwait and the absence of compassion for his people and his country.

For our part, the coalition forces remain on the course set by the 12 United Nations resolutions. Our forces remain on a steadfast course. The liberation of Kuwait continues.

Q Can we put that out?

MR. FITZWATER: Let's go to questions.

Q Can we put that out?

Q Can we have a brief filing break, Marlin?

Q Yeah, a five-minute filing break?

MR. FITZWATER: Okay, fine. Five minutes.

END

0632-2

0189

관리번호 91-1445

외 무 부

종 별 : 긴 급

번 호 : USW-0857 일 시 : 91 0222 1449

수 신 : 장관(미북,중동1,동구1,미안)

발 신 : 주 미 대사

제 목 : 부쉬대통령 연설(대이락 철수 시한 제시)

1. 금 2.22. 10:30 부쉬 대통령은 백안관에서 기자회견을 갖고, 작일 소-이락간에 합의된 종전 제안을 수락할수 없다는 점을 밝히는 한편, 명일정오까지 이락측이 쿠웨이트로부터 철군을 개시할것을 천명하였는바, 언급요지 하기 보고함.(발언 내용 전문은 USW(F)-0636 로 FAX 편 송부)

가. 미국과 다국적군 참여국들은 이락군의 쿠웨이트로부터의 무조건 즉각 철수를 요구하는 제반 유엔 결의안을 실천할 결의를 갖고 있음.

나. 작일 발표된 종전 제안이 외견상 합리적으로 보이기는 하나, 사실상 여러가지 조건을 달고 있으므로 다국적군측으로서는 수락할수 없음.

다. 현재 이락측은 쿠웨이트내 각종 원유생산 시설등에 대한 방화, 파괴행위를 자행함으로써 쿠웨이트를 초토화하려하고 있음.

라. 미행정부 내부 협의 및 다국적군 참여국과의 협의를 거친 끝에, 명일정오까지 이락측이 쿠웨이트로 부터 즉각, 무조건 철군을 개시할 것을 요청하며, 동 요청에 대한 훗세인의 수락은 공개적이고 믿을 만한 방식으로 발표되어야만 한다는 점을 강조함.(전기 철군 개시 시한은 당지 시간인것으로 추정됨.)

마. 이락군 철군 절차등에 관한 상세는 추후 별도 발표함.(동 내용은 발표되는대로 FAX 송부 예정)

예고문에 의거 재분류(1991.12.31.) 직위 성명

2. 분석및 관찰

가. 부쉬 대통령이 전기와같이 소-이락측 제안을 수락할수 없다고 밝힌 가장 주요한 이유는, 동제안이 포함하고 있는 대이락 경제 봉쇄의 해제와 유엔 안보리 결의안의 무효화 선언 조건이 미국측으로서는 수락하기 어려웠기 때문인 것이라고함.

나. 당지 일부언론에서는 금일 미측제안을 일종의 최후 통첩으로 간주, 명일 정오까지도 이락측이 철군을 단행하지 않는경우, 지상전이 곧 이어 개전될 것으로

미주국 장관 차관 1차보 2차보 미주국 구주국 중아국 청와대
총리실 안기부

PAGE 1 91.02.23 06:10 0190

외신 2과 통제관 DO

전망하고 있기도하나, 미국으로서는 나름의 정해진 스케쥴에 따라 쿠웨이트 주둔 이락 지상군 전력의 파괴 정도 및 금번 제안에 대한 이락측 반응등을 보아 가면서 지상전 개시 여부 및 일자를 결정지을 것으로 예상됨.

다. 한편 형식적인 차원에서 볼때, 부쉬 대통령이 소-이락측 제안에 대한 수정 제안을 제시하지 않고, 완전히 새로운 형식의 제안을 제시한 점이 주목되는바, 이는 소-이락측 제안을 바탕으로 종전이 이루어지는 경우 중동지역 전후 질서 재편 과정에 대한 소련측의 정치적 영향력이 절대적으로 증가하는 데에 반해, 미국측은 무력 사용에만 집착했다는 인상을 심어줄수도 있고, 또 미국측으로서는 종전 관련 외교적 해결 절차에 관한 주도권도 계속 장악하고자 하는 의도를 갖고 있기 때문인것으로 관찰됨.

라. 기본적으로 금일 미측 제안에 대한 이락측의 방응 여하에 따라 걸프 사태의 종결 방식이 정해질 것으로 보이는바, 이락측이 이를 거부하는 경우 지상전 개전의 가능성은 보다 더 높아질 것임.

(대사 박동진-차관)

예고:91.12.31. 일반

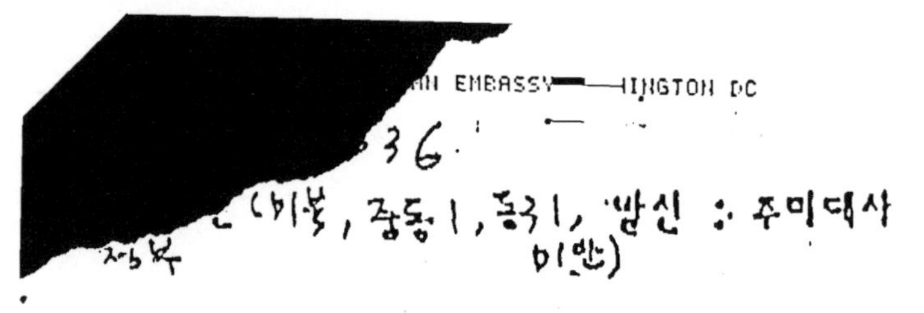

N EMBASSY HINGTON DC
36
(미북, 중동1, 동구1, 발신 : 주미대사
미안)

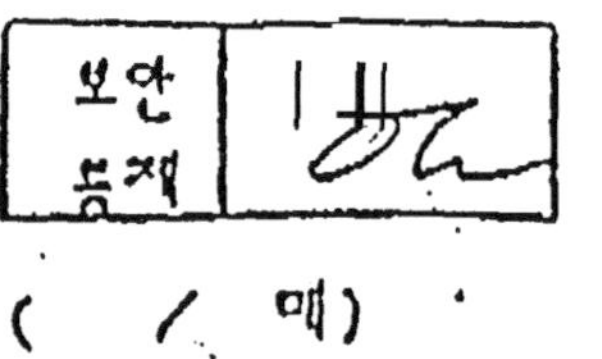

(1 매)

P.001

REMARKS BY PRESIDENT BUSH THE WHITE HOUSE ROSE GARDEN, 10:40 A.M. (EST)
FRIDAY, FEBRUARY 22, 1991

PRESIDENT BUSH: Good morning. The United States and its coalition allies are committed to enforcing the United Nations resolutions that call for Saddam Hussein to immediately and unconditionally leave Kuwait. In view of the Soviet initiative, which very frankly we appreciate, we want to set forth this morning the specific criteria that will ensure Saddam Hussein complies with the United Nations mandate.

Within the last 24 hours alone, we have heard a defiant uncompromising address by Saddam Hussein, followed less than 10 hours later by a statement in Moscow that, on the face of it, appears more reasonable.

I say "on the face of it," because the statement promised unconditional Iraqi withdrawal from Kuwait, only to set forth a number of conditions. And needless to say, any conditions would be unacceptable to the international coalition and would not be in compliance with the United Nations Security Council Resolution 660's demand for immediate and unconditional withdrawal.

More importantly and more urgently, we learned this morning that Saddam has now launched a scorched earth policy against Kuwait, anticipating perhaps that he will now be forced to leave. He is wantonly setting fires to and destroying the oilwells, the oil tanks, the export terminals, and other installations of that small country. Indeed, they are destroying the entire oil production system of Kuwait. And at the same time that that Moscow press conference was going on and Iraq's Foreign Minister was talking peace, Saddam Hussein was launching Scud missiles.

After examining the Moscow statement and discussing it with my senior advisers here late last evening and this morning and after extensive consultation with our coalition partners, I have decided that the time has come to make public with specificity just exactly what is required of Iraq if a ground war is to be avoided.

Most important, the coalition will give Saddam Hussein until noon Saturday to do what he must do; begin his immediate and unconditional withdrawal from Kuwait. We must hear publicly and authoritatively his acceptance of these terms. The statement to be released, as you will see, does just this, and informs Saddam Hussein that he risks subjecting the Iraqi people to further hardship unless the Iraqi government complies fully with the terms of the statement. We will put that statement out soon. It will be in considerable detail, and that's all I'll have to say about it right now. Thank you very much.

END

0192

059 P01 LENINPROTOCOL '91-02-23 02:10

USW(F) - 0637

경 권(미북,중동1, 동구1, 미안) 발신 : 주미대사

연합군의 구체적 철수 절차에 관한 미측 제안 (4 매)

THE WHITE HOUSE/WASHINGTON, DC, REGULAR BRIEFING, BRIEFER: MARLIN FITZWATER, FRIDAY, FEBRUARY 22, 1991

MR. FITZWATER: The Soviet announcement yesterday represents a serious and useful effort which is appreciated, but major obstacles remain. The coalition, for many months, has sought a peaceful resolution to this crisis in keeping with the UN resolutions. As President Bush pointed out to President Gorbachev, the steps the Iraqis are considering would constitute a conditional withdrawal and would also prevent the full implementation of relevant UN Security Council resolutions. Also there is no indication that Iraq is prepared to withdraw immediately.

Full compliance with the Security Council resolutions has been a consistent and necessary demand of the international community. The world must make sure that Iraq has, in fact, renounced its claim to Kuwait and accepted all relevant UN Security Council resolutions. Indeed, only the Security Council can agree to lift sanctions against Iraq and the world needs to be assured in concrete terms of Iraq's peaceful intentions before such action can be taken.

In a situation where sanctions have been lifted, Saddam Hussein could simply revert to using his oil resources once again, not to provide for the well-being of his people, but instead to rearm.

So in a final effort to obtain Iraqi compliance with the will of the international community, the United States, after consulting with the government of Kuwait and our other coalition partners, declares that a ground campaign will not be initiated against Iraqi forces if prior to noon, Saturday, February 23, New York time, Iraq publicly accepts the following terms and authoritatively communicates that acceptance to the United Nations.

First, Iraq must begin large-scale withdrawal from Kuwait by noon, New York time, Saturday, February 23. Iraq must complete military withdrawal from Kuwait in one week. Given the fact that Iraq invaded an occupied Kuwait in a matter of hours, anything longer than this from the initiation of the withdrawal would not meet Resolution 660's requirement of immediacy.

Within the first 48 hours, Iraq must remove all its forces from Kuwait City and allow for the prompt return of the legitimate government of Kuwait. It must withdraw from all prepared defenses along the Saudi-Kuwait and Saudi-Iraq borders, from Bubiyan and Warbah Islands, and from Kuwait's Rumaila oil field.

Within the one week specified above, Iraq must return all its forces to their positions of August 1st, in accordance with Resolution 660.

In cooperation with the International Red Cross,

0193

0637-1

069 P01 LENINPROTOCOL '91-02-23 06:05

USW(F) -

장 관 발신 : 주미대사

보안 통제	

(매)

Iraq must release all prisoners of war and third country civilians being held against their will, and return the remains of killed and deceased servicemen. This action must commence immediately with the initiation of the withdrawal, and must be completed within 48 hours.

Iraq must remove all explosives or booby traps, including those on Kuwaiti oil installations, and designate Iraqi military liaison officers to work with Kuwaiti and other coalition forces on the operational details related to Iraq's withdrawal, to conclude, the provision -- (correcting himself) -- to include the provision of all data on the location and nature of any land or sea mines.

Iraq must cease combat air fire, aircraft flights over Iraq and Kuwait, except for transport aircraft carrying troops out of Kuwait, and allow coalition aircraft exclusive control over and use of all Kuwaiti air space.

It must cease all destructive actions against Kuwaiti citizens and property, and release all Kuwaiti detainees.

The United States and its coalition partners reiterate that their forces will not attack retreating Iraqi forces. And further, will exercise restraint so long as withdrawal proceeds in accordance with the above guidelines and there are no attacks on other countries. Any breach of these terms will ring an instant and sharp response from coalition forces in accordance with United Nations Security Council Resolution 678.

That's the conclusion of our prepared statement. Let me just add a couple of points. First of all, that a copy of this document was provided to Iraqi diplomats here in Washington about noon today. President Bush and Secretary Baker spoke with President Gorbachev for over an hour and 15 minutes this morning to discuss this situation.

Secretary Baker spoke with Soviet Foreign Ministry officials both yesterday and today and we have consulted with all of our allies and coalition partners last night or this morning. The coalition remains strong and united.

With that, let me take a couple questions.

Q What's Gorbachev's reaction to what the President said?

MR. FITZWATER: I think it's clear by the length of their conversation that they had a very good discussion of all the major points. President Gorbachev, of course, spoke of the conversations that he has been having of Tariq Aziz. President Bush is very appreciative for the efforts that he has made and together they discussed some of the avenues that we might take to ensure that we get a good withdrawal.

Q What's the answer to the question, Marlin?

0637-2 0194

USW(F) -

장 관 발신 : 주미대사

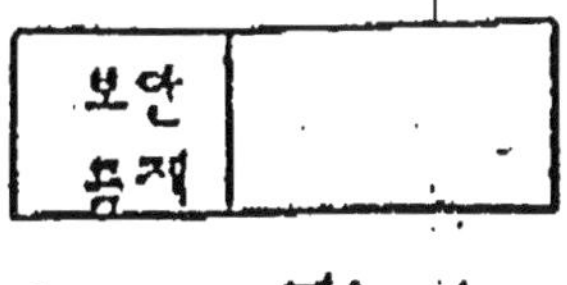

(매)

Q Is it your expectation now that President Gorbachev will help broker this deal with the Iraqis? In other words, where does this go now?

MR. FITZWATER: This goes to Saddam Hussein. The ball is in his court. The question is what is his answer. And in this statement we very clearly point out that we expect him to give a response to the United Nations before noon tomorrow.

Q So you do not expect President Gorbachev to be your representative on this?

MR. FITZWATER: I don't know what his plans were. We had very good and useful discussions with him. Terry?

Q In the conversation with President Gorbachev, did he endorse or accept these conditions that you just spelled out?

MR. FITZWATER: As I said, the discussion went back and forth on various points. They have been very helpful to the coalition from the very beginning. President Bush and President Gorbachev have had a number of communications and they have a very good understanding on this matter. The question now is, what's Saddam Hussein going to do.

Let's go back to the back. John?

Q Marlin, is there any indication, any reason to believe that Saddam Hussein will accept these terms?

MR. FITZWATER: We have not heard anything from him. Certainly, the scorched-earth policy that he has initiated in Kuwait only today does not lend us much reason for optimism, but we wanted to be very clear about what the criteria would be and very clear that he has an opportunity as he has had from the beginning to end this affair right now.

Michael?

Q What is the status of the air war and the US prosecution of the war while we wait for this deadline?

MR. FITZWATER: The war continues according to plan.

Patrick?

Q Will a ground war be underway tomorrow afternoon if these conditions are not met?

MR. FITZWATER: Well, we've said that we are holding off on the ground war pending this opportunity, and we will wait and see what happens and then make those decisions.

0195

0637-3

: USW(F) -

: 장 관 발신 : 주미대사

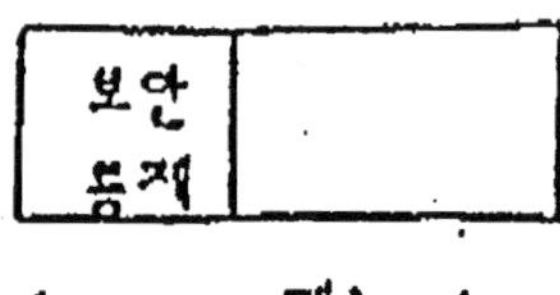

:

(매)

Q But it doesn't automatically mean that we will necessarily start the ground war tomorrow afternoon or right away if these are not met?

MR. FITZWATER: Well, we obviously are not going to telegraph in advance when we're going to start ground force action, and we want to give Saddam Hussein the opportunity to take advantage of this withdrawal offer.

Charles?

Q Marlin, are these ultimatums being made after consultation with the allies or on behalf of the allies?

MR. FITZWATER: After consultation with the allies. We've had extensive discussion all through the night last night and this morning.

Q What is in this, if anything, for Saddam Hussein?

MR. FITZWATER: A chance to save his country and to do the thing he should have done the day after he went in on August 2nd.

Q Marlin? It's just a change of signals. In the past you've talked about Saddam leaving unconditionally. You've now set out -- I count seven conditions here. In the past you've said you would halt the fighting if a massive withdrawal is underway. Now you say if any of these -- any breach if these seven are violated that you would continue fighting.

MR. FITZWATER: This is the criteria to be used in judging unconditional withdrawal. The United Nations resolutions are very clear that Saddam Hussein must get out of Kuwait unconditionally; and we want to be equally clear in saying that these are the minimum kinds of actions that he needs to take to comply with those resolutions to indeed get out of Kuwait unconditionally.

Let's take a filing break. I'll be back in a half-hour. Thank you very much.

0196

0637-4 (END)

069 P04 LENINPROTOCOL '91-02-23 06:08

정리보존문서목록					
기록물종류	일반공문서철	등록번호	2019070059	등록일자	2019-07-23
분류번호	772	국가코드	XF	보존기간	영구
명 칭	걸프사태, 1990-91. 전12권				
생 산 과	북미1과/중동1과	생산년도	1990~1991	담당그룹	
권 차 명	V.9 걸프지역 안보협력체제 문제 I, 1991.3-5월				
내용목차	* 3.5-6 아랍8개국 외무장관 회의 (Damascus, 시리아) - 다마스커스 선언 채택 - 아랍평화유지군 창설, 역내 경제협력 강화, 대량살상무기 제거 촉구, 팔레스타인문제 해결 촉구, 이라크의 영토보존 지지 등 3.10 미국 및 아랍 8개국 외무장관 회담 (Riyad, 사우디아라비아) - Baker 미국 외무장관의 4개항 중동평화 제의 지지 (걸프지역 안보협력체제 구상 합의) 5.29 Bush 미국 대통령, 중동 무기 확산 방지안 제안				

0001

관리 번호	91-851

원 본

외 무 부

종 별 :

번 호 : JDW-0077 일 시 : 91 0301 1900

수 신 : 장관(중동일,기정)

발 신 : 주 쿠웨이트 대사(주 젯다총영사관 경유)

제 목 : GCC 지역안보구상(출장보고 10)

쿠웨이트 외무장관 보좌관들과 2.27 오찬을 하면서 금후 중동 안보정세에 관해 의견교환했는 바, 그들이 말한것의 주요골자 는 다음과 같음. 이것은 그들의의견으로 개진된 것이나 쿠웨이트정부 당국의 견해를 아는데 참고될 수 있을것으로 봄.

1. 금후 GCC 지역안보는 GCC 국가들이 이번 전쟁경험을 토대로한 보다 실제적인 안보협력과 여기에 시리아와 이집트가 참여하고 미국이 궁극적으로 보장하는 구도가 될것임.이 구도에서는 GCC 의 돈있는 산유국들이 이집트와 시리아등을경제적으로 지원하고 이들 두나라는 안보협력을 제공하는 것이 될것임.이것을 위하여 3.2 리야드에서 GCC 외무장관회의, 그리고 3.3 또는 4 일에 다마스커스에서 GCC 와 이집트및 시리아 외무장관회의를 열게됨.

2. 팔레스타인문제는 이스라엘과 시리아사이에"안정적인 관계"가 이룩될 것이고 결국은 팔레스타인(웨스트 뱅크)과 요르단이 연방국가로 통합하는 방안으로타결될 것으로 전망함.

3. 이라크는 바트당이 건재하고 통치권력의 원천으로 남아있는한 계속해서 지역안정에 잠재적인 위협이 될것임.바트당을 기반으로 하는 사담 후세인이 이번에 반드시 실각한다고는 말하기 어려움.한편 이번 전쟁결과로 중앙권력의 통제력이 약해지면 기본적으로 "다민족국가"인 이라크는 매우 불안정한 정세로 빠져들어갈 위험이 있고 그렇게되면 레바논과 유사한 분란상태가 와서 지역안정에 위해로운 상황이 전개될 수 있음. 끝.

(대사-국장)

예고:91.6.30 까지

1991.6.30. 에 예고문에 의거 일반문서로 재 분류됨.

중아국 장관 차관 1차보 2차보 청와대 안기부

0002

PAGE 1 91.03.02 06:52

외신 2과 통제관 CE

원 본

외 무 부

종 별 :

번 호 : JOW-0226 일 시 : 91 0302 1520

수 신 : 장 관(중동이,중동일,미북,기정)

발 신 : 주 요르단 대사

제 목 : 걸프전 종전관련,국왕 연설

1. 3.1. 주재국의 후세인 국왕은 걸프전 종전과 관련, 전아랍인,전회교도인 및 대국민 성명을 발표하였는바 요지 다음과 같음

가.쿠웨이트인들이 그들의 국가를 회복하게된데 대해 기뻐함과 동시 이라크인들과도 그들의 상처와 아픔을 나누고저함

나.분열된 아랍세계의 화해를 호소함

다.전세계 국가에 대해 요르단과 상호 존중및 협력을 바탕으로 우호관계를 갖는것을 대환영함을 재확인 함

라.중동지역내의 부국과 빈민들간의 격차가 제도적으로 취급되고,논의되지 않을시는 또다른 불안이 발생할수 있을것인바, 이를 유념해야 할것임

마.아랍제국내에서 광범위하게 적용되고 있는 민주주의만이 아랍제국을 무력 분쟁의 소용돌이에서 구원할수 있을것임

바.걸프사태로 발생한 상처들이 아랍간의 화해를 저해할것이나 아랍제국은 이의치유를 위해 상호 노력해야 할것임

사.유엔등 국제사회는 걸프사태에서 보여준 동일한 관심을 팔레스타인 문제에도보여줄것을 호소함

아.이라크 국민들이 자국의 재건과 상처치유를 위해 노력할때 요르단 국민들은 동참할것임

2.금번 후세인 국왕의 성명은 종전과 관련,걸프사태에 대해 주재국이 그간 수차밝혀온 대내외 입장을 재천명한것이나, 동성명을 통해 친이라크 성향의 국민들을 무마하면서,앞으로 아랍권과 서방과의 화해와 관계개선에 대해 능동적 입장을 취할것임을 시사하고 있는것으로 사료됨

(대사 박태진-국장)

중아국 장관 차관 1차보 2차보 미주국 중아국 정문국 청와대 총리실 안기부

PAGE 1 91.03.03 00:36 DQ

외신 1과 통제관 0003

원 본

외 무 부

종 별 :

번 호 : OMW-0058 일 시 : 90 0303 1410

수 신 : 장관(중동일)

발 신 : 주 오만대사

제 목 : 걸프전후 중동정세 (자응 제 91-3호)

3.2. 主재국 YUSUF 외무장관은 3.3. 리야드 개최, GCC 외상회의 참석에 앞선 기자회견에서 아래요지 언급함. (상세파편 송부)

1.금번 걸프전쟁이 지역국가로 하여금 장기적 안정과 평화의 문턱에 서게 했으며, 군사적 결과와 정치적 결과간의 균형이 중요한바, 主재국은 GCC 의 전후 안전보장조치 분과위원회 의장국으로서 지난 20년간의 경험을 십분활용, 신시대 구축에최선을 다할 예정임.

2.미국은 개발협력을 주목적으로한 균형된 세계질서 수립을 위해 노력할 것으로보며, 현재 미국이 제시하고 있는 조건들은 안정된 신질서의 기반을 이루고 있는것으로 봄.

3.물론 팔레스타인 문제 해결이 급선무이긴 하나 과거처럼 합리성보다 감정을앞세우던 우를 범하지 않고 어디까지나 실현 가능한 범위내에서 해결책을 모색해나가야 할것임.

4. 3.5. 다마스커스 8개국 외상회의에서 아랍연맹 헌장 범위내에서 보다 강화된 종합적인 안을 마련하기를 희망함.

끝

(대사 강종원-국장)

중아국 장관 차관 1차보 2차보 미주국 정문국 청와대 총리실
안기부 대책반

PAGE 1 91.03.03 22:58 DA

외신 1과 통제관 0004

외 무 부

종 별 :

번 호 : OMW-0058 일 시 : 90 0303 1410

수 신 : 장관(중동일)

발 신 : 주 오만대사

제 목 : 걸프전후 중동정세 (자응 제 91-3호)

3.2. 주재국 YUSUF 외무장관은 3.3. 리야드 개최, GCC 외상회의 참석에 앞선 기자회견에서 아래요지 언급함. (상세파편 송부)

1.금번 걸프전쟁이 지역국가로 하여금 장기적 안정과 평화의 문턱에 서게 했으며, 군사적 결과와 정치적 결과간의 균형이 중요한바, 주재국은 GCC 의 전후 안전보장조치 분과위원회 의장국으로서 지난 20년간의 경험을 십분활용, 신시대 구축에최선을 다할 예정임.

2.미국은 개발협력을 주목적으로한 균형된 세계질서 수립을 위해 노력할 것으로보며, 현재 미국이 제시하고 있는 조건들은 안정된 신질서의 기반을 이루고 있는것으로 봄.

3.물론 팔레스타인 문제 해결이 급선무이긴 하나 과거처럼 합리성보다 감정을앞세우던 우를 범하지 않고 어디까지나 실현 가능한 범위내에서 해결책을 모색해나가야 할것임.

4. 3.5. 다마스커스 8개국 외상회의에서 아랍연맹 헌장 범위내에서 보다 강화된 종합적인 안을 마련하기를 희망함.

끝

(대사 강종원-국장)

중아국	장관	차관	1차보	2차보	미주국	정문국	청와대	총리실
안기부	대책반							

PAGE 1

91.03.03 22:58 DA

외신 1과 통제관

0005

외 무 부

종 별 :

번 호 : FRW-0739 일 시 : 91 0304 1200

수 신 : 장 관 (중동일,구일,정일,기정)

발 신 : 주 불대사

제 목 : 걸프전 정전 (MITTERRAND 대통령 담화)

주재국 MITTERRAND 대통령은 2.3. 20:00 표제건 관련, 하기 요지의 대국민 담화를 발표함.

1.국론통일

- 참전에 대해 군,민,의회 모두 혼연일체가되어 정부를 성원해준데 대해 사의를표함.

- 더욱이 불참전이 아랍국의 오해를 야기, 이에 따른테러의 위협도 있었으나 국내적으로 회교도나 유태인 모두 감정을 자제, 불행한 사태없이 전쟁을 수행할 수 있었음은 경하할 일임.

2.불군 철수 및 불 국방정책

- 4-5월중 주력군이 철수하고 늦어도 가을 이전까지는 중동서 완전 철수할 것임.

- 과학기술의 혁신을 통한 군비 현대화는 자주국방 및 구주안보를 위해 긴요하므로, 방어적 개념의 독자 핵 개발을 위시한 기존의 국방정책을 계속 견지할 것임.

3.중동 평화

- 금번 쿠웨이트 해방은 산적한 중동문제의 부분적 해결에 지나지 않음.

- 불란서가 과거부터 초지일관되게 주창한 중동평화 국제회의 개최는 시급한 명제이며,이는 하기핵심 중동문제 해결에 긴요함.

1) 팔레스타인의 독립국가 건설

2)이스라엘의 안전한 국경선 보장

3)레바논의 주권 회복

4)이락 현 영토의 보존등임.

- 금번 전쟁을 통해 새로히 권위가 인정된 유엔을 주도로한 평화노력은 바람직

중아국 차관 1차보 2차보 구주국 정문국 안기부 대책반

PAGE 1 91.03.05 00:37 CT

외신 1과 통제관 0006

하며, 1차단계로 유엔안보리국 정상회담 개최를 제의코자 함.

4.기타 문제

- 불란서를 포함한 무기 생산국 및 이락 양측 모두 책임이 있는 국제적인 무기수급 체제는 재검토 되어야 하며, 이를 위해 유엔안보리를 중심으로한 협의등은 바람직함.

- 금번 전쟁으로 소수민족 문제(쿠루드등), 빈부격차 및 환경문제등에 대한 인식이제 고되었음.끝.

(대사 노영찬-국장)

관리번호	91-（手書）

원 본

외 무 부

종 별 :

번 호 : FRW-0749 일 시 : 91 0304 1920

수 신 : 장관(중동일,미북,동구일,정일)

발 신 : 주 불 대사

제 목 : 걸프전 정전(분석,전망)

연:FRW-0725

표제건과 관련한 당지 전문가(국제관계연구소 KODMANI-DARWISH 중동연구부장, BALTA 중동연구소 소장등)의 분석, 전망(당관 박참사관 접촉) 및 기타 전문학술지의 평가 내용을 하기 종합 보고함.

1. 미국의 득실

가. 미국은 단기간의 물량적 전투와 최소한의 인명피해로 전쟁에 완승하였으며, 하기 전쟁의 기본목표도 대부분 달성하였음.

1)월남전의 치욕서 탈피, 미국의 국제적 지위 재확인

2)군사, 경제적인 중동진출 기반 구축및 중동질서 재편에 대한 주도권 확보

3)국제 원유시장 주도권 장악

4)재고무기 일소에 따른 군사산업의 활성화로 인한 침체경제 탈피 및 중동전화 복구사업 독점 가능성에 힘입은 호경기 모색

5)동구개혁후 생성된 신 질서하에서 대두되던 다극화 현상(EC 의 발전적 통합 및 일본경제력의 국제경제무대 석권등)에 대한 경고로, 미국만이 패권을 행사할수 있는 국가임을 인식시킴등 임.

나. 다국적군의 BAGDAD 진주 포기에 불구, 금번 전쟁중 아랍권과 제 3 세계의 반미 감정은 고조되었으므로, 이를 완화시키기 위해서는 현재 비타협적인 이스라엘의 리쿠드 정부의 압력과 로비에서 과감히 탈피, 중동문제의 핵심인 팔레스타인 문제해결에 적극적인 자세로 전환함은 시급한 과제임.

다. 또한 미국은 전통적으로 전쟁(개전, 군사작전 및 정전등 일사불란한 주도) 이나 제반 국제위기 관리에는 행동력을 바탕으로한 탁월한 역량을 보였으나, 평화구축 작업에는 미숙한 약점을 이번기회에 보완치 않으면, 전쟁중 근신한 소련이나

중아국	장관	차관	1차보	2차보	미주국	구주국	정문국	청와대
총리실	안기부	국방부						

PAGE 1 91.03.05 20:21 0008

외신 2과 통제관 CA

불란서등에 평화외교를 위한 이니셔티브를 양보해야 할 가능성이 있음.

2. 이락의 향배

가. 안보리 결의안 686 호(3.3. 채택) 수락은 실질적인 항복을 의미하며, SADDAM 의 국내적인 외곡선전에 불구, 동인의 정권기반 몰락은 시간문제가 됨.

나. 중동 최고의 지성, 문화수준을 자부하던 이락 국민이 지난 10 년간의 양차전쟁(이.이전, 걸프전)을 통해 정치, 경제적 하등국민으로 전락한 책임소재가 SADDAM HUSSEIN 으로 귀결될 것이므로, SADDAM 제거와 국가경제 재건은 가장 시급한 명제로 대두됨.

다.SADDAM 은 그간의 철권통치로 도전세력을 제거하였으므로 현재 국내적으로 조직적인 저항세력은 없음. 또한 3 개 망명세력(이란: 시아파 지도자, 영국:진보, 자유주의자, 사우디:전 국방상등 온건세력)도 체계화 되지못하고, 상호 분열되어, 단기적 대체세력으로 등장키 어려울 것임으로 현재로는 하기 2 개 가정이 가능함.

1)현 정권 핵심인사중 실정의 공동책임을 지기보다는 솔선 SADDAM 을 제거,현 체제를 다소 완화, 유지하는 방법(바쓰당과 군부의 제휴)

2)유일한 조직력이 있는 종교(시아파 60 프로) 지도자를 중심으로한 봉기(BASSORA 소요등) 및

3)SADDAM 의 망명(LE MONDE 지, 알제리 망명 가능성 보도)

라.SADDAM 은 금번 패전과 60 프로의 군사력 손실에 불구, 일정수준의 친위군부만 장악하면 당분간 정권유지가 가능할 것으로 볼것이나, 전쟁중

1)KHAFJI 전투를 제외하고는 전투다운 응전을 못하고 심리전만 일관하므로써 아랍인 일반의 기대인 "행동력의 지도자"란 이미지 고양에 실패하였고

2)소련 정전안을 수락하는 시점서 팔레스타인 문제에 대한 관심 불표명등의ARAB CAUSE 퇴색은 그간 맹목적인 아랍 일반대중의 지지를 약화시켰으므로, 아랍권 지지에 의한 계속 집권도 어려워질 것임.

마. 이락 시아파의 집권에 대해 이란은 이를 환영할 것이나, 사우디를 위시한 걸프국은 극력반대할 것이므로 회교공화국 수립 전망도 밝지못한, 현재 상태에서의 유일한 가능성은 상기 집권핵심세력과 군부의 제휴를 통한 SADDAM 축출이될것으로 보임.

3. 소련 및 불란서

가. 역사적으로 중동에 이해관계가 많은 상기 양국은 전후 미국주도의 중동평화

노력이 아랍인의 반감을 야기시킬 것이라는 우려와 미국의 중동본격진출 견제라는 관점에서 상호 제휴, 평화회의 개최등에 있어 적극적인 노력을 전개할 것임. 특히 주재국은 전쟁중에도 소련과 대화채널을 유지, 외교적인 공동노력에 관심을 표명하고, 정전직전 2.27. VAUZELLE 하원 외무위원장을 특사자격으로 방소시켜 전후 공동보조에 관한 원칙적인 소련측의 합의를 얻은 것으로 알려짐.

나.MITTERRAND 대통령이 3.3 대국민 담화에서 중동문제 해결사항중 이락의 영토보전을 강조한 것은 년 170 억불의 원유생산국인 이락이 경제재건에 착수하면, 과거의 인연을 살려 복구사업에 적극 참여코자 하는 의향이 반영된 것으로 볼수 있음.

다. 소련 또한, 국내 군부를 위시한 수구세력이 그간의 돈독한 소.이락 관계를 활용, 중동판도의 핵심국인 이락에 대한 소련의 영향력은 계속 유지토록 GORBACHEV 에게 압력을 행사할 것이므로, 소련 및 불란서는 제반관점에서 공통이해를 갖고있다고 볼수 있으며, 이에따른 양국의 보완적인 협조가 두드러질 것임.

이하 4. 항부터 FRW-0750 PART II 로 계속됨.

PAGE 3

0010

관리 번호	91-P32

원 본

외 무 부

종 별 :

번 호 : FRW-0750 일 시 : 91 0304 1950

수 신 : 장관(중동일,미북,동구일,정일)

발 신 : 주 불 대사

제 목 : FRW-749 의 PART II

4. 신 중, 근동 판도 및 열강의 동향

가. 미국은 다국군에 파병하여 지원한 애굽, 시리아등을 포함, GULF 국을 주축으로한 친미 아랍권을 형성하여, 외곽 터키를 보완적인 연결고리로 하는 새로운 체제를 모색할 것으로 보이며, 내주중 있을 BAKER 국무의 중동순방도 이를 위한 정지작업이 될것임.

나. 소련은 미국의 군사, 정치, 경제적인 중동정착마저 방관하면 자국의 국제적 영향력은 완전 실추되므로, 외교 우선목표를 중동에 집중, 불란서와 함께 평화작업주도, 이란, 이락등 국경선을 같이 하는 국가와의 3 각체제 결성등으로 대처할 것으로 보임.

다. 불란서, 독일을 주축으로한 서구 EC 진영도 중동에 관한 미국의 독주는 바람직하지 않으므로, 소련과 적절히 제휴, 외교는 불란서, 이태리 중심, 경협은 독일 중심으로 구주의 대중동 영향력을 견지하고자 할것임.

라. 경제대국인 일본은 걸프전을 통해 막대한 전비만 부담했지, 순발력있는외교대응은 무능만을 노출시켰으므로, 전쟁 복구사업 참여를 위해 미, 소, 불,영등이 각급 특사 및 관, 민 혼성사절단등을 파견, 국익을 위해 순발력 있게 대처하는데 비해 괄목할 만한 움직임을 보이지 못하고 있는바, 이는 일본의 그간대중동 이해가 원유수급에만 국한된다는 점도 있으나, 정치, 외교력이 없는 경제만의 강국이 세계판도를 좌우하는데는 한계가 있음을 여실히 들어낸 것으로 볼수 있음.

마. 중동 재편을 위시해서 제 3 세계 문제등에 있어 안보리 상임이사국중 소련이나 중국 또는 불란서의 입장은 그런대로 강화될 여지가 있으나, 미, 영은 당분간 중동부흥에 필요한 중동재건은행 창설등 기술적인 문제외에는 표면에 나서 적극적인

중아국 장관 차관 1차보 2차보 미주국 구주국 정문국 청와대
총리실 안기부 국방부

PAGE 1 91.03.06 05:49 0011

외신 2과 통제관 CA

영향력을 행사하는데 제약이 있을 것임.

5. 중동평화

가. 이스라엘의 리쿠드 정부도 팔레스타인 문제 해결 관련, 더이상 배타적인 자세를 견지하기가 어려워 졌으므로, 미국이나 서구의 권유에 순응, 협상에 임하는 자세를 보이게 될것임.

나. 팔레스타인과의 협상을 양자관계(PLO 가 아닌 점령지 팔인)로 한정시킨이스라엘의 입장도, 금번 걸프전을 통해 비록 위치가 약화는 되었으나, 상금 팔인의 대의기구로 존속되고 있는 PLO 를 무시할수는 없을것임.

다. 또한 전쟁와중서 묵인되었던 시리아의 레바논 강점 및 이스라엘의 레바논 팔인기지 공격등에 대한 최소한의 경고와 함께, 레바논의 진정한 주권회복을 위한 노력도 구체화 될것으로 보임.

라. 전쟁중 아랍대중이 SADDAM 을 성원한것은 SADDAM 개인에 대한 존경이라기 보다는, 부의 편재를 가져온 아랍 각국의 전근대적인 지도체제에 대한 반발 및 열강의 이스라엘 지원에 대한 반감이 복합적으로 작용한 것이므로, 전후 아랍각국의 군주체제나 독재체제도 점진적으로 민주화 되어야 할것임.모로코의 최근 정치범 석방 발표등은 이에 대비하는 자체적 조치로 평가됨.

6. 전쟁과 메디아

-금번 걸프전을 통해 20 세기의 총아이며 강력한 비정치 주체세력인 서방(미, 불, 영) 메디아(특히 TV 매체)는 언론의 기본사명을 도외시한 오류를 범했는바, 즉

1) 사태발발 부터 전쟁 예방보다는 개전방향으로 여론 유도

2) 이락의 군사력 및 화학무기 사용 가능성에 대한 과장보도로, 다국적군의물량공폭 정당성 지원 및 이락 또는 SADDAM 의 잔학상 선전등으로, 이락측의 인명피해(12-15 만명 추산)가 불가피 했음을 강변

3) 신예무기 집중홍보로 국제무기 수급 제한 분위기에 역행

4) 유엔결의안 적용이 쿠웨이트에만 국한되는 인상을 주고, 레바논, 이스라엘 관련 유엔결의안 준수 촉구는 의식적으로 회피

5) 아랍국민의 반응보다는, 이락의 SCUD 미사일 공격피해가 경미했던 이스라엘의 안위만을 집중보도, 언론의 평형감각 상실 및

6) 동구개혁후, 언론이 극화(DRAMATIZE) 할수 있는 새로운 호재가 없던 차에 발생한 걸프사태를 분쟁의 원인, 전후 중동평화등에 촛점을 맞추는 대신, 각종

전파신장비를 동원한 전쟁의 중계방송화에 집중, 비참한 전쟁을 TV 의 오락프로그램화 하는 실책을 범했으므로, 서방 수개국의 국제 COMMUNICATION 독점에 대한 경각심으로 고조시켜 향후 이문제가 과거 UNESCO 차원이 아닌 국제적인 ISSUE로 재차 부각될 소지를 남김.

7. 후속조치

- 당관은 중동평화, 중동질서 재편, 전후 복구사업 관련 후속사항을 각별히주시 파악, 계속 보고토록 할것임.끝.

(대사 노영찬-국장)

예고:91.6.30. 까지

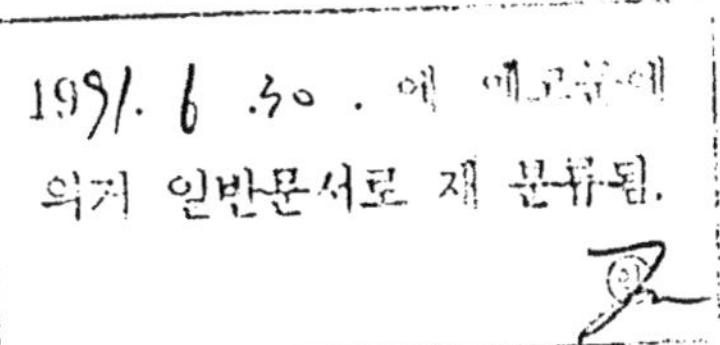

PAGE 3

0013

원 본

외 무 부

종 별 :

번 호 : GEW-0558 일 시 : 91 0305 1800

수 신 : 장 관(중동일,구일)

발 신 : 주 독 대사

제 목 : 아랍 8개국 외상회의

걸프전 종전이후의 새로운 평화질서를 모색하기 위하여 3.5.부터 다마스커스에서 개최되는 시리아, 이집트및 GCC 6 개국 외무장관회의와 관련, 3.5.자 GENERAL ANZEIGER 지 의 DPA 를 인용한 FISCHER 기자의 해설 기사요지를 아래보고함

1.이번 회합의 기본구상은 이집트에 의한 것이며, 걸프전에 있어서 81년 창설된 걸프협력이사회 (GCC) 가 실효성이 없는 것으로 밝혀짐에 따라 GCC 국가는 군사적인 보호문제에 관심이 있는 반면, 경제적으로는 약하나 정치.군사적인 지역세력인 이집트와 시리아는 부유한 GCC 산유국의부를 아랍세계에 공정히 분배해야 한다는점을 강조하고 있으며, 이와관련 전후 구라파에 있어서 마살플랜과 재건기금이 모델이 되고 있음

2.이번회의에 참석하고 있는 친서방 아랍국가들은 앞으로의 새로운 질서는 미국 중심의평화 (PAX AMERICANA) 가 아니라 이지역 자체에서 연유해야 한다고 강조하고, 따라서 가급적 신속하게 걸프지역내의 외국군대를 아랍군대로 대체하는것을 급선무로 하고 있으며, 장차는 중동지역의 군축회담과 CSCE 와 같은 지역안보협력 기구를 구상중인 것으로 알려짐

3.다만 이지역의 장기적인 평화는 이스라엘의 참여없이는 불가능한다는데 인식을 같이하고 있으나, 팔레스타인 문제의 해결없이는 이스라엘이 안보체제에 포함될수 없다는 입장인 것으로 알려짐.

4.이번 회담이 성공하기 위하여서는 아랍진영의 뿌리깊은 분쟁이 극복되어야 하고 새로운 중심세력의 등장이 있어서는 안될것으로 분석되고 있으며 차후에 있을 정상 회담에는 여타 아랍국가를 참여시키는 것도 구상되고 있는 것으로보임

5.전기한 전후질서 구상에 대하여 비아랍지역 세력인 이란과 터키는 반대하고 있는 것으로 관측됨. 이 란은 안보체제를 걸프지역에 한정시킬 것을 주장하고 있는바 이는

중아국 1차보 구주국 정문국 안기부

0014

PAGE 1

91.03.06 13:37 WG

외신 1과 통제관

이락의 군사력이 궤 멸됨으로서 이지역 최강세력으로 부상하려는 의도로 보임

이집트와 시리아는 이란을 차후에 참여시키려고 하는반면, 여타 GCC 6 개국은 이란에 대한 깊은 두려움을 갖고 있는 것으로 알려짐.

(대사-국장)

김수

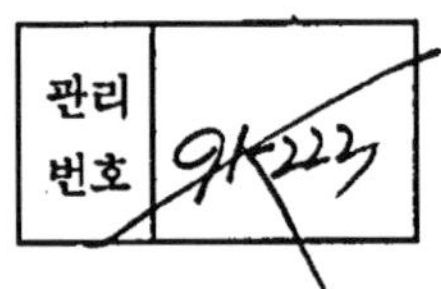

외 무 부

종 별 :

번 호 : USW-1101 일 시 : 91 0307 1757

수 신 : 장관(미북,중동일, 미안,기정)

발 신 : 주 미 대사

제 목 : 걸프 전후 미국의 대중동 정책

본직은 금 3.7. 백악관 ROBERT GATES 안보담당 부보좌관이 BLAIR HOUSE 에서 외교단을 위해 실시한 걸프전 종전후의 대중동 정책관련 브리핑에 참석하였는바, GATES 부보좌관의 주요 언급 요지는 다음과 같음(기본적으로는 작일 부쉬 대통령 의회 연설 내용을 부연)

1. 금번 걸프사태 수습을 위해서는 당사자인 지역내 국가들의 의견과 INITIATIVE 가 중요한바, 미국이 어떤 특정해결 방안을 강요하지 않을것임.

2. 걸프 전쟁으로 인해 사우디등에 파견된 미군 병력은 조기 철수할것이며,중동 지역내에 미 지상군을 장기적으로 주둔 시킬 계획은 없음. 중동지역 안정확보 방안의 일환으로, 미국은 역내 우방과의 합동 군사훈련 실시 및 해군력(항모 전단 포함) 계속 파견등을을 고려중임.

3. 또한 중동평화의 수립을 위해 이스라엘-팔레스타인 문제의 해결에 외교적 노력을 집중예정인바, 유엔 안보리의 관련 결의안을 기초로 이스라엘의 안전과 팔레스타인에 대한 공정한 처우를 실현하는것이 주목적임.

4. 중동지역내의 빈부 격차 및 선후진국간의 경제력 격차를 보전하기 위해 역내 경제 개발의 추진이 바람직한바, 역내 국가들이 적극 선도할 경우 미국도 제2 선에서 이를 적극 지원할것임.

5. 금번 걸프 전쟁이 다국적 연합 노력으로 성공적인 종식을 맞게 된것 처럼, 역내 평화 구축도 그와 같이 연합적 노력(COALITION) 에의해 실현되어야 하는바, 미국 단독으로 동 PROCESS 를 추진하지는 않을것임.

예고문에 의거 재분류(1991.12.31)
직위 사무관 성명 [illegible]

6. 제반 전후 처리 문제해결에 참고코자 관계국들의 의견을 청취하기 위해 베이커 국무장관이 금일 아침 중동향발 하였음.

(대사 박동진-장관)

검 토 필(1991.6.30.) [illegible]

미주국 장관 차관 1차보 2차보 미주국 중아국 청와대 안기부
국방부

PAGE 1 91.03.08 08:57 0016

외신 2과 통제관 CH

예고:91.12.31. 일반

주가장님 지시는 없음

報告畢

長 官 報 告 事 項

1991. 3. 8.
中 東 1 課

題 目 : 걸프地域 安保協力體制 構想

向後 걸프地域 安保協力體制 構想과 관련한 最近 動向을 91.3.5-6間 다마스커스에서 開催된 아랍 8個國 外務長官 會議를 중심으로 아래와 같이 報告합니다.

1. 아랍 8個國 外務長官會議 結果

가. 會議 槪要

- 期間 및 場所 : 91. 3. 5 - 6. 다마스커스
- 參加國 : GCC 6個國 (사우디, 쿠웨이트, UAE, 카타르, 바레인, 오만) 및 이집트, 시리아

나. 다마스커스 宣言 要旨

- 이집트, 시리아軍을 主軸으로한 아랍平和維持軍 創設
- 域內 經濟協力 强化
- 中東地域에서 核武器등 大量殺傷武器 除去 促求
- 팔레스타인問題에 관한 유엔 後見下의 中東 國際會議 開催 促求
- 이라크의 領土保全 支持

2. 分析 및 評價

- 今番 아랍 8個國 外務長官會議에서 채택된 다마스커스 宣言은 3.4 리야드에서 開催된 GCC 外務長官會議등 그동안의 GCC를 중심으로한 協議를 바탕으로 向後 걸프地域의 安全保障 問題에 대한 아랍圈의 共同 立場을 처음으로 公式 合議文書로 導出해 냈다는데 큰 意義가 있음. 아랍諸國은 베이커 美國務長官의 中東 巡訪時 同 共同 立場을 基礎로 美側과의 意見 調整에 임할 것으로 보임.

0018

o 아랍 8個國은 아랍圈 全般의 反美, 反西方 感情과 이란등의 外勢 排擊 要求등을 감안 外見상 이집트, 시리아軍을 中心으로 한 아랍 스스로의 安保協力體制 樹立을 내세우고 있으나, 결국 美國이 동 安保協力體制를 궁극적으로 保障하는 役割을 맡게 될것으로 豫想되며 이와관련 美.英등의 海.空軍 계속 駐屯 可能性이 있음.

o 今番 會議에서는 이집트가 주도적 역할을 한것으로 알려지고 있으며 이집트와 시리아가 GCC 産油國의 安保를 保障하는 後見國의 地位를 公式的으로 認定 받음으로써 向後 걸프地域 勢力均衡에서 同 兩國이 主導的 役割을 遂行할 발판을 마련함. 그러나, 過去 시리아의 對이집트 및 對 GCC 諸國 關係와 離合集散을 거듭해온 中東地域內 力學關係의 經驗에 비추어 새로이 誕生한 GCC-이집트-시리아 密月 關係가 얼마나 오랫동안 持續될 것인지 與否는 斷定키 어려움.

o GCC 産油國들은 이집트, 시리아의 安保協力 代價로 상당한 規模의 援助 提供을 約束했을 것으로 보임. 이와관련 카이로의 아랍 外交 消息通은 今番 會議에서 GCC 6個國이 이집트, 시리아 兩國에 150億弗의 援助를 提供키로 했다고 밝힘.

o 아랍 8個國은 다마스커스 宣言에서 餘他 아랍國家들에 대한 門戶開放을 標榜하였고, 將次 域內 모든 國家가 參與하는 CSCE와 같은 地域 安保 協力機構 創設을 檢討한 것으로 알려짐. 一部 分析에 의하면, 이란과 터키는 다마스커스 宣言의 戰後 秩序 構想에 反對하고 있다고하며, 이집트와 시리아는 이란의 參與에 肯定的인 立場인 反面 GCC 6個國은 이란에 대해 깊은 두려움을 갖고 있다고 함.

o 아랍 8個國 外務長官들은 이스라엘의 占領地 撤收 및 팔레스타인人의 權利 保障을 促求 하였으나, 過去와는 달리 PLO의 팔레스타인 代表權에 대한 言及을 하지 않음으로써 걸프事態 期間中 PLO의 親이라크 傾向에 따른 아랍圈內 PLO의 位相低下가 可視化되었음.

첨 부 : 아랍圈의 最近 關聯 動向 및 域內 各國의 立場. 끝.

0019

참 고 : 아랍圈의 最近 關聯 動向 및 域內 各國의 立場.

1. 最近 動向

- o GCC 頂上會談 (90.12.22-25. 카타르 도하)
- o GCC 外務長官會議 (91.1.26. 리야드)
- o 사우디, 시리아, 이집트 3個國 外務長官 會議 (91.2.14. 카이로)
- o 아랍 8個國 外務長官 會議 (91.2.15-16. 카이로)
- o GCC 外務長官 會議 (91.3.4. 리야드)

2. 域內 各國 立場

- o 쿠웨이트 (2.27. 外務長官 補佐官)
  - GCC를 中心으로 이집트, 시리아가 參與하고 美國이 궁극적으로 保障하는 構圖가 된것임.
  - GCC 産油國이 이집트, 시리아를 經濟的으로 支援하고 이들 兩國은 安保協力 提供
  - 地域 安定을 위해 이라크의 第 2의 레바논化 不願
- o 사우디 (3.4. 外務次官代理)
  - GCC 國家들의 抑止力 强化가 중요하며 이를 위하여 個別國家의 軍事力을 一定 수준까지 提高 必要
  - GCC 諸國과 이집트, 시리아를 連繫, 集團 防衛 體制 (多國的 아랍軍 構成)를 推進하고, 過渡期的 措置로 GCC 聯合軍을 構成, 合同 軍事訓鍊등을 통해 防衛力 强化 圖謀
  - 이집트, 시리아 地上軍 및 美.英등의 海.空軍 繼續駐屯 展望
- o 오 만 (3.2. 外務長官)
  - 오만은 GCC의 戰後 安全 保障 措置 分科委員會 議長國 으로서 지난 20年間의 經驗을 活用, 最善의努力 傾注 豫定.
- o 터 키 (2.3. 오잘 大統領)
  - 域內 平和를 위하여 CSCE와 類似한 協定 締結 考慮 可能
  - 安保協力과 더불어 包括的인 經濟 協力 필요 (中東 經濟開發 基金 創設 考慮 可能)
- o 이 란 (3.3. 라프산자니 大統領 및 하메네이 最高指導者)
  - 美軍의 卽刻 撤收 促求 및 戰後 安保體制 樹立過程에 域內 國家의 參與 必要性 强調
  - 域內 安保 構想 協議를 위해 터키에 特使 派遣 (터키와의 提携摸索)

0020

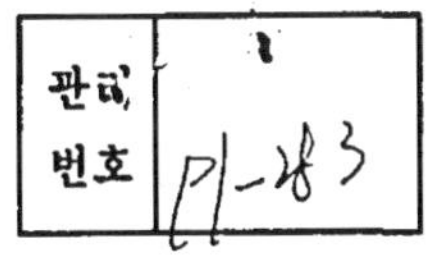

외 무 부

종 별 :

번 호 : UKW-0633 일 시 : 91 0308 1800

수 신 : 장관(중동일,미북,구일,기정) 사본: 이홍구대사

발 신 : 주 영 대사대리

제 목 : 걸프지역 안보

걸프종전후 지역안보 문제에 관한 당지 전문가의 의견을 아래와 같이 보고함.(조참사관, 국제전략문제연구소 COL. MICHAEL DEWAR 부소장 3.8 면담)

1. 미.영 등은 지역안보 구상이 아랍자체의 이니시어티브에 의해 발전되도록 신중을 기해나갈 것이며, GCC 6 개국에 이집트, 시리아를 합한 이른바 " CAIRO 8 " 그룹이 이러한 안보구상을 발전시키는데 중심적 역할을 할 것임. 지역제국은 특히 유엔도 역외의 세력을 보고 그 역할을 인정하지 않으려고 할 것임

2. 베이커 국무장관은 걸프지역 순방과정에서 상기 기본입장하에, 지역내 안보를 위한 미국의 기여는 해상병력, 일부 공정부대 및 일부 장비의 육상 배치에 제한시키는 방향으로 추진해 나갈 것으로 봄

3. 사담 후세인은 패전과 국내적 혼란에도 불구하고 당분간 권력을 유지할 수 있을 것으로 전망하며, 반정부 세력에 대해 강력히 대응하는 한편, 필요시에는 시아파등을 무마하는 전술을 구사할 것으로 보임

4. 이란은 상기 8 개국 그룹에 합류할수 있기를 희망하고 있는 것으로 보이나, 이란의 진의에 대한 의구심을 버리지 못하는 8 개국측의 저항이 있을 것으로봄

5. 소련에 의한 대 일가 재래식 무기의 재 공급 가능성을 배제할 수 없으며, 최근 메이저 수상의 방소시에도 대 이락 무기 금수 문제에 관하여 소련측의 확실한 입장 표명이 없었던 것으로 보도되고 있으나, 소련이 역내 군사적균형을 어느정도 염두에 두고 대응해 나갈 것으로 봄

6. 걸프전 결과, 미국의 이스라엘에 대한 영향력은 강화되었으며, 이스라엘로 부터 팔레스타인 문제에 있어 얻어내는데 유리한 여건이 조성된 것으로 평가함

7. 사우디등 GCC 국가들은 걸프사태의 원인중의 하나가 이락과 자국들간의 군사적 불균형에 있었다고 분석하고, 군비강화를 서두를 것으로 보며, 미.영등이일정한

중아국	장관	차관	1차보	2차보	미주국	구주국	청와대	안기부

PAGE 1 91.03.09 06:13 0021

외신 2과 통제관 FE

한도내에서 이를 용인 할 것으로 봄.끝

(대사대리 최근배-국장)

91.12.31. 까지

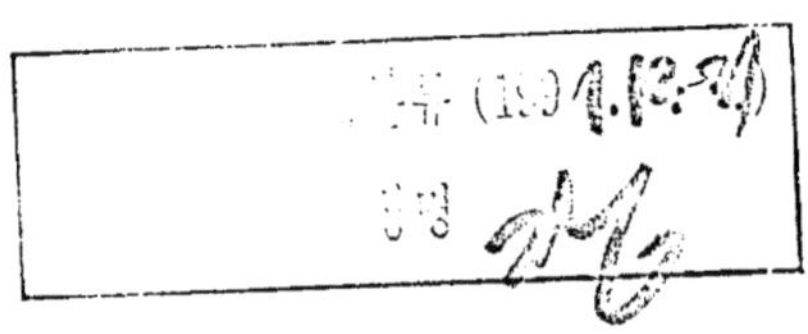

PAGE 2

0022

원 본

외 무 부

종 별 :

번 호 : JOW-0255 일 시 : 91 0310 1700

수 신 : 장 관(중동일,해기,해신,기정)

발 신 : 주 요르단 대사

제 목 : 현지 언론 반응

1.주요 일간지 J.T. 3.10자는 2면 상단에 SYRIABUYING IMPROVED SCUDS FROM NORTH KOREA 3단제하 시리아의 북한산 스커드 미사일 구입에 관한 텔아비브발 AP기사를크게 취급하여 전후 시리아의 무력증강에 관심을 보이고 있음. 동지는 3.7.자에도 SCUDMISSILES REPORTED HEADED FOR SYRIA 3단 제하 유사한 내용의 로마발 AP 통신 기사를 게재한바 있음

2.한편 3.9. 요르단 상원은 전후 아랍세계의 질서 재편성 움직임과 관련 다음요지의 성명을 발표함

가.아랍권 지도자들에게 이락및 걸프지역 외군 잔류 거부 촉구

나.아랍세계의 양극화 현상과 외세에 의한 주축국 형성을 경계하고 비난

다.이락의 주권과 영토의 불가침성 존중을 강조하고 아랍권 제국에 대해 이락의전후 복구지원 촉구

3.동상원 성명을 3.10자 주요 일간지들은 일제히 1면 톱으로 취급한바 보도 상황다음과 같음

-JORDAN TIMES

SENATE WARNS AGAINST ARAB DIVISION, CALLS FOR BUILDING IRAQ

-SAWT AL-SHAAB

A CLOSED SESSION FOR THE UPPER HOUSE REVIEWS CONSEQUENCES CAUSED BY THE AGGRESSION ON IRAQ AND THE POLITICAL MOVES TORESTORE PEACE

-DUSTOUR

ASSERTING IMPORTANCE OF THE PALESTINIAN CAUSE AND IRAQ'S SOVEREIGNTY AND UNIFICATION-UPPER HOUSE WARNS OF THE DANGER THAT MIGHT ARISE ON THE ARAB AXES

-RA'I

중아국 1차보 안기부 공보처 공보처

0023

PAGE 1 91.03.11 05:41 DQ

외신 1과 통제관

FOLLOWING THE POLITICAL STATEMENT BY THE PREMIER, UPPER HOUSE DEMANDS WITHDRAWAL OF ALL FOREIGN FORCES FROM IRAQ AND THE ARAB TERRITORIES, ALSO ASSURED UNIFICATION OF IRAQ,SAFEGUARDING ITS TERRITORY

4.한편 RA'I 지는 8일에 이어 3.10자 1면에 ASSISTANCE TO JORDAN FROM SOUTH KOREA VALUED 10 MILLION 제하 주재국 재무성을 인용하여 아국이 암만 하수처리장 공사를 위해 1천만불을 지원할것이라고 재차 보도함

(대사 박태진-국장)

원 본

외 무 부

종 별 :

번 호 : OMW-0066 일 시 : 90 0311 1400

수 신 : 장관(중근동,정일)

발 신 : 주오만대사

제 목 : 지역정세 동정(자응제 91-4호)

1. 리야드 개최 GCC, 이집트,시리아및 미국외상회담 참석후 작 3,10. 귀국한 주재국 YUSUF 외무장관은 쿠웨이트 해방후 지역안정을 위한 여러진전 상황으로 아랍국가들과 이스라엘간분쟁이 종식될수있는 합의가 도출될수 있을것이라고 말함.또한 작년 카타르 개최 제11차 GCC 정상회담에서 주재국 카부스국왕이 걸프지역 안보협력문제 검토를 위임 받았는바,현재 구체적 제안은 없지만, 몇가지 방안들을 검토중에 있다고밝힘.

2. 한편 쿠웨이트 해방이후 걸프지역의 새로운 안보체제 구축을 위한 협의를 위해 GCC 의 'HIGHER COMMITTEE FOR SECURITY' 회의가 카부스국왕 주재하에 회원국 관계 각료 참석리에 3,13.주재국 SALALAH 에서 개최될 예정임.끝

(대사 강종원-국장)

중아국 1차보 정문국 안기부

0025

PAGE 1

91.03.11 23:08 DP

외신 1과 통제관

원 본

외 무 부

종 별 :

번 호 : SBW-0735 일 시 : 91 0311 2000

수 신 : 장 관(중일,미북,국방,기정)

발 신 : 주 사우디 대사

제 목 : 베이커 국무장관 주재국방문

연:SBW-718

1. 사우디 외무장관은 3.10 리야드에서 베이커 미국무장관과 GCC 회원국,이집트 및 시리아 8개국 외무장관간 회담후 8개국은 베이커장관의 4개항 중동평화 제의를 지지한다고 말하였음

2. 베이커장관의 4개항 중동평화 제의는 걸프지역안보계획, 경제협력, NON-CONVENTIONAL 무기 유입억제 및 아랍-이스라엘 평화증진등을 내용으로하고 있음, 걸프지역 안보 계획은 이지역 유전보호를 위해 이집트 및 시리아군으로 구성대는 상비군을 설치하고, 이러한 상비군은 미군주둔으로 뒷받침된다는 내용으로 되어있음

3. 전항의 8개국 외무장관들은 3.10 회담을 마친후 다음과같은 내용의 코무니케를 발표했음

- 중동지역 문제해결 강조
- 걸프지역 안보와 팔레스타인 문제를 다룬 부시대통령의 3.6 자 연설에 감사표시
- 새아랍질서 수립을 위한 토대로서 유엔과 아랍연맹의 제원칙 고수 강조
- 지금이 아랍-이스라엘 분재의 포괄적인 해결을 위한 가장 적절한 시기임
- 유엔 후원하 국제평화회의 개최가 이스라엘의 팔레스타인 영토점령 종식을 위한 출발점이될것임

4. 한편, 베이커장관은 유엔 후원하의 중동평화회의 개최관련 아래와 같이 언급했음

- 아직 중동평화회의를 개최할 적절한 시기가 아니므로 동회의 개최에 반대함
- 이스라엘 방문중 팔레스타인을 만날계획이며, 팔레스타인과 이스라엘의 대화를 진척시키고자함

(대사 주병국-국장) W

중아국 1차보 미주국 정문국 안기부 국방부

PAGE 1 91.03.12 10:08

외신 1과 통제관

0026

원 본

암호수신

외 무 부

종 별 :

번 호 : ITW-0382　　　　일 시 : 91 0311 1825

수 신 : 장관(중동일,미북,구일,기정,국방부)

발 신 : 주 이태리 대사

제 목 : 주재국의 걸프전후 외교동향(자응 91-38)

1. 주재국 데 미켈리스 외상은 걸프전후 중동안보 및 질서 재편 협의를 위해 EC TROIKA 외상의 일원으로 시리아(3.6.), 이스라엘 (3.7), 리비아(3.8)를 방문한데 이어 단독으로 사우디(3.9-10), 쿠웨이트(3.10), 레바논(3.11) 시리아(3.12)및 이집트(3.12)를 방문함으로써 전후 중동문제 해결을 위한 외교노력을 경주함.

2. EC TROIKA 외상은 상기 방문시 "다마스커스 선언"에 대한 지지를 표명하고 지역문제 해결위한 점진적인 접근 방안을 협의한 바, EC 의 외교적 노력은 미국의 역할 증대로 별다른 반응을 받지 못한 것으로 평가됨. 이스라엘측과의 면담시 EC 측은 이스라엘이 유엔결의를 준수할 것을 거듭 촉구하였으며 이스라엘측은쿠웨이트 문제 해결은 이스라엘과 아랍간의 전쟁종료를 위한 1 차적인 단계이며 "다마스커스 선언"에 따른 8 개 아랍국가의 연합은 이스라엘을 포함한 8 PLUS1 이 되어야 함을 주장함.

3. 데 미켈리스 외상은 사우디 방문시 국왕(꼬시가 대통령의 멧세지 전달)및 외상등과 면담하고 사우디 외상 주최 만찬에 참석함.

동만찬에는 베이커국무장관, 클라크 카나다 외무장관및 "다마스커스 선언"서명 아랍외상이 참석한 바 동만찬후 데 미켈리스외상은 그간 각국과의 면담결과다음과 같은 세가지 인상을 받았다고 밝힘.

0 걸프전 승리로 미국은 EXTRAORDINARY PRESTIGE 를 얻음.

0 아라파트 PLO 지도자는 아랍세계에서 신용을 잃음.

0 중동 신질서 수립위해선 팔레스타인 문제 해결이 필요함.

4. 한편 이태리 외상의 금번 레바논 방문은 83 년 이래 최초의 서방 고위층의 방문으로서 레바논에 대한 외교적 우위확보 노력의 일환으로 보이는 바, 동외상은 현재 레바논 대통령에 대한 지지를 표명하고 레바논 재건을 위한 협조를 표명함.

데 미켈리스 외상은 또한 시리아군의 레바논 주둔이 레바논 사태 해결에 크게

중아국	차관	1차보	미주국	구주국	정문국	청와대	안기부	국방부

PAGE 1　　　　91.03.13 06:45

외신 2과 통제관 DO

0027

공헌하고 있음을 밝히고 팔레스타인의 테러 중지 보장하에 이스라엘군의 국경지역으로부터 철수 가능성을 모색하기 위해 금일 시리아를 방문 예정임.

5. 이태리는 중동 안보 체제 구축을 위해 그간 주장하여온 지중해/중동 안보협력회의(CSCM)개최를 추진해온바 레바논을 비롯한 많은 아랍국가와 서방국가로 부터 긍정적인 반응을 받은 반면 이스라엘로부터는 아무런 반응을 받지 못한것으로 보임.

6. 또한 주재국 "안드레오띠" 수상은 부시대통령의 초청으로 3.24. 와싱톤 방문 예정임.끝

(대사 김석규-국장)

원 본

외 무 부

종 별 :

번 호 : IRW-0231 일 시 : 91 0312 1200

수 신 : 장관(대책반,중동일,정일,기정)

발 신 : 주이란대사

제 목 : 걸프전 후속동향(3)

표제건 아래보고함.

1.HABIBI 주재국부통령은 3.11 터키방문후 귀국성명을통해 이.터키양측은 이라크영토보존,이라크국내문제 불간섭,이라크내 민주정부수립원칙등에 입장을 갑이하였다고 설명하며, 걸프안보체제수립관련 GCC 중심의 대이라크 아랍연합을통한 안보체제는 이란을 제외하고있으므로 실패할수밖에없다고언급하였음. 동인은 또한 동안보체제(안)이 구체적기구의성격, 시리아및 이집트군대의 규모및역할,외국군철수문제등에 불투명한 요소가 많다고 부연하며,이점에있어서 터키도 인식을 갑이하였다고 강조하였음.

2.이에앞서 동부통령은 3.10 앙카라에서 가진 기자회견을통해 이란이 대이라크 전쟁배상의 일환으로 이란내억류 이라크항공기를 반환하지않을것이라는 최근의 언론보도및 소문을 부인하며 동항공기의 액수는 이란측 요구전쟁배상액의 천분의1에 불과하다고 설명한것으로 알려짐. 이와관련 3.12자 당지언론은 이라크항공관계자가 전쟁중이란에 억류된 이라크민항기 11대의 반환교섭을위해 가까운시일내 당지방문예정이라고 보도하였으며,특히 프랑스언론을인용 이중 6대는 쿠웨이트항공기로서 동6대는 쿠웨이트에 반환될 것이라고 하였음(동건 파악가능한대로 추보하겠음)

3.주재국 언론도 이제까지의 침묵을깨고 최근 논의되고있는 역내 신안보질서수립에대해 부분적으로 언급하고있는바, 특히 당지유력지JOMHURI ISLAMI 지는 3.10자 논평에서 향후 역내안보질서는 외세가 배제된 가운데 역내국가간 신뢰를 기초로하여야할것인바, GCC국가들이 미국과 연계 이집트,시리아를 끌어들여 반이라크연합으 구성하는것은 바람직하지않으며,따라서 공동의적이라는 개념을떠나 역내 근본적인 문제점(아랍,이스라엘관계등)해결에 주력하여야할것이라고 하였음.끝

중아국 장관 차관 1차보 2차보 정문국 청와대 총리실 안기부

PAGE 1 91.03.13 00:09 BX

외신 1과 통제관

0029

원 본

외 무 부

종 별 :

번 호 : CAW-0376 일 시 : 91 0312 1635

수 신 : 장 관(중동일,이,정일)

발 신 : 주 카이로 총영사

제 목 : BAKER 국무장관 방애

(자료응신 제 75호)

연:CAW-0335

연호 표제 장관은 3.10.당지를 방문 익일 무바락대통령과 걸프전후 지역안보문제, 역내군비통제, 아랍-이스라엘 분규해소 방안, 역내경협 문제에 관해 요담후 가진 기자회견에서 요지하기와 같이 말함.

1. BAKER 장관 언급사항

1) 토의사항에 관해 미.애 양국은 거의같은 견해 (ALMOST IDENTICAL VIEWS)를 갖고있음.

2) PLO 는 워싱턴과 대화재개를 위해 먼저 필요조치를 취해야 하며, PLO 는 걸프전 관련 SADDAM 지지로 공신력을 잃었음.

3) 파레스타인 인사들을 만날 (3.12)것이나 이는 미정부가 PLO 와 대화재개를 의미하지 않음.

4) 이집트에 미군인 또는 미군사 장비를 잔류시키는 문제가 거론되지 않았음.

5) 미-애간 경협문제를 소상히 논하였으며, 이집트 정부가 경제구조 개편을 위해 노력하고 있음을 평가함.

2. MEGUID 장관 언급요지

1) 토의사항들에 관해 솔직한 의견개진이 있었으며 매우 유익하였음.

2) 개진된 견해들은 거의 합의에 도달하였는바,BAKER 장관의 순방이 성공하기를 기대하며, 의견교환을 위한 접촉을 LSUEAL할 것임.

3) 이번 회담은 DAMASCUS 선언 참여 8개국과 미국과 EC 간의 협력방안 모색 일환임.

4) 미측은 이집트가 IMF 와 IBRD 와의 협상시 가능한 이집트 입장을 지지할 것임.

중아국 1차보 중아국 정문국 안기부

PAGE 1

91.03.13 09:33 WG

외신 1과 통제관

0030

5) 이집트는 걸프지역 안보와 안정유지를 위해 미측에 더 많은 군용기와 여타 장비를 요청할것임.

3. BAKER 의 당지 방문은 걸프전후 처리방안관련 동장관이 출발전 언급내용 (해결책강요가 아닌 평화모색 추구 목적)과 MEGUID장관의 언급내용 (협력방안 모색일환)으로 보아서 역내 관계당사국에 미측의 구체안 제시보다는 이들제국의 의견수렴에 있는것으로 풀이됨. 그러나 최근 주재국 정부가 추진중인 일연의 경제구조 개편 조치에 긍정적인 평가는 그간 모든 외채의 지불중단 조치 (88.7이래)로 인한 기존 미상환 외채의 지불유예 기간연장과 신규부자재원 확보를 위한 주재국측의 대 IMF, IBRD 측과의 협상이 붙원 타결될 가능성을 짙게 하는것으로 관측됨.끝.

(총영사 박동순-국장)

외 무 부

종 별 :

번 호 : ECW-0248 일 시 : 91 0313 1700

수 신 : 장 관 (구일,중동일,통이,정일) 주 EC 회원국 대사-직송필

발 신 : 주 EC 대사

제 목 : 중동문제 관련 EC 특별정상회담개최(자료응신 제 21호)

1. EC 12개 회원국은 걸프전쟁 종전이후 중동지역 평화증진과 걸프사태와 같은 지역분쟁 발생시, EC 측의 효과적 공동대처방안 강구를 위해 4월초 특별정상회담을 개최예정임

2. 동 정상회담 개최요청은 3.11. DUMAS 불란서 외무장관이 LE MONDE 지와의 기자회견에서 처음 언급한 것으로서 현 EC 의장국인 SANTER룩셈부르그 수상은 동 제의를 시의 적절한것으로 평가하고 EC 회원국 정부와의 협의를 거쳐 4.5-6 경 정상회담을 소집할 용의가 있음을밝힘

3. 동 정상회담 개최에도 불구하고 대부분의 EC회원국들은 중동평화 중재에서 미국의 주도권을 받아들일 의향을 보이고 있음. 특히 DUMAS 불란서 외무장관은 상기 기자회견에서 불란서를 위시한 EC 회원국들이 그간 천명하여온 유엔주관하 중동평화 국제회의 개최에 앞서 이스라엘이 요구하고 있고 미국이 지지하는 아랍-이스라엘 간 직접협상에 기회를 부여할 용의가 있음을 표명함으로써 중동 평화문제에 있어 불란서 정부의 대미협력 의사를 시사함

4. 한편, 걸프사태 재정지원 공여국 조정위 회의참석차 룩셈부르그를 방문한 ROBERT KIMMITT 미국무성 정무차관은 작 3.12. NATO회원국대표 및 EC 회원국 정무총국장과 별도회의를 갖고, BAKER 미국무장관의 중동순방 결과와 지난주 EC TROIKA 외무장관의 동지역 방문결과에 대해 상호 의견을 교환함.KIMMITT 차관은 동 회의에서 BAKER미국 무장관의 중동방문시 동지역 평화와 안보를 위한 구체적 청사진을 지참하지는 않았으며, 전후 안보체제 구축, 평화과정 촉진, 군비통제및 비확산 문제, 경제협력등 4개분야에 대한 지역국가들의 의견을 모색하였다고 설명하고, 동 지역 국가들의 태도가 걸프전쟁 이전상태로 다시 경화하기 전에 중동평화 달성기회를 신속히 포착해야 한다고 언급 하였으며, 이에대해 EC 측도 공감을 표시한것으로

구주국	1차보	2차보	중아국	통상국	정문국	안기부

PAGE 1

91.03.14 10:14 WG

외신 1과 통제관

0032

외 무 부

종 별 :

번 호 : ECW-0249 일 시 : 91 0314 1730

수 신 : 장 관 (구일,중동일,정일)

발 신 : 주 EC 대사

제 목 : 걸프사태 관련 EC 측 입장 (자료응신 제 22호)

1. JACQUES POOS 룩셈부르그 외무장관은 작 3.13.스트라스부르그 구주의회 본회의에서 EC 각료이사회 의장자격으로 지난주 EC TROIKA 외무장관의 중동순방 결과를 보고하였는바 요지 아래와같음

가. 아랍측 견해

0 아랍측 지도자들은 이스라엘과의 평화구축희망을 피력하였으나, 그러한 평화는 이스라엘이 신뢰분위기 조성에 유리한 조치 (특히 유엔결의 242및 338호 수락) 를 취할 경우 가능할 것이라고 언급함

0 GCC 6개국및 이집트, 시리아 외무장관과 다마스커스에서 면담시, 이들은 아랍 평화유지군창설은 1단계 조치로서, 여타국가 (아랍 또는 비아랍)의 참여를 배제하는 것은 아니라고 설명함. 일부 아랍국 외무장관은 이란 또는 터키의 참여 가능성을 언급하 였으며, 여타국가 (특히 쿠웨이트)는 외국군의 동 지역내 주둔 가능성을 배제치않음.

나. 이스라엘측 견해

0 이스라엘측도 아랍진영과의 평화 희망을 표시하였으나, SHAMIR 수상은 단계적 접근필요성을 역설하였으며, 특히 아랍국가와 이스라엘간 및 팔레스타인과 이스라엘간의 DUALAPPROACH 가능성 시사

다. EC 측 입장

0 이스라엘 정부에 1989년 평화계획을 재검토할것과 PLO 를 포함한 아랍측에 이스라엘에 대한 건설적 자세를 취할것을 촉구

0 유엔 후원하 국제평화회의 개최를 계속 지지하고 있으나 동회의 개최가 가능하고 유용하려면, 역내 당사국간의 대화및 신뢰구축이 선행되는것이 바람직하다는 입장표시

구주국	1차보	중아국	정문국	안기부

PAGE 1

91.03.15 09:22 WG

외신 1과 통제관 0033

0 가까운 장래, 동 지역에서의 신뢰 환경 조성과장기적 안보체제 구축은 역내국가에 주로 달려있으나, EC 측은 이들 국가가 요청하는 범위내에서 응분의 기여를 할 용의를 표명하고, 특히 POOS 외무장관은 하기사항을 지적

- 대량 살상 무기철폐및 재래식 무기 확산통제를 위한 국제협정 체결 필요성
- 동 지역 국가간 자원의 보다 공정한 분배및 전후 복구사업에 대한 지원
- 구라파의 CSCE 와 유사한 CSCM 체제 발족의유용성

0 EC 측은 4월초 개최예정인 EC 12개국특별 정상회담에서 중동 평화구축 문제및 EC측의 향후조치 검토계획

2. 한편, MATUTES EC 집행위 지중해지역 담당 집행위원은 아랍지역의 사회경제 개발에 대한 EC 역할에 대해 아래와같이 보고함

가. 인도적 원조공여

0 걸프사태 발발이후 EC 측은 15만명의 난민본국 송환 지원과 30만명에 대한 긴급 식량원조, 최근 이락국민에 대한 인도적 원조제공

나. 통상관계

0 EC-GCC 간 자유무역협정 조속 체결노력

다. 중동지역 개발과 재건에대한 재정적 지원

0 걸프사태 이후 EC 측은 요르단, 터키, 이집트등 3개 전선국가및 이스라엘, 점령 팔레스타인에 대한 재정지원 공여

0 동 지역 재건에 향후 10년간 총 2,000-4,000억불 소요예상

라. 중동지역 협력과 안정기여

0 EC 와 아랍간의 문화적, 인종적 장벽해소위해 EC 의 대동구권 학술교류 지원사업 (TEMPUS 계획) 과 유사한 중동, 지중해 지역대학과 EC 대학간의 협력계획 설립제의.끝

(대사 권동만-국장)

원 본

외 무 부

종 별 :

번 호 : JOW-0274 일 시 : 91 0314 1220

수 신 : 장 관(중동일,중동이,미북,정일,기정)

발 신 : 주 요르단 대사

제 목 : 요르단국왕, 팔레스타인 문제 관련 발언

1. 3.13. 주재국의 후세인 국왕은 이스라엘과의 평화회의등에 관해 뉴욕타임지와의 기자회견에서 요지 다음과 같이 발언함

가.요르단은 아랍.이스라엘 평화회담 진행에 매우 중요한 부분을 점하고 있으나동문제 해결을 위한 과정에서 팔레스타인인들의 역을 대신해서도 안되며, 할수도 하지도 않을것임

나.장래 언젠가 요르단에 대해 팔레스타인측에 참여해 줄것을 요청하는것은 팔레스타인인 그들이 선택할 사항임

다.향후 팔레스타인.이스라엘문제를 다룸에 있어 포괄적인 평화추구를 위한 모든 절차에 팔레스타인들이 중요한 위치를 차지해야함

라.PLO 만이 팔레스타인 민족들의 유일 합법적인 대표임

마.요르단은 걸프전과 관련, 중립적인 입장을 이탈한적이 없으며 이라크.쿠웨이트간의 평화적 해결모색을 위해 원칙적인 자세를 고수하였었음

바.걸프지역 아랍국가와 있었던 오해는 시간이 지나면 풀릴것으로 확신하며 관계 개선을 위한 노력이 필요함

사.미국과 요르단은 안개속의 행로에서 교차하는 선박들같이 서로 경보를 보내고 야유하는 행위를 곧 중단케 될것으로 확신함

아.아랍.이스라엘간의 분쟁 해결책은 아랍과의 평화를 위해 이스라엘이 점령한 영토를 반환하는것이 기본이 되어야함

자.이스라엘과 타 아랍국가간의 분쟁과 팔레스타인.이스라엘 문제를 분리해서는중동지역평화가 결코 해결될수 없음

2.이와같은 후세인 국왕의 발언은 앞으로 있을수 있는 팔레스타인 문제와 관련한 회의에서의 주재국의 입장을 분명히 함과 동시에 미국, GCC국가등

중아국 1차보 미주국 중아국 정문국 안기부

PAGE 1

91.03.14 22:32 DN

외신 1과 통제관

0035

다국적군들과의화해를 위한 제스처를 나타냄으로써 동국가들과의 관계 개선을 도모하기 위한 의도로 평가 됨

(대사 박태진-국장)

PAGE 2

0036

外務部 걸프戰 事後 對策班

제 목 : 걸프지역 안보 협력 체제 구축 동향

91. 3. 15.

1. 안보협력체제 구상요지

   o 전후 걸프지역 안보협력 구상은 아랍 8개국 외무장관회의(3.5 6 다마스커스) 와 부쉬 미대통령 연설(3.6 상하원 합동회의), 그리고 베이커 미국무장관의 아랍 8개국 외무장관과의 회의(3.10 리야드)를 통해서 구체적인 윤곽이 드러남.

   o 미국과 아랍 8개국이 합의한 걸프지역 안보협력 구상의 핵심은 ①이집트, 시리아군을 주축으로한 항구적인 아랍 평화군 걸프지역 배치와 이를 뒷받침하는 미국의 강력한 군사력의 걸프지역 계속 유지, ②중동지역 군비 통제(특히 대량파괴 무기), ③역내 경제부흥 및 빈부국간 격차 해소 노력, ④항구적 중동평화 달성을 위한 팔레스타인 문제 해결로 요약됨.

   o 부쉬 대통령은 3.6. 연설에서 미 해군의 걸프지역 계속 주둔 및 미 공군. 지상군의 역내 합동훈련 참가 방침을 표명하고 지상군 계속 주둔 가능성은 배제하였음.

2. 분석 및 전망

   o 금번 걸프지역 안보협력체제 구상 합의는 걸프전 승리로 압도적 영향력을 행사하게 된 미국의 주도와 이집트, 시리아, 사우디등 역내 주요국의 동의로 이루어졌다는 점에서 소련, 이란등의 반대 가능성에도 불구, 큰 변동없이 전후 중동질서의 골격을 이루게 될 것으로 보임. 소련은 걸프지역 안보체제 수립과정에 참여를 요구하고 전후질서 재편에 이라크를 배제해서는 안된다고 주장하고 있음. (2.28. 베스메르트니크 외무장관)
     - 이란은 미군의 즉각철수와 전후 안보체제 수립과정에 역내국가의 참여를 강조하고 있음. (3.3.라프산자니 대통령)

   o 베이커 미국무장관은 3.14-16 방소기간중 걸프지역 안보협력 체제를 비롯 아랍 8개국과 합의한 중동평화 구상에 대한 소련측의 이해를 구하게 될 것으로 예상되며, 아울러 부쉬 대통령도 3.14 미테랑 불란서 대통령과, 3.16 메이저 영국 수상과의 회담을 통해 주요 동맹국에 대한 통보내지 협의 절차를 갖게 될것으로 보임.

0037

o 이란에 대해서는 미국 및 아랍 8개국 외무장관들이 공동성명에서 이란과의 우호관계 증진 희망을 명시한바 있으며, 앞으로 이란의 반대를 무마하기 위해 걸프산유국의 대이란 협력 증진, 미-이란 관계 개선등이 추진될 가능성이 많을 것으로 사료됨. 시리아는 전전의 긴밀한 관계를 이용, 이란을 설득하고 있는 것으로 보임.

o 미국은 금번 아랍 8개국이 걸프사태 기간중의 결속을 바탕으로 이집트, 시리아의 안보협력 댓가로 GCC산유국이 상당한 규모의 경제원조 (일부에서는 150억불로 추측)를 제공하는 타협을 통해 전후 계속협력기반을 마련하는데 성공함. 그러나, 과거 시리아의 대이집트 및 대GCC 관계와 이합집산을 거듭해온 중동지역내 역학관계의 경험에 비추어 새로이 탄생한 GCC-이집트 시리아 밀월관계가 얼마나 오랫동안 지속될지 여부는 단정키 어려움.

o 특히 미국이 팔레스타인 문제 해결을 위한 이스라엘의 양보를 얻어내는데 실패할 경우에는 아랍권 전반의 반미, 반서방 감정을 감안할때 아랍 8개국중 일부국가(특히 시리아)의 조기이탈 가능성도 배제할 수 없을 것임. 끝.

0038

첨부

1. 중동평화를 위한 4개 합의사항 (베이커 미국무장관과 아랍 8개국 외무장관 회담, 3.10 리야드)
   - o 미국의 강력한 군사력 역내 유지의 뒷받침하에 항구적인 이집트-시리아 연합군 설립
   - o 역내 경제 협력 증진
   - o 역내 무기 유입 둔화
   - o 아랍-이스라엘 평화증진(이스라엘 국가인정의 댓가로 점령지 포기)

2. 중동 평화를 위한 4가지 도전 (부쉬 미대통령의 3.6 상하원 합동회의 연설)
   - o 공동 안보체제 (shared security arrangements) 수립
     - 걸프지역에 미해군 계속 주둔 및 미공군.지상군의 역내 합동훈련 참여(미지상군 계속주둔 가능성은 배제)
   - o 대량 파괴 무기의 역내 확산 통제
     - 대이라크 무기 금수 계속
   - o 이스라엘-아랍-팔레스타인간 화해 달성
     - 유엔 안보리 결의 242 및 338호를 기초로 이스라엘의 국가 및 안보 요구 인정, 팔레스타인인의 정당한 정치적 권리 보장
   - o 역내 평화와 진보를 위한 경제개발 노력강화

3. 다마스커스 선언 요지 (아랍 8개국 외무장관회의, 3.5-6 다마스커스)
   - o 이집트, 시리아군을 주축으로한 아랍 평화유지군 창설
   - o 역내 경제협력 강화
   - o 중동지역에서 핵무기등 대량살상무기 제거 촉구
   - o 이라크 영토 보전 지지

0039

원 본

외 무 부

종 별 :

번 호 : GEW-0653 일 시 : 91 0315 1700

수 신 : 장 관(중동일,구일)

발 신 : 주 독 대사

제 목 : 이스라엘 외상 방문

1. LEVI 이스라엘 외상이 3.14.주재국을 방문, 바이체커 대통령, 콜수상을 예방하고 겐셔외무장관을 면담하였음

2.콜수상은 LEVI 외상과의 면담에서 중근동평화 질서에 관해 깊이있는 의견을 교환했으며, 아울러 독일정부는 정의롭고 항구적인 중근동 평화질서 구축을 위해 기여할것임을 약속하였다고 3.14. VOGEL 정부대변인이 발표함. 콜수상은 또한 최근

걸프전쟁후 중근동의 정세변화는 아랍-이스라엘 분쟁극복및 팔레스타인문제 해결을 위한 새로운 전환점이 될것이라 강조했다 함.콜수상은 걸프전쟁중 이스라엘의 신중한 태도를 높이 평가했음, LEVI 외상은 걸프전쟁중 독일의 이스라엘에 대한 지지및 지원에 사의를 표함.

3.양국 외무장관 면담에서 이스라엘측은 독일의 이스라엘에 대한 상당한 경제지원을 요청한 것으로 알려졌으며, 독일측은 구동독지역 지원, 중.동구지원등을 이유로 독일의 재정지원에는 한계가 있음을 언급하였다함.

4.금번 LEVI 외상의 방독으로 독일기업의 대이락무기 수출관련 그간 양국간 불편한 관계가상당히 해소되엇던 것으로 보이며, LEVI 외상은 겐셔장관의 지난 1월말 이스라엘 방문이 어려운 시기에 시의적절하고 올바른 방문이었다고 평가함

5.금번 LEVI 외상의 방독시에는 이스라엘측은 팔레스타인 문제등 부시 평화안에 대한 명확한 입장은 밝히지 않았으나 전반적인 중근동 정치정세에 대한 낙관적인 평가를 함으로서, 이스라엘측의 융통성있는 태도를 시사한 것으로 알려짐. 겐셔장관은 이스라엘이 PLO 를 제외한 팔레스타인 대표및 기타 인접아랍국과의 양자간 대화를 진행할 의사를 표명하는데 대하여 환영함.끝

(대사-국장)

중아국 1차보 구주국 정문국 안기부

PAGE 1 91.03.16 09:48 WG

외신 1과 통제관 0040

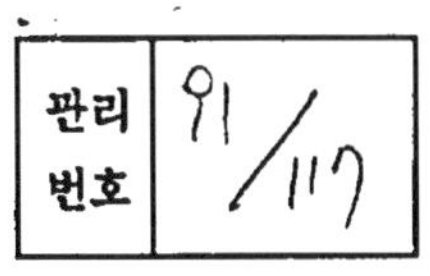

외 무 부

종 별 :

번 호 : USW-1213 일 시 : 91 1315 1141

수 신 : 장관(미북,미안,중동일,기정)

발 신 : 주 미 대사

제 목 : 걸프전 이후 중동정세 관련 상원 외교위 청문회(1)

상원 외교위(위원장:PELL 의원) 는 3.13(수) 오후 걸프전 이후 중동정세와 미국의 정책방향에 관한 청문회를 개최한바, 동 청문회에 출석, 증언한 PHEBE MARR 국방대학 전략연구소 연구원, JOSEPH NYE 하바드대 국제문제 연구소장 및 WILLIAM QUANDT 브루킹스 연구원의 발언요지 아래 보고함(증언문 차파편 송부 예정)

가. 걸프전후 이락의 장래(PHEBE MARR 증언)

91.6.30. 전도서

1) 걸프지역 일반 정세 전망

0 사우디의 정치, 사회적 변화를 기대해 볼수도 있으나 변화의 정도는 미미할것임. 중산층으로 부터의 개방과 참여 요구가 증대될 것이나, 아직은 이슬람 보수 세력의 영향력이 강하므로 사우디 지배층은 결국 이들 양세력간 균형을 유지하는 정책을 취하게 될것임.

0 이란은 전후 걸프지역의 새로운 안보체제에서 나름대로의 역할을 기대할것이며, 미국-사우디 동맹에 의한 주도권 행사를 견제하고자 할것인바, 이란이 새로운 안보체제에서 배제될 경우 동 체제의 붕괴를 기도하거나 이 지역에서의 미군사력 제거 또는 감축을 위한 외교 공세를 취할것임.

0 역내 대부분의 국가(특히 이락) 에서 인종, 종파간 분쟁이 증대 될것이며, 이슬람 재건운동(ISLAMIC REVIVALISM)도 활발한 정치적 움직임의 하나가 될것임. 그러나, 무엇보다도 이락과 쿠웨이트의 체제변혁 가능성과 그 여파는 이 지역정세 불안의 가장 큰 요인이 될것임.

2) 이락의 장래와 미국의 정책방향

0 전후 이락의 장래와 관련, 가능한 시나리오는 다음과 같음.

- 후세인이 추종세력을 규합, 내분을 진압하고 정권유지 (단, 후세인의 계속 집권은 미국과 참전국의 협조하에서만 가능)

미주국	장관	차관	1차보	2차보	미주국	중아국	정문국	청와대
안기부								

PAGE 1 91.03.16 07:37

외신 2과 통제관 CA

0041

- 군사 쿠테타에 의한 후세인 제거(이락 정규군, 특히 수니파 장교들이 쿠데타 가능세력이나 아직은 집권 기반 취약)

- BATH 당내 민간 세력의 집권(후세인에 대한 신뢰 추락은 필연적으로 당의 영향력 약화를 초래 하였다는 점이 취약 요인)

- 지속적 민중 봉기로 인한 체제 변화(이란의 영향력 증대 가능성 및 이락의 내부 분열 촉진 위험 상존)

0 상기 어느 경우가 되든 미국의 대이락 정책은 아래 사항이 고려된 것이어야 함.

- 이락의 내부 분열과 혼란은 걸프지역의 불안은 물론 조속한 미군 철수에도 장애가 되므로 미국의 국익을 위하서는 이락의 영토 보전을 최대한 지원해야 함.

-외부 세력을 업고 등장한 집권 세력이 안정을 유지하고 권력을 공고히 할 가능성은 거의 없으므로, 이락 내부 문제에 대한 공개적 개입은 피해야 하며, 이락의 장래는 이락 국민에게 맡겨야 함.

-막대한 전쟁 피해로 상당수 이락 국민의 대미 감정이 악화되었을 가능성을고려, 인도적 차원에서 대이락 원조를 통해 이를 무마하는 노력이 필요함.

- 이락내 특정 집권 기도 세력을 지원도 반대도 하지 않으면서 미국이 원하는 방향으로 신정부의 노선을 이끌어 갈수 있는 방안을 모색해야함.

3)쿠웨이트 의 장래와 미국의 정책 방향

0 쿠웨이트 내 정치세력의 분열과 상호 대립으로 다소 파란은 예상되나 전후 쿠웨이트의 정치체제 변화와 개방된 사회로의 발전 가능성은 충분히 있음. 미국은 신중하고 사려깊게 이러한 방향으로의 발전을 지원해야함.

0 쿠웨이트와 이락, 요르단, 팔레스타인과의 긴장 관계는 상당기간 지속될것이나, 쿠웨이트가 보다 관용적 자세를 취하도록 미국의 막후 후원 역할이 바람직함.

나. 걸프 지역의 군비확산 통제(JOSEPH NYE 증언)

0 걸프전의 승리로 미국이 지나친 자만심에 빠져 장기적 국익을 간과하는 위험을 경계해야 함. 군사력과 경제력에 의존한 HARD POWER 와 지휘 보다는 공동모색(CO-OPT RATHER THAN COMMAND)하는 능력, 즉 SOFT POWER 를 적절히 활용할때 미국의 국익 증진을 기할수 있음.

0 걸프 사태에 직면, 미국이 사우디에 조속 군대를 파견할수 있을만큼 HARDPOWER 를 보유하고 있었다는 것도 중요하지만, 유엔의 대이락 제재 결의안을 이끌어 낼수 있는 SOFT POWER 를 겸비하고 있었다는 것도 그에 못지않게 중요한것임.

PAGE 2 0042

0 군사기술의 확산 방지와 여타 외교목표 사이에는 항상 TRADE-OFF 가 있게마련이므로 , 일단기술이 확산된후 그여파(DESTABILIZING EFFECT)를 줄이기 위한 보다 현실적인 목표에 촛점을 맞추어야 함.

0 이를 위해서는 NPT, IAEA 와 같은 기존협력 체제를 통한 통제 노력과 병행하여 인접 핵 위협국간 상호 신뢰 증대를 위한 지역협력 및 정보 수집 능력 제고, 조기 경보체제, COCOM 과 같은 수출통제 체제의 확대 노력등이 긴요함.

다. 아랍. 이스라엘 분쟁해결(WILLIAM QUANDT 증언)

0 걸프전은 과거 냉전 체제하에서의 제약 요소에 벗어나 아랍. 이스라엘 분쟁해결을 도모할수 있는 유리한 환경을 조성 하였음.

0 그러나, 사다트 와 같은 지도자 가 현재 아랍권에 없다는 점과 대부분의 아랍국가들이 대이스라엘 평화 협상에 참여를 꺼릴 것이라는 점, 걸프전으로 인한 팔레스타인과 요르단의 정치적 발언권 약화(IN THE POLITICAL DOGHOUSE) 및 현 이스라엘 정권의 강경 노선등이 협상에 장애 요인이 될것임.

0 미국의 리더쉽과 이집트의 역할, 팔레스타인, 요르단의 PEACE PROCESS 에의 참여가 협상 성패의 관건이 될것임.

(대사대리 김봉규- 국장)

91.12.31. 까지

관리 번호	91-216

외 무 부

종 별 : 지 급

번 호 : USW-1214 일 시 : 91 0315 1141

수 신 : 장관(미북,미안,중동일,기정)

발 신 : 주 미 대사

제 목 : 걸프전 이후 중동 정세 관련 상원 외교위 청문회(2)

연 USW-1213

연호 청문회 증언에 이어 진행된 질의 답변 요지 아래임.

1. 아랍, 이스라엘 잠정 협정 전망(PELL 위원장 질의)

0 요르단과 팔레스타인이 공동 협상팀을 구성하고, 이스라엘이 WEST BANK 에서의 지방 선거 또는 GAZQA STRIP 에 대한 영유권 문제 협상 용의등 전향적 태도를 보일 경우, 가능하다고봄(QUANDT)

2. 협상 성공시 결과 전망(PELL 위원장 질의)

0 이스라엘, 팔레스타인, 요르단 3 국간 느슨한 연합체(THREE-WAY ENTITY WITH THEIR DILUTED OPLITICAL LINES)형태의 국가를 상정할수 있을것임(QUANDT)

0 전통적인 주권 국가와는 다른 형태가될것으로 보나 현재로서는 협상의 결과 보다는 시작에 더 큰 중요성을 부여해야함(NYE)

3. 협상에서 KURDS 를 배제한 미 행정부의 결정이 옳은것이지(PELL 위원장 질의)

0 미국은 모든 정치 세력과 대화해야하며, KURDS 도 PEACE PROCESS 에 참여시켜야함(QUANDT, NYE, MARR)

4. 대중 H 동 무기 수출구간 카르텔 구성필요 여부(BIDEN 의원 질의)

0 무기 수출에 대한 모라토리움이 필요한 시점이며, 이란과 이락이 우선 고려 대상이라고봄(NYE)

5. 중동 평화 협상을 위한 고위 사절 파견 필요여부(SIMM 의원 질의)

0 미국이 진지한 자세로 회담에 임하고 있음을 보여주기 위해 고위급 사절이 파견되어야함(QUANDT)

0 SIMON 의원은 자신이 최근 행정부측에 슐차 전 국무장관을 추천한바 있다고 언급.

미주국	장관	차관	1차보	2차보	미주국	중아국	청와대	안기부

0044

PAGE 1 91.03.16 05:21

외신 2과 통제관 CE

6. 이락과 쿠웨이트에서의 미국의 역할(PRESSLER 의원 질의)

0 미국은 이락을 MICRO-MANAGE 해서는 안되며, 그렇게 될 경우 이락 내부의결과에 대한 책임을 져야하는 위험 부담을 안게 될뿐 아니라 이락을 또하나의 레바논화 하는 결과를 초래할지도 모름(QUANDT)

0 미국이 쿠웨이트의 민주화를 위해 압력을 행사해야 한다는 주장(NYE) 에 대해, QUANDT 는 압력 보다는 막후에서 조용히 지원하는것이 바람직하다고 반박함.

(대사 대리 김봉규-국장)

예고:91.12.31 까지지방 선거 또는 GAZQA STRIP 에 대하

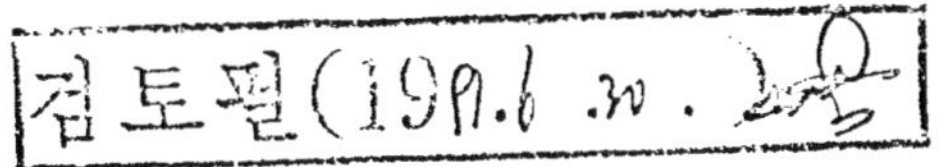

91.12.31. 에 일반문서로 재분류됨

PAGE 2

0045

관리번호	91/124

원 본

외 무 부

종 별 :

번 호 : UKW-0678 　　　　일 시 : 91 0315 1200

수 신 : 장관(중동일,미북,구일)

발 신 : 주 영 대사대리

제 목 : 중동정세

걸프전후 중동정세 전망에 관한 외무성 중근동과장(대행) MR EDWARD GLOVER 의 발언요지를 아래와 같이 보고함.(3.14 조참사관 접촉)

1. 걸프전 종료후 금후 과제로서는 걸프지역 안보, 이스라엘-팔레스타인 문제, 군축및 무기 판매제한과 경제협력의 4 개 사항이 될 것이며, 미.영 등은 이러한 과제 특히 안보체제와 팔레스타인 문제에 대처하는데 있어 지역내에 유리한 조건이 형성되였다는 판단하에 적극 대응해 나갈것임

2. 지역안보 체제에 관해서는 1 차적으로 GCC 6 개국 및 이집트, 시리아로 하여금 지역자체의 인니시어티브에 의한 대안을 마련토록 유도하되, 미.영, 소등의 해군병력등에 의한 제한적 참여를 상정하고 있으며, 이란및 이락이 어떠한 역할을 할 것인지는 금후 사태의 진전에 따라 검토되어야 할 것으로 봄

3. 팔레스타인 문제에 관한 대응은 이스라엘과 아랍제국 특히 시리아간의 대화와 이스라엘, 팔레스타인간의 대화라는 2 가지 궤도를 통하여 추진될 것인바, 이스라엘은 전자인 아랍제국과의 대화에 역점을 두고 있으나, 팔레스타인과의 대화도 긴요함은 물론임. 특히 이스라엘과 팔레스타인간에 어느정도 대화가 진전되지 않는한 중동문제에 관한 국제회의 소집은 의미가 없을 것으로 보고 있음

4. 베이커 미 국무장관의 지역 및 소련방문과 HOGG 영 외무성 국무상의 요르단 및 시리아 방문(3.10-14)은 어떠한 고정된 목표를 가지고 있는것이 아니나, 지역문제에 관한 외교적 탐색과정을 활성화 하기 위한 것으로서 의의를 가진다고 보고 있음

5. 사담 후세인은 군부를 배경으로 당분간 권력을 유지할 수 있을 것으로 전망하고 있으며, 시리아는 걸프전을 통하여 연합국의 일원으로 적극 참여하여 온 만큼 금후 계속 서방을 자극하지 않도록 신중한 행태를 보여나갈 것으로 예상함. 끝

(대사대리 최근배-국장)

중아국	장관	차관	1차보	2차보	미주국	구주국	청와대	안기부

0046

PAGE 1 　　　　91.03.16 21:26

외신 2과 통제관 DO

91.12.31. 까지

PAGE 2

0047

원 본

외 무 부

종 별 :

번 호 : CAW-0385 일 시 : 91 0316 1120

수 신 : 장관(중동일-이,정일)

발 신 : 주 카이로총영사

제 목 : 주요중동문제에 관한 이집트입장

(자료응신 제 77호)

3.12 무바락대통령은 중동문제들에 관한 주재국의 평소 입장을 하기와 같이 재천명함.

1.이락분할 반대

이집트의 쿠웨이트 해방전참가는 아랍영토점령을 반대하기 위함이지 결코 이락분할을 지지하는 것은아님.(최근 반 SADDAM 시아파와 커드족의 반란관련)

2.역내 안보구도에 이란 비제외

이란을 역내에서 제외시켜야 된다고 하는 이는없음. 조건의 성숙되고 관계가 개선되면 이란입장 재고에 반대는 없을것임.(DAMASCUS선언에 관한 이락측 비난 관련)

3.중동문제에 관한 이스라엘 입장 비고정

평화를 위한 점령지 교환제의 거부가 이스라엘측의 고정된 협상 전제조건일 수없음.우리는 전제조건 없이 파레스타인 문제 해결책을 모색하고 있으며,이스라엘도역시 협상에 전제조건을 달지않는것을 지지하고 있음.

4.PLO 지도자 선임문제

PLO는 파레스타인 인민들의 유일 적법한 대표기구인바 누구를 지도자로 할 것인지는 그들 소관사항이므로 이에 관여할 의사 없음.(ARAFAT의장의 신뢰 실추관련)

5.PLO 의 대표성

ARAB LEAGUE 에서 PLO 가 파레스타인 인민들의 유엔 대표기구임을 확인하였으며, 어느 아랍지도자도 이를 포기할수 없음.

6.지역평화 운선

중동지역내에 군비통제 협정을 가능케하기위해서는 아랍-이스라엘 분규 해결책마련이 선행되어야 함.(미측의 중동평화 4개안중 역내군비제한 문제관련)

중아국 1차보 2차보 중아국 정문국 청와대 안기부

0048

PAGE 1

91.03.16 19:44 BX

외신 1과 통제관

7.국제평화회의 개최에 앞선 신뢰구축과사전준비 필요 중동지역 평화모색을 위한국제평화회의개최시기는 아직 성숙되지 않았음. 동회의개최에 앞서 이스라엘과 인근아랍제국간의 신뢰구축과 적절한 회담주넙가 선행되어야함.끝.

(총영사 박동순-국장)

원 본

외 무 부

종 별 :
번 호 : JOW-0277 일 시 : 91 0316 1630
수 신 : 장 관(중동이,해기,해신,정홍,기정)
발 신 : 주 요르단 대사
제 목 : 현지 언론반응

1.주요일간 JORDAN TIMES 3.16.자는 HASSAN왕세자의 CNN 회견내용을 'KING,BUSH SHOULDMEET SOON ON PEACE, CROWN PRINCE SAYS' 제하 1면에게재함

2.하산 왕세자는 CNN 의 LARRY KING 과의회견에서 후세인 왕과 부시 대통령이 가까운 장래에 만나 중동문제 해결방안을 논의하여야한다고 주장하고 미국과 요르단 양 국이 상호 SIGNLANGUAGE 만 주고받는 상태를 유지할수는 없으며,중동지역 평화회복의 기회도 일년이상 열려있지는 않을것이라고 말하여 앞으로 1년이내에 후세인 왕이미국을 방문하여 미국과의 우호관계를 회복할수 있게되기를 강력히 희망하였음

3.하산 왕세자는 동회견에서 이스라엘.팔레스타인 문제해결을 위한 국제회의 소집,이스라엘과의 직접 협상 반대,팔레스타인 주민 참여하의 팔레스타인 문제해결이라는 요르단의 기본입장도 재천명하였는바 주요내용 다음과 같음

가.베이커 순방에 요르단이 포함되지 않은데 대한 반응

-베이커 순방은 동맹군측에 가담한 국가들을 방문한것으로 알고 있음. 요르단 방문을원했더라면 반대 없었을 것임

나.미국이 초청한다면 후세인 왕이 미국을 방문할것인지

-양국원수가 결정해야할 문제이지만 워싱톤에서 만날지 아니면 제3의 장소에서 만날지 결정해야할것임. 어느단계에 가면 반드시 정상회담이이루어져야함. 중동평화의 기회도 일년이상열려있지는 않을 것임

다.후세인 왕이 부시 대통령에게 보낸친서

-양인이 서로 의사를 교환한것으로 알며 가까운장래에 회동을 갖고 의견을 교환하는것이 이지역안정에 가장 중요한 문제임

-지속적인 의견교환이 있는것으로 믿으나 어느수준에서 무슨내용이 오고갔는지는

중아국 장관 차관 1차보 2차보 정문국 청와대 안기부 공보처
공보처

PAGE 1 91.03.17 00:37 BX
외신 1과 통제관 0050

모름

-친서의 내용은 전쟁상태 종결에 대한 안도감 표시,이지역의 안정과 주민들의 행복을 되찾아주기위한 상호협력 의사피력 이상의 내용은없는것으로 알고 있음

라.후세인왕과 부시대통령 회동 가능성

-회동이 이루어지기를 기대하지만 언제가 될수지는알수없음. 가까운 장래에 이루어져야함

마.중동평화 협상시 사담후세인의 역활

-중동지역 각국 지도자들이 모여 지역평화에 관한 의견을 나누는 계기가 마련된다면 그에게도 참여의 기회가 주어져야함

바.대이라크 무기 판매여부

-이라크에 무기를 판매한 일 없음. 요르단은 이라크에 판매할 무기를 제조하지 않을뿐 아니라 신문보도와 같이 이라크로 무기를 보낸바도 없음

-중동지역에서 재래식 무기 감축이 이루어지기를 희망하며 북극권과 같이 분쟁없는 지역으로만들기로 원함. 중동의 소국들이 천문학적액수의 신무기를 구입하는 상황이 종식되어야함

(대사 박태진-국장)

관리 번호	91/126

원 본

외 무 부

종 별 :

번 호 : IRW-0253 일 시 : 91 0318 0830

수 신 : 장관(중동일,정일,기정)

발 신 : 주 이란 대사

제 목 : 걸프전 후속 조치(4)

1. 본직은 3.16(토) 업무 협의차 당지 시리아대사 접촉 기회에 걸프전후 신질서 수립에대한 시측 입장을 청취하였음. 동인은 HABIBI 주재국 부통령 및 VELAYATI 외무장관의 시리아 방문시 동행하였는바, 이라측은 동 기회에 다마스커스 개최 전후질서 수립 회의 (이집트, 시리아 및 GCC 6 국 참가)에대한 이란측의 우려 (전후 지역안보 체제에서 이란이 제외되는 가능성) 및 참여 의사를 표하였으며, 시측은 이란의 요청을 긍정적으로 수용할것임을 이란측에 확신시키고 관련국에도 이러한 이란측 입장을 설명하였다고 언급하였음.

2. 이와관련 시리아측 입장을 아래요지 설명하였음을 참고바람.

-역내 안보질서 수립에는 결국 모든 관련 회교 국가가 참여하여야 할 것임.

-동 회교국중 걸프만을 공유하고 있으며 특히 동 신질서수립에 관심이큰 이란의 참여에 반대하지 않으며 기타 참여를 희망하는 모든국가(예 터키등)의 참여도 제한되어서는 안될것임.

-이란등의 참여에 대해서는 사우디 및 이집트도 반대하지 않을것으로봄(본직 질의에 대해)

3. 당지 일반 의견은 이란의 상기 전후체제 참여가 용이하지 않을 것으로 보고 있으나 이란측의 참여가 가시화되는경우, 이는 최근 알려진 이.시리아간 레바논 억류 서방 인질 석방 노력과 함께 주재국의 대미 관계 개선을 위한 또하나의 긍정적 조짐으로 추정할수 있겠음. 끝

(대사 정경일-국장)

예고 91.12.31 까지

91.6.30. 일반

중아국 차관 1차보 2차보 정문국 청와대 안기부

PAGE 1 91.03.18 15:54 0052

외신 2과 통제관 CF

관리번호	91/338

원 본

외 무 부

종 별 :

번 호 : GEW-0669 일 시 : 91 0319 1130

수 신 : 장관(중동,구일,정일)

발 신 : 주 독 대사

제 목 : 중동사태(자료응신 21호)

본직의 3.18. 외무성 SCHLAGINWEIT 차관보 면담시 중동사태와 관련한 동차관보의 언급부분을 아래 보고함(안공사 배석)

1. 걸프전 종전후 앞으로의 중동지역 안보문제는 아직 유동적임. 이락 내부문제가 불분명하고 미.영등 연합국측은 UN 안보결의에 의한 쿠웨이트 회복은하였으나 사담후세인 축출권한은 없음에 비추어 UN 안보리 결의 범위내에서 조심스럽게 처신하고 있는것으로 이해함.

2. 앞으로 중동평화문제는 2 가지 관점에서 볼수 있는바, 첫째는 8 개국(걸프 6 개국과 이집트, 시리아)의 역할이 중요하며 여기에 이락과 이란이 추가되어야 안정을 기할수 있을 것임.

연합군은 가능한한 조속히 철수하고 아랍군으로 구성된 UN 평화유지군으로 대체되어야 할것임. 이락과 관련하여 사담후세인의 향배가 큰 의문점으로 남아있음.

둘째는 이스라엘과 아랍관계임. 이스라엘은 이번 걸프전을 통하여 미국과 아랍의 신임을 얻었으며 이스라엘의 전쟁참여 억제에 대하여 아랍권의 감사표시가 있을 것으로 전망함. 그러기 위하여는 이스라엘의 대 PLO 관계개선이 있어야 하며 그러면 아랍권의 적절한 상응조치가 있을 것으로 보임(LEVY 외상 방독시에도 협의)

다만 중동문제해결에 관한 국제회의 개최에 이스라엘이 반대하고 있는바, 겐셔 외상은 CSCE 의 경험에 비추어, 중요정치문제가 양자협상을 통하여 어느정도 해결된 후에야 국제회의가 성과를 거둘수 있다고 생각하게 되었음. 중동문제에 있어서 PLO 문제는 중요한 것임. 이와관련 독일로서는 어떤모델을 제시할 입장은 아니나, 해결방안이 중동지역에서 연유해야하며, 연방안, 이스라엘 점령지에서 선거를 실시하는 방안등이 고려될수 있을 것임. 이어서 경제하부구조 건설등 경제계 개발이 뒤따라야 하고 또한 전진적 군축이 되어나가야 안정에 기여할 것으로 생각됨.

중아국	장관	차관	1차보	2차보	구주국	정문국	외연원	청와대
총리실	안기부							

PAGE 1 91.03.19 20:56 0053

외신 2과 통제관 CH

이스라엘도 지금이 좋은 협상시기라는 것은 인지하고 있음.

중동평화는 아직도 장시간을 요할 것이며, 너무 낙관적이어도 않됨. 그렇다고 1 년전보다 더 비관적인 것도 아님.

동 차관보는 중동문제와 관련 소련은 국내문제로 인해서 여력이 적으나베이커 미국무장관 방소를 고맙게 생각하며 미국과 협조 중동평화에 기여한다는 방침이며 구체적(ACTIVE)정책이나 안보 상임이사국으로서 적극적 기여는 거의 없는 것으로 생각된다고 첨언함. 끝

(대사-장관)

예고:91.12.31. 일반

91.6.30. [handwritten signature]

PAGE 2

0054

걸프 戰後 中東秩序 再編 展望과 우리의 對應策

1991. 3.

外　　務　　部

0055

目　　　次

0056

I. 終戰直後 情勢와 外交的 措置

1. 終戰直後 情勢

가. 戰鬪 行爲 終熄

o 이라크의 2.28. 걸프 事態 관련 모든 유엔 安保理 決議 受諾通知와 同日 美國大統領의 停戰宣言으로 戰鬪 行爲이 終熄 (捕虜 및 外國人 釋放, 地雷, 機雷 位置 通報, 48時間内 兩側 軍指揮官 會同 條件)

o 停戰 條件에 대한 兩側 立場, 유엔 安保理에서 討議 豫定

나. 쿠웨이트 亡命政府 本國 復歸準備

o 쿠웨이트 國王은 2.26부터 3個月間 쿠웨이트 全域에 戒嚴令 宣布

o 亡命政府는 타이프에서 쿠웨이트 隣近 담맘으로 移動, 3.1 大部分 閣僚 쿠웨이트로 復歸 (國王은 當分間 타이프에서 滯留)

다. 主要國家 戰後 外交協商 活潑

o 美, 英, 佛, 獨 外務長官 워싱턴에서 連鎖 會談 (2.27-31)

o 베이커 美國務長官 中東巡訪 豫定 (3.6-14)

라. 平和維持軍 派遣準備

o 덴마크, 스웨덴, 노르웨이, 핀란드等 北歐 4個國 유엔 平和維持軍 240名 共同派遣 準備

2. 外交的 措置

가. 對美措置

o 大統領閣下의 부시 美國 大統領앞 親書發送

o 多國籍軍 및 周邊國에 대한 支援 問題 繼續 協議, 推進

o 쿠웨이트 復舊 및 經濟復興 事業 參與를 위한 對美協議

나. 쿠웨이트에 對한 措置

o 大統領閣下의 쿠웨이트 국왕앞 쿠웨이트 政府 復歸 祝賀 親書發送

o 大統領 特使 派遣

o 駐쿠웨이트 大使館 活動 再開

- 駐쿠웨이트 大使 사우디 派遣(2.23) 亡命政府 接觸中

- 再開要員 3名 派遣(外務部, [redacted])

o 쿠웨이트 殘留僑民(9名) 安全確認

o 戰後復舊 參與 可能分野 協議

다. 이라크에 對한 措置

o 駐 이라크 大使館 活動再開

- 友邦國과 協議, 大體的으로 共同步調

- 2 -

0058

o 殘留僑民(8名) 安全確認

o 戰爭損害賠償請求 檢討(公館, 僑民, 業體包含)

라. 軍醫療 支援團 및 空軍輸送團의 向後 活動 關聯 關係國과 協議

o 軍醫療 支援團과 關聯 사우디 및 美國과 協議

o 空軍 輸送團 關聯 美國과 協議

마. 撤收僑民 復歸

o 쿠웨이트, 이라크, 사우디等 撤收僑民 및 勤勞者 復歸時期 決定

바. 政府立場 發表

o 政府代辯人 聲明發表

- 終戰과 國際的 努力 祝賀, 韓國의 參與 言及, 平和祈願, 中東 僑民安全 致賀

o 外務部長官 名義 書翰發送

- 多國籍軍 參與國 및 支援國 外務長官
- 쿠웨이트 外務長官(政府復歸 祝賀와 我國大使館 復歸 豫定 言及)
- 中東僑民(國別僑民會長)

Ⅱ. 中東秩序 再編 展望

1. 戰後 中東의 政治構圖

가. 域內 勢力 均衡 變化

o 戰後에도 中東地域에 있어서 特定國의 主導的 影響力 行使를 防止한다는 域內國家間 勢力均衡 原則에는 變化가 없을 것이나 그 構圖에는 變化 豫想

- 이집트, 사우디, 이란, 이라크, 시리아등 中東政治 主役들의 離合集散을 통한 均衡과 牽制가 戰後에도 勢力關係의 基本 骨格이 될것임.
- 또한 穩健勢力(사우디, 이집트등)과 强硬勢力(이란, 시리아등)間의 對立關係와 아랍富國(GCC 國家)과 貧國(시리아, 예멘, 요르단)間의 反目도 繼續 作用
- 今番 戰爭을 契機로 이라크의 中東政治의 主役으로서의 役割喪失, 시리아, 요르단, PLO 등의 立場變化 및 이란, 터어키의 强力한 政治的 軍事的 役割이 새 中東 版圖形成에 새 要素로 作用豫想
- 이스라엘과 아랍 諸國과의 對決關係는 繼續 宿題

- 4 -

0060

나. 美國의 主導的 役割

ㅇ 戰爭中 美國의 壓倒的 役割에 비추어 戰後 美國의 影響力은 크게 增大될 것으로 豫想되며 美國 스스로도 中東秩序 再編過程에 있어 主導的 役割을 遂行코자 할것임.

- 다만 아랍권 全般의 反美感情 擴大로 美國의 影響力 行使에 挑戰豫想 되며 이의 撫摩를 위한 努力이 있을것임.

다. 蘇聯, 西歐의 影響力 變化

ㅇ 蘇聯은 今番 戰爭을 契機로 顯著하게 弱化된 中東에서의 自國의 影響力 挽回를 위한 努力 傾注豫想

ㅇ 이는 美.蘇間 새로운 葛藤의 素地가 되어 脫冷戰 過程의 障碍要因이 될 可能性

ㅇ 英國, 佛蘭西등 西歐勢力도 中東 國家와의 緣故權과 經濟力을 바탕으로 中東地域에 대해 影響力 維持

라. 이라크, 쿠웨이트, GCC 國家의 政治的 變化

1) 이 라 크

ㅇ 사담 후세인 沒落後 親西方 指導者 보다는 反후세인 路線의 國粹的 性向 指導者 擡頭 可能性

o 이라크의 새로운 指導府는 失墜된 國際的 地位回復, 戰後復舊, 民生 安定을 當面課題로 推進豫想

o 戰後 相當期間 域內 軍事 大國으로서의 地位 回復 不能

2) 쿠웨이트

o 戰後 復舊가 王政의 最優先 課題

o 國內 民主化 勢力 摩擦등으로 漸進的 政治改革 推進 豫想

o 對外的로는 安保目的의 對美依存度 深化

3) GCC 國家

o 王政 守護 및 軍備增强을 통한 安保에 最大 力點

o 一般國民의 反王政 感情을 考慮한 各種 改革政策 實施 不可避

마. 유엔의 役割增大

o 今番 多國籍軍의 戰爭名分이 유엔決議의 履行에 있었으며 戰後 平和 維持軍도 유엔 主導下에 派遣豫想

o 蘇聯도 美國의 直接的인 影響力 排除를 爲하여 유엔의 積極 介入을 希望

2. 地域 安保體制 構築

가. 西方側의 基本構想

o 域內 軍事 覇權國 擡頭 防止

o GCC 諸國等 親西方 穩健國家의 主導的 役割

o 쿠웨이트 國境線 安全 保障 및 이라크 領土 保全

o 大量 殺傷武器 포함 軍備統制

나. 集團 安保 體制 胎動 可能性

o 이라크 및 이란의 野望을 牽制키 위해 美國을 背後勢力으로 하고 사우디, 쿠웨이트等 GCC 國家와 이집트等을 잇는 集團的 安保體制 樹立 論議中 (시리아, 이란도 參與可能性)

o 그러나 集團 安保機構 創設보다는 個別的 安保條約 形態를 통하여 集團 安保 效果를 얻는 方式을 취할 可能性도 있음.

3. 팔레스타인 問題 解決 努力

o 西方側은 아랍, 이스라엘 紛爭解決을 위한 努力 倍加 豫想

- 특히 이스라엘의 對시리아 關係改善 誘導

o 그러나 아랍 占領地 撤收에 대한 兩側의 强硬한 立場과, 이라크 미사일 攻擊에 대한 이스라엘의 報復自制等 걸프戰 寄與를 勘案할때, 西方側의 努力에도 不拘 當分間 팔레스타인 問題 解決 可能性은 稀薄

Ⅲ. 戰後 經濟 復興

1. 戰後 復舊 및 經濟復興

o 쿠웨이트는 戰後 緊急 復舊 計劃에 의거 最大限의 民生 安定事業 完了後 莫大한 海外 財産 活用, 大規模 再建 計劃 實施 展望 (今後 5년간 600-1,000억불 투입 예상)

o 이라크는 戰後復舊에 1,000-2,000억불의 所要가 推定되나 戰後 復舊事業에 많은 어려움 豫想

o 西方은 反美, 反西方 感情緩和 및 이라크의 再挑發 防止를 위하여 이라크의 戰後 復舊, 아랍世界 經濟復興 構想

o 地域情勢 安定을 위한 貧富 隔差 解消 및 經濟成長 促進

o 資金調達을 위하여 開發銀行, 復興基金, 中東版 마샬플랜, 經濟協力 基金等 擧論

2. 原油問題

o 戰爭復舊 資金調達을 위한 생산쿼타 增量 및 價格問題로 域內 原油 生産國間 不和 可能性

o 戰後 國際 原油價格 調整關聯, 美國 役割 增大 豫想

Ⅳ. 우리의 對應策

1. 基本的 考慮事項

가. 中東地域에서는 今後에도 各國의 利益關係가 相衝하는 不安定한 政治秩序가 繼續되고 이슬람 原理主義 思想, 反王政 感情의 擴散等으로 걸프 諸國의 現 政權 將來 不確實

나. 西方側은 戰爭의 勝利에도 不拘 反美, 反西方 感情 惡化, 今後 이스라엘 아랍 關係에 있어 이스라엘의 非妥協的 姿勢 및 蘇聯의 牽制等으로 對中東政策 遂行에 있어 큰 負擔을 지게될 것임.

다. 中東地域은 世界 石油 埋藏量의 65%를 占함으로써 이지역이 西方의 經濟; 安保 利益을 위해 차지하는 比重은 계속 莫重할 것임.

라. 今後에도 相當한 金額의 石油 收入을 活用한 建設工事와 商品輸入이 活潑할 것이므로 戰後 復舊事業, 工事 受注 및 商品輸出을 위한 各國의 競爭이 熾烈함.

2. 政治的 對應策

가. 基本方向

o 中東地域의 政治的 特性에 비추어 特定國家에 너무 偏重하는 政策 回避하고 對中東 均衡 外交遂行

0065

o 基本的으로 雙務關係 强化를 위한 努力 繼續하되 中東平和를 위한 國際的 努力에도 參與 可能性 摸索

나. 域內 個別國과의 關係强化

o 사우디等 GCC 國家와는 旣存友好關係 强化

o 이라크와는 國際停戰이 樹立되는 대로 關係强化 努力

o 팔레스타인 問題解決을 위한 國際的 努力 支援

다. 域外國家와의 協調體制 維持

o 傳統的 影響力 行使國인 美國, 英國, 佛蘭西, 蘇聯等과의 協調體制維持

라. 戰後 걸프地域 主要國家에 特使 派遣

o 國際政治 舞臺에서의 數的 比重에 비추어 韓半島 問題關聯 아랍권의 支持確保 努力 繼續

마. 戰後 걸프지역 安保體制 構築과 關聯, 우리의 寄與 可能分野를 確認, 支援

o 사우디 派遣 軍醫療支援團 쿠웨이트로 移動, 유엔 平和軍支援

o 對中東 武器輸出 統制等 軍備管理體制 參與

바. 팔레스타인 基金, 레바논 支援基金等 各種 中東平和基金 參與 擴大

사. GCC 公館長會議 定例化 및 中東地域 公館 整備計劃 調整

- 18 -

0066

3. 經濟的 對應策

가. 基本 方向

o 戰後 復舊計劃 및 餘他 中東國家의 建設工事, 積極 參與 및 商品 輸出 增大

o 原油의 安定的 供給先 確保

o 戰後 經濟復興 開發 基金 출연으로 各種 프로젝트 參與

나. 쿠웨이트 復舊 計劃 參與

o 協力 可能分野 쿠웨이트측과 協議

- 過去 쿠웨이트에서의 工事 實績, 經驗 및 旣存 裝備 活用

- 電氣, 通信, 上下水道等 技術者로 構成된 緊急 復舊 支援團 쿠웨이트 派遣, 支援 提供

o 사우디 駐屯 醫療支援團 쿠웨이트로 移動, 戰後 救護 事業 支援 檢討

o 我國業體, 單獨 受注 또는 美, 英會社等과 共同 受注 및 下請 進出 積極 推進

o 我國의 工事 可能分野 計劃書 作成, 쿠웨이트측에 提出 必要

o 쿠웨이트 緊急 再建 프로젝트(KERP)팀과의 接觸 强化

다. 이라크 復舊事業

o 이라크의 어려운 財政 事情으로 今後 相當한 期間 國際的 支援에 의한 復舊 工事 推進 展望

o 戰後 民生安定을 위한 基本施設 工事는 着手될 것임으로 終戰 直後 我側의 參與 計劃案 提示

o 原油를 建設代金으로 受領하는 形態의 復舊事業 檢討

o 戰後 生必品, 醫藥品等 一部 人道的 支援 提供

라. 商品輸出增大

o 戰後 모든 基本物資 大量 購入 不可避

o 我國業體 積極的 輸出 活動 必要

마. 原油의 安定的 供給先 確保

o 戰後 原油生産 過剩現象, 先進國의 에너지 節約 傾向 擴散으로 我國의 原油 導入 物量 確保에는 問題 없을 것임.

o 그러나 豫測할 수 없는 緊急事態 發生에 對備, 主要 供給國家(오만, UAE, 사우디, 이란, 쿠웨이트, 이라크)와의 緊密한 關係 維持

o 中長期的으로는 中東地域 依存度(90년도 73%)를 낮추는 努力 必要 (我國이 世界 原油 輸入國家中 中東 依存度 最高, 美國도 中東 依存度 減少 및 代替에너지 開發 重要 課題)

0068

- 12 -

주 이 란 대 사 관

1991.3.19

주 이탄(정) 724-77

수 신 : 외무부 장관

참 조 : 중동, 아프리카 국장

제 목 : 걸프지역 안보 질서

걸프전후 역내 안보질서 수립과 관련 당관의 용역에 의거 작성된 영문보고서 "Prerequisite to the Security and the Shifting of Balance of power in the Persian Gulf - A fundamental Approach" 누가?

를 송부하오니 업무에 참고하시기 바랍니다. 동 보고서는 당관의 공식의견과는 무관함을 첨언합니다.

첨 부 : 상기 보고서 1부. 끝

주 이 란 대

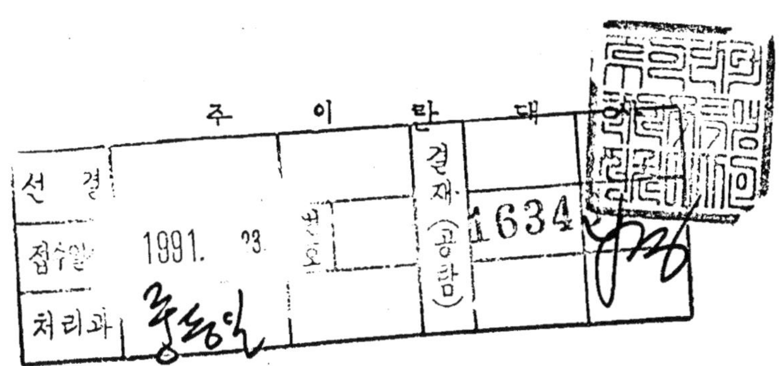

0069

PRE-REQUISITES TO SECURITY

&

THE SHIFTING OF BALANCE OF POWER

IN THE "PERSIAN GULF"

A FUNDAMENTAL APPROACH

MARCH 16TH, 1991

0070

the changing of balance of power and hence the threat to the fledgeling stability and security of the Persian Gulf took place on August 2, 1990, when the world was awakened by the sudden Iraqi blitzkrieg attack on the tiny oil shiekhdom of Kuwait. the Iraqi on-sleught against the Persian Gulf sheikhdom was the direct and unequivocal consequence of the failure of the member states of the Persian Gulf Cooperation

0071

Council and their Westerh allies to Contain Iraq's military might.

As Islamic Iran views it, the Invasion of Kuweit, has provided the golden opportunity for the states with Interests in the Persian Gulf to reformulate policies that shall serve to prevent crises of this kind to take place in the future, without the Interference of Foreign Powers. The Interference of Foreign Powers which, Iran thinks will only aggrevate the present Instability and Insecurity

- 2 -

0072

The role which the Islamic Republic of Iran could play in this changing of balance of power will be a significant consideration in this process of policy reformulation with due consideration given to the fundamentals of international political frame-work.

At this very crucial juncture of time, it will be apt to remind ourselves that the Persian Gulf policies of all interested and thus, concerned littoral states are indispensably based upon the reality that the

0073

Persian Gulf region is an "Unstable balance of Power". The Instability is inherent Per Se because, there have been only two major powers in the persian Gulf, namely Iran and Iraq. As Compared to these two powers, the other Smaller, oil rich States possess but substantial Inferior Military Capabilities. Thus, from the perspective of these Smaller States, their Security either Individually or Collectively –(the hasty formation of the Gulf Cooperation Council, which was established after

0074

-4-

the Iraqi invasion of Iran in 1980) is only enhanced and stabilized when the two potentially predominant powers of the Persian Gulf region, counter-balance each other. Powerful Ideological Forces (Fundamentalism) interfere with the ability to create coalitions and hence, it provides the needed foundation of, and the contribution to the Instability of the security of the region and ultimately to the balance of power in the Persian Gulf. In this unstable balance of power,

0075

-5-

the smaller states are compelled to seek coalition partners from outside the region.

Balance of Power and Security in the Persian Gulf are just another vivid classical example of the Interdepency of the two when perceived from an analytical frame of mind. to further clarify the point, some chronological retrospective shall serve the purpose; during a hiatus ten-year period, Iraq achieved military predominance,

0076

at the same time the Islamic Juggernaut which had resurfaced with the culmination of the revolution in Iran, rolled on and on, crushing everything in its path. the smaller states of the persian Gulf, who were caught by surprize, in order to create a hedge against the tide of the Islamic fervor and religious extravagant zeal of the Moslem masses which, could undermine the very underpinnings of their primitive, and nomadic rulerships wrapped in quasi-western style democracy,

0077

realigned themselves (Kuwait, Saudi-Arabia) with the predominant power in the region (Iraq), and thus balance of power shifted in favor of Iraq, to counterbalance the Iranian "menace". the process of counter-belancing the Iranian predominance takes hold somewhere around September 1980, when Iraqi forces stream into Iranian territory in the hope of a sudden, fast conquest of the southern province of Khuzestan. But Iraqi regime's ambitious, blitzing drive to bring the Islamic Iran to its knees

0078

proved to be insufficient in the latter stages of an 8-year, see-saw, protracted attritious war. Sensing the dangers of the shifting of balance of power in favor of the Islamic Iran, and being faced with the fear of Iraq's inability to confront the Iranian onslaught, the member states of the Gulf Cooperation Council turned towards the U.S. and other Western allies to provide them with the needed security (re flagging of Kuwaiti ships)

0079

-9-

political analysts and Military Strategists believed that this type of deterrent Message (U.S. support) Provided the ground work for hastening the end of the Protrected Iran-Iraq War, However, squabbles between the belligerent parties involved in the war occurred during the so called peace talks over the technicalities involved in the relevant United nations Security Council mandate, during this time the world in general and the West in particular ignored the Iraqi's efforts in amassing huge Stockpiles of mass-destruction, Chemical,

0080

-10-

biological /nuclear weapons. In due Course, Iraqi president Sedam Hossein's military and political ambitions both in the region and in the Arab World got a further boost when the World turned its cheek on Sedam's horrifying chemical-Bomb attack on the Kurdish City of Halabjah. The muted response of specially the West vis-a-vis the rutnless pogram of Innocent People of Halabjah and Sedam's efforts to acquire sophisticated weepon systems (Super-Gun Fiasco), emboldened Sedam to take another Step in proving his reginal supremacy. 0081

-11-

At the same time due to the lack of deterrent messages and signals and due to the prevailing methods of "checking" the Iraqi ambitions, Gulf Cooperation Council members and their western allies failed completely to react to Sadam's use of military threats to bully his OPEC partners into raising the price of oil and to squeeze debt reduction payments out of Kuwait. Naturally, as a further proof of the shifting of balance of power in its favor, Iraq embarked upon the wholesale take-over of Kuwait and thus

0082

Jeoperedized the fragile security in the very explosive Persian Gulf region. With the balance of power disturbed and the shaky stability up in the air, Gulf Cooperation Council members and their western allies sent the deterrent message of containing the Iraqi menace which, was definitely too late, and thus regional geopolitical strategy and blue prints for future balance of power and the establishing of peace, security and stability once again became the principle agenda in the post Cold-war era.

0083

-13-

With the Humilating Defeat of Iraq and the destruction of its military machine underway at present, the role which the Islamic Iran might play in this on-going changing balance of power in the Persian Gulf and in the formulation of the relevent security policies, will be a significant consideration for the rest of the twentieth century and possibly the early years of the next century. Iran, since its acceptance of the Resolution 598 of the United Nations Security Council, has called upon all parties with vested interest in the region (littoral states) to cooperation in laying the foundations of a peaceful future through a "Collective regional 0084
Security System". Iran is of the opinion

that regional Issues must be dealt with by the littoral States of the Persian Gulf and the resolution of the problems facing the region must be handled through cooperation of the parties concerned within the frameworks as set forth in a "Security Accord". Thus, we have seen some new developments taking place vis-a-vis the Iranian attitude. Islamic Iran has indicated its willingness to discuss security issues with the member States of the Gulf Cooperation Council as manifested by the on-going, diplomatic trips of high ranking, Persian Gulf Arab States' officials to Tehran and

0085

The exchange of views which were comprehensively covered by the mass-media in this regard. In spite of Islamic Iran's efforts to set aside its differences with the littoral States of the Persian Gulf, it must be said that still, there is a big stumbling-block between Iran and its southern neighbours which could inhibit any progress toward a rationally accepted "convergence". That stumbling-block is the deep Ideological rift between Islamic Iran, Saudi-Arab Kuwait and their principal ally, the United States. The same Ideological rift will make military alignment with Iran difficult (as manifested by 0086

-16-

Iran's exclusion in the recent security Pact, nicknamed "Cairo-8"). But, without any doubt if Ideological divisions are bridged and set aside, Iran will undoubtedly be in a much better position to come of age and play its balancing role in the future security of the region to confront future "threat" by possible intruders such as a "reemerged" Iraq.

Another obstacle which could overshadow Iran's efforts to play a leading role in the future security of the region and hence for providing a more stable balance of power, has been its reluctance to 0087

-17-

burden itself with foreign debt in order to rebuild both its economic infrastructure after the war with Iraq and its Military capabilities.

Furthermore, a major military build-up even if implemented by Islamic Iran, would be difficult in the face of the continuing embargo of the International arms sales to Iran.

Thus, based upon this kind of presumption it will take sometime before Iran will be able to become the "major" partner in providing security and/or playing its balancing act to assuage tension in the region.

0088

- 18 -

one feasible scenario which could emerge would be if Iran, Saudi Arabia and kuwait set aside their Ideological differences (described earlier), the embargo on International arms sales on Iran be lifted and Ultimately Iran rebuilds its military capabilities. in such a scenario, Iran could become a "potentially strong" alliance partner with other Persian Gulf States

Another Scenario which has emerged, has been the hasty formation of a new security pact between the six Gulf Cooperation Council members plus the two new-comers, namely egypt and Syria. such a scenario which has already been Inked in Principle

0089

by the participants of the "Cairo-8" gathering, However, Possesses a number of Short-comings:

1- The Gulf Cooperation Council member Countries will be obliged to pay a substantial price for "peace-keepers", whose own states have no clear national interests in maintaing Persian Gulf Security. Even with such interests, these regional States would not be able to maintain such forces in the Persian Gulf.

0090

- 20 -

2- Forces from Egypt and Syria, are vulnerable to recall in the event of changing alignments on other Middle Eastern Issues.

3- These Forces do not possess the Rapid Reinforcement Capability and the Second Strike capability which the Western Forces possess and rely heavily on during crises.

4- The "trip-wire" force, which foresees western troops to form the back-up support force to beef-up and Reinforce the capabilities of "peace-keepers", no matter how few the numbers of Personnel, still represents for

0091

the host Government a potentially internally destabilizing target for opposition to the regime. Anti-Western sentiments, which are constantly lurking and hiding would gather momentum under the banner of "Arab Nationalism or the Centrifugal force of "Islamic Fundamentalism"., these forces could not only undermine the efficiency of these "peace-keepers" but could also jeopardize and challenge the legitimacy of the Persian Gulf regimes which they are safeguarding in the first place.

good point

0092

5- It must be pointed out further that any kind of military presence of Western forces deployed in the region, no matter how small, to back-up and support the Arab "Peace keepers" is undeniably controlled by democracies. And democracies need to persuade themselves from time to time as to the wisdom of their foreign policies. There is arguably at this stage widespread concern for a "new world order" and for the security of persian Gulf oil, to persuade Western Democracies as to the need to maintain some deterrent capabilities in the persian Gulf.

0093

thus, in order to Prepare the Pillars of a Security System in the Region, the Indispensable Prerequisites must contain the following characteristics:

1- Resolution of the Ideological differences between Islamic Iran, Saudi Arabia and to some degree Kuwait (now that the Iraqi Supremacy has been thwarted).

2- Initiation of a "reapproachment Policy" via which all the member states of the now defunct "GCC" could harmonize their Security with the Islamic Iran

0094

-24-

3- Institution of Democratic norms and Values in the Persian Gulf Sheikhdoms.

Prior to the occupation of Kuwait by Iraq, civil unrests were reemerging in Kuwait, with the opposition calling for the reestablishment of parliament and acceptance of Democratic principles by the rulership. The same kind of tension and unrest will resurface again unless the rulers of all the Arab states of the Persian Gulf, wholeheartedly adhere to Democratic norms. Ignoring the plight of the awakened masses could instigate violence, which not only could imperil the very existence of such 0095

-25-

rulerships It, Could also provoke tension and thus, destabilize the Fragile security and Stability in the Persian Gulf.

4. Since the Kuweiti Emir and his royal Cevelcade escaped the country and proved its inability to Confront or even to put up the slightest resistence in the face of aggression, even if he returns to his Sheikhdom, he will not be able to rule as firmly as he once did and so without Implementing Fundamental Changes in the Structure of rulership such as a Probable change in the political system of

0096

Kuwait, there will be a period of unrest in this Sheikhdom which could not only usher in trouble for Kuwait, it could overspil to the other "now" vulnerable rulerships and thus endanger security in the Persian Gulf.

5- Initiation of a "better mechanism" for the proper distribution of wealth of the rich Arab states to the under-classed masses of the region. Without the implementation of such a scheme, any security pact for the region, will once again be fragilo, since the pent up, incipient feelings of the "marginalized, impoverished" Arabs, who will for ever be antagonistic against the "affluent"

0097

will undoubtedly resurface and erupt one day and uproot the precarious security and the stability of the Persian Gulf.

6- The United Nations Security Council can play its balancing role as a "catalyst" in the security of the Persian Gulf as it finally did in the Iran-Iraq war by providing the necessary means and ways to safeguarding long term interests of the states involved and ultimately play its role to bring about prosperity and stability to the region.

0098

외 무 부

종 별 :

번 호 : CAW-0406 일 시 : 91 0321 1715

수 신 : 장 관(중동이,정일)

발 신 : 주 카이로 총영사

제 목 : 걸프전후 관련 동정

(자료응신 제 81호)

3.20 당지 언론보도에 의하면

1. 지역안보및 평화회의 개최

부쉬대통령의 걸프전 연합국 순방에 앞서 하기와갑이 걸프전후 고조되고 있는 중동문제 해결 요구분위기를 활용키 위한 73년 제네바회의와 유사한 지역안보 및 평화회의를 4월 카이로에서 개최할준비를 관계당사국 사이에 서두르고 있다함.

1) 목적: 파레스타인문제, 역내 대량살상 무기제거및 군비통제 문제토의

2) 참석: 이집트, WEST BANK 점령지로부터 파세스타인 인민대표와 이스라엘과 교전상태에 있는 걸프전참여 아랍제국

2. 역내 안보수립문제

OSAMA EL BAZ 대통령 정치특보는

1) 안보체제는 아랍의 안보보장을 위해 아랍제국 (비아랍제국인 이스라엘,이란 및 터키 제외)에 의해 수립되어야 하며

2) 이스라엘을 포함하는 역내에서 대량살상 무기제거와 동무기의 생산과 저장금지및 주기적으로 사찰을 받아야 하며

3) 아랍요구에 부응하기 위해 아랍연맹 헌장은 개정되어야 하며

4) 이스라엘을 공격에서 모면토록 하는것은 군사우위가 아니라 국제적 제원칙 준수와 팔레스타인 인민들의 자결권 존중에 있다고 역설함.

3. 제95차 아랍연맹이사회 개최

ASAAD AL ASAAD AL 사무총장서리는 그간 성원미달로 연기되어왔던 정기이사회가 이락, 요르단, 예멘, 모리타니아 4개국을 제한 17개국 (리비아, 수단, 튜니지아의 구두동의 포함)에서 동의를 받아 3.30. 개최된다함.끝.

중아국 1차보 정문국 안기부

PAGE 1

91.03.22 09:12 WG

외신 1과 통제관

0099

종 별 : 지 급

번 호 : USW-1436 일 시 : 91 0327 1910

수 신 : 장관(미북,미안,아일)

발 신 : 주 미 대사

제 목 : 백악관 실무자 접촉

연 USW-1433

연호 당관 유명환 참사관이 백악관 PAAL 보좌관 접촉시 동인이 언급한 내용을 참고로 다음 보고함.

1. 걸프지역 주둔 미군

- 미국은 오래전부터 CENTRAL COMMAND 를 중동 지역에 두기를 희망하여 왔으며, 금번 걸프전을 계기로 소수의 인원으로 구성된 사령부를 바레인에 배치하는 방안을 GCC 국가들과 협의중임.

-그러나 미 정부가 이미 수차에 걸쳐 천명한것과같이 중동 지역에 전부 병력을 주둔 시키지는 않을것이며 각국에 소수의 연락장교(고문단 성격)를 파견, 훈련 지원등을 맡도록 할 생각임.또한 이미 현지에 배치된 지상군 장비는 이동시의 비용및 필요시 재투입에 따른 제반 문제점을 고려 가급적 현지에 잔류시키는 방안을 검토중임.

2. 미.일 관계

-지난번 나까야마 외상의 방미시 일본은 양국 관계 관련 새로운 구상을 제시하지는 못하였으며, 방문 결과도 특별히 내세울만한것은 없었음. 원래 목적이 일본 국내 정치적 필요성에서 나온것이기 때문임.

-가이후 수상 방미도 그러한면에서 별로 다를것이 없을것으로 생각되나, 고르바쵸프의 방일에 앞서 미.일간 유대 강화를 보인다는점에서 의의가 있을것임.

-오자와 자민당 간사장이 소련 방문후 3.28 미국을 방문 베이커 장관을 예방하여 자신의 방소 결과를 설명할 예정이나 일본이 북방 영토 반환 관련 대규모경협을 소련에 제공하는 구상이 언론에 보도된것과 같다면 미국으로서는 거부감을 느끼게될것임.

3. 이스라엘과의 관계 개선

미주국 차관 1차보 2차보 아주국 미주국

PAGE 1 91.03.28 11:35 0100

외신 2과 통제관 CA

-일본은 걸프전 이후 온건 아랍국가들이 이스라엘 문제에 대해 다소 느슨한입장을 보이고 있는 기회를 활용하여 이스라엘과의 관계를 개선할 예정인것으로 알고 있음.

-한국도 적절한 시기에 이스라엘과의 관계를 증대시키는것도 바람직하다고 생각됨.

4. 캄보디아 문제

-캄보디아 문제 해결을 위한 PERM-5 의 노력이 막바지에 접어들고 있으나, 아직 베트남측의 협조가 결정적으로 필요함. 따라서 우방국의 대 베트남 경제 제재 조치가 당분간 더 계속 되어야할것으로 보며 한국도 계속 미국의 입장을 지원하여 주기 희망함.

-불란서에 비하면 일본은 다소 미국의 우려를 이해하는것 같으나 일본이 구상하고 있는 새로운 중재안은 별다른 의미를 주지 못할것으로 보며 시하누크를 활용하는 생각도 별효과가 없을것임.동 구상은 일본 외무성 자체내에서도 상세한검토나 협조가 없었던것으로 알고 있음.

(대사 현홍주-국장)

91.12.31 일반

PAGE 2

0101

원 본

외 무 부

종 별 :

번 호 : CAW-0439 일 시 : 91 0401 1600

수 신 : 장 관(중동이,정일)

발 신 : 주 카이로총영사

제 목 : HAFEZ AL-ASSAD 시리아대통령 방애

(자료응신 제 84호)

1. 3.31. 오후 ASSAD 시리아 대통령은 ABDEL HALEEMKHADDAM 부통령, FAROUK AL SHARARA 외무장관등 25명의 수행원을 대동, 1박 2일 예정으로 12년만에 처음으로 카이로를 방문 (작년 알렉산드리아는 방문한 적은있음), 무바락대통령과

1) 아랍제국간의 화해문제

2) 걸프지역의 안보체제

3) LAND-FOR-PEACE 원칙과 UNSC 결의에 입각한 아랍-이스라엘간 분쟁해소 문제

4) 양국 협력방안등을 협의하였음.

2. 상기 회담 상보는 아직 알려지지 않고 있으나 주로 양국간 군사협력 (군수산업 및 합동군사훈련) 분야와 이스라엘과의 분규 해소 방안에관해 집중적으로 토의된것으로 관측됨.

3. 상세는 파악되는데로 추보 하겠음.끝.

(총영사 박동순-국장)

중아국 1차보 정문국 안기부

PAGE 1 91.04.02 10:35 WG

외신 1과 통제관 0102

원 본

외 무 부

종 별 :

번 호 : JOW-0328 일 시 : 91 0401 1620

수 신 : 장 관(중동이,중동일,정일,기정)

발 신 : 주 요르단 대사

제 목 : 주재국 국왕 프랑스 방문

1.주재국의 후세인 국왕은 프랑스 TV 와의 기자회견을 통해 중동및 팔레스타인 문제등에 관한 주재국의 입장등을 요지 다음과 같이 천명함

가.이스라엘과 팔레스타인 민족간의 평화구현을 위한 유엔안보리 상임 이사국의 즉각적인 노력이 필요함

나.우리들은 문제들을 해결할 기회를 갖고 있으며 현세계에서 그간지지되어 왔고 권장되어 왔던 모든 원칙들이 적용될수 있을 것으로 믿고있음

다.우리는 아랍.이스라엘간 평화를 필요로 하는바, 이의 종국적인 해결 기반 조성을 위해서는 매우 ACTIVE 하면서도 QUIET 한 외교가 필요한 것으로 확신함

라.우리는 이스라엘인과 팔레스타인들간 대화를 필요로 하며, 팔레스타인인들도 그들의 권리, 조국 및 요르단.팔레스타인간 관계등에 관해 ACCEPT했던것을 준수해야함

마.요르단을 포함한 아랍인들은 이스라엘이 유엔안보리 결의안 242호와 338호를 수락하는 순간 이스라엘의 존재를 인정할것임을 수차 분명히한바 있음. 단,지도상의 이스라엘의 형태, 팔레스타인의 권리, 영토 여하가 문제가 될것임

바.팔레스타인의 문제는 그들 자신에 의해 다루어져야하나, 그들의 요청이 있을때는 협조할것임

2.후세인 국왕은 프랑스및 독일방문을 위해 3.28.첫 방문지인 파리에 도착, 미테랑 대통령과 회담하고, 토까르 수상, 듀마외상및 JOX국방상등을 접견, 양국관계 및 현안등에 협의한바 있음

(대사 박태진-국장)

중아국 1차보 중아국 정문국 안기부

0103

PAGE 1 91.04.02 09:26 WG

외신 1과 통제관

원 본

외 무 부

종 별 :

번 호 : CAW-0445 일 시 : 91 0402 1600

수 신 : 장관(중동이,정일)

발 신 : 주 카이로총영사

제 목 : MUBARAK-ASSAD 회담

(자료응신 제 86호)

연:CAW-0439

4.1. 표제회담 후 양대통령은 공동 기자회견에서 하기와 같이 언급함.

1. MUBARAK 대통령

1) 걸프지역 문제들이 종결 되는대로 외군 철수를 요청할 것임.

2) 쿠웨이트 해방후 걸프역내 제한된 미군역할을 지지함.

3) 역내 안보체제는 걸프제국과 아랍제국에서 도출되어야 하나 필요시 다소의외국의 도움을 이용할 수 있을것임.

4) 중동문제 해결에는 국제 평화회담 개최가 최선인바, 이를 위해서는 당장 회담개최 요청보다 회담성공을 위한 건실한 준비가 더중요함.

5) UNSC 결의 242 및 338 에 따른 국제회의 개최는 BEGIN 과 PRESS 전 이스라엘 수상들과 합의한바 있으므로 필요함.

6) 5개 UNSC 상임이사국이 참여하지 않는 어떤제한적 중동회담도 반대하며, 지역회담 개최도전선국 (시리아, 이집트, 요르단, 레바논 및 이스라엘) 외에 UNSC 상임이사국의 참여로 동회담을 성공시킬수 있을것임.

2. ASSAD 대통령

1) 이락내의 현상황은 매우 복잡한 것으로 대부분의 아랍국은 이를 이락 내부사항으로 보고 있으므로 이에 연합군의 개입은 자제되어야 함.

2) 아랍제국의 화해문제는 세월이 약이 될것이므로 별도의 아랍정상 회담은 필요치않음.

끝.

(총영사 박동순-국장)

중아국 1차보 정문국 청와대

0104

PAGE 1

91.04.03 07:10 DA

외신 1과 통제관

관리번호	91/393

원 본

외 무 부

종 별 :

번 호 : USW-1538　　　　일 시 : 91 0402 1804

수 신 : 장관(중동일, 미북,미안,경이)

발 신 : 주 미 대사

제 목 : 걸프정세 관련 외교단 브리핑

본직은 금 4.2(화) 10:30 BLAIR HOUSE 에서 개최된 걸프사태 관련 국무부 KIMMITT 차관실시 브리핑에 참석한바, 동 요지 하기 보고함.

1.NEW WORLD ORDER 문제

가. 걸프 전후 처리 문제관련 NEW WORLD ORDER 에 대하여, 일부 국가는 이것이 미국의 입장을 타방에 강요하거나, PAX AMERICANA 를 구현하려는 것이라는 비난을하고 있으나, 이는 미국의 의도와는 다른것임.

즉, 신세계 질서는 국가간의 공동이익(COMMON INTEREST)을 증진하기 위한 집단적 조치와 유엔 창설당시에 논의됐던 것과 같은 국제법 질서에 대한 존중을 그 핵심으로 하고 있음.

다시말하면 신세계 질서는 유엔 창설당시 제창된 집단안보(COLLECTIVE SECURITY)개념과 유사한 맥락에서 논의되고 있는것임.

나. 따라서 신세계 질서의 핵심은 다음세가지 원칙을 포함하고 있다고 볼수있음.

-전체적으로는 유엔 및 관계국과의 협조체제를 기반으로한 COALITION 이 가장 중요한 역할을 수행함.

-구체적인 사안에 관한 주된 책임은 하당 역내 국제에 있으며, UN 을 중심으로한 COALITION 이 이를 뒷받침함.

-개별 국가의 주권과 각 국가의 영토 보전원칙을 존중함.

2. BAKER 장관 중동 순방 결과

가. BAKER 장관의 최근 중동 순방은 대 이락 종전을 위한 유엔 결의안 준비에 앞서 동 지역 국가들의 의견을 청취하는데에 결코 이들 국가간에 미국의 입장을 강요하기 위한것이 아니었음.

나. 금 명일중 통과될것으로 보이는 유엔의 종전결의안은 매우 복잡하고 포괄적인

중아국　장관　차관　1차보　2차보　미주국　미주국　경제국　외연원
청와대　안기부

PAGE 1　　　　91.04.03　09:15　0105
외신 2과　통제관 BN

내용을 담고있는바, 국제법상 선례가 없는 내용도 포함되어 있음.

이처럼 포괄적 성격의 결의안이 필요한 이유는 금번 걸프사태를 처리하는데있어서는 단순한 군사적 정전 이외에도 정치적인 ARRANGEMENT 가 필요하기 때문임.

3. 유엔 결의안의 내용

가. 전기 유엔 결의안은 다음과 같은 네가지의 내용을 핵심으로 하고 있음.

-이락-쿠웨이트 확정: 이는 앞으로 국가간의 모든 국경 분쟁을 유엔이 나서서 해결한다는 선례를 남기는것은 결코 아닌바, 다만 금번 쿠웨이트의 경우는 인접 국가가 무력을 사용하였기 때문에 이를 원상회복 시키고 앞으로 국경문제를 위한 무력사용은 용납될수 없다는점을 분명히 하기 위해서 결의안에 포함되는것임.

-경제 제재조치 완화

이락 국민의 생활에 필요한 식량 및인도적 측면에서 필요한 물품은 경제 제재 대상에서 제외하되, 무기는 계속 금수조치 예정임.

-이락이 소유하고 있는 대규모 살상무기의 파괴 및 재획득 규제

-이락의 석유수입 일부를 대 쿠웨이트 보상등에 충당하는 문제

나. 상기와 같은 결의안 작성에 있어서 미측으로서는 관계 당사국의 의사를존중하도록 노력하였으며, 이락에 대해서도 필요 이상의 가혹한 처벌은 새로운문제점을 야기한다는 역사적 경험을 신중히 고려하였음.

다. 특히 미국으로서는 장기적인 관점에서 중동지역 안전 확보를 위해서는 DETERENCE 의 확보가 가장중요하다고 보는바, 여기에는 군사적 억지력 뿐만아니라 정치, 경제적 안전조치도 모두 포함되어야 할것으로 봄.

4. 미국이 추구하려는 목표

앞으로 중동의 평화와 안정을 정착시키기위해 미국이 추구하려는 목표는 다음과 같이 요약됨.

가. 역내 안전보장 제도(SECURITY STRUCTURE)의 수립

이를 위해 GCC 를 포함하는 관계국간 양자, 다자간 협력 방안을 모색중임.

나. 군비 통제(ARMS CONTROL)

안보리 5 개 상임이사국이 대중동 무기 수출 총액의 85 퍼센트를 점유하는 점을 감안, 미사일등 대규모 살상무기 수출을 규제하기 위한 통제수단을 강구중임.

다. 경제협력 강화

현재 GULF FUND 의 규모로써 50 억불이 거론되고 있으며, IMF 및 IBRD 의 지원 방안도 논의중임.

이와관련 걸프사태 관련 재정 공여국 조정위(GCFCG)의 활동은 비공식 기구로서 중동 부흥은행(MBRD)이 창설되어 경제협력이 본격화 되거나 IMF/IBRD 의 활동이 공식화되기전 까지 당분간 계속 유지하여야 할것으로 봄.

라. 평화구축과정(PEACE PROCESS)

미국으로서는 이미 밝힌바와 같이 이스라엘-아랍 관계 및 이스라엘-팔레스타인 관계 개선을 별도로 추진하는 TWO-TRACK APPROACH 를 취하고자함.

그러나현재로서 이와관련한 STRUCTURE 나 PROCESS 가 나타나기에는 이르다고 봄. 미국으로서는 지역내 국가간 양자, 다자간 협의에 의해 신뢰구축이 먼저 이루어 지고 난 연후에야 보다 항국적인 PEACE PROCESS 가 가능할것으로 봄.

5. 이락 내부 문제가. 미국의 정책은 이락 국민들이 자신의 지도자를 선택하고 국민생활을 향상할수 있도록 지원한다는 것임.

그러나 기본적으로 이는 어디까지나 이락 국민자신들이 결정해야 할 문제임.

나. 한편 미국은 이락내 야당 세력과 직접 접촉 예정인바, 우선 미국내에 거주하는 이락반정부 세력 지도자들과도 접촉을 개시할 예정임.

다. 이를 통해 미국은 이락의 민주화에 대한 정치, 도덕적 측면 지원을 표명 예정인바, 군사적 개입은 하지 않을 예정임.

(여사한 군사적 개입은 UN MANDATE 이외의 사항임)

라. 참고로 일부에서는 미군이 반군 진압에 동원된 이락군의 헬기를 격추시키지 않고 있다는 비난도 있으나, 이는 전술적으로볼때 이락내의 헬기를 일일히 추적 공격하는것이 사실상 어렵다는데에도 그이유가 있음.

(대사 현홍주-국장)

91.12.31. 까지

1991.12.31 에 예고문에 의거 일반문서로 재 분류됨.

PAGE 3

0107

"소득은 정당하게, 소비는 알뜰하게"

주 카 이 로 총 영 사 관

문서번호 : 주카(정)2073 - 141 1991. 4. 4
수 신 : 장 관
참 조 : 중동아국장
제 목 : 국내외 정세에 관한 Mubarak대통령의 기자회견

1. 무바락대통령은 3.28 기자회견을 통해 국내외 정세에 관해 요지 하기와 같이 언급함.

가. 이락 및 친이락 세력에 대한 입장

1)이락의 Saddam Hussein은 쿠웨이트에서 철수대신 인근국을 침공, 이락제국 건설을 계획했음.

2)이락-이집트 관계가 좋았을 때에도 이락은 이집트내에 Baathist세포조직 구축을 기도하였으며, 우리는 그 요원들을 체포한 바 있음.

3)친이락 제국은 중도에 그들의 입장을 제고 온건노선으로 변경하였으나 격렬히 이집트를 비난해 왔음.

4)예멘정부의 자국내 이집트 근로자 학대에 대해 주예멘 이집트대사 소환으로 단호히 대처한 바 있었으나, Saleh대통령이 예멘혁명에 이집트의 지지를 거론하면서 사과함으로 일단락됨.

5)수단의 지배체재가 계속 이집트를 비난하고 있음은 유감스런 처사임.

6)일부 요르단 지도층은 대이집트 테러침투 공작을 계속하고 있음.

7)Arafat에 대해서는 많은 유보사항이 있으며, PLO지도자 선출에 간여하지 않을 것임.

8)이락과 친이락 제국과의 관계 개선에는 시간이 필요함.

9)국내 야당지들이 이락이 연합군에 의해 분쇄될 때에도 이락승리를 찬양한 것은 유감스러운 일임.

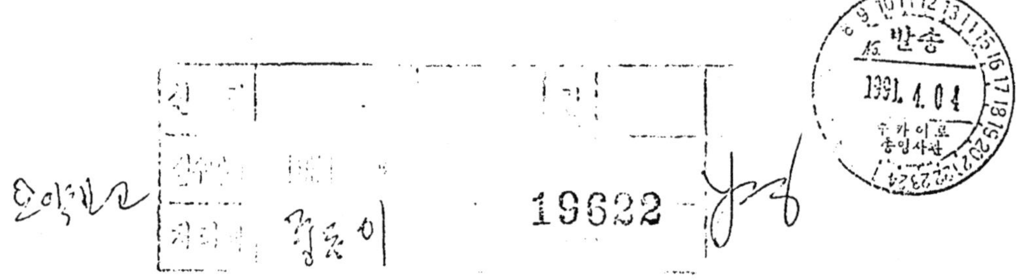

0108

나. 중동평화 달성문제

1)국제평화회의 개최가 역내 안정실현에 최선책이기는 하나 성공하기 위해서 사전 준비작업이 필요함.

2)Shamir 이스라엘 수상에게 Land for Peace 원칙에 따라 분쟁을 해결할 것을 촉구했음.

3)이스라엘은 여타 아랍제국과 대화 촉구전에 팔레스타인들과 전선국들과 먼저 대화를 추진해야 함.

다. 걸프전관련 이집트군 역할과 이집트 인력의 해외진출 문제

1)쿠웨이트 해방전에 참전한 이집트군은 이집트 군사령관이 마련한 작전 계획에 따라 성공적으로 임무를 완수했으며, 또한 사우디를 포함하는 다수 나라가 지뢰제거용 미사일을 포함한 각종 이집트산 병기구입 계약을 체결했음.

2)아랍제국에 대한 이집트 노동력 진출문제는 지난 5년간의 경험을 토대로 이집트국민의 자존심과 권리를 보호할 수 있도록 재검토할 것임.

라. 걸프지역 안보체제 구축문제

1)걸프위기 관련 비밀은 없음.

2)걸프지역 안보체제는 역내국의 의견이 존중되어야 하며, 비아랍제국이 우리를 도울 수 있다면 그렇게 할 수 있을 것임. 미.쏘를 비롯 서방세계로부터 도움을 받아야 할 필요가 있다면 그 도움을 청할 것임.

3)걸프지역 안보체제에 이란과 이락의 참여 여부는 내가 말 할 입장이 아님.

4)Saddam 장래 문제는 이락 내부문제로 간여사항이 아님.

5)우리들의 입장은 무력에 의한 타국영토 점령을 반대하는 것이며, 이 원칙을 승인하지 않는다면 아랍점령지에서 이스라엘측의 철수를 주장할 수 없을 것임.

바. 걸프전과 이집트경제

1)이집트경제 손실액은 200억미불로 UN에 보고되었음.

2)83년부터 시작한 대미 군사부채 탕감 노력결과 70억$이 탕감되었는 바, 이 액수를 반환 만기일까지 두게 되면 230억$이 됨.

3)걸프제국으로부터 탕감된 130억$도 만기일까지 두는 경우 430억$에 해당됨.

0109

4)영, 불, 이태리 및 스페인에 대한 이집트 부채의 50% 탕감노력을 계속하고 있으며, 여타 부채는 IMF와 기존부채 상환 유예기간 연장으로 해결토록 할 것임.

사.경제개혁 단행 추진 문제

1)외채 동결과,부채한계를 설정하도록 하는 새로운 장치를 마련토록 할것임.

2)저소득층을 위해 지난 3년간 IMF와 최선책 강구를 위해 노력하였으며, 경제적이득 실현을 위해 IMF와 양해하에 경제 개혁을 추진키로함.

3)지난해 외환 고갈로 위기에 직면했을때에 아랍형제들의 도움으로 필요 밀(이집트 연간총수입 소요량은 약 700만톤임)을 구입할 수 있었음.

4)경제개혁을 위한 1,000일 작전을 조용히 진행 시키고 있으며,향후 공기업을 정부기관에서 분리 경제원칙에 따라 경영토록 하여 일반에게 주식을 공개, 투자장애 요인을 제거,무역 자유화와 외화 환전 자율화 조치를 추진해 나갈것임.

5)향후 정부인사 정책도 동 경제 개혁 추진에 입각 시행할 것임.

6)경제개혁에 따른 부작용 완화를 위해 4억 5천만 이집트 파운드 규모의 사회 안정 기금을 마련 청년들에게 일자리를 주도록 할 계획임.

7)향후 아랍권내 이집트 인력수급 문제를 다루기 위한 공동 위원회를 개최할 것임.

8)아랍권내에 새로운 질서에 부응키 위해 150억$ 개발 기금을 조성(걸프 산유국이 제공)농업과 공업 분야 사업을 지원토록 할 것임.

아.민주화 문제

이집트 국회의 감시기능도 타국의 국회 활동과 같이 지나침이 없이 잘 하고 있는바,우리는 비판을 폭넓게 수용해야 하며,각 장관들도 국회 질의에 응답해야함.

2.상기 무바락 대통령의 기자회견 내용은 걸프전후 국내외 특히 회교원리주의자들의 대정부 비판(무바락 정부의 아랍 분열 책동,물가 앙등과 실업문제,중동평화 추진 지연등)에 대해 그간 단편적으로 밝힌 종래의 입장들을 종합 재천명한 것에 불과하나,

0110

가) 걸프전을 위요한 친이락 제국들과 불편스런 관계는 이들제국의 정책변경내지 지도부 변경이 있지 않는한 상당기간 지속될 가능성이 높으며,

나) 중동평화를 위한 국제회의도 사전 충분한 준비 필요성을 인정함으로 동회의 개최가 수개월내에 이루어 질 가능성은 희박한 것으로 보이며,

다) 지난 3년간 지연시켜 왔던 시장경제 원리에 입각한 사기업위주의 경제개혁 조치도 불원 IMF와 타결이 임박한 것으로 풀이되며,

라) 동타결(경제개혁 조치에 IMF의 양해성립)은 일면 서방채권국들과의 기존외채에 대한 지불유예 기한 연장으로 이어지는 한편

마) 타면 양해된 경제개혁 조치를 추진키 위한 개각단행이 수반될 것으로 관측됨. 끝.

주 카 이 로 총 영 사

"소득은 정당하게, 소비는 알뜰하

0111

원 본

외 무 부

종 별 :

번 호 : JOW-0367 일 시 : 91 0410 1230

수 신 : 장 관(중동이,중동일,미북,정일,기정)

발 신 : 주 요르단 대사

제 목 : 요르단.미국 외상회담

1.주재국의 MASRI 외상은 기자회견을 통해 4.12. 제네바에서 가질 미국 BAKER 국무장관과의 회담과 관련, 요지 다음과 같이 발언함

가.아랍.이스라엘분쟁과 팔레스타인 문제해결을 위한 최근의 사태 진전에 대한미국의 입장과 요르단의 역할에 관해 상호 의견교환이 있을것임

나.금번 회담은 최근 수개월간 악화되어온 양국관계 개선및 상호 접촉강화에 중점 이루어질것임

다.요르단은 중동지역 문제해결 노력에 있어서 중요한 역할을 담당하고 있음을재인식 시키고 중동 현안문제들에 대한 요르단 정부의 분명한 기존 입장과 견해를 전달할것임

라.아랍.이스라엘 분쟁과 팔레스타인 문제가,걸프사태시 적용된바 있는 국제적LEGIOIMACY 정신과 동일한 방법과 근거로 다루어질 수 있기를 기대함

마.요르단은 중동지역 관계국 및 당사국 전원이 참석하는 국제회의를 계속 주장하고 있으나,미국의 DOUBLE-TRACK APPROACH 가 결실을 볼수있을 경우에만 동회의개최를 긍정적으로 받아들일 것이며 또한 EC 의 지지를 받고 있는 팔레스타인 문제가 다루어져 야함

바.시리아가 GOLAN 고원 문제를 팔레스타인 문제와 별도로 논의하는데 반대하는입장을 요르단은 지지함

2.금번 양국회담에서는 MASRI 외상이 천명한바와 같이 걸프사태를 계기로 소원해진 양국관계 개선및 중동문제 해결을 위한 요르단의 역할 문제가 주요 의제로논의될 것이며, 양국으로서는 중동문제 해결을 위해서 상호협력이 불가결한 것으로 인식하고 있으므로, 동회담에서 오해를 불식하고 협력을 다짐할 것으로 보이며 동 회담후 요르단으로서는 중동문제에 관한 아랍의 입장을 통일시키기 위한 노력과 접촉을

중아국 장관 차관 1차보 미주국 중아국 정문국 청와대 안기부

PAGE 1 91.04.11 06:35 DF

외신 1과 통제관 0112

강화할 것으로 보임

(대사 박태진-국장)

PAGE 2

0113

원 본

외 무 부

종 별 :

번 호 : LYW-0235 일 시 : 91 0410 1500

수 신 : 장관(중동이)

발 신 : 주 리비아 대사대리

제 목 : 에집트 대통령 리비아 방문

1. 에집트 무바락 대통령이 외무부장관,공보장관등을 대동하고 4.9-10.이틀간 주재국을 방문 하였음

2.무바락 대통령은 방문기간중 4.9(화) 저녁 카다피 리비아 지도자와 정상회담을갖고 걸프전후 문제및 양국간 협력증진 방안등에 관해 협의하였는바,회담후 주재국정부가 발표 PRESSRELEASE(JANA 통신 11자)요지 다음과 같음

0 무바락크 에집트 대통령이 정부 고위 당국자들을 대동하고 리비아를 방문,카다피 지도자와 양국관계및 걸프전후 아랍문제에 관하여 협의하였음

0 양지도자는 걸프전후 아랍세계가 처한 상황을 검토하고 사태가 더이상 악화되지 않도록 공동 노력할것에 합의하였음

0 양 지도자는 아랍국가들이 걸프전후 아랍세계가 처한 위기를 스스로 극복하고아랍의 미래를 개척해 나가는데 참여하도록 요청하였음

0 양지도자는 이락의 통일과 영토보전의 필요성을 확인하고 이락주권의 보전과 이락 국내 문제 불간섭에 합의하였음

0 양 지도자는 이락 크르드족의 무사 안전 귀환이 시급한 문제라는데 인식을 같이 하였으며,이락에 대한 인도적인 원조와 이락이 위기를 극복하는데 도움을 제공할 것에 합의하였음

0 양지도자는 TUBROK 에서 개최된 양국 정상회담후 양국간 관계증진등을 점검하고 양국관계 당국에 양국간에 그간 합의된 사항의 실현에 노력할 것을 지시하였음

3.금번 무바락크 에집트 대통령의 리비아 방문은 최근 양국간의 실질관계가 급속히 증대되어가는 가운데(최근 에집트의 대리비아 인적,물적 진출이 현저히 증감됨)지난 3월말 카다피가 에집트,리비아 국경의 초소를 없애고 국경을 개방한데 대한 답례의 제스추어인 것으로 풀이되고 있으며,한편으로는 카다피의 걸프전후 사태관련

중아국 1차보 안기부

PAGE 1 91.04.12 00:45 DQ

외신 1과 통제관

0114

강경태도를 누그려 트려 온건 노선으로 회유코져하는 의도도 있는 것으로 보여짐

4.무바락크 대통령은 방문기간중 아르라비따 공업지대및 트리폴리 시내를 시찰하였으며 트리폴리 시찰 도중 카다피궁(86년 미군기 폭격 장소)를 방문하고 방명록에카다피 지도자가 무사할수 있었던 것에 대해 신에게 감사를 표하는 내용의 서명을 하였음

.끝

(대사대리 배우곤-국장)

0115

관리번호	91/355

외 무 부

종 별 : 지 급

번 호 : USW-1718 일 시 : 91 0411 1830

수 신 : 장관(미북,중동일,중동이,구이)

발 신 : 주 미 대사

제 목 : 중동정세(쿠르드 난민 문제 및 PEACE PROCESS 문제)

1. 금 4.11. 당관 임성남 서기관은 국무부 정책기획실 STEPHEN GRUMMON 중동담당관을 접촉, 쿠르드 난민문제 및 중동평화 구축문제등에 관해 의견을 교환한바, GRUMMON 담당관이 사견임을 전제로 언급한 미측 견해등을 하기 요지 보고함.

가. 쿠르드 난민 문제

1) 현재 쿠르드 난민들은 상상을 초월할 정도의 심각한 고통을 겪고 있는바,이들을 위한 세계각국의 구호물자 제공이나 재정지원등이 계속 이루어져야 할것으로 봄.특히 유엔도 동 난민문제 관련 COORDINATOR 를 별도로 지정하는등 적극적인 자세를 취하고 있는바, 궁극적으로 각종 구호활동 추진과 관련 유엔의 조정 역할이 보다 더 강화될 것으로 봄.

2) 이문제에 관한 미행정부의 기본적 정책 추진 방향은 베이커 국무장관이 중동 순방을 마치고 돌아온후에 보다 더 구체적인 윤곽을 들어낼수 있을 것으로 봄.

3) (임 서기관이 금일자 NYT 지의 HELP THE KURDS.BUT WHERE? 제하의 사설에서도 지적한바와같이 동문제가 기본적으로 인도적 차원의 문제가 아니라, 정치적 성격의 문제가 아니냐는 견해를 제시한데 대해), 쿠르드 난민문제가 발생한 가장 근본적 이유는 독재 정치를 펴온 훗세인 정권의 정통성 부재에 있다고 보아야 하므로, 궁극적으로 이문제는 이락의 국내 정치적 차원에서 발생한 문제로 인식하여야 함.

일부 언론에서는, 걸프전쟁 기간중 부쉬 행정부가 이락 국민의 반 훗쎄인 시위를 부추기고서도 막상 전후 여사한 시위가 발생하고 나서는 소극적 자세를 취하고 있다고 비판하고 있으나, 전후 이락 국민들이 반훗세인 시위를 전개했던 가장 중요한 원인은 이락 국민들이 훗세인의 탄압 정치에 염증을 느꼈기 때문이지, 단순히 미행정부가 이락의 민주화를 고무했기 때문이라고는 보기 어려움.

미주국 차관 1차보 2차보 구주국 중아국 중아국 청와대 안기부

PAGE 1 91.04.12 09:06 0116

외신 2과 통제관 FE

4)또한 그간 이락내에서 전개되어온 반 훗쎄인 시위는 쿠르드족과 시아파 회교도만이 전개한것이아니라, 이락 집권층의 대다수를 점하고 있는 수니파 회교도들도 전개했었는바, 이러한 면에서 볼때, 현재의 이락 국내정세가 불안정해진 원인을 종파간 분리독립주의라고 규정짓기도 어려움.

나. 중동 평화 구축문제

1)전후 중동질서 재편과 관련 부쉬 행정부가 내세웠던 4 대 목표중, 미측은현재 이스라엘-아랍관계 및 이스라엘-팔레스타인 관계 개선을 주 내용으로 하는 중동 평화 구축 과정의 추진에 최대의 역점을 두고 있는바, 이는 역내 각국간의 불편한 관계가 해소되어야만 안보장치 수립문제 및 군비 통제 문제등 보다 거시적 차원의 문제가 해결될수 있는 바탕이 조성될수 있다고 보고 있기 때문임.

2)언론에서도 이미 보도하고 있는바와같이, 여사한 평화 구축 과정이 가시화되는 경우 그첫단계로서는 중동 평화회의 가 소집될수 있을것인바, 초기단계에서 동회의를 통한 실질적 의미의 교섭은 이루어지기 힘들것임.즉, 중동문제의 역사 자체도 매우 오래되었고 얽혀있는 각종현안도 매우 복잡하므로 (IT HAS TOO MUCH HISTORY AND IS TOO COMPLICATED.), 우선은 각 관련국들이 얼굴을 맞대고 각종 협의의 기회를 갖는데에 더 큰 의미가 있음.

3)또한 동 평화 구축 과정이 어느정도 본격 궤도에 접어들기 까지는 부쉬 행정부의 최대 외교현안으로 계속 취급 될 전망이며, 특히 이와관련, 베이커 국무장관의 경우는 잦은 해외출장이 예상됨.

4)현재 미행정부 고위층에서 중동 평화회의 개최문제등을 직접 다루고 있으므로 어떤 TIMETABLE 에 따라 동회의 개최를 추진할지 실무선에서 구체적으로 파악하기는 어려우나, 개인적으로는, 종전후 조성된 MOMENTUM 을 잃지 않기 위해서라도 앞으로 2-3 개월안에는 동회의가 개최되어야 할것으로 봄.

2. 관찰

가. 쿠르드 난민문제관련, 부쉬 행정부의 기본정책 추진 방향은 좀더 시간이 경과되어야 구체적 내용이 들어날것으로 보이기는 하나, 근본적으로 미 행정부는 이를 이락 국내문제로 간주하면서 인도적 차원의 구호활동에 주력할 것으로보임.(USW(F)-1282 로 FAX 편 송부한 금일 국무부 정례 브리핑시 BOUCHER 부대변인 언급 내용 참조)

나. 한편, 전기 GRUMMON 담당관의 언급과같이, 당분간은 중동 평화회의 개최추진이

미행정부의 최대 외교현안으로 계속 취급될 것으로 보임.(대사 현홍주-국장)

예고:1991.12.31. 일반

1991. 12. 31. 에 예고문에
의거 일반문서로 재 분류됨

PAGE 3

0118

원 본

외 무 부

암호수신

종 별 :

번 호 : CAW-0501 일 시 : 91 0411 1915

수 신 : 장관(중동이,정일)

발 신 : 주카이로 총영사대리

제 목 : BAKER 미국무장관 방애 (자료응신 제 90호)

연:CAW-0376

1. 걸프전후 두번째로 당지를방문한 (4.10)BAKER 미국무장관은 무바락대통령및 MEGUID 외무장관을 만나 중동평화 수립문제와 역내 안보체제구축문제에 관해 요담한후 기자회견에서 요지 하기와 같이 말함.

가. BAKER 장관의 언급사항

1)이스라엘측과 가진 회담은 유익하고 결실이 이었음.

2)당면문제들이 어렵기는 하지만 상당부분은 풀어가고 있으며 그러나 아직도 해결해야할 사항들이 남아있음

3)평화모색가능 희망은 갖고있음.

4)점령지내에 이스라엘의 유태인정착 정책은 중동문제 해결 노력을 훼손시키는 처사임.

5)무바락대통령과 MEGUID 외무장관이 1 개월전부터 시작한 쌍방간대화계속을 위해 기울인 노력에 감사함

나. MEGUID 장관 언급사항

1)회담내용은 매우유익했으며 역내의 평화와 안정모색에 진일보한 것임.

2)중동문제(ARAB-ISRAEL)분규와 파레스타인문제의 평화적해결을 위해 미 행정부가 기울인 노력을 평가함

3)우방제국과 계속 접촉할것이며 BAKER 장관의 역내 순방이 성공하기를 희망함

4)THE IDEA OF THE REGIONAL CONFERENCE 는 흥미있는 일로 BAKER 장관과 협의하였으며 이집트는 역내 평화달성에 도움이 된다면 형식에 구애됨이 없이 (INTERNATIONAL CONFERENCE 든 REGIONAL CONFERENCE 든)무엇이든지 토의할 용의가 있음

중아국 차관 1차보 2차보 정문국 청와대 안기부

PAGE 1 91.04.12 07:17 0119

외신 2과 통제관 CA

5) 이집트가 회담 감시(SUPERRISE)를 위해 UNSC 모든 회원국이 참석해야 한다고 주장하고 있다고 하는것은 과장된 감이 있는바, 할수만 있다면 추진해도 좋을것임.

2. 이집트측은 BAKER 장관 상면에 앞서 AL-SHARAA 시리아 외무부장관과 상면(4.9 AL ASSAD 시리아 대통령 친서휴대방애), EDDAM 리비아 특사 접견과 동일 무바락대통령의 리비아 전격방문 GADDAFY 와 회담(4.9)등으로 하기 4 개항 대책을 마련한것으로 알려졌으나, 회담형식에 구애되이 없이 무엇이든 토의할 준비가되었다고 한것으로 봐서 미측구도, 즉 일면 아랍제국과 이스라엘간의 회담추진과, 타면 이스라엘과 팔레스타인간의 대화추진을 통한 국제회의 대신 지역회의 (REGIONAL CONFERENCE)추진을 위해 아랍제국 설득에 노력할 것으로 보임. 그러나BAKER 장관의 금차 순방이 명실상부하게 결실이 있고 중동평화에 진일보한 것인지는 국제회의 개최를 굽히지 않고있는 시리아측 반응과 이스라엘측이 LAND FOR PEACE 원칙을 수락했다고 보도되고 있으나 UN 결의 242 와 338 에 관한 아랍측과 이스라엘측및 팔레스타인측이 현격한 해석차를 갖고있어 그 귀추가 주목됨.

. 4 개 대책

1. 준비만 잘하는 경우 국제평화 회의가 가장적합한 정치적 해결들임.
2. 이스라엘측의 아랍개별국과의 회담제의를 반대
3. LAND FOR PEACE 가 해결초석이 되어야 함
4. 팔레스타인 인민들의 자결권, 국가창설권및 자유로운 대표선정권 강조.끝.

(부총영사 공선섭-국장)

PAGE 2

0120

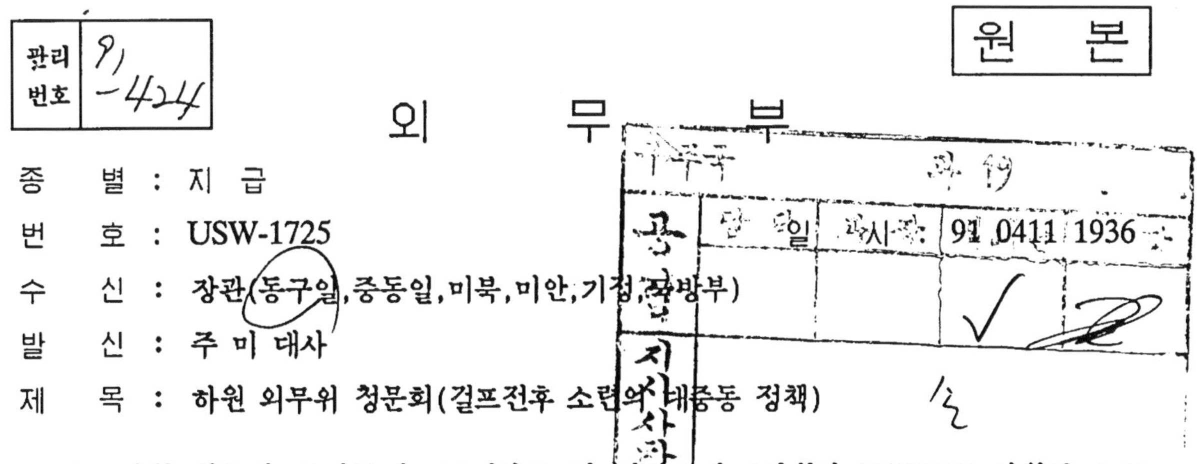

관리 번호 91 -424
원 본
외 무 부
종 별 : 지 급
번 호 : USW-1725
수 신 : 장관(동구일,중동일,미북,미안,기정,국방부)
발 신 : 주 미 대사
제 목 : 하원 외무위 청문회(걸프전후 소련의 대중동 정책)
91 0411 1936

1. 하원 외무위 군비통제, 국제안보 및 과학소위 (위원장:HAMILTON 의원)는4.11 걸프전후 소련의 대중동 정책에 관한 청문회를 개최한바, 동청문회에 출석한 MARK KATZ 죠지메이슨 대 교수의 증언 요지 아래 보고함.

가. 중동지역에서의 소련의 영향력

0 소련이 과거 중동에서 강력한 영향력을 행사할수 있었던 것은 강경 아랍국에 대한 소련의 지원과 온건 아랍국이 대미 관계 에서 소련 카드를 이용할수 있었기 때문임.

0 그러나, 이제는 소련이 대미 또는 대서방 관계를 희생하면서 까지 중동에서의 영향력을 추구할수 없는 상황이되었음. 고르바쵸프가 걸프지상전 개시직전 시도했던 평화외교공세를 중도에 포기한 사실이 이를 입장함. 더우기, 동 조치가고르바쵸프가 보수세력과 연합하기 시작한 이후에 이루어졌다는 사실은 소련내보수.강경세력 조차 중동에서 미국에 반대하기 보다는 협력하는것이 더 낫다고판단했기 때문일것임.

따라서, 아랍국들이 이용할 소련 카드는 더이상 없게되었으며, 또한 이지역에서 소련의 주요 역할을 유도할 실익도 없게 되었음.

나. 향후 소련의 대중동정책

0 중.장기적 관점에서 소련이 이지역에서 미국에 도전하는 세력으로 다시 영향력 행사를 추구하게될 가능성(개혁정책의 성공적 완료, 보수세력의 재집권, 소련내 회교 공화국의 분리운동 방지를 위한 대아랍 적극지원 필요성등)도 전혀 배제할수는 없으나, 이경우에도 과거와 같은 팽창정책이나 대서방 경쟁정책 보다는 미국, 서방 및 아랍부국들과의 협력관계를 통해 중동에서의 이익을 추구하게될것임.

2. 상기 증언에 이어 진행된 질의 답변 내용중 주요 사항은 아래와같음.

가. 소련의 대중동 무기수출 정책(BERMAN 의원 질의)

구주국	장관	차관	1차보	2차보	미주국	미주국	중아국	외연원
청와대	안기부	국방부						

일반문서로 재분류(1991 . 6 . 30)

PAGE 1 | 91.04.12 09:45 0121
외신 2과 통제관 CA

0 이지역에서 효율적 군비통제가 이루어지기 위해서는 다자적 접근방법이 필요하다는 견해에 대해, BERMAN 의원은 이문제가 미행정부의 정책과제에 포함조차 되어 있지 않다는데 문제가 있다고 지적하고, HAMILTON 의원과 FASCELL 의원이 최근 부시 대통령앞 서한을 통해 다자적 합의 추구와 함께 미국의 일방적 대중동 무기수출 금지 조치를 촉구한것도 그러한 이유때문이라고 말함.

0 이에 대해 KATZ 는 미.소 양국이 군부 및 군수업계 이해관계로 인해 대중동 무기수출을 중단하는데 어려움이 있을것이며, 그일례로 소련 군부가 고르바쵸프 승인 없이 시리아에 무기수출을 해왔다고 말함. 동인은 이와관련, 소련내부보수세력은 고르바쵸프의 군비통제 정책에 반대하는 이유로 미국의 무기 수출 정책을 이용하고 있으며, 만약 미국이 이문제에 진지한 자세로 임한다는것이 확인된다면 소련도 이지역에서 다자적인 군비통제 노력에 동참할수 있을 것이라고 부언함.

0 동인은 중동지역 개별국가에 대한 소련의 무기 수출 현황에 대하여는 아래와같이 말함.

- 소련은 최근 시리아와 20 억불 규모의 무기 수출계약을 체결했으며, 대이락 무기 수출은 중단했으나, 소련측이 모두 철수했다고 주장하는 군사고문단은 약간 남아 있을지도 모름.

- 최근 소련이 이집트에 군사장비 부품을 수출하고 있다는 정보를 들었으며, 동정보가 사실이라면 이는 이집트의 대소 부채상환을 25 년간 연기해준 소련의 최근 조치와 더불어 양국관계 개선에 기여하게될것임.

- 소련이 이란과 국경을 접하고 있다는 사실과 소련내 회교도에 대한 이란의 영향력 및 경제적 기대 이익등으로 인해 소련내 개혁, 보수세력 공히 이란과의 관계개선을 원하고 있으며, 밝혀지지는 않고 있으나 현재 소련은 이란에도 무기를 수출하고 있음.

나. 중동평화 협상에서 소련의 역할 (HAMILTON 의원 질의)

0 아랍권에 대한 소련의 영향력이 감소되기는 하였으나, 아직 완전히 사라진것은 아님.최근 이스라엘의 대소관계 개선움직임은 중동평화 협상에 기여할수 있는 요소라고 봄.

0 미국은 아랍권에 대해 소련이 이지역에서 미국과 경쟁하고 있지 않으며, 따라서 이들이 더이상 미.소 양국의 경쟁관계를 이용할수없다는 점을 인식시킬 필요가 있으며, 그러한 이유에서도 소련을 중동평화 협상에 참여시켜야 함.

0 소련은 유엔의 걸프전 종전 결의안을 준수할것이나, 이지역에서 계속 영향력 행사 (STAY IN THE BALL GAME)를 원하고 있으므로 후세인의 존속 여부에 상관없이 이락과의 관계 정상화를 시도할 것임.

3. 상기 증언문 파편송부함.

(대사 현홍주-국장)

예고:91..6.30 까지

주 미 대 사 관

미국(의) 700- 792　　　　　　　　　　　　1991. 4. 12.

수신 : 장 관

참조 : 구주국장, 중동아프리카국장, 미주국장

제목 : 하원 외무위 청문회 (걸프전후 소련의 대중동 정책)

연 : USW - 1725

연호 표제 청문회에 출석한 Mark Katz 죠지 메이슨대 교수의 증언문을 별첨 송부합니다.

첨부 : 상기 증언문.　　　끝.

주 미 대 사

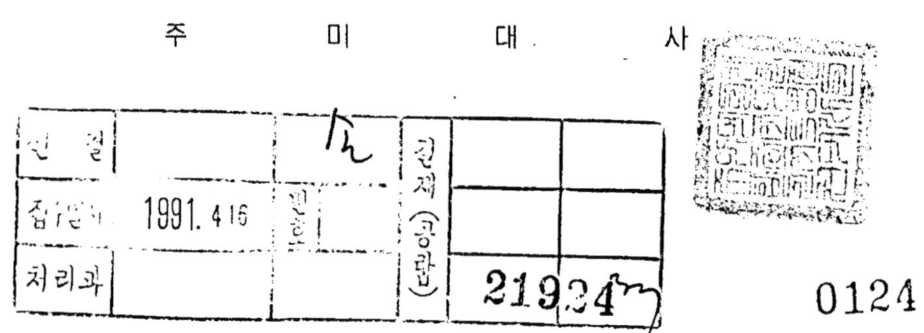

0124

Does Moscow Still Matter in the Middle East?

Mark N. Katz

Department of Public Affairs
George Mason University
Fairfax, VA 22030-4444

Statement Prepared for the
Subcommittee on Europe and the Middle East
Committee on Foreign Affairs
U.S. House of Representitives
April 11, 1991

0125

Does Moscow Still Matter in the Middle East?

Mark N. Katz

The Gulf War destroyed more than just Saddam Hussein's military might. It also marked the virtual end of Soviet influence in the Middle East, at least in the short-run.

Soviet cooperation with the U.S. and other governments was, of course, crucial for authorizing the use of force against Iraq by the UN Security Council. The task of driving Iraq out of Kuwait would have been vastly more complicated without Soviet help. Moscow, though, is no longer willing to pursue a Middle East policy which Washington considers objectionable.

This was shown by Gorbachev's futile diplomacy to prevent the launching of the ground war against Iraq. He issued two peace proposals which called for Iraq to be exempted first from all and then from some UN sanctions if Baghdad agreed to withdraw from Kuwait. But once it became clear that the United States and its Coalition allies were going to proceed with the ground war, Gorbachev backed down and supported Coalition demands for Iraq to abide by all Security Council resolutions.

What is especially noteworthy about Moscow's quick abandonment of these diplomatic initiatives which the Bush Administration found objectionable was that this did not take place when the reformers were still in the ascendant in Moscow. Instead, this occurred after Gorbachev had shifted considerably to the right, most of his top reformist advisers had resigned, and the hard-liners had become increasingly influential. Despite their rhetoric, even Soviet conservatives saw that their interests were better served through cooperating with Washington in the Middle East rather than opposing it.

This is because the primary goal for Gorbachev and the conservatives is to keep the Soviet Union intact. Except for the ultra-right wing fringe, the conservatives recognize that Moscow desperately needs the West's money and good will if they are to have a chance at preventing the breakup of the USSR.

Soviet conservatives would prefer to keep Iraq as an ally, or perhaps more accurately, as a paying customer for Soviet weapons. They know, however, that Iraqi arms purchases could not make up for Western trade, aid, and investment which Moscow would lose through resuming its alliance with Baghdad now.

The same logic holds for Soviet foreign policy toward the Arab-Israeli conflict. While Moscow actively worked to disrupt American-sponsored peace proposals in the past, the Soviet government no longer has an interest in doing so. Gorbachev and his conservative supporters need Western friendship too much to risk losing it through opposing America in the Middle East now.

Gorbachev, though, still hopes to retain Soviet influence in the Middle East. Soviet spokesmen have already stated that an overall settlement of the Gulf conflict should take Soviet interests into account. But if Moscow cannot afford to pursue a foreign policy in the Middle East in opposition to American foreign policy, then the Soviets cannot realistically hope to gain or even retain much influence in the region.

The reason Moscow previously enjoyed such strong influence in radical Arab states was because the Soviet Union provided them with support in both retaining power and pursuing anti-American foreign policies. Even the conservative Arab states could gain America's attention through playing the "Soviet card": they would threaten to turn to Moscow unless Washington pursued policies more to their liking.

Now, however, there is no Soviet card for the Arabs to play since Moscow is unwilling to seriously oppose America in the Middle East. But since this is the case, the Arabs have no interest in allowing Moscow to play a large role in the region.

For if it will not vigorously oppose American support for Israel, Moscow has nothing else to offer the Arabs. The USSR obviously cannot provide economic assistance. In fact, Moscow has begun to receive aid from the rich Arab states and hopes to persuade them to give even more. After the poor showing of Iraqi-owned Soviet weaponry in this last war, the Arabs are unlikely to buy Soviet weapons even if they are cheaper. All Moscow can offer is rhetorical support for Arab causes. But as the Arabs know, that is not worth much.

Gorbachev would like to see the USSR have good relations with the West while at the same time being an influential power in the Middle East. However, he cannot have both these things. Soviet influence in the Middle East can only be obtained at the price of poor relations with the U.S. But as long as Gorbachev or any other Soviet leader is unwilling to pay this price, the USSR simply cannot be an influential power in the region.

If the Soviets are unlikely to play an influential role in the Middle East in the short-run, will they play one in the long-run? This is only likely if at some point in the future Moscow is again willing to pursue a competitive policy in the region despite American and Western opposition to it. Such a situation is likely to arise only after some larger change affecting international relations generally.

Predicting what this change might be or its probability of occurrence lies more in the realm of speculation than analysis. Nevertheless, as the past few years have shown, unexpected events can and do occur in international relations. The possibility of unexpected scenarios occurring in the future, then, must clearly be considered.

What scenarios would result in Moscow aggressively reasserting its influence in the Middle East in defiance of America? There are several possibilities.

One scenario under which this could happen would be the sudden decline of American power and influence as a result of severe economic depression. If America were less able to offer Moscow political and economic benefits as well as to deter Soviet expansionism, then Moscow would be highly likely to resume its quest for influence in the Middle East. The savings and loan and banking crises notwithstanding, this scenario appears highly unlikely.

Another scenario which could lead to the resumption of aggressive Soviet behavior in the Middle East would be the rapid and successful completion of Gorbachev's economic reform efforts. If the Soviet economy became completely modernized, Moscow may decide that it can afford to lose Western good will through competing with the U.S. for influence in the Middle East and elsewhere. Whether Moscow would actually behave this way if the USSR possessed a modernized economy is unclear. It is highly unlikely, however, that Gorbachev or any other Soviet leader will succeed in implementing perestroika for many years, if at all. Moscow, then, is not likely to be able to afford the loss of Western good will which would occur if it resumed its expansionism in the Third World.

Of course, the unreformed Soviet leadership before Gorbachev pursued expansionism in the Middle East and the Third World despite its negative effect on relations with America and the West. A third scenario would be the return to power of a similarly unreformed leadership. Even if this occurred, however, an unreformed Soviet regime in the future would not enjoy the same advantages that the Brezhnev regime did in the 1970s. A conservative Soviet leadership will find its energies absorbed by continued ethnic unrest in the USSR and an ever-deteriorating economy indefinitely. Even if it had poor relations with the

West, a conservative Soviet leadership in the future would probably be unwilling and perhaps unable to divert much effort away from its domestic problems to attempts at expanding its influence in the Middle East which Moscow could not sustain in the face of American and Western opposition.

A fourth scenario which could lead to the expansion of Soviet influence in the Middle East would be the rise of Marxism-Leninism in the region. Marxism, though, has had relatively limited appeal in the Middle East even at the height of Soviet power and prestige. Now that so many countries have renounced Marxism and this ideology has come under heavy criticism for its economic failings and other problems in the USSR itself, it is doubtful that Marxism will suddenly become popular in the Middle East. Some other revolutionary ideology, such as Islamic fundamentalism or radical nationalism, may become increasingly popular in the region. Soviet interests will not be enhanced, however, if this revolutionary ideology infects the Muslim republics of the USSR. Moscow may then be desperately seeking American and Western support against these revolutionary forces stemming from the Middle East.

A fifth, and more likely, scenario is the prospect that Moscow will face growing unrest in the Muslim republics of the Soviet Union. Either a reformist or a conservative Soviet leadership may conclude that Moscow must strongly support the Arabs against Israel in order to retain the loyalty of its Muslim citizens. If keeping the Soviet Union intact is the most important goal for the Soviet leadership (as it apparently is for Gorbachev), Moscow may conclude that risking the loss of American and Western support is a necessary cost which must be incurred if Soviet Muslims insist upon vigorous Soviet support for the Arabs as their price for remaining part of the USSR.

Of course, Soviet Muslims might not be persuaded to remain in the USSR even if Moscow heavily supports the Arab cause; their own growing nationalism may result in their seeking to secede from the USSR anyway. Ironically, if the Muslim republics did secede from the USSR, they would be too poor and weak to strengthen the Arabs against Israel. And Russia without the Muslim republics would not find it necessary to militantly support the Arab cause in order to appease the relatively small Muslim population remaining within its shrunken borders.

Finally, a Russia shorn of the non-Russian republics will be a great power, but not a superpower. Its energies are likely to be fully occupied with modernizing its economy and worrying about the probably unstable new countries on its periphery. Moscow may seek American and Western sympathy or even help in dealing with these new security threats. It is not likely to antagonize the U.S. by competing with it for influence in the Middle East--which will be a relatively distant region from a smaller Russia.

Even in the long-run, then, it seems unlikely that the Soviet Union or Russia will be in a position to pursue an expansionist or even a competitive policy vis-a-vis the West in the Middle East. This does not mean that Moscow will no longer have any interests in the region. As before, Moscow will seek to preserve its access to the Mediterranean Sea and to the shortest sea line of communication between western Russia and Vladivostok, which runs through the Suez Canal, Red Sea, Bab al-Mandab, and Indian and Pacific Oceans. But instead of pursuing these and other interests competitively with the U.S., Moscow will probably seek them through cooperation with America, the West, and the wealthy Arab states. Moscow is likely to try to assuage their fears that Russia's presence in the region will threaten them since Moscow will not want them to retaliate by reducing their economic relations with the USSR or aiding Muslim opposition forces within the USSR. Moscow may increasingly seek to cooperate with the oil producing states of the region to raise the price of oil. But this is a normal form of economic competition which even some of our NATO allies engage in.

The Middle East will undoubtedly present many serious challenges to American foreign policy in the short-run as well as the long-run. Competition with the Soviets for influence in the region, however, is not likely to be one of them.

With the compliments of
THE CHANCERY

Warwick Morris

BRITISH EMBASSY
SEOUL

0134

FOLLOWING ARE KEY POINTS FROM AN EXTRACT FROM A SPEECH BY THE RIGHT HONOURABLE DOUGLAS [illegible] CBE MP FOREIGN SECRETAR[illegible] AT CRAWLEY COLLEGE, FRIDAY 12 APRIL 199[illegible]

IRAQ: THE CRY FOR HELP CANNOT BE IGNORED

KEY POINTS

THE GULF WAR WAS FOUGHT TO ACHIEVE A SPECIFIC AND CLEARLY DEFINED OBJECTIVE, - THE LIBERATION OF KUWAIT.

AT BRITISH INSTIGATION THE UN SECURITY COUNCIL HAS TAKEN THE UNPRECEDENTED STEP OF INSISTING, AS A CEASEFIRE CONDITION, THAT IRAQ'S CHEMICAL AND BIOLOGICAL WEAPON AGENTS AND STOCKS SHOULD BE DESTROYED, TOGETHER WITH THEIR LONG-RANGE BALLISTIC MISSLES, UNDER INTERNATIONAL SUPERVISION.

IT WAS NEVER AN OBJECTIVE OF THE COALITION TO REPLACE SADDAM HUSSAIN. TO HAVE MARCHED ON BAGHDAD TO SEEK HIM OUT WOULD HAVE RISKED SUBSTANTIAL ALLIED CASUALTIES. THE COALITION MIGHT WELL HAVE SPLIT. HAVING SUPPLANTED SADDAM HUSSAIN WE WOULD HAVE BEEN OBLIGED TO CHOOSE, IMPLANT AND THEN SUSTAIN A SUCCESSOR REGIME.

SOME SAY THAT PRESIDENT BUSH AND THE ALLIES STOPPED THE OFFENSIVE TOO SOON., OTHERS SAY HE SHOULD HAVE STOPPED IT EARLIER. THE ~~COALITION INFLICTED~~ MASSIVE DAMAGE ON THE IRAQI FORCES IN THE KUWAIT THEATRE WHO HAD CEASED TO OFFER SERIOUS RESISTANCE. THE BULK OF THE FORCES WHICH HAVE SINCE BEEN DEPLOYED TO SUPPRESS THE POPULAR UPRISINGS IN IRAQ WERE NOT INVOLVED IN THE KUWAIT THEATRE.

BUT IT DOES NOT FOLLOW THAT WE ARE PREPARED TO RETURN TO NORMAL RELATIONS WITH IRAQ WHILE SADDAM HUSSAIN REMAINS IN OFFICE. THE LIFTING OF SANCTIONS ONCE ALL THE REQUIREMENTS OF THE CEASEFIRE HAVE BEEN CARRIED OUT IS FAR FROM AUTOMATIC. THESE WILL BE PERIODICALLY REVIEWED BY THE UN SECURITY COUNCIL AND THE BEHAVIOUR OF THE IRAQI REGIME WILL DETERMINE ITS DECISIONS. THE ARMS EMBARGO WILL REMAIN INFORCE FOR THE FORESEEABLE FUTURE.

THE DIVISION BETWEEN THE INTERNAL AND EXTERNAL POLICIES OF A NATION IS NOT ALWAYS ABSOLUTE. MANY INTERNATIONAL POLICIES HAVE EXTERNAL RAMIFICATIONS. THE MASS EXODUS OF REFUGEES FROM IRAQ INTO TURKEY OR IRAN, CAN DESTABILISE THE REGION.

IT WOULD BE PERVERSE IF INTERNATIONAL RULES PUT IN PLACE TO MAKE THE WORLD SAFER WERE TO OBLIGE US TO TURN A BLIND EYE TO INHUMANITY.

THE PRIME MINISTER'S INITIATIVE TO CREATE SAFE HAVENS FOR KURDISH REFUGEES DEVELOPED THE APPROACH SET OUT IN RESOLUTION 688. OURS IS A HUMANITARIAN NOT A POLITICAL INITIATIVE. IT DOES NOT SEEK TO SET UP A STATE WITHIN A STATE OR TO PARTITION IRAQ. ATTENTION HAS FOCUSSED ON THE PLIGHT OF THE KURDS BUT WE ARE ALSO CONCERNED FOR THE SHI'ITE REFUGEES IN THE SOUTH OF IRAQ. AS THE COALITION FORCES ARE WITHDRAWN FROM THE AREA OVER THE COMING WEEKS AND REPLACED BY UN TROOPS IN THE DEMILITARISED ZONE, THESE REFUGEES TOO WILL NEED SAFE HAVENS.

OUR APPRACH IN CONCERNED WITH PEOPLE RATHER THAN TERRITORY. SAFE HAVENS DO NOT HAVE TO BE PRECISELY DEFINED BY BOUNDARIES. WE WANT TO ENSURE THAT REFUGEES CAN RETURN TO THEIR HOMES IN SAFETY.

WE HOPE THAT THE IRAQI'S WILL ACQUIESCE IN THE DELIVERY OF SUPPLIES AND TO ESTABLISHING SAFE HAVENS - MONITORED BY UN OFFICIALS - BUT IRAQI ACTION CANNOT BE ALLOWED TO IMPEDE HUMANITARIAN RELIEF.

0135

THE REFUGEES CANN[illegible]AFFORD TO WAIT FOR STATE [illegible]DISCUSSION. BRITAIN HAS ACTED SWIFTLY TO[illegible] ITS HUMANITARIAN CONTR[illegible]TION INTO PLACE.

KUWAIT IS FREE AND RECOVERING. A CIVIL WAR HAS NOW BROKEN OUT IN THE NORTH AND THE SOUTH OF IRAQ. WE ARE MOVING FORWARD THE NORMAL RESTRAINTS ON INTERNATIONAL ACTION SO THAT WE CAN HELP PULL OUR FELLOW HUMAN BEINGS OUT OF THAT CATASTROPHE.

0136

원 본

외 무 부

종 별 :

번 호 : JOW-0379 일 시 : 91 0413 1600

수 신 : 장 관(중동이,중동일,미북,정일,기정)사본:주요르단대사

발 신 : 주 요르단 대사대리

제 목 : 요르단.미국 외상회담

연:JOW-0367

주재국의 MASRI 외상은 4.12. 미국 BAKER 국무장관과의 회담후 동회담이 매우 건설적이며 유익하였다고 전제하고 요지 다음과 같이 언급함

가. 이스라엘이 평화를 위해 현재 점령중인 아랍영토를 반환하고 국제적 후원이 있을경우 평화를 위한 국제회의에 참여할 용의가 있음.

요르단을 위한 평화는 일종의 STRATEGY 이지 TACTIC은 아님

나. 협상을 성사시키려는 BAKER 장관의 노력을 비교적 낙관적으로 봄

다. BAKER 장관이 요르단. 팔레스타인 공동 대표단구성을 제기하였는바, 요르단은 팔레스타인인들이 이에 동의할경우, 상기 대표단 구성을 고려할것이나 요르단의 견해를 그들에게 강요치는 않을 것임

라. 걸프전 종전후의 국제적인 사태진전, 미국주도하의 평화적 해결방안 및 중동에서의 요르단의 역할등에 관해 논의하였으며, BAKER 장관은 중동지역의 PEACE PROCESS 에 있어서 요르단이 담당할수있는 IMPORTANT 하고SIGNIFICANT 한 역할을 강조함

마. 중동문제 해결에 있어서 양국의 견해에 다소차이가 상존함을 인정함

바. 요르단은 유엔결의안 242호 및 338호의 이행 및 영토와 평화의 교환원칙 준수에 우선권을 부여하고 있음

(대사대리 김균-국장)

중아국	차관	1차보	미주국	중아국	중아국	정문국	안기부

PAGE 1

91.04.14 00:28 DN

외신 1과 통제관

0137

외 무 부

종 별 :

번 호 : JOW-0382 일 시 : 91 0414 1500

수 신 : 장 관(중동이,중동일,미북,기정)사본:주 요르단 대사

발 신 : 주 요르단 대사대리

제 목 : 요르단 외상 발언

연: JOW-0379

4.12. BAKER 미 국무장관과 회담후 귀국한 주재국의 MASRI 외상은 기자회견에서요지 다음과 같이 발언함

가. 요르단은 아랍.이스라엘 분쟁과 팔레스타인 문제 해결을 위한 절차적인 문제나 대화의 틀보다는 실행 가능한 협상의 실질적인 내용에 보다 주요성을 부여하고있으며, 항구적이고 포괄적인 해결을 성취하기 위해서는 국제적 합법성을 기초로한국제적인 평화회담이 최선의 방안임을 확신함

나. 요르단이 역설하고 있는 유엔 결의안 242호와 338호의 이행이 의제에서 제외되거나, 회의 추진 과정에서 이스라엘의 함정에 빠지는것을 허용치 않을 것임

다. 미국측은 BAKER 장관의 중동제국 순방결과를 설명과 함께 미국식 평화안은 제기 하였으며, 미국의 구상과 이니셔티브의 최종적인 SHAPE를 알려주지는 않았음(질문에도 BAKER 장관은 세부적인답변회피)

라. BAKER 장관이 이스라엘, 이집트, 시리아지도자들 과의 회담시 제기한 새로운구상들에도 불구하고 요르단의 근본 입장은 변하지 않을것이며, 미국과의 접촉은 계속될것임

마. 미국은 아직까지 미국의 제안들을 확정시키지 않고 유동적으로 제기하고 있으므로 또 다른 회담이 필수적으로 이루어져야함

바. 요르단은 팔레스타인 민족이 평화와 그들의 미래를 결정할 절차에 참여할 권리가 있고 요르단이 PLO 를 대시하지 않을것임을 미측에 재강조 하였음

(대사 박태진-국장)

중아국 미주국 중아국 2(대사실) 청와대 안기부

PAGE 1

91.04.15 05:43 FO

외신 1과 통제관

0138

관리 번호	91-995

원 본

외 무 부

종 별 :

번 호 : USW-1807 일 시 : 91 0416 1829

수 신 : 장관(미북,중동이, 동구일, 미안)

발 신 : 주 미 대사

제 목 : 중동 정세

금 4.16. 당관 유명환 참사관은 국무부 이란-이락과 JOSEPH MCGHEE 과장 대리를 접촉(HULL 과장은 휴가중), 중동평화 구축 문제 관련 미 행정부 수뇌진의 해외 출장 동향 및 동 PEACE PROCESS 에 대한 미측의 내부 평가등을 탐문하였는바, 동인 언급 내용 하기 요지 보고함.

1. 미 행정부 수뇌진 해외 출장 동향가. 중동 평화 구축 노력이 어느정도 결실을 거둔다는 전제하에, 미측이 내부적으로 부쉬 대통령의 4 월 하순 중동 방문을 고려하기도 하였으나, 중동 평화 구축 노력이 구체적 진전을 보지 못하고 있는 현 상황하에서는 여사한 정상외교의 전개 시기가 5 월 아니면 6 월이 될지, 혹은 그 이후가 될지 정확히 말하기어려움.

나. 금일 당지를 출발한 베이커 국무장관의 중동순방은 전후 세번째의 동지역 방문으로서, 당초 어느정도 예상되었던 출장이나, 지난주의 중동 순방은 쿠르드 족 난민 문제로 긴급하게 주선되었던 출장임.

앞으로도 여사한 긴급 출장이 언제, 얼마나 자주 있을지 아무도 정확히 알수 없는 형편임.

2. 중동 평화 구축 추진 동향

가. 동 PEACE PROCESS 는 국무부 최고위층에서 직저 다루고 있으므로 구체적인 동향을 실무선에서 파악하기는 곤란하나, 기본적으로 미측은 " 선 양자 교섭(이스라엘 및 각 아랍국간), 후 다자회의 승인 "방식이 합리적이라고 봄.

나. 미측으로서는 다자회의를 먼저 개최하는 구상에도 반대하지 않는 입장이며 또한 소련의 동회의 참가에도 반대하지 않는다는 입장임.

다만 훗세인인 정권이 존속하는 한 이락의 동 다자회의 참가는 불허되어야 할것으로 봄.

미주국	장관	차관	1차보	2차보	미주국	구주국	중아국	정문국
청와대	안기부							

PAGE 1

91.04.17 08:20

외신 2과 통제관 BW

0139

다. 한편, 이스라엘도 소련이 참가하는 여사한 다자회의 개최 구상에 찬성하고 있는바, 이스라엘 로서는 소련과의 국교 회복을 통해 아랍권과 대등한 수준의 외교기반을 구축함으로써 대 아랍 교섭시 일종의 UPPER HAND 를 확보하고, 나아가 이스라엘-아랍간의 평화 구축 절차를 미국이 이스라엘과 합작으로 역내에 강요하고 있다는 인상을 불식시키려는 의도로 보임.

라. 또한 이스라엘로서는 유엔내에서는 반유태 분위기가 팽배하고 있다고 인식하고 있기 때문에 유엔 중심의 평화 구축 절차는 수락하지 않을것으로 보이며, 궁극적으로 이스라엘-아랍 관계는 양자 교섭에 의해 매듭이 풀려야 할 문제 이므로 다자회의 가 개최되고 소련이 참가하더라도 손해 볼 가능성은 없다는 인시을 갖고 있는것 으로 보임.

3. 미-이락 관계 동향

가. 후세인 정권이 존속하는한 , 미국으로서는 이락 정부와 관계를 재개할계획이 전혀 없으며, 현재 주이락 알제리아 대사관을 미국의 이익 대표부로 지정하는 문제를 검토중임.

나. 몰타등 일부 국가가 바그다드 주재 공관 재개 움직임을 보이고 있기는 하나, 대부분의 유럽 국가들은 미국과 공동 보조를 취하고 있음.

(대사 현홍주- 국장)

91.12.31. 까지

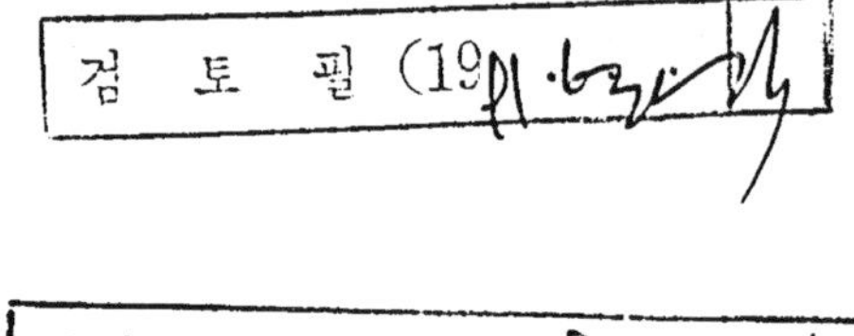

PAGE 2

0140

외 무 부

종 별 :

번 호 : ECW-0343 일 시 : 91 0417 1500

수 신 : 장관 (구일,중동일,국연,정일) 사본: 주 EC대사

발 신 : 주 EC 대사대리

제 목 : 유엔 사무총장 구주의회 방문

(자료응신 제 91-48호)

연: ECW-0416

1. PEREZ DE CUELLAR 유엔사무총장은 작 4.16. 스트라스부르그를 방문, 구주의회 본회의장에서 걸프전쟁, 무기수출통제, 국제적 인구이동 문제등에 관하여 연설하였는바 요지 아래 보고함

가. 걸프전쟁 (KURD 난민문제는 불언급)

0 국제사회는 걸프전에서의 승리에 만족할수는 없으며, 중동 전지역에 걸쳐 법과 정의에 입각한 평화확립이 긴요

0 새로운 국제질서는 유엔 테두리속에서 달성되어야 하며, 이 과정에서 EC의 역활이 중요

나. 무기수출 통제

0 이락에 무기를 판매한 국가들은 그들의 맹목성에 대한 결과를 이제서야 목도

0 중동지역 여타국가의 무기축적에 대해 외면하려는 경향 비난

0 최근 무기수출 중단을 발표한 체코측의 결단을 높이 평가하고, EC 도 동 문제에 있어 각 회원국별로 적용되는 법규의 조화등을 통해 수범을 보일것을 촉구

0 유엔은 재래식 무기의 국제적 명료성 (TRANSPARENCY) 검토작업을 준비중에 있으며, 특히 일부 유엔회원국 (이태리, 독일등) 이 이러한 명료성 제고위해 무기판매및 이전의 등록제 (REGISTER) 설립을 제의하고 있음을 지적

다. 국제적 인구이동

0 EC 는 폭력과 빈궁으로 부터 탈피하려는 다수 제 3세계 국민의 자유번영 유럽으로의 유입증대 현상에 대해 개도국의 민주주의와 경제개발 장려등 근본적인 해결책을 모색해야 할것이라고 강조

구주국 구주국(서사)중아국 국기국 정문국 /사본

PAGE 1

91.04.18 06:29 DA

외신 1과 통제관 0141

0 지중해는 유럽의 RIO GRANDE (미국과 멕시코국경 하천) 가 되고 있다고 지적,EC 가 외부국경에 새로운 장벽을 구축하지 않을것을 희망

0 최근 수년간 동구및 중남미에서 획기적 진전을 이룩한 민주주의가 아프리카및 중동등 여타지역으로 확산되기 위해서는 EC 등 선진국들은 보호무역주의 장벽완화등 보다 효과적 대 개도국 원조노력 필요

2. JACQUES POOS 룩셈부르그 외무장관은 EC 각료이사회 의장자격으로 동일 구주의회에서 DECUELLAR 유엔 사무총장과 면담, 4.15. EC외무장관 회의에서 합의된 사담후세인 이락대통령 전범 처벌가능성 검토를 요청함. 이에대하여 유엔 사무총장은EC 측 제의를 존중하나, 앞으로 많은 검토가 필요하며, 특히 쿠르드 난민에대한 유엔의 인도적 지원을 저해할 가능성이 있는 조치를 바라지 않는다고 언급함으로써유보적 입장을 표명함.

끝

(대사대리 강신성-국장)

0142

원 본

외 무 부

종 별 :

번 호 : JOW-0390 일 시 : 91 0421 2000

수 신 : 장 관(중동일,중동이,미북,기정)사본:주 요르단대사

발 신 : 주 요르단 대사대리

제 목 : 요르단 국왕, 미 BAKER 국무장관과 회담

1. 14.20!#주재국의 후세인 국왕은 미 BAKER국무장관과 회담후 양인간의 회담은매우생산적이었으며 유익하였다고 전제하고 요지다음과 같이 발언함

가.중동지역의 평화를 위해 향후 건설적인대화가 계속요구되고 있음

나.수년가냐향상 증진되어오던 양국관계가 최근일시 악화된바 있으나 금번 회담을 통해개선될수 있을것으로 확신함

다.미국과 오랜 친구인 BUSH 대통령과 BAKER장관이 중동지역 문제에 관여하고 있는것을매우 고무적으로 생각함

라.걸프전의 어려운 기간중 우리는 요르단과이스라엘이 동전쟁에 개입되지 않게하는데성공하였음

마.평화회의시 팔레스타인인 대표문제는팔레스타인인 자신들에 의해 결정되어야하나,그들의 요청이 있을시 공동 대표단 구성도가능할것으로 봄

바.평화회의와 관련, 우리는 금번 기회를 놓치지않도록 최선을 다해야 할것임

2.금번 회담에서 팔레스타인 문제해결을 포함항중동지역 평화 정착방안및 양국관계증진방안익심도있게 논의되었는바, 동회담을통해 양국간의 이견이 완전해소된것은아니나많은 부분에서 입장의 접근을 본것으로 알려지고있음

(대사대리 김균-국장)

중아국 미주국 중아국 중아국(2차) 안기부 /차보

PAGE 1

91.04.22 06:07 FN

외신 1과 통제관

0143

원 본

외 무 부

종 별 :

번 호 : SBW-0926 일 시 : 91 0422 1600

수 신 : 장관(중일,국방,기정)

발 신 : 주 사우디대사대리

제 목 : 미국무장관 주재국 방문

1. 베이커 미국무장관이 4.21 주재국을 방문, 제다에서 파드국왕과 회담을 가졌음 (SAUD 외무장관 동석)

2. 동회담에서 파드국왕이 기자회견에서 밝힌내용은 다음과 같음

-중동지역에 평화가 실현되기를 희망하며, 베이커 국무장관의 평화노력이 성공하기를 바람

-아랍-이스라엘 분쟁에 관한 부시 미대통령의 성명에 감사함

(대사대리 박명준-국장)

중아국 1차보 정문국 안기부 국방부

PAGE 1 91.04.22 23:19 DA

외신 1과 통제관 0144

원 본

외 무 부

종 별 :

번 호 : CAW-0529 일 시 : 91 0423 1120

수 신 : 장관(중동이,정일,사본:주 카이로총영사)

발 신 : 주 카이로총영사대리

제 목 : BAKER 국무장관 방애

(자료응신 제 98호)

연:CAW-0516

1. BAKER 미국무장관은 당지 방문 양일간(4.20-21)에 MEGUID 외무장관과 무바락대통령을 차례로 면담한후, MEGUID장관과 가진 기자회견(4.21)에서 요지 하기와 갑이언급함.

가. MEGUID 장관

1) 이번 면담은 매우 유익했음(EXTREMELY USEFUL ANDFRUITFUL)

2) 미국의 평화노력은 유효 적절히 추진되고있음.

3) 아직도 해결해야 할 사항들이 남아있으며,평화모색은 부분이 아닌 총체적인7 구에서 추진되어야 하며,우리는 이와같은 평화회담에 참석하는데 아무런 문제가 없음.

4) BUSH 대통령과 BAKER 장관의 진지한노력이 긍정적 결과로 도출되기를 희망함.

5) MUBARAK 대통령은 이집트-이스라엘 평화수립갑이 이스라라엘-인근아랍제국간의 평화수립 협상을 성사시키는데 지대한 관심을갖고있음.

이스라엘의 아랍영토 점령 종식과파레스타인-이스라엘 회담 개최로 파레스타인문제도 다갑이 평화적으로 해결되기를 희망함.

6) 평화달성 목표에서 어떤 나라를 제외시킬 수없음. 누구를 대변할 용의는 없으나 걸프제국도 이스라엘의 인근 아랍제국처럼 평화회담이 성공되어 이스라엘의 아랍영토 점령이 종식되기를 바라고 있음(평화모색에 걸프제국의 제외관련).

나. BAKER 장관

1) 평화모색을 위해 무바락대통령과 이집트정부가 기우린 건설적인 노력에 감사함. 지난 양일간MEGUID 장관 및 무바락대통령과 가진 면담은 매우 유익하고

중아국 장관 차관 1차보 미주국 중아국 정문국 청와대 안기부

(총영사)

0145

PAGE 1 91.04.23 19:16 CO

외신 1과 통제관

건설적이었음(EXTREMELY FRUIFTFUL ANDCONSTRUCTIVE).

2) 이집트와 미국은 걸프사태에도 동반자였으며,이스라엘-인근 아랍제국간 그리고 이스라엘-파레스타인간의 직접협상을 통한 평화모색 노력에도 동반자임.

3) 용어에 구애될것이 아니라 평화달성 수단을 찾아야 하는바,세계도처로 부터 6또는 7개국이참가하는 회의라면 국제회의 성격(INTERNATIONALCHARACTER)이 되는것임.

4) 미-요르단관계는 이라그이 쿠웨이트침공관련 요르단의 친이락 입장견지로 약화되었으나,평화모색에 요르단의 역할 중요성으로 미국의 대요르단 실망은 뒷전에 밀려났음. 평화는 중요 목표이므로 그달성에 모든방안이 강구되어야 함.

5) 이집트와 이스라엘간의 평화수립에서보듯,관계당사국간 대화없는 평화달성은있을수 없음.

6) 사우디가 평화모색에 당사자가 될 수 없다고한적이 없으며,사우디는 중요한 당사자임.사우디정부를 대변해서 말하고 싶지는않으나,사우디는 이스라엘-인근 아랍제국간 또는이스라엘-파레스타인간의 정치회담에는 참여치않을 것이나, 금번 회담은 환 경문제,경제협력, 군비제한도 다룰것인바, 이와관련 사우디는 중요한 역할을 수행할 것임.

7) 회담개최 기간, 파레스타인 인민대표 개념 및구성(동예루살렘 파레스타인 인민대표 또는 파레스타인-요르단 혼성대표로 참여하는지등)에 관해서 답할수 없으며,다만 평화모색의 성공적인 진전을 기대할 뿐임.

8) 많은 나라들과 대화는 매우 민감한 사항으로 처음부터 언론을 통한 대화는 하지 않기로하였으며 최선책은 비밀 존중임.

9) SHAMIR 수상에게 자신의 제안에 대한 회보독촉 의사는 없다고 하였으나,적절한 시간이지나면 이스라엘측의 대답을 드게 될것으로 확신함.

2. 한편 이스라엘 언론을 인용한 당지 보도에 의하면

가. 평화회담 개최와 동회담에 참석할 파레스타인 인민대표 구성문제에 대한 이스라엘측 회신없인 BAKER 의 ISRAEL 재방문은 없을것이며,만약 ISRAEL 이 대화창문을닫을경우 중동평화 문제는 UN 으로 넘겨질 가능성이높다함.

나. 또한 BAKER 장관이 ISRAEL 측에 제시한질문중에는 하기 사항이 포함됨.

1) 개회식후 계획하는 지역회의(PROJECTED REGIONALCONFERENCE) 개최와 직접협상과정에서 난관에 봉착하는 경우, 회의 재소집 수락여부

2) 파레스타인 인민대표에 점령지내의 몇몇특정개인 예컨데 ARAB PRESS LEAGUE 회장 RADWANABU AASY 같은 인사의 포함 수락여부

3) 지역회의 EC 와 UN 의 참여 수락여부

3. 상기 BAKER 장관 및 MEGUID 장관의 언급내용에 비추어 국제회의 성격을 갖춘중동지역 평화화의 개최 가능성을 한층 밝게하고있는 가운데 미진부분에 관한 협의를 위해 BAKER 장관은 이번 중동순방길에 다시 이스라엘과 이집트를 방문할 가능성이높은 것으로관측하고 있음.끝.

(총영사대리 공선섭-국장)

외 무 부

종 별 :

번 호 : LYW-0246 일 시 : 91 0423 1300

수 신 : 장관(중동이)

발 신 : 주 리비아 대사대리

제 목 : 프랑스 외무장관 리비아 방문

1.프랑스 ROLAUD DUMAS 외무장관이 문화장관등 일행과 함께 4.22(월) 주재국을방문 하였음

2.DUMAS 외상은 도착후 곧 카다피 지도자를 면담하고 미테랑 프랑스 대통령의 카다피앞 친서를 전달한바,친서에는 걸프전후 문제,쿠르드족문제,팔레스타인 문제등이 언급된 것으로 알려지고 있음

3.4.22.오후에는 주재국 외무부 에서 양국간에 양국 외무장관을 포함한 회의가개최된바 동회의에서는 양국간 협력증진 문제(특히 유전개발 부문등),마그레브 연합과 EC 간의협력 증진 문제,걸프전후 문제등이 토의되었음.(동회의에는 프랑스측에서는 DUMAS 외무장관과 문화부장관,리비아측에서는 BISHARI 외무장관과 석유장관이 참석하였음

4.DUMAS 외상은 4.22.저녁 현재 주재국을 방문중인 아라파트 팔레스타인 대통령을 숙소로 방문 면담한 것으로 보되었음.끝

(대사대리 배운곤-국장)

1차보 중아국 정문국 청와대 안기부

PAGE 1

91.04.23 23:28 DF

외신 1과 통제관

0148

원 본

외 무 부

종 별 :

번 호 : SBW-0931　　　　일 시 : 91 0423 1450

수 신 : 장관(중일,정일,국방,기정)

발 신 : 주사우디대사대리

제 목 : 미국무장관 주재국 방문(자응11호)

연:SBW-926

사우디정부는 4.22 베이커 미 국무장관 주재국 방문관련 하기내용의 성명서를 발표 하였음.

-사우디정부는 아랍-이스라엘 분쟁 종식과 팔레스타인 문제의 정당하고 포괄적인해결을 추구할 시기가 성숙되었다고 믿음

-사우디는 이러한 목적 실현을 위해 조기 평화회의를 개최하려는 미국의 노력을지지함

-사우디는 유엔안보리 결의안 242및 338호에 근거한 해결노력을 추구하는 미국의 이니시아티브를 환영함

-사우디는 이지역에서의 포괄적이고 정당한 평화를 지지하며,팔레스타인 문제의정당한 해결과 아랍-이스라엘 분쟁 종식을 기대함.끝

(대사대리 박명준-국장)

중아국　1차보　정문국　안기부　국방부

PAGE 1

91.04.24　00:07 DQ

외신 1과　통제관

0149

관리번호	91-374

원 본

외 무 부

종 별 :

번 호 : FRW-1151　　　　일 시 : 91 0423 1830

수 신 : 장관(중동일,구일,정일,사본:노영찬 주불대사)

발 신 : 주 불 대사대리

제 목 : DUMAS 외상 ARAFAT 면담

DUMAS 외상이 4.22-23 간 리비아 방문기회에 트리폴리에서 ARAFAT 를 면담하였는바, 당지 분석을 하기 보고함.

1. 불란서는 PLO 의 대표성을 재확인하였으며, ARAFAT 는 아랍, 이스라엘 분쟁해결을 위해 미국이 추진중인 지역회의 개최를 반대하는 한편, 이미 이스라엘과 미국에 의해 거부된 바 있는 협상 파트너로서의 점령지 팔인 대표권 인정은 교착상태 타개책이 될수 있음을 상호 동감함.

2. 동 면담은 최근 EC 제국이 PLO 와의 관계동결을 합의한 시기에 이루어진 점이 주목되는바, 주재국이 중동문제 만큼은 중개자로서의 역할을 고수한다는 독자 외교노선을 견지하고 있는 것으로 분석됨.

3. 그간 미국주도의 중동문제 해결노력을 관망해 오면서도, 그 성공 가능성에 회의를 품어오던 주재국은, 당초 미.소 후원하 지역회의 개최에 있어 주재국은 물론 EC 제국이 제외되어 있는 상황하에, UN 안보리 상임이사국으로서는 걸프전 이후 최초로 어려운 입지의 ARAFAT 를 면담, 기존의 유대관계를 과시함으로써 중동질서 재편에 적극 참여한다는 기존정책으로의 환원을 시사하고 있음.

4. 미국이 이스라엘의 입장에서 벗어날수 없는 한계가 있는데 반해, PLO 가 중동 평화해결에 있어 주역의 하나임을 확신하고 있는 불란서는, 미국과는 달리, 이스라엘 안보를 팔인 국가건설과 연계시키면서 국제회의 개최를 강조하고 있음.

5. 금번 불란서의 개입시사로 지역회의 개최 성사가 더욱 희박해질 우려가 있으며, 개최되더라도 불란서의 중재자 역할이 필연적으로 부각될 것으로 전망되어, 중동문제는 새로운 양상을 띌것으로 보임.끝.

(대사대리 김성식-국장)

예고:91.6.30. 까지

1991.6.30. 예고문에 의거 일반

중아국 안기부	장관	차관	1차보	2차보	구주국	구주국	정문국	청와대

PAGE 1　　　　91.04.24　07:27　0150

외신 2과　통제관 DO

원 본

외 무 부

종 별 :

번 호 : CAW-0541 일 시 : 91 0427 1800

수 신 : 장 관(중동이,정일)

발 신 : 주 카이로 총영사대리

제 목 : BAKER 국무장관의 중동평화 모색(자료응신 제 100호)

연:CAW-0529

걸프전후 제3차 BAKER 국무장관의 중동평화모색 관계국 순방결과 진전사항 언론보도 요지하기와 같이 보고함.

1. 미행정부의 반응(4.26)

1) BUSH 대통령: 구체적으로 밝힐수 없으나 BAKER 장관의 노력에 진전이 있었으며,낙관을 할 만한 이유가 있음(4.26).

2) BAKER 장관: 주요 문제들에 관한 이스라엘과 많은 이견이 있으나 중동평화 모색임무가 여전히 살아 있음(M.E. PEACE MISSION IS STILLALIVE)

2. 미-이스라엘 합의사항

1) 지역회담 개최에 쏘련도 미국과 같이 공동후원자가 됨.

2) 회담 개최시 EC 역할에 관해 합의를 하였으나 구체문제는 LEVY 이스라엘 외무장관이 5.14. 부랏셀에서 EC 지도자들과 협의키로 함.

3) 지역회는 결정 도출권한이나 결정 강요권한은 없음(NO AUTHORITY TO REACH OR IMPOSEDECISIONS).

4) 이스라엘과 여타 당사자들은 협상진전 보고청취를 위한 회의에서 거부권(VETO POWER)을보유함.

5) 이스라엘측은 이 회의가 직접회담(DIRECTTALKS)으로 이어져 경제개발과 군축문제들을 다루어 지기를 원함.

3. 주요 미진부분

1) 회담 개최시 UN 역할 문제

2) 평화 회담에 참석할 파레스타인 대표단구성문제

4. 미진부분 관련 5월초 BAKER 장관의 4차중동순방 예상.끝.

중아국 차관 1차보 정문국 청와대 총리실

PAGE 1

91.04.28 07:55 FN

외신 1과 통제관 0151

(총영사대리 공선섭-국장)

PAGE 2

0152

이란-사우디 中東새질서 협력 합의

兩國관계 再開뒤 첫外相회담

西方인질문제등 논의할듯

【테헤란·니코시아外信綜】 이란과 사우디아라비아는 걸프전 이후의 지역안정을 유지하기 위해「전략적으로 상호 긴밀한 협조관계」를 구축하기로 합의했다고 알리 아크바르 벨라야티 이란 외무장관이 27일 밝혔다.

벨라야티 장관은 이틀간의 사우디 방문을 마치고 귀국해 가진 테헤란 라디오와의 인터뷰에서 사우드 알 파이잘 사우디 외무장관이 이 문제에 관한 논의를 갖기 위해 조만간 이란을 방문할 것이라고 말했다.

3년만에 양국관계가 재개된 지난달 이후 처음으로 25일 사우디의 지다를 방문한 벨라야티는 26일 파드 국왕및 파이잘 장관등과 회담을 가졌는데 그는 이 회담에서 메카로의 순례여행, 양국 관계및 지역협력문제등에 대해 중점 논의했다고 말했다.

산자니大統領 시리아訪問

한편 20개월전 대통령직에 취임한 이래 단 한차례의 해외방문도 하지않았던 아크바르 하셰미 라프산자니 이란 대통령이 27일 시리아 방문길에 올랐다.

이란 관영 IRNA 통신은 라프산자니 대통령이 이틀간의 사우디 아라비아 방문을 마치고 돌아온 알리 아크바르 벨라야티 외무장관을 포함한 고위 대표단을 이끌고 시리아를 향해 출발했다고 보도했다.

라프산자니의 이번 시리아 방문은 지난해 9월 있었던 하페스 알 아사드 시리아 대통령의 이란 방문에 대한 답방형식으로 이뤄진 것인데 외교관들은 양국 정상들이 걸프전후의 中東정세 재편과 관련, 상호협력하고 양국간의 관계를 더욱 공고히하는 방안과 레바논의 親이란 게릴라들이 억류하고 있는 서방인질문제등에 대해 논의할 것으로 예상했다.

4.28 東亞.

0153

政府綜合廳舍 810號 電話 : 730-8283/5, 730-2941, 6, 7, 9, (구내)2331/4, 2337/8 Fax : 730-8286

원 본

외 무 부

종 별 :

번 호 : DEW-0219 일 시 : 91 0430 1640

수 신 : 장 관(중동일,구이,기정)

발 신 : 주 덴마크 대사

제 목 : 주재국 외무장관의 이스라엘 방문

연:DEW-0195

1. 4.28-29간 이스라엘을 방문한 ELLEMANN-JENSEN주재국 외무장관은 4.29. 샤미르수상 및 WEST BANK내 팔레스타인 대표들과 일련의 회담을 가진뒤자신은 중동평화의전망에 보다 낙관적이되었다고 말함. 동 장관은 한시간에 걸친 샤미르수상과의 회담이 기대이상으로 솔직한 의견교환이었다고 평가하고 샤미르 수상은 평화를 위한영토포기 반대입장에 매우 확고하며 평화회담이항구적인 국제회의로 발전될 수 있을 것이라는견해에 반대하고 있다고 언급함.

2. 동 장관은 또한 주재국은 PLO에 대해어떠한 직접원조도 제공하지 않을 것이라고 말하고 PLO는 걸프사태시 취한 태도로 인하여 이미신망을 잃었기 때문에 중동평화 협상에서 더이상 건설적 역할을 맡을 수 없게 되었다고언급함. 그러나 동 장관은주재국이 적십자사와주재국 교회자선기관을 통한 이스라엘 점령지구내팔레스타인인들에 대한 원조는 제공할 것이라고약속함. 끝.

(대사 김세택-국장)

중아국 차관 1차보 구주국 청와대 안기부

0154

PAGE 1

91.05.01 01:43 DU

외신 1과 통제관

05/03/91 11:50 ☎202 0595 EMBASSY OF KORE— WOI 001/011

: USW(F) - 1627

: 장 관(미북,미안,중동일) 발신 : 주미대사

: 중동지역 정세

보안	
통제	

(3 매)

'Playing It by Ear'

U.S. Force in Northern Iraq Grows, But Reasons and Goals Are Unclear

By ERIC SCHMITT
Special to The New York Times

WASHINGTON, May 2 — While talk continues about turning the refugee effort over to the United Nations, and the Kurds and Saddam Hussein work on their peace accord, the United States is steadily expanding its military role in northern Iraq.

News Analysis

In the last two days, allied military forces have moved east and south, nearly doubling the size of the area being secured for the Kurds to help bring them home.

At a time when a United Nations police force is apparently moving toward a takeover of security arrangements in northern Iraq, the United States would seem to be ready to reduce rather than expand its role.

The growing American military presence in northern Iraq raises several questions. Is this part of a coherent plan to temporarily extend United States military power, driven by waves of refugees returning home faster than originally believed? Are events unfolding in an unplanned, uncoordinated way that leaves no clear military limits in sight?

Nor have American military officials made clear what aid or protection they would offer Kurds living on the periphery of the security zone who were brutalized by Iraqi forces.

Confusion Over Objective

"Our objective is to provide security, provide humanitarian relief," a Pentagon spokesman, Bob Hall, said today at a briefing for reporters. "Our overall objective is to set up conditions where they can move back to their homes."

Earlier this week, though, the Defense Department spokesman, Pete Williams, said that the United States was "not trying to figure out a security zone for all of northern Iraq."

Pentagon and other Administration officials said that the military's push east is loosely dictated by a need to secure the second of two refugee camps that allied engineers are building in the Zakho valley.

About 1,375 tents have been hammered down in the first camp, just northeast of Zakho. But summer heat is expected to dry up the remaining water supplies in the mountains, forcing tens of thousands of refugees down into the valley.

No Idea When U.N. Will Take Over

So far, most returning refugees have been streaming through, bypassing the tent city near Zakho, and heading straight home. But in preparation for waves of refugees, military officials said they were bracing for the worst.

British, French, Dutch and American troops today established a forward logistics base in Sirsenk, a village near the site of the second refugee camp at Amadiya.

"Although it's evolving, it's not more involved in the long-term," said one Pentagon official. "We're still interested in transferring responsibility to the U.N. forces."

American military officials, however, have no clear idea when United States will be replaced by other security forces, including United Nations police.

No Interest in Military Domain

"We're playing it by ear to a certain extent," Mr. Hall said in a telephone interview. "We're trying to get the Kurds out of the mountain. Our ability to do that is based on their perception of how secure they are."

Mr. Hall said it was uncertain if allied forces would expand the security zone beyond the boundaries set today, but he said that broadening the zone had not been ruled out.

"We went in there reluctantly, but what do you do? You've got to clean up the loose edges," said the State Department official. "In order to save or help more people, if you need to expand your zone, we will do it.

"The only reason we're doing it is to try to help the refugees," the State Department official continued. "We're not interested in trying to maintain a military domain there."

'We've Got to Get Out'

The United States now has 9,432 troops in northern Iraq and Turkey in support of the relief effort, and one Pentagon official said that as many as "a few thousand more" might be sent from bases in Europe. There are 4,800 American soldiers in southern Iraq.

The continued American military presence has alarmed many members of Congress, who fear the escalating costs of the relief effort.

At a hearing of the House Appropriations Subcommittee on Defense today, Defense Department Controller Sean O'Keefe estimated the American share of the relief effort will cost $320 million by the end of May.

"We've got to get out, have the U.N. take over and have them fund it," Representative John P. Murtha, a Pennsylvania Democrat who is chairman of the subcommittee, said in an interview.

Shelved Coup Attempt

Other Administration officials have expressed concern over possible clashes with Iraqi forces who have been ordered to withdraw from the area. Mr. Hall said today that Baghdad's troops have complied with the allied edicts.

"As we stated in the past, should the Iraqi forces interfere with the humanitarian effort, we will take all necessary means to control the situation," Mr. Hall said.

As Iraqi forces pulled back from the expanded allied security zones, a Congressional report released today said that defections by senior officials in Saddam Hussein's army — and possibly a coup attempt against Saddam — were shelved in March because the United States failed to support the effort.

According to a Senate Foreign Relations Committee staff report the would-be Iraqi defectors "contemplated bringing possibly decisive force to the side of the rebels," but first wanted "a sign that the sponsors of the rebellion had the support of the United States."

The report cited unnamed Kurdish and Arab opposition leaders.

One State Department offical said, "We are not going to respond to these piecemeal reports. Whether a particular military man was able to get a message to anyone of substance, I don't know. But it's stretching it a bit to think that people in the Iraqi military were poised to take over except for our refusal."

Officials say zone of allied control extends about 20 miles around Zakho and Amadiya.

May 3, 1991 NYT

0155

1627-1

05/03/91 11:52 ☎202 0595 EMBASSY OF KOREA WOI 002/011

: USW(F) -
: 경 권 발신 : 주미대사
:

보안 통제

(매)

How to Disarm Iraq

Allied bombs destroyed Iraqi nuclear reactors and chemical weapons plants but not all of Iraq's nuclear facilities. And the bombing did not destroy most of Iraq's chemical weapons or the uranium in its reactors that could be used to make bombs.

The United Nations is now insisting that Iraq reveal the locations of all its nuclear, chemical and biological facilities and stockpiles and hand over the stocks for disposal. Iraq has responded evasively. Unless the U.N. acts with dispatch, it won't get any further than the bombing did.

The means for imposing arms control — threats of force and economic sanctions — are likely to weaken over time. And the U.N. may become distracted from disarming Iraq, possibly by a growing conviction that Iraq is being unfairly singled out while neighboring states escalate arms purchases.

The best way to assure lasting arms control is to negotiate regionwide reductions of chemical, biological and nuclear arms.

•

In its reply to the U.N., Baghdad revealed that 1,000 tons of chemical agents and materials for making them survived the Persian Gulf war, including 30 chemical warheads for extended-range Scuds. It identified 24 nuclear facilities, some of them still intact. And it has now told the International Atomic Energy Agency that nuclear fuel remains in the rubble of two reactors near Baghdad and at other undisclosed sites nearby.

Some 27.6 pounds of uranium that France supplied to fuel a nuclear reactor at Tuwaitha is 93 percent U-235; extracted from the fuel plates, it could be used for bomb-making. An additional 22 pounds of Soviet-supplied uranium for a second reactor could be chemically converted for use in a bomb. And Iraq has tons of less-enriched uranium, previously undisclosed, that could also be turned into weapons-grade form.

But facilities like the one at Al Qaqaa, believed to be engaged in nuclear weapons research, were left off the list. And Iraq has yet to come clean on other terror arms. It has omitted chemical arms facilities at Samarra, known to Western technicians who helped build them. It also denies possessing "any biological weapons or related items," including anthrax, which the U.S. believes it has.

Economic sanctions will have to be maintained until Iraq opens suspect facilities to U.N. inspection and turns over suspect materials.

What to do with Iraq's chemical stocks is also a problem. The U.S. has the only operating chemical disposal facility in the world, at Johnston Island in the Pacific, but it's already overworked. Burning the stocks in open pits on Iraqi soil would also give vent to local hostility.

Elisa Harris, an arms expert at the Brookings Institution, suggests an interesting possibility — building a chemical arms disposal plant in Iraq, paid for out of Iraq's oil revenues. If the plant is eventually used to rid the whole region of chemical weapons, it could avoid the impression of discrimination against Iraq and make it easier for Iraq to go along with the U.N. cease-fire terms.

0156

May 3, 1991
NYT

1627-2

: USW(F) -

: 경 관

발신 : 주미대사

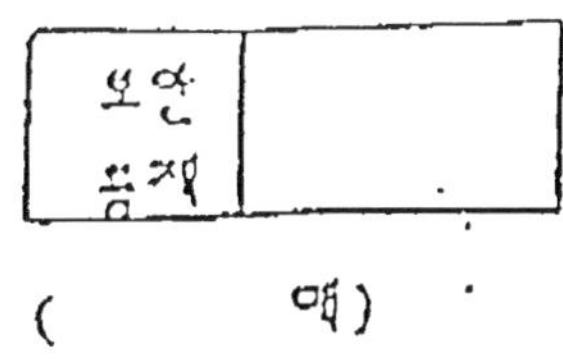

(매)

US Must Lead in Restraining Mideast Arms Buildup

By Alan Platt

THIS weekend, President Bush is to give a major speech on the Middle East in Ann Arbor, Mich. In his triumphal post-Gulf-war address to Congress in early March, he observed that it would be "tragic" if there were a new spiral in the arms race in the Middle East. But concerning conventional arms – the weapons with which the Gulf war was fought – that seems to be where we are headed.

Current thinking in Washington about restraining the sale of conventional arms is polarized. The Bush administration, while backing international efforts to control unconventional arms (nuclear and chemical weapons, surface-to-surface missiles), seems committed to a new round of conventional arms sales to meet the perceived security needs of friendly countries in the region.

In his Feb. 6 testimony to the House Foreign Affairs Committee, Secretary of State Baker called for a reduction in the "arms flow into an area that is already very over-militarized." However, according to a senior National Security Council member, the administration believes that "defense cooperation will provide far more security than arms control in the Middle East." The administration notified Congress of its interest in selling $23 billion in arms to five Middle Eastern countries this year.

A number of congressional Democrats are committed to the opposite approach: a unilateral US moratorium on arms sales to the region. House majority leader Richard Gephardt and four colleagues, citing "serious threats to peace," called on Bush to halt all US arms sales to the Mideast.

What is needed but missing is a pragmatic, centrist approach to conventional arms control in the Mideast, jointly spearheaded by the White House and Congress. Any approach, to be successful, needs to build on past lessons, including bilateral conventional-arms transfer talks with the Soviets in 1977-78. Several lessons emerge from these negotiations and other restraint efforts:

■ Unilateral efforts don't work. The Carter administration imposed sweeping controls on US arms sales, hoping unsuccessfully to induce other major arms suppliers to follow suit. The overall effect was not to limit the international flow of arms but to disadvantage American companies and undermine our defense industrial base by giving European and other suppliers leave to pursue a growing, worldwide market. Control efforts must be multilateral. The US is going to have to lean on our European allies as well as the Soviet Union and China to participate in an international restraint effort.

■ Any multilateral effort must be actively led by the US. As the world's preeminent arms exporter – a fact likely to become increasingly pronounced after the qualitative successes of our weapons in the Gulf war – the US must take the lead in any multilateral arms-transfer restraint effort. If we pay lip service to restraint but sell Abrams tanks, Apache helicopters, and High Mobility Wheeled Vehicles to the United Arab Emirates, as currently under consideration, it will send a signal to other arms suppliers. It will be hard to induce other nations to forgo selling arms if we now pursue major arms sales.

■ Any American effort must be actively led by the president. If the administration is serious about arms control in the region, as the president and Baker have told Congress and foreign leaders, Bush needs to spell this out in his Michigan speech and demonstrate it by exercising near-term US restraint and seriously pressuring other major arms suppliers to join an international restraint effort.

■ Multilateral arms-transfer restraint negotiations should focus on military-technical issues. If negotiations focus on larger Mideast issues, they are doomed to fail, at least in the near-term.

Initially, these talks should focus on detailed lists of high-tech weapons systems like stealth fighters, multiple launch rockets, and precision-guided Tomahawk cruise missiles. Once international agreement is reached to control the most highly advanced and potentially destabilizing weapons system, the talks could consider international restraints on less advanced systems.

Saddam Hussein helped push US credibility to an all-time high. The Bush administration should take advantage of this. The president should lead a bipartisan effort to exercise American arms-sales restraint and an international effort to control the transfer of the most highly sophisticated arms to the Middle East.

■ *Alan Platt was chief of the arms transfer division of the US Arms Control and Disarmament Agency in the Carter administration. He is editing a volume on "Arms Control in the Middle East," jointly supported by the US Institute of Peace and the Henry Stimson Center.*

May 3, 1991
CSM

0157

1627-3 (END)

원 본

외 무 부

종 별 :

번 호 : CAW-0558 일 시 : 91 0504 1500

수 신 : 장관(중동이,정일)

발 신 : 주 카이로총영사

제 목 : 쏘련 외무장관 방애

(자료응신 제 101호)

1. 91.5.3(금)당지 언론보도및 외교소식통에 의하면 BESSMERTNYKH 쏘련 외무장관은 BAKER 미국무장관이 추진중인 중동평화 모색차 중동순방(시리아,요르단,사우디,이스라엘포함) 일환으로 5.8-11간 당지 방문예정이며, 또한 쏘련 외무장관으로는 처음으로 이스라엘도 방문계획이라 함.

2. 본건 진전사항 추보하겠음.끝.

(총영사 박동순-국장)

중아국 차관 1차보 정문국 청와대 안기부

0158

PAGE 1 91.05.05 07:27 ED

외신 1과 통제관

외 무 부 원본

종 별 :

번 호 : CAW-0559 일 시 : 91 0504 1505

수 신 : 장관(중동이,정일)

발 신 : 주 카이로총영사

제 목 : HURD 영국외상 방애

(자료응신 제102호)

걸프전후 처음으로 중동지역 순방(요르단,쿠웨이트,사우디포함)일환으로 91.5.2(목) 당지를 방문한 HURD 영국외상은 5.3(금) MUBARAK 대통령과 면담후 애.영 양국은 BAKER장관의 중동평화 추진노력에 많은 진전이 있었다는 평가에 의견을 같이 하였다고 하면서 기자회견에서 요지 하기와 같이 언급함.

1. ARAB-ISRAEL 평화회담 추진에 이스라엘측은 EC 의 역할기대를 거부하고 있으나 EC는 팔레스타인문제 해결에 도움을 줄 수 있음.

2. BAKER 장관의 ARAB-ISRAEL 및ISRAEL-PALESTINIAN 대화주선 노력에 어려운 장애가 상존하고 있으나 우리는 미국의 노력을 격려하고 장애물을 제거하는데 함께노력해야 함.

3. 이스라엘의 점령지내 유태인 정착촌 건립은 잘못된 처사이며 점령지내의 팔레스타인인들의 생활상은 개선되어야 함.

4. EC 지도자들은 이락과 KURD 족 지도자들이 합의하여 KURD 족에게 안도감을 주어 각자 고향으로 돌아갈 수 있게 되기를 희망함.끝.

(총영사 박동순-국장)

중아국 장관 차관 1차보 정문국 청와대 총리실 안기부

0159

PAGE 1 91.05.05 07:30 ED

외신 1과 통제관

원 본

외 무 부

종 별 :

번 호 : JOW-0420　　　　일 시 : 91 0505 1700

수 신 : 장 관(중동이,구일,기정)

발 신 : 주 요르단 대사

제 목 : 영국외상 요르단 방문

1.HURD 영국외상은 이집트,사우디등 중동순방의 일환으로 5.2-3. 주재국을 방문,후세인 국왕및 MASRI 외상등 고위인사들과 중동분쟁 및 팔레스타인 문제들에 관해 회담을 가진후 쿠웨이트로 출발함

2.양국 외상회담후 밝힌 내용은 다음과 같음

가.마스리 요르단 외상

-영국외상의 방문으로 양국관계는 새로운 장을 열게 되었으며 계속적인 경제적,정치적 협력을 다짐함

-양국은 팔레스타인 문제및 이스라엘 점령문제등 다수 의제에 관해 인식을 같이하였는바 그중 점령지역내 이스라엘의 정착촌 신규건설이 불법이며 PEACE PROCESS 에장애가 되므로 이의 거부도 포함됨

-베이커 미국무장관의 중동평화 MISSION 이 진전을 보고있다고 언급한 허드 외상의 의견에 동의함

-베이커 장관이 모친상으로 중동순방을 중단하였으나 미국의 시도가 종료되었다고 볼수 없으며 동장관이 중동을 재방문할 가능성이 많음

-평화회담을 위한 요르단.팔레스타인 합동 대표단 구성을 위한 노력을 현재로서는 전혀 취하고 있지 않음

나.허드 영국외상

-팔레스타인 문제에 관한 후세인 국왕의 희망사항을 포함, 팔 문제에 대한 영국측의 희망,영국이 미국의 제안을 여하히 지원할것인가 여부, 요르단.영국 관계 증진방안등을 포괄적으로 논의함

-이스라엘의 계속적인 WEST BANK및 GAZA 지구의 점령은 중동지역의 'POISON' 이며 이스라엘의 정착촌 신규건설 행위는 불법적인 것으로 이스라엘이 중동의 평화를

중아국　1차보　구주국　안기부　정문국

0160

PAGE 1　　　　91.05.07　08:41 DQ

외신 1과 통제관

희구하고 있다는 주장과는 일치하지 않음

-서방은 요르단이 팔레스타인과의 역사적 관계,이스라엘과의 인접상황등을 여하한형태로든 평화정착을 위해 주요한 역할을 담당하고 있음을 인정함

-지금이 이스라엘과 팔레스타인, 이스라엘과 인접 아랍국가간에 BAKER 안을 근거로 평화 합의 도출을 위한 적기임

-이스라엘의 계속적인 아랍영토의 점령과 동해결책의 부재,팔레스타인에 대한 정의 부재는 중동지역의 불안을 초래하는 일종의 POISON 임.

-요르단은 여하한 PEACE PROCESS 에 있어서도 중요한 대화 상대국이 될것이며, 요르단을 제외시킨 평화정착은 있을수 없음

-현재 진행되고 있는 집중적인 해결 노력을 통해 24년간의 WEST BANK,GAZA 지구,골란고원등 이스라엘의 아랍영토 점령을 종결지을수 있어야 할것임

-베이커 미국무장관의 노력에도 불구하고 아직 획기적인 진전은 없으나, 그런대로 상당한 성과를 거두고 있는것으로 보며, 영국과 EC제국이 베이커안을 지지하는것은현시점에서 특별한 대안이 없고 동안이 현정세로 보아 모든 관계 당사국이 동일한 회담 테이블에서 대화할수있는 계속적인 노력과 가능성을 보장하고 있기 때문임

-미국이 PEACE PROCESS 에 관여치 않으면 여하한 진전도 있을수 없음

-팔레스타인 대표성 문제와 관련,요르단.팔레스타인 공동 대표 구성방안을 선호함.

-이스라엘 점령지하의 팔레스타인인 PLO를 적극 지지하고 있으므로 PLO를 걸프사태와 관련, 이라크 지지의 큰 실수를 저질렀음에도 모든 예비회담에서 제외될수 없을것으로 보나, PLO가 팔레스타인의 유일 합법적인 대표로서 자동적으로 인정, 회담에참석하는것은 타당치 않은바, 팔레스타인인들은 PLO 외의 다수 팔레스타인 기구들을포함,의견 수렴을 통하여 정확한 대표를 결정, 기타 관계 당사국과의 회담도 가능케해야 할것임

-이스라엘의 아랍영토 점령에 대한 유엔 결의안 242호 및 338호는 'NEGOTIATED RECONCILIATION'를 요구하고 있으므로, 이라크의 쿠웨이트 점령에 대한 유엔결의안 이행문제와는 차이가 있어 상황상 대비될수 없음

-이라크의 장래를 위협하고 있는 사담후세인이 계속 권좌에 있는한 모든 대이라크 제재철회는 어려운 실정이며, 현정부와 현상황하에서 가까운 시일내에 이라크가 완전히 국제사회의 일원으로 복귀할 전망은 사실상 없음

(대사-국장)

장관님 attention

원 본

외 무 부

종 별 :

번 호 : USW-2171 일 시 : 91 0506 2016

수 신 : 장 관(미북,미안, 동구일,중동일)

발 신 : 주 미대사

제 목 : 베이커 국무장관 중동순방

1.금 5.6. 국무부 정례 브리핑시 BOUCHER 부대변인 언급에 따르면, 베이커 국무장관이 걸프전 전후 처리문제등의 협의를 위해 5.10(금) 당지를 출발,이집트, 시리아,요르단 및 이스라엘 방문후 다음주중 워싱톤으로 귀임 예정 이라함(출발 일시 및 방문국은 상금 불확정적)

2.한편, 장소 및 일시가 상금 결정된것은 아니나, 베이커 장관의 전기 중동 순방중 중동 역내에서 베스메르트닉 소련 외상과의 면담도 추진중이라 함.

(BOUCHER 부대변인 언급 내용은 USW(F)- 1684로 FAX 편 송부함).

(대사 현홍주.- 국장)

미주국 미주국 구주국 중아국 /차보 안기부

PAGE 1 91.05.07 09:53 CT

외신 1과 통제관 0162

: USW(F) - 1184

: 장 관(미북, 미안, 중동1, 정연)발신 : 주미대사

: 베이커 국무장관 중동 순방

보안 통제	

(/ 매)

STATE DEPARTMENT REGULAR BRIEFING/BRIEFER: RICHARD BOUCHER
S-1-3 page# 3 TIME: 12:11/DATE: MONDAY, MAY 6,1991

Q Please, can you tell us about the Secretary's trip to the Middle East?

MR. BOUCHER: Okay. I promise, this is everything I know. The Secretary, as you all just heard out in the lobby, is heading back to the Middle East. The present plans -- and I must emphasize that these plans are still tentative -- is that he would leave late Friday. We don't have a schedule at this point, and I don't really expect to have one for you today. We are working on stops in Egypt, Syria, Jordan, and Israel. These are the places he would like to visit. I think he said in the lobby he'll be going back to the places he visited before. The staff now is working out a detailed schedule, trying to work out a schedule that gets him to all these places.

We're also putting up a sign-up sheet as of this briefing, and in the interest of making everything easier for everyone who is working on the trip and going on the trip, we would ask that you sign up by 5:00 p.m. today.

Q He went to Saudi Arabia the last time, and that's noticeably absent from your list, sir.

MR. BOUCHER: I really have to say that we're working on the schedule at this point. I don't want to draw any major conclusions about it because it's still being worked.

Q Will he have a meeting with Bessmertnykh?

MR. BOUCHER: That is not defined. They're trying to work out a location, I think. He -- we don't have a location or timing of that yet.

Q Do you have a projected return date?

MR. BOUCHER: Some time next week.

Q Richard, would the meeting with Bessmertnykh occur in the region or perhaps someplace else?

MR. BOUCHER: That's right. I think the Secretary described it as being -- looking forward to trying to get together with Bessmertnykh in the region.

Q Is there an arms control component possibly to that meeting as well? I mean, obviously, they're going to be talking about the Middle East.

MR. BOUCHER: I really -- we're -- I'm not advanced to the point of agendas at this point. I think last time they got together they discussed not only the peace process but also various other issues on the US-Soviet agenda. If the schedule and time permit, I'm sure they would like to do that again.

0163

원 본

외 무 부

종 별 :

번 호 : SBW-0976 일 시 : 91 0507 1420

수 신 : 장관(중일,기정,국방)

발 신 : 주사우디 대사

제 목 : 미국방장관.주재국 방문(자응 14호)

1. 체니 미국방장관이 5.6 주재국 리야드에 도착,술탄부수상겸 국방장관과 회담을갖 고 걸프지역내 지상전무장비의 장기비축 및미중앙사 전방본부의 설치,아랍공군과의합동훈련등을 위한 미전부함대의 걸프지역내배치및 작전허용등 앞으로 걸프지역내미군주둔문제등을 협의하였음

2. 체니장관의 금번방문은 걸프전 이후 최초의걸프지역 방문으로서 동장관은 사우디 방문에 이어 여타 GCC 5개국도 방문할 예정으로 있음

3. 체니장관의 금번 걸프지역 방문목적중 하나가걸프지역국에 대해 미군이 지상군을 걸프지역에 영구히 주둔시킬 의사가 없음을 강조하기 위한것으로 알려지고 있는바,이와관련 5.6 쿠웨이트에서개최된 GCC 외무장관 회담에서는 걸프지역안보를 위해 미 군을 비롯 서방국 지상군의걸프지역 주둔을 요청할것인지 여부에 관해합의해도달하 지 못한것으로 관측되고 있음.끝

(대사 주병국-국장)

중아국 1차보 2차보 정문국 청와대 안기부 국방부

PAGE 1 91.05.07 22:09 DU

외신 1과 통제관

0164

외 무 부

종 별 :

번 호 : USW-2227 일 시 : 91 0508 1842

수 신 : 장 관(미북,미안,동구일,중동일)

발 신 : 주 미대사

제 목 : 베이커 국무장관 중동 순방

연: USW-2171

1. 금 5.8 국무부 정례 브리핑시 연호 BAKER 장관의 중동 방문 세부계획이 아래와같이 발표됨.

5.10(금) 저녁 워싱턴 출발

11(토) 저녁 시리아 도착

12(일) ASAD 대통령 면담

이집트로 이동

소련외상 면담

13(월) MUBARAK 등 이집트 정부 요인 면담

소련외상 면담 (2 차)

14 (화) 요르단으로 이동

요르단 정부요인 면담

이스라엘로 이동

16 (목) 워싱턴 향발

2. 기자회견중 관련 부분 FAX (USW(F)-1722)송부함.

(대사 현홍주-국장)

미주국 1차보 미주국 구주국 중아국 정문국 안기부

0165

PAGE 1

91.05.09 08:25 CT

외신 1과 통제관

번호 : USW(F) - 1722
수신 : 장 관 (미북, 미소, 동구일, 중동일)
제목 : Baker 장관 中東 巡訪

보안 통제

(2 매)

STATE DEPARTMENT REGULAR BRIEFING, BRIEFER: RICHARD BOUCHER
12:28 P.M., EDT, WEDNESDAY, MAY 8, 1991

Q Richard, do you have an update on the schedule of the Secretary's travels?

MR. BOUCHER: We will put out a tentative summary schedule but one that's more complete than what I'll give you here. But to give you the basic outlines, repeating some of the things that I've said before, on Friday evening
the Secretary and party will depart Washington. They will go to Syria. On Sunday in Damascus, he expects to meet with President Asad. On Sunday, yeah. I think it's a Saturday evening arrival there. Then on to Egypt on Sunday. The meeting with Bessmertnykh, with Foreign Minister Bessmertnykh, in Cairo on Sunday and Monday, and meet with Cairo with President Mubarak and others in the Egyptian government as well.

Q On Monday?

MR. BOUCHER: On Monday.

Tuesday, on to Amman, Jordan, for meetings there, and then proceed to Israel. Wednesday and Thursday, some meetings in Israel. And tentative return time is Thursday to Washington.

Let me add one more time, as we do every time we give you this kind of information, this is all tentative. We may add things or change things, and as I said, we'll get you the tentative summary schedule in more detail this afternoon.

Q Even though it's -- even though we're getting towards summer, it is Amman and not Aqaba, right?

MR. BOUCHER: That's right.

Q And is it an overnight in Amman?

MR. BOUCHER: I don't think it is, but we'll have a schedule for you shortly.

Q Richard, it's been announced in Lisbon that the Secretary will appear with Mr. Bessmertnykh at the Angola peace accords on the

1722-1

0166

05/08/91 18:53 ☎202 797 0595 EMBASSY OF KOREA --- WOI 001/002

31st. Can you confirm that?

MR. BOUCHER: No, I can't. We're -- nothing is scheduled yet. We're taking this one step at a time.

Q That's not the same trip, is it -- (laughter)? Because he could hang around for --

MR. BOUCHER: No, I don't think so, Barry.

Q You know, settle something else while he's --

Q (Jim will be going up. He's ?) briefing senators this afternoon on the trip, is that correct? The Secretary?

MR. BOUCHER: Let me check on you that and get you something.

Q Richard, has he found another commencement to address next week? I heard some notion that there's another speech. It's important to us not because we cover speeches, but because it may bring him home.

MR. BOUCHER: Barry, I just told you today that he plans on coming home and that he plans on coming home a week from Thursday, and then I -- yes, I do believe he has a commencement speech shortly after that.

1722-2

0167

05/08/91 18:54 ☎202 797 0595 EMBASSY OF KOREA --- WOI 002/002

원 본

외 무 부

종 별 :

번 호 : SVW-1638 일 시 : 91 0511 1520

수 신 : 장 관(중동일,동구일)

발 신 : 주 쏘대사

제 목 : 베스메르트눅 외상 중동방문

5.8(수)부터 중동국가 순방길에 오른 베스메르트눅 소련외상은 5.10(금) 이스라엘 방문을 위해 텔아비브에 도착하였음.

1.방문의의

-금번 '베'외상의 이스라엘 방문은 양국간 관계에서 처음있는 일로 중동 문제해결 뿐만아니라 소-이사라엘 관계의 중요한 계기가 될것으로 기대되고 있음

- 양국은 67 년 중동전쟁을 계기로 국교를 단교한후 지난 87 년 영사 사절단 파견합의, 금년 1월에는 총영사관 설치에 합의, 외교관계 회복을 위한 노력을 기울여 나가고 있음

2.방문일정 및 성과

-'베'외상은 이챠크 샤미르 수상 데이비드 레비 외상과 회담을 가졌음

- 이스라엘측은 소련이 미국과 함께 중동 문제 해결을 위해 공동노력을 펼쳐나가고있음을 환영하고 소측과 외무장관간의 협의를 강화해 나가기로 합의, 또한 이스라엘측은 중동지역의 군비경쟁에 우려를 표명

-이에대해 소측은 이러한 군비경쟁이 이제 막시작되려는 중동 문제의 평화적 해결 노력을 현저히 저해시킬 가능성이 있다고 언급함

-양측은 양국관계 정상화 과정에 만족감을 표명하였으며 '베'외상의 이사라엘 방문은 양국의 국교정상화를 위한 중요한 계기가 될것이라고 평가함.끝

(대사-국장)

중아국 1차보 구주국 안기부 정문국

0168

PAGE 1 91.05.11 23:39 CT

외신 1과 통제관

원 본

외 무 부

종 별 :

번 호 : JOW-0432 일 시 : 91 0511 1700

수 신 : 장관(중동이,중동일,정일,기정)

발 신 : 주 요르단대사

제 목 : 국왕,소련외상과 회담

1. 5.9. 주재국을 방문한 BESSMERTNYKH 소련외상은 후세인 국왕,MASRI 외상등과아랍.이스라엘 분쟁과 팔레스타인 문제등에 관해 회담을 가진후 요르단측과의 회담결과는 매우 건설적이고 만족한다는 입장을 피력하고 요지다음과 같이 발언함

가.평화회담이 추진되고 있는중에 점령지대 이주 유태인 정착촌이 건설된다는 것은 예상할수도,이해할수도,받아들일수도 없는 상황임

나.소련 정부는 소련내 민주화 정책의 일환으로 추진한 소련계 유태인 이주문제를 점령지대 정착촌 건설을 중지시키는 수단으로 사용할수있을것임

다.정착촌 건설중지 필요성이 논의될때 여하한 예외적 조건이 제시되는 것을 원치 않음

라.소련의 평화회담 참석과 관련, 이스라엘측이 주장하고 있는 소련.이스라엘간의 외교관계정상화등 여하한 전제조건도 받아들이지않을것임

마.이스라엘의 PEACE PROCESS 에서 하나의 확실한 구성요소가 된다는것을 인식케될 경우,평화회의 및 역내 PEACE PROCESS의 FRAMEWORK 내에서 양국 외교관계 회복이매우 용이해 질것임바.중동평화 회담 개최를 위한 미국과 소련과의 긴밀한 협력이 요망되며, 소련은 이스라엘이 평화의 대가로 점령지 포기를 촉구함

사.미.소 양국은 중동 당사국들이 그들 자신의PEACE PROCESS 를 개시할수 있도록긍정적인 모종의 역할을 담당할수 있을 것으로 확신함

아.소련은 이스라엘이 점령지로부터 철수하도록 외교적인 방법을 동원 노력중이나, 아랍.이스라엘협상 설득을 위해 대이스라엘 경제 제재 필요성은 느끼고 있지 않음

2.동회담후 후세인 국왕발언요지

가.양측은 제반문제 및 입장을 매우 잘이해하였으며, 회담결과에 매우 만족함('VERY VERY SATISFIED')

중아국	장관	차관	1차보	구주국	중아국	정문국	안기부	청와대

0169

PAGE 1 91.05.12 10:17 CO

외신 1과 통제관

나.소련 외상의 요르단 방문은 중동 PEACE PROCESS에 대해 전세계가 관심을 갖고있다는 증거이며,기회의 문('WINDOW OF OPPORTUNITY')을 닫는것보다 PEACE PROCESS를 즉각 실시해야할 필요성이 있다는 것을 나타내고 있음. 가능성과 기회는 공존하는바 모두가 이를 수용할것을 희망함

다.요르단의 지정학적인 위치와 역사적 책임으로 요르단이 팔레스타인 문제에 여타국 보다 깊이 관여하게 되었음

라.정의와 평화를 위해 요르단이 건설적이고긍정적인 역할을 담당할수 있기를 희망함

(대사 박태진-국장)

外務部 걸프事態 非常對策 本部

題 目 :　　　　　　　　　　　　　　　　　　　　1991. . .

사우디, 외국軍 철수요구

中東 새안보장치마련에 제동

【리야드=AP聯】걸프전이래 외국군의 자국내 주둔을 허용해 온 사우디아라비아가 지금까지의 정책을 돌변,심지어 아랍권군대의 주둔도 원치 않는다는 태도를 취하면서 미국의 군장비 사전배치 요청에 공개적인 반응을 보이지 않고 있다.

사우디의 이같은 움직임은 이집트가 지난주 사우디와 쿠웨이트 양국에 주둔시킨 3만6천명의 자국군병력을 철수키로 결정한 사실과 함께 걸프전을 계기로 이 지역에 새로 구축된 안보체제에 의구심을 자아내고 있다.

사우디는 또 미군의 걸프지역 주둔을 원하고 있는 쿠웨이트와 미군의 규모와 주둔형태를 둘러싸고 서로 의견을 달리하고 있다.

이러한 사태진전은 전후 새질서가 형성되고 있는 것처럼 보이는 상황에서 아랍권 결속의 취약성을 또다시 드러낸 것이다.

5. 12. 세계

0171

政府綜合廳舍 810號　電話 : 730-8283/5, 730-2941. 6. 7. 9, (구내)2331/4, 2337/8　Fax : 730-8286

관리번호	91/983

원 본

외 무 부

종 별 :

번 호 : IRW-0406 일 시 : 91 0512 1400

수 신 : 장 관(중동일,구일,정일,기정)

발 신 : 주 이란 대사

제 목 : 주재국 대외관계

최근 당관이 입수한 정보를 중심으로 분석한 주재국 대외관계 동향 다음과같이 보고함.

1. 걸프전후 활발해진 주재국의 대외관계는 대사우디관계개선, 라프산자니 시리아, 터키방문및 겐셔 독 외무장관및 DUMA 불 외무장관의 방이로 보다 적극적양상을 띄게되었음. 주재국 대외관계중심은 현재 역내 신안보체제에의 적극참여및 서방인질석방협력을통한 대서방 특히 대미관계개선으로 요약될 수 있는바 이를 분석하면 다음과 같음.

가. 역내 안보체제 참여

0. 주재국의 역내 안보체제참여 가능성은 당초예상에불구 그가능성이 큰것으로 보이는바 그근거는 다음과같음.

-이.사우디 관계개선등 GCC 와 전반적 협력관계 향상

-라프산자니 대통령의 시리아, 터키방문을 통한 이들국가의 이측 입장지지가능성

-최근 쿠웨이트개최 GCC 회의시 긍정적검토된 이 측 참여문제

-오만개최 GCC 최고안보위 회의시 논의된바있는 대이 협력의사표명

-불, 독 외무장관방이시 이측 참여의 필요성인정

0. 이락 패전초기 역내 안보체제는 6(GCC) 프러스 2(시리아, 이집트)의 역할분담을 골자로하였으나 최근 안보구상은 6 프러스 1(이란)을 틀로해 이속에서 이란과 사우디가 중심역할을 수행하고 주변국인 시리아, 이집트, 터키가 협력하는방안으로 기본개념이 전환되고있는것으로 보이는바, 앞으로 이집트, 시리아, 터키, 이락 등 주변국의 역할및 기여도관련 쟁점이될 것으로 보임.

0. 참고로 당관이 접촉한 주재국인사는 이란측이 구상하는 안보체제는 군사적개념만이 아닌 정치, 경제, 사회, 문화등 제반분야에서의 협력을

중아국 장관 차관 1차보 2차보 구주국 정문국 외연원 청와대 안기부

PAGE 1

91.05.12 21:16

외신 2과 통제관 BS

0172

내용으로하는종합적인것이라고 설명한바있음.

나. 인질석방협조 및 대외관계 개선

0. 레바논 억류 서방인질문제도 가까운 장래에 해결 가능성이 높아보이는바,그근거는 다음과같음.

-최근 라프산자니 대통령의 시리아방문시 양측은 인질문제의 조속 해결위해공동 노력할것을 합의한 것으로 파악됨.

-금번 겐셔 독 외무장관의 방이는 인질문제협의가 주목적이었던바 이자리에서 모종의 언질이 있었을 것으로 보이며, 또한 불 외무장관의 방이도 비록 주의제가 양국간 재정분규 해결이었으나, 인질문제에 대해서도 의미있는 협의가 있었던것으로 보임.

0. 당관 김서기관이 접촉한 주재국언론인(시리아 방문수행)은 앞으로 예정된 동대통령의 독, 불, 이태리 순방시까지는 인질문제 해결이 가능할것이며 그기간은 3 개월 정도 소요될것으로 본다고 설명함.

0. 이어서 동인은 동인질석방이후 이.미관계도 개선될수 있을 것이라고 말하며, 그기간도 상당 단축될수 있을 것이라고 말하였음. 이에대해 김서기관의 미국의 대이란 태도는 아직도 경직되어있고 타협의 여지가 없는것으로 보인다고 설명하며 이에대한 크멘트를 요청하자 동인은 심도있는 관계가 아닌 관계개선 자체는 가능할것이라고 말하며, 이.영관계 개선의 전례가 적용될수 있을것이라고 답변하였음.

다. 이들 불.독 외무장관의 방이및 라프산자니 예정된 불.독, 이방문은 분명 이란의 대서방관계에 획기적 전환점이 될수 있을 것으로보임.

또한 일부 외교관은 이란이 역내 안보구조에 참여할수 있다는 사실은 간접적으로 미국의 영향력을 인정하고 있는 것인바, 이는 곧 이.미 관계에서 의미있는해석을 가능케한다고 설명한바 있음. 참고로 주재국 강경파인사 및 일부인사는대미관계 개선에 강력반대하고 있으며, 이를 의식한 라프산자니 대통령도 대미관계개선이 시기상조임을 공개적으로는 강조하고 있는바, 당관도 상기 긍정적 평가에 불구 양국간에는 장애요인이 상존하고 있음에 비추어 단기적으로 관계개선은아직 성급한 것으로 보고있음. 끝

(대사정경일-국장)

예고:91.12.31 일반

1991. 12. 31. 에 예고문에 의거 일반문서로 재 분류됨.

PAGE 2

0173

관리 번호	91/689

	분류번호	보존기간

발 신 전 보

번 호 : WUS-2052 910514 1442 FL 종별 :

수 신 : 주 수신처 참조 대사 / 총영사

WFR -1001 WSB -0765
WIR -0409 WCA -0380

발 신 : 장 관 (중동일)

제 목 : 걸프지역 안보협력 체제

대: IRW-0406

1. 최근 언론 보도에 의하면, 사우디 정부는 아랍국가를 포함한 모든 외국군의 자국내 주둔을 허용하지 않기로 했으며, 또한 이집트는 사우디 주둔 동국군 병력 3만 6천명을 철수시키기로 결정했다고 함.

2. 상기 양국의 결정은 이집트, 시리아군을 주축으로한 아랍 평화군을 걸프지역에 계속 주둔시키기로한 91.3.6 다마스커스 아랍 8개국 외상회의 결정(다마스커스 선언)과 배치되는 것으로 볼 수 있는바, 양국 결정의 상세내용, 이와관련한 최근의 걸프지역 안보협력 체제 구축 움직임 및 향후 전망에 관하여 파악, 보고 바람.

(중동아국장 이 해 순)

수신처 : 주 미, 쿠웨이트, 사우디, 이란 대사, 주 카이로 총영사

예고 : 1991. 12. 31. 일반

1991. 12. 31. 에 예고문에 의거 일반문서로 재 분류됨.

보안 통제	

앙 고 재	91 년 5 월 13 일	중동1과	기안자 성명		과 장		국 장		차 관	장 관
			조세영							

외신과통제

0174

원 본

외 무 부

종 별 :

번 호 : CAW-0603 일 시 : 91 0515 0900

수 신 : 장관(중동이,정일)

발 신 : 주 카이로총영사

제 목 : BESSMERNYKH 과 BAKER 방애

(자료응신 제 113호)

연:CAW-0577

1. 연호, BESSMERTNYKH 소련 외무장관과(5.10-13)BAKER 미국무장관(5.12-13)은 당지에서 양인간의 양차에 걸친 회담과 무바락대통령을 면담한후 5.13. 공동기자회견에서 요지 다음과 같이언급함.

가. MEGUID 외무장관

BAKER 장관의 노력이 성공하기를 빌고 있으나풀어야 할 문제가 상존함.

나. BAKER 장관

1) 중동평화 개최관련, UN 역할 문제와 회담의 계속성(ONE-TIME AFFAIR OR SOME SORT OFCONTINULTY)에 관해 시리아와 이스라엘간의 큰이견을 보이고 있음.

2) 소련 외무장관과 함께 동 이견해소를 위해계속 노력할 것임.

3) 어느 당사자에게도 평화를 강요하지는않을것임.

4) 시리아 없는 회담보다, 시리아가 참여하는 회담이 바람직 스러운 일임.

5) KURD 족 난민구호 문제가 마련되는대로 북부이락지역에서 미군을 철수시킬 것임을 BESSMERTNYKH장관에게 말했음.

6) 소련 외무장관과는 인도적 지원 필요성과국가 주권문제가 맞물려 있는 북부이락상황에 관해 협의했음.

다. BESSMERTNYKH 장관

1) 많은 문제가 해결되었으나 몇가지 문제는아직 남아있음(ONLY A FEW REMAINED).

2) 회담 가능성은 높아지고 있는데 반해문제는 종전보다 줄어들고 있음.

2. 미.소 외무장관의 금번 중동순방관련 시리아-이스라엘간 이견이 상존함에도BUSH대통령은 GCC 제국들이 평화회담 개최시OBSERVER 를 파견하겠다고

중아국 장관 차관 1차보 미주국 정문국 청와대 안기부

0175

PAGE 1

91.05.15 16:18 CO

외신 1과 통제관

한것은 고무적이고 긍정적인 처사라고 지적하면서 다소의 진전(SOMEPROGRESS)이 이루어졌다고 논평하고, 소련측도 BAKER와 BESSMERTNYKH 양장관이 중동평화 추진을 위한 회담개최 준비를 하고 있다고 한것으로 미루어볼때에, 회담개최 가능성은 여전히 밝은것으로풀이됨. 끝.

(총영사 박동순-국장)

0176

원 본

외 무 부

종 별 :

번 호 : SBW-1004 일 시 : 91 0515 1410

수 신 : 장관(중일,기정,정일,국방)

발 신 : 주 사우디대사

제 목 : 소외무,주재국 방문(자응 16호)

연:SBW-996

1.SAUD 외무장관은 5.14 연호 BESSMERTNYKH 소련 외무장관이 2일간의 주재국 방문을 마치고 다마스커스로 향발시 공항에서 가진 기자회견에서 사우디-소련 양국관계등에 관해 다음과같이 언급하였음.

-소장관의 금번방문은 최초의 소련 외무장관 방문으로 매우 중요한 방문이었음

-사우디는 로련과 고위회담을 가진것에 만족하며, 양국은 고위회담을 추후에 다시 가지기로 합의 하였음

-걸프사태시 소련이 취한 입장을 치하여며, 우리가 걸프전에서 좋은 결과를 얻을수 있었던것은 사우디-소련 양국의 협력에 기인한것임

-아랍-이스라엘 분쟁 해결을 위한 미.소 양국의 공동노력을 사우디는 지지하며,이러한 공동노력이 중동문제를 해결하는데 주요한 역할을 할것으로 기대함

-사우디는 소련과의 합작투자등 소련에 대한 투자를 장려할것임, 소련 통상장관이 전번 주재국 방문시 양국은 정부간 협력를 증진하기로 합의한바 있음

2.한편, 소련 외무장관은 다마스커스 향발에 앞서 파드국왕 및 SAUD 외무장관과의 회담결과에 만족을 표시하면서 중동평화 회담을 개최하려는 미.소 양국의 노력에 대한 사우디의 지지를 치하하고, SAUD 외무장관이 소련을 방문하여 줄것을요청 하였다고 언급 했음

3.SAUD 장관은 금 5.15 부터 카이로에서 개최되는 아랍연맹 외무장관 회의에 참석차 5.14 카이로로 향발함

(대사주병국-국장)

중아국 1차보 구주국 정문국 안기부 국방부

PAGE 1

91.05.16 00:18 DA

외신 1과 통제관 0177

원 본

외 무 부

종 별 :

번 호 : JOW-0446 일 시 : 91 0515 1600

수 신 : 장관(중동이,중동일,미북,정일,기정)

발 신 : 주 요르단 대사

제 목 : 국왕,BAKER 미국무장관 회담

중동제국을 순방중인 베이커 미국무 장관은 5.14. 주재국을 방문, 후세인 국왕과 중동지역의 PEACE PROCESS 등에 관해 회담한바, 양인의 발언요지 다음과 같음

1.후세인 국왕

가.중동문제 해결을 위한 기회는 있으나 현재와 같은 절호의 기회는 오지않을 수도 있음

나.아랍.이스라엘 분쟁의 평화적 해결에 대한 요르단의 책임과 역할을 재확인함

다.팔레스타인의 요청이 있으면 요르단은 평화회담 참석을 위한 공동대표단 구성을 긍정적으로 검토할 것임

라.지금은 CLINCH 와 TABOO 로 부터 일단 물러나누가 보다나은 모두의 미래를 보장하기 위해 필요한 조치와 행동을 취할 용기가 있는지 또한 누가 공정하고 항구적인 평화를 진정으로 원하고 있는지를 정확히 파악해야 할때임

마.사우디를 포함한 GCC 국가들의 평화회담에 옵서버단을 파견키로 결정한것은매우 긍정적인 진전임

바.금번 회담과 관련, 유엔이 처음부터 끝까지 관여할것을 확신하고 기대함

사.시리아의 평화회담 불참 가능성과 관련, 시리아가 불참하는 일이 없기를 기대함

아.회담의 관련 당사국은 아랍제국만 아니라 팔레스타인 문제가 중동지역 불안의 근본 원인이므로 팔레스타인 인들도 평화회담에 참여해야 함

2.베이커 미국무장관

가.미국은 중동지역의 PEACE PROCESS 개시를 위해 공한할수 있는 모든 노력을 다할것을 바라고 있음

나.금번 양인의 회담을 매우 만족스럽게 생각하며 후세인 국왕의 평화에 대한적극적인 노력과 이의 해결을 위한 능동적인 접촉 노력에 대해 감사함

중아국 1차보 미주국 중아국 정문국 안기부

PAGE 1 91.05.16 00:25 DA

외신 1과 통제관 0178

다.자신이 접촉 회담한 모든 국가들은 미국, 소련의 후원하에 이스라엘과 동접경국, 이스라엘과 팔레스타인 인간의 직접 협상을 위한 국제회의에 참여 하기로 사실상 합의한바 있음

라.관련 당사국간의 직접협상은 유엔 결의안 242호 및 338호를 근거로 포괄적인 해결책 강구를 목표로 하고 있음

마.PEACE PROCESS 에 대한 미국, 소련의 후원, 회담의 근거에 대해서는 이에 합의 본바 있으나 유엔의 역할에 대해서는 아직도 문제가 남아있음

(대사 박태진-국장)

원 본

외 무 부

종 별 :

번 호 : JOW-0448 일 시 : 91 0519 1410

수 신 : 장 관(중동이,중동일,미북,정일,기정)

발 신 : 주 요르단 대사

제 목 : 요르단.시리아 정상회담

1. 5.18. 후세인 주재국 국왕은 시리아를 방문, ASSAD 동국 대통령과 중동 PEACE PROCESS등에 관해 긴급 정상회담을 갖고 요지 다음과 같이 발언함

가.요르단은 양국의 입장을 조정, 아랍의공동입장 구체화 작업을 진행중임

나.BAKER 미국무장관의 중동제국 순방을 통해중동의 가장 중요하고 핵심적인 문제인 팔레스타인 문제의 진정한 해결을 위한 논의가 진행되고 있는 것으로 알고있음. 동문제는아랍의 절실한 요구로서 현재 국제사회에서 호의적인 반응을 받고있으나아직은 고무적인 초기단계에 머무르고 있음

다.점령되어있는 아랍영토내에서 고생하고 있는 우리들의 형제들에 대한 모든임무를 수행할수 있게 되기를 바라며, 지금 차세대가 평화롭고 안전하게 살수있도록 우리들의 책임을 감당해야할 시기가 도래하였음

2. 5.18. 시리아의TISHREEN 지등 주요 일간지는 동정상회담과 관련, 중동지역 평화를 기해 그간 많은 결의안을 채택한 유엔이 평화회담 및동문제 해결에 효과적으로 기여할 것이라고 유엔역할의 중요성을 재강조함

(대사 박태진-국장)

중아국 차관 1차보 미주국 정문국 청와대 총리실 안기부

0180

PAGE 1 91.05.20 00:19 ED

외신 1과 통제관

원 본

외 무 부

종 별 :

번 호 : JOW-0449 일 시 : 91 0519 1410

수 신 : 장 관(중동이,중동일,미북,정일,기정)

발 신 : 주 요르단 대사

제 목 : 외상 면담

금 5.19. 본직은 MASRI 외상을 방문, BAKER 미국무장관의 중동순방 평화회담등 중동의제반 현안에 관해 의견교환을 가졌는바 동장관은 요지 다음과 같이 발언함

가. 현재 추진되고있는 중동평화회의 개최는중동문제 해결을 위한 절호의 찬스인바 이기회를 놓쳐서는 안되며 놓칠경우 또다른 재앙이나 새로운 전쟁이 발발할수 밖에 없을 것임

나. LAND FOR PEACE 없는 개시는 있을수 없음

다. 중동평화회담에서 시리아 참여 배제 가능성에 대해 동국의 중동에서의 위치를 감안할때 시리아는 반드시 참여해야 할것으로 봄

라. 팔레스타인과의 공동대표성 문제는 독자적으로 대변되어야하나, 동측의 요청과 제의가 있을시는 요르단과의 공동대표 문제를 긍정적으로 검토할수 있을것임

(대사 박태진-국장)

중아국 차관 1차보 미주국 정문국 청와대 총리실 안기부

0181

PAGE 1 91.05.20 00:21 ED

외신 1과 통제관

관리번호 91/1062

원 본

외 무 부

종 별 :

번 호 : SBW-1014

일 시 : 92 310 (91.5.20)

수 신 : 장관(중일,기정,국방)

발 신 : 주 사우디 대사

제 목 : 걸프지역 안보체제

대:WSB-765

대호 걸프지역 안보체제 관련, 주재국 주재 주요 외교관등을 접촉, 파악한 내용 아래보고함

1. 다마스커스 선언

-지난 3 월 다마스커스에서 개최된 아랍 8 개국 외무장관 회담에서는 걸프전후 걸프지역 안보를 위해 상호협력한다는 일반적인 원칙에 합의하고 구체적인 협력내용은 합의되지 않았음

-따라서 이집트 및 시리아군으로 이루어지는 아랍평화군 구성과 관련, 구체적으로 협의되지 않았음

2. 사우디의 입장

-자국 및 걸프지역 안보는 자국의 국방력 강화와 GCC 회원국간 군사협력을 통해 이룩한다는 방침이며, 필요한경우 여타 아랍국 및 우방국의 지원을 요청한다는 정책을 취하고 있음

-이에따라 사우디는 자국내에 미군을 포함 외국군의 주둔을 바라지 않고있음

-이집트군의 사우디 철수결정에 대해, 사우디는 이집트군이 임무를 마쳐 금번 철수하게 되는것으로, 필요한 경우에는 다시 이집트군의 임무를 요청한다는 입장을 공식적으로 표명하였음

3. 미국방장관의 GCC 회원국 방문결과

-체니 미국방장관은 최근 사우디 포함 GCC 6 개국 방문시 GCC 각국에 대해 미국은 미지상군을 영구히 걸프지역에 주둔시킬 의사가 없음을 분명히 하였음(쿠웨이트 주둔 미국은 늦어도 금년 가을까지는 철군 예정)

-동장관은 사우디측과 합동군사훈련, 사우디군대 훈련, 걸프사태 대비 유입된 각종

중아국	장관	차관	1차보	2차보	외연원	청와대	안기부	국방부

PAGE 1   91.05.20 16:33 0182

외신 2과 통제관 BA

군장비의 비축 문제등을 협의하고, 곧 이와관련한 양국간 협력협정을 체결할 예정임

-여타 GCC 국가와도 개별적으로 비슷한 내용의 협력협정체결 예정

-미중앙사 전방본부의 걸프지역 설치에 GCC 각국 양해(동설치국은 바레인이아닌 여타국이 될가능성이 높다고 함)

4. 전망

-걸프지역 안보협력 체제는 현재로서는 GCC 회원국을 중심으로 한 체제가 예상되고, 여기에 미국이 각국과의 개별 협력협정을 통해 지원하는 형태가 될것으로 보임

-사우디를 비롯한 GCC 각국이 외국군의 걸프지역내 주둔에 반대하고있어, 현재로서는 이집트 및 시리아군의 걸프지역 주둔 가능성은 적을것으로 평가되고 있음

-따라서 각국은 자국의 국방력 강화에 치중할것으로 전망되고 있음

(대사주병국-국장)

예고:91,12,31 까지

1991. 12.31. 에 예고문에
의거 일반문서로 재 분류됨.
㊞

PAGE 2

0183

관리번호	91/1078

원 본

외 무 부

종 별 :

번 호 : USW-2519 일 시 : 91 0522 1856

수 신 : 장 관(중동일,미북,정일,기정)

발 신 : 주 미국 대사

제 목 : 하원 세출위 청문회(베이커 국무장관 증언)

1. 하원 세출위 대외활동 소위(위원장:OBEY)는 금 5.22. BAKER 국무장관을 출석시킨 가운데 "92 회계년도 예산안(대외활동) 관련 청문회를 개최한바, BAKER 장관은 증언의 대부분을 중동 순방 결과에 할애하고 기타 쏘련 및 NAFTA 에 관해 간략히 언급 하였음(증언문 전문 별전 팩스 송부) BAKER 장관은 특히 전후 3 차레에 걸친 중동순방의 결과 관계 당사자간에 중동 평화안과 관련 아래 5 개항에 대한 합의(CONSENSUS) 에 도달했다고 밝힘.

(1) 유엔 안보리 결의 242 및 338 에 기초한 직접 협상을 통해 포괄적인 해결책 강구

(2) 협상 절차는 이스라엘.아랍 제국간 직접 협상과 이스라엘 점령지역 팔레스타인간 직접 협상의 양면 협상(TWO TRACK APPROACH)을 동시에 진행해야 한다는데 대체적인 양해 도달

(3) 이스라엘.팔레스타인간 협상은 임시자치 정부 문제에 관한 대화로 부터 시작하여 점령지의 항구적 지위에 관한 협상으로 이어져함.

(4) 팔레스타인 대표는 TWO-TRACK APPROACH 와 단계적 협상을 수락하고 이스라엘과의 평화 공존을 약속하는 점령지역 지도자중에서 선정

(5) 미.소 양국이 공동 후원하는평화회의는 중동 분쟁 당사자간의 공개적 접촉에 대한 금기(OLD TABOOS)를 깸으로써 당사자간 직접 협상의 돌파구를 마련하게 될것이라는데 대한 의견 수렴.

2. 이어 진행된 질의 응답에서는 아국 문제는 거론되지 않았으며 다만, LIVINGSTON 의원(R-루이지아나) 이 이락에 대한 제 3 국의 무기판매에 우려를 표명하는 과정에서 북한이 이락에 대해 미사일을 판매하고 있다고 언급한바 있음.

첨부 USWF-1985

중아국 장관 차관 1차보 2차보 미주국 정문국 외연원 청와대
안기부

PAGE 1 91.05.23 08:30 0184

외신 2과 통제관 BS

(대사 현홍주- 국장)

예고:91.12.31. 까지

PAGE 2

0185

주 미 대 사 관

보안 통제	

번호 : USW(F) - 1985

수신 : 장 관 (중동일, 미 북, 정일 , 기정)

발신 : 주미대사

제목 : Baker 국무장관 증언문 송부

SEC. BAKER: Thank you, Mr. Chairman, and I will take you up on the offer to insert my full statement in the record, and I would spend a few minutes, if I might, reporting to you on my recent trips to the Middle East, devoting the bulk of my remarks to the Middle East peace process and to the situation in Iraq. I would also like to make one or two observations about the Soviet Union, which should come close, I think, to answering some of the questions you posed, and I'd like to make a comment about the North American Free Trade Agreement. But let me begin with the peace process.

For the past two months, we've been engaged in a rather intensive effort to find a path to a comprehensive settlement through direct negotiations between Arabs, Palestinians and Israel. When I say Arabs, I mean Arab states. Since we began that effort, I've had no illusions, Mr. Chairman, about the challenges and difficulties involved. In fact, I had no illusions about that before the process began. But I also had a strong sense that the Gulf war might have created some new possibilities for peacemaking in the region and that the United States has a unique obligation to help explore those possibilities. It would be very sad, of course, if it turns out that old obstacles are more formidable than new opportunities, but I think it would be sadder still, Mr. Chairman, if the United States failed to energetically pursue a chance for peace, because those chances don't come along very often in the Middle East, as you pointed out.

Iraq's invasion of Kuwait did bring together an historic coalition. The United States, the Soviet Union, Europeans, Arabs and others joined to reverse Iraq's aggression. The United Nations played, perhaps for the first time, the role that its founders had intended. And through its restraint in the face of Iraqi provocation, Israel became a silent partner in the coalition's success. The net result was a staggering defeat for Saddam Hussein and the path of violence and intimidation that he represented, and I think new hope for the alternative path of diplomacy and negotiations.

0186

To test the moment and to transform the ground rules for Arab-Israeli peace-making we felt it was important to engage in a process that could break the taboos on direct dialogue between the parties. If the impulse to make peace was different we needed to overcome the barriers to Israeli, Arabs and Palestinians meeting directly. We needed, in fact, to establish that dialogue and diplomacy, not violence or rejectionism, could become the currency of politics in the region of the Middle East.

The war provided a grim reminder of the dangers of conflict in an era of escalating military competition. It was a reminder that the dispute between Israelis and Palestinians was still at the core of the Arab-Israeli problem, but that the state-to-state dimension also had to be addressed. And it was a hopeful reminder that Israel and the Arab states sometimes find common ground between them, common ground which might provide room for maneuver to encourage Israeli-Palestinian accommodation.

So our post-war task, therefore, was to try to blend what was new and promising following the crisis with the enduring principles of Arab-Israeli diplomacy. That was the purpose of my first three trips to the region after the war, and I think that the result was a consensus between the parties on five points. And I would say that they are five key points.

First of all, general agreement that the objective of the process is a comprehensive settlement achieved through direct negotiations based on United Nations Security Council Resolutions 242 and 338.

Second, broad understanding that the negotiating process would proceed simultaneously along two tracks involving direct negotiations between Israel and Arab states and between Israel and Palestinians from the occupied territories.

Third, agreement that the negotiations between Israel and Palestinians would proceed in phases with talks on interim self-government preceding negotiations over the permanent status of the occupied territories.

Fourth, agreement that Palestinians would be represented in the process by leaders from the occupied territories who accept the two-track approach, who accept the phased approach, and who commit to living in peace with Israel.

And fifth, general acceptance that a conference co-sponsored by the United States and the Soviet Union would break the old taboos about public contacts between the parties and be the launching pad for direct negotiations between the parties.

Mr. Chairman, I would submit to you that these are not insignificant areas of consensus, and they certainly provide a baseline for progress. But they still have to be translated into a practical process, and that was the purpose of my most recent trip to the area.

Let me give you, therefore, a sense of the key issues that we are still trying to resolve. The first set of issues relates to modalities of the peace conference. There has been a great deal of misunderstanding on this question, so let me lay out simply what we have in mind. Our objective is to launch direct negotiations. That's what this effort is all about and what this effort has been all about. We believe that the best way to do this is through a peace conference that would lead directly to bilateral negotiations between Israel and its Arab and Palestinian neighbors, and multilateral negotiations on issues such as arms control and regional security, the environment and water.

Let me be very clear about this. We are not and never have been considering an international conference with a plenary that has the power or authority to impose its views on the parties, nor are we considering any mechanism that would interfere in any way with negotiations. In fact, as I have told those in the region, the conference is not a forum for negotiations. Quite simply, it is a means to an end. A tool in our effort to get the parties to sit down face to face to sort out their differences and to break anachronistic taboos.

The conference would be sponsored jointly -- co-sponsored, if you will -- by the United States and the Soviet Union. Israel, Egypt, Syria, Lebanon, Jordan and Palestinians from the territories would attend. As you know, the Gulf Cooperation Council countries have already taken a very important step, and they have agreed to send the Secretary General of that organization as an observer. In addition, and equally as importantly, each of the member states of the Gulf Cooperation Council, that is, the six Gulf states, have announced that they will participate in the direct negotiations on multilateral issues.

We also believe that the European Community could play a constructive role in support of this process, and especially in the hard work of economic development that would follow a negotiated peace. So, the EC should be able to participate in this conference.

Similarly, it is our view that the United Nations should have some role. A formula should be found that is acceptable to all the parties, that prejudices none, and that channels the new-found potential of the United Nations in ways that can be helpful in promoting peace and reconciliation in the area. The exact nature of European Community and United Nations involvement is still unresolved.

Another open question is the ability of the conference to reconvene. The United States believes it should be able to do so if all the parties agree, in order to hear reports from the bilateral and multilateral negotiating groups.

The point is that none of this will in any way interfere with direct negotiations. Indeed, face-to-face negotiations offer the only way to make any progress, and we would not accept any proposal that would lead any party to believe that it could avoid negotiations or have others relieve it of the need to negotiate.

3

0188

The other set of issues deals with the question of Palestinian representation in the negotiations. From the beginning of this administration, we've made it clear that our objective is to get Israel and Palestinians from the occupied territories into . negotiations. Of course, Palestinians must choose their representatives, but our view is, and many other parties agree, that a joint Jordanian-Palestinian delegation could be a useful vehicle to get to the conference as well as to handle any number of issues that might arise during the negotiations.

So the purpose of my recent trip to the region was to continue to explore these issues with the parties and to determine where there was consensus and which areas required more work. Over all, Mr. Chairman, I found that there is far more agreement than disagreement on the key elements of our approach, and I found a willingness to continue looking for ways to resolve those areas that are still not nailed down.

I also had extremely useful discussions with Soviet Foreign Minister Bessmertnykh, both in the Soviet Union and in Cairo. Let me say that the Soviets have been very, very supportive of this approach. The fact that the Soviet Union and the United States are in basic agreement about how to proceed on the peace process creates a new factor, a factor that I think improves the chances of getting a process launched.

Nonetheless, we are obviously not at the point that we would like to be. There are areas of disagreement, particularly between Israel and Syria over the modalities of the conference, both on the issue of the United Nations' role and on the issue of reconvening the conference. I'm not going to pretend that sorting those out will be easy or that it will be done quickly, but I will say that we will continue to try so long as we believe that all of the parties are working in good faith and are serious about finding ways to resolve differences.

The President and I have talked about our next steps and we believe, Mr. Chairman, that we should continue to press ahead to see if we can overcome the gaps and actually get to negotiations.

Finally, let me conclude by saying that I believe the parties in the region do appreciate that there is a real chance to launch a process. We've defined a workable pathway to negotiations that would enable Israel, Arab states and Palestinians to capture that chance and to make a real break with the past in favor of peace. It is there for the taking but it will not last forever.
What remains to be seen is whether the parties themselves are willing to seize this chance. The United States is there, ready and willing to help them try. But Mr. Chairman, we cannot create the political will to act if that will does not exist in the region.

4

0189

Let me now discuss the situation in Iraq. With his aggression outward against Kuwait defeated, Saddam Hussein turned his terror in inward in the aftermath of the Gulf War and he drove hundreds of thousands of Iraqis out of their homes and into foreign lands. This created, as the United Nations recognized in Resolution 688, a new threat to international peace and security, so the issue for all of us can no longer simply be just Kuwait. Today, I want to review with you the three-pronged strategy that we and our allies have pursued to cope with this terrible situation. First of all, we have worked to **relieve the immediate suffering** of Iraqi refugees. Secondly, we are working to prevent another round of terror by creating safe and secure conditions within Iraq so that the refugees can return to their homes and live in safety. And third, we will continue to isolate Saddam Hussein as long as he is in power.

Let me discuss each of these aspects of our strategy. The first, of course, has been aimed at the immediate problem, which is saving the lives of refugees by providing them with food, water, medicine, blankets and housing. Through Operation Provide Comfort, we have airdropped and trucked supplies to refugees on the mountains in northern Iraq and southern Turkey, have built refugee camps in both Iraq and Turkey, and have resecured portions of northern Iraq so that they could begin to return to their homes. The President has contacted the leaders of the major industrial countries and our coalition partners from the Arab world and has urged them to make generous pledges to the various United Nations appeals. We appreciate the conference committee's action on Tuesday and we hope the Congress will act expeditiously on our supplemental refugee request.

As a result of these efforts, the situation has improved considerably. Death rates among the refugees have dropped marketedly and well over half the refugees have come down from the mountains. It has not been enough, however, to provide only for the immediate needs of the refugees. We have also have a duty to try to prevent a greater tragedy, a situation where Saddam could exercise his terror once again. So this second aspect of our strategy requires uniting the world community to ensure international access to the affected regions throughout Iraq in strict conformity with Security Council Resolution 688, which calls for respect for the humanitarian and political rights of the Iraqi people. Saddam's ruthless suppression of his own people is yet another reminder that he cannot be trusted. We remain concerned that he would, if conditions altered, resume a systematic extermination of regime opponents and of innocent Iraqi civilians. The world community is not moving to save these poor innocent people now, simply so that they can be slaughtered by Saddam Hussein later on. That is why we've warned Iraq not to interfere with humanitarian relief efforts underway in Iraq, and that is why in support of Resolution 688 we've urged the United Nations to move quickly to provide personnel to ensure the safety of those refugees returning to Iraq.

0190

05/22/91 19:02 ☎202 797 0595 EMBASSY OF KOREA --- WOI 005

The United States does not seek to keep its fores in northern Iraq any longer, Mr. Chairman, than is absolutely necessary. We look forward to their early replacement by an effective international presence. It is our firm conviction that some kind of international presence, however organized, has to take over the job now being done by American and coalition forces. We hope that this international presence will serve as the international community's watchdog to inhibit Saddam Hussein from repeating his most recent atrocities.

In the future, we would hope that Iraq can fully rejoin the community of nations. This country has a tremendously talented, creative, and diverse population. I believe that a new Iraqi political compact which reflects the pluralistic makeup of it's population and its rich historical and cultural traditions is possible, and such a compact must be arrived at by negotiations among all Iraqis, and not by force.

We respect Iraq's sovereingty and territorial integrity, we do not wish to see Iraq fragmented as a state. We have said repeatedly that we have no quarrel with the people of Iraq, and our actions reinforce our words. While our soldiers have been feeding and caring for refugees, Saddam Hussein's soldiers were strafing and shelling them.

Thus, Mr. Chairman, I can say without equivocation or doubt, Saddam Hussein himself is the single greatest obstacle to any hope for the future of the people of Iraq, whether in terms of their own development as a society or in terms of their reintegration into the international community. Left alone, free to reconsolidate his brutal dictatorship and military machine, we know that he will act again to brutalize his own people and to threaten his neighbors.

Without constant international monitoring of and pressure against this leader, this Iraqi government will continue to pose a danger to the peace and security of the Middle East. That's why we can have a formal cease-fire, but we'll not be able to have any genuine peace with the government of Iraq so long as Saddam Hussein remains in power.

Let me be absolutely clear about this third aspect of our strategy. This man, we think, is a pariah whose actions put him beyond the pale of civilized international society. Therefore, we intend to continue to act with others to isolate Saddam Hussein's regime. That means that we will never normalize relations with Iraq so long as Saddam Hussein remains in power, and that means maintaining United Nations sanctions in place so long as he remains in power. And it means further, Mr. Chairman, that Iraqis will not participate in post-crisis political, economic, and security arrangements until there is a change in regime.

With a new government, new possibilities will emerge for Iraq to rejoin the international community. With a new government, we may well be able to lift most sanctions, save those sanctions that constrain Iraq's military potential. And in that new Iraq, tolerance must replace terror, and the fear that has so long gripped the Iraqi people must give way to peaceful realization of the vast potential of that people and their homeland.

Let me make three observations, Mr. Chairman, about the Soviet Union and about our relations with the Soviet Union. First, the President and I feel that it is important to stress that Soviet new thinking continues to guide Soviet behavior in many aspects of our relations. In the Middle East, Foreign Minister Bessmertnykh's help has been invaluable to our attempts to reinvigorate the peace process. Soviet cooperation has also been critical to the historic agreement
that will end the Angolan civil war, an agreement that I will join in signing in Lisbon next week. The Soviets have also been helpful in other regional areas, most notably Central America and Cambodia. And in arms control, we hope to resolve our differences over the CFE treaty, prepare CFE for ratification, and move forward with START in preparations for a Moscow summit.

Secondly, the so-called "One Plus Nine" agreement of April 23rd between Gorbachev and the Republics creates an opportunity for a positive shift toward new political arrangements in the Soviet Union. If President Gorbachev and the Nine follow up this agreement in the way that they have suggested through an all-union treaty and through a new constitution, then this would be a very important step toward establishing a new political legitimacy in the Soviet Union.

These steps, along with the ongoing talks between Moscow and the Baltics, create new opportunities for reconciliation to replace the political polarization that has characterized Soviet politics since roughly last September. We also welcome enactment of new emigration legislation. For almost two decades now, we have made the right of emigration a central part of United States-Soviet relations. We regard passage of the new law as a major step in Soviet reform and in fulfillment of Soviet-CSCE commitments.

For our part, we continue to expand our contacts with all levels and segments of Soviet society, ranging from reformers and democrats to traditionalists and the military. Not only will this increase our understanding of Soviet society, but it will allow us, through what I have called a "democratic dialogue," to help promote political pluralism and economic freedom and the success of Soviet reform. And as the President and I have made abundantly clear by now, the continuation and success of Soviet reform is in everyone's interest.

Third, even with the tentative steps toward political accommodation, Soviet economic reform still has a very long way to go. We, and almost everyone else who has looked at it, are convinced that Prime Minister Pavlov's anti-crisis program will not work. We believe the Soviet leadership urgently needs to embrace fundamental market economic reform. Without a commitment to fundamental reform we expect the Soviet economy to continue its severe decline. And that, of course, is in no one's interest.

We continue, Mr. Chairman, to study various ways in which we can assist Soviet economic reform, but the usefulness of our efforts still depends above all on the choices that the Soviets themselves have to make

7

0192

Let me close with a few words about the North American Free Trade Agreement and fast track. We are seeking this agreement with Mexico and Canada because we are convinced that such an agreement promises important economic benefits for all three countries. Since the President's announcement last June of his desire to seek a free trade agreement with Mexico we've engaged in extensive consultations with Congress as well as with the private sector.

Mr. Chairman, I think that there is a tremendous amount at stake here in terms of both foreign and economic policy and in terms of our growing cooperative work with Mexico on important regional and transnational issues. It will also enhance American exports, job opportunities, as well as global competitiveness. In order to achieve global markets and hemispheric trade cooperation we think it is critical, Mr. Chairman, that fast track negotiating authority be extended by the Congress. Without this step our foreign and economic leadership position could be seriously impaired.

Thank you, Mr. Chairman.

0193

관리 번호	91/1080

원 본

외 무 부

종 별 :

번 호 : USW-2545 일 시 : 91 0523 2008

수 신 : 장관(중동일,미북,동구일)

발 신 : 주 미 대사

제 목 : 걸프 정세

연:USW-2519, USW(F)-1985

대:WUS-2052

1. 금 5.23. 당관 임성남 2 등서기관은 국무부 정책 기획실 STEPHEN GRUMMON 중동 담당관을 접촉, 베이커 국무장관의 중동 순방등과 관련, PEACE PROCESS 추진에 관한 미 국무부 실무선의 내부 평가를 탐문하였는바, 동인 언급 요지 하기 보고함.

가. 베이커 국무장관의 작일 의회 증언문(연호로 기송부) 이 PEACE PROCESS추진 관련, 미 행정부가 당면하고 있는 제반 문제점을 잘 설명하고 있는바, 기본적으로 시리와와 이스라엘간의 이견이 가장 큰 난관을 조성하고 있음.

즉, 시리아측은 UN 후원하에 연속적으로 개최되는 중동 평화회의를 원하는반면, 이스라엘측은 UN 의 역할을 배제하는 가운데, 마치 올림픽 개막식 같은 의례적 성격의 중동 평화회의를 1 회만 개최하고, 실질문제 토의는 양자간 협의 체제를 통해 이루어지기를 희망하고 있음.

나. 양국간의 여사한 이견이 일견 절차적인 문제이므로 지속적인 교섭을 통해 해결될 것으로 낙관할수도 있겠으나, 당지 언론등 일각에서는 이스라엘과 시리아 양측이 공히 내심으로는 타협할 의사를 갖고 있지 않고 있는것으로 분석하고 있기도 함.

(즉, 이스라엘은 영토의 면적과 자국 안보와의 밀접한 연관성을 감안,"TRADE LAND FOR PEACE" 를 추구할 의사가 전혀 없고, 시리아 역시 1 인독재 체재의 정당화 구실을 제공해 온 안보 위협 요소의 소멸을 원치 않고 있는것으로 볼수도 있음)

다. 현재로서는 상기 두가지 상이한 분석중 어느쪽이 정확한 시각인지를 분명히 판단키 어려우나, 중동 평화회의의 형식에 관한 양측의 이견은 서로의 본심을 감추기 위한 일종의 연막에 불과할 수도 있으며, 그러한 경우 베이커 국무장관도 작일

중아국	장관	차관	1차보	2차보	미주국	구주국	외연원	청와대
안기부								

PAGE 1 91.05.24 10:03 0194

외신 2과 통제관 CE

언급한바와 같이 이들의"정치적 의지"까지 미국이 만들어 내지는 못할것임.

(GRUMMON 담당관은 여사한 상황을 "말을 우물로 끌고 갈수는 있으나, 강제로 물을 먹이지는 못한다"는 속담에 비유)

라(사견임을 전제로) 이러한 상황하에서 미측이 택할수 있는 대안은 이스라엘과 시리아 양측에 보다 더 큰 외교적 압력을 가하는 적극적 방안과 일종의 냉각기를 가짐으로써 관련국들이 기존의 입장을 재고케 하는 소극적 방안이 있을수있는바, 여사한 적극적 방안에도 부쉬 대통령이 직접 나서서 관련국 지도자와 전화대화를 시도한다든지 아니면 미국이 일방적으로 관련국간 공개회의를 소집하는 극적 방법등 여러가지가 있을수 있음.

마. 현재로서는 미측이 여하한 방안을 선택할지 아무도 알수 없으며, 또 그러한 선택을 내리게될 정확한 시기도 예측키 어려움.

2. 한편, 금일 면담 말미, 임서기관이 대호 이집트군의 사우디 철수 보도관련 미측 견해를 문의한데 대해, GRUMMON 담당관은 미측으로서도 동 사실을 알고 있고 여사한 이집트측 결정이 아랍권의 자체적 안보 협력 체제 구축에부정적 영향을 끼칠것으로 평가하고 있기는하나, PEACE PROCESS 의 구축문제에 전념하고 있으므로 이 문제에 대해서는 별다른 관심을 기울이지 못했다고 언급하고 일단 PEACE PROCESS 가 본격적으로 시작되면 역내 안보 체제 문제도 자연히 보다 더 큰 관심을 끌지 않겠느냐는 반응을 보임.

(대사 현홍주- 국장)

예고:91.12.31. 까지

1991 12 31 에 예고문에
의거 일반문서로 재 분류됨.

PAGE 2

0195

외 무 부

종 별 :

번 호 : PDW-0451 일 시 : 91 0524 1735

수 신 : 장 관(동구이, 중동일, 정일, 기정동문)

발 신 : 주 폴란드 대사

제 목 : 바웬사 대통령 이스라엘 방문

연 : PDW-0440

1. 바웬사 대통령 이스라엘 방문중 양국은 교역상의 최혜국 대우와 경제공동위 설치등을 규정한 경제협정, 이중과세 방지협정, 투자보장협정 및 양국간 문화센터 설치협정 및 교육협력협정에 서명함.

2. 바웬사 대통령은 팔레스타인 대표들과도 면담하였으며, 나자레등 성지와 폴란드 및 리투아니아 출신 유태인들이 설립한 GHETTO HEROESKIBBUTZ 등을 방문하고 5.24 귀국함.

3. 동 대통령은 귀국후 이스라엘측의 주 폴란드 팔레스타인 대사관 폐쇄 요청 보도에 관해서는 이를 부인함.끝

(대사 김경철-국장)

구주국 1차보 중아국 정문국 안기부

0196

PAGE 1 91.05.25 09:34 WG

외신 1과 통제관

관리번호	91/1086

	분류번호	보존기간

발 신 전 보

번 호 : WSB-0789 910525 1311 FN 종별 :

수 신 : 주 사우디 대사. 총영사

발 신 : 장 관 (중동일)

제 목 : 걸프지역 안보체제

대 : SBW - 718(1), 1014(2)

연 : WSB - 765

대호(2)관련, 귀관의 대호(1)보고와 기타 관련 공관 보고에서 아랍 8개국 외무장관의 다마스커스 회담(3.5-6)시 이집트, 시리아군을 주축으로한 아랍 평화유지군 구성에 합의한 것으로 되어 있는바, 다마스커스 선언 전문을 가능한대로 구득, 송부바람. 끝.

(중동아국장 이 해 순)

예고 : 91. 12. 31.까지

1991. 12. 31. 예고문에 의거 일반문서로 재분류됨.

보안통제	기

앙고재	91년 5월 24일	중동1과	기안자 성명		과 장	심의관	국 장		차 관	장 관
			조태용		기	광	전결			귀

외신과통제

0197

	분류번호	보존기간

발 신 전 보

번 호 : WCA-0415 910528 1708 FN 종별 :

수 신 : 주 카이로 ~~대사~~ 총영사

발 신 : 장 관 (중동일)

제 목 : 다마스커스 선언

91.3.5-6.간 다마스커스에서 개최된 아랍 8개국 외무장관회의의 합의문 (통칭 다마스커스 선언) 전문을 가능한 구득 송부 바람. 끝.

(중동아국장 이 해 순)

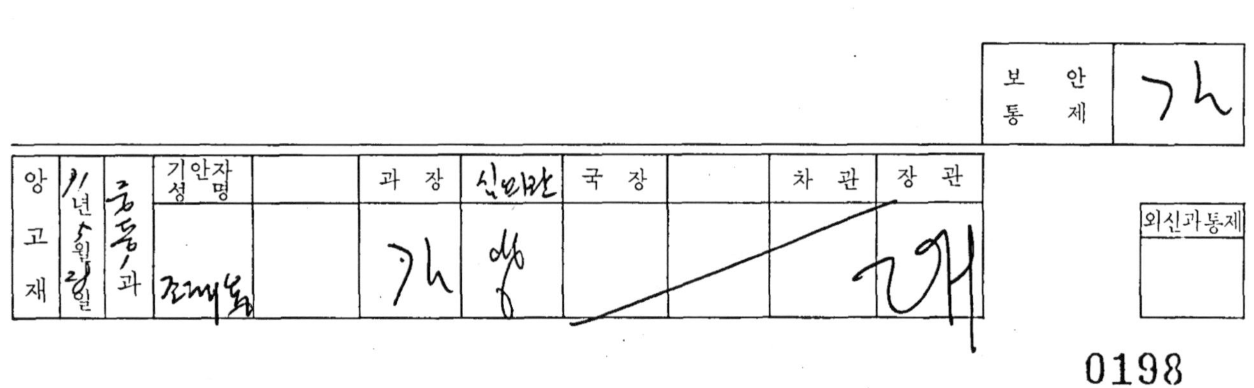

0198

관리번호	91/10R3

원 본

외 무 부

종 별 :

번 호 : SBW-1044 일 시 : 91 0528 1500

수 신 : 장관(중일)

발 신 : 주 사우디 대사

제 목 : 걸프지역 안보체제

대:WSB-789

대호 다마스커스 선언 전문 차파편 송부위계예정임.끝

(대사주병국-국장)

예고:91.12.31 까지

1991 12 31 에 예고문에 의거 일반문서로 재 분류됨.

중아국

0199

PAGE 1

91.05.28 21:23

외신 2과 통제관 BW

"소득은 정당하게, 소비는 알뜰하게"

주 카 이 로 총 영 사 관

문서번호 : 주카(정) 20221-194 　　　　　　　　1991. 5.28

수　　신 : 장 관

참　　조 : 중동아국장

제　　목 : 다마스커스 선언문 송부

대 : WCA - 0415

대호, 선언문 전문을 별첨과 같이 송부합니다.

첨　부 : 동선언문 1부. 끝.

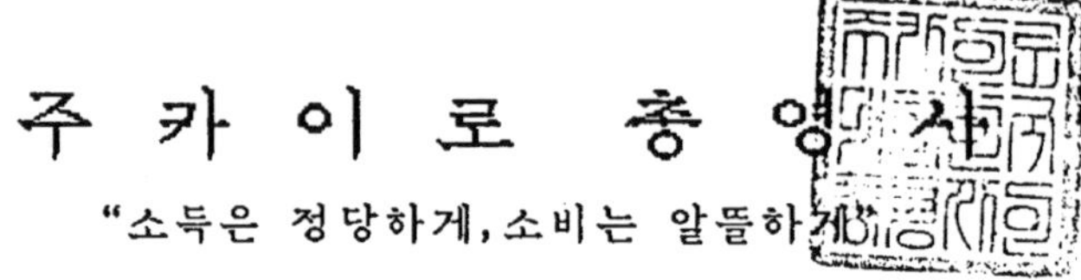

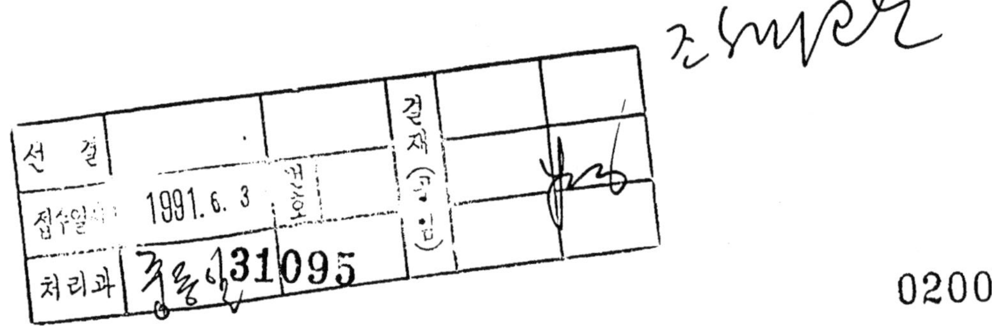

선 결			결재(공람)		
접수일시	1991. 6. 3	번호			
처리과	31095				

0200

many of the country's highways and bridges were in surprisingly good shape. They said that 12 days after Iraqi forces were evicted by allied troops, Kuwait was beginning to show signs of revival.

..

The two officials as well as diplomats said the government's top priority now was to resume supplies of electricity. This would relieve traffic and other bottlenecks, they said, and thereby ease much of the tension that continues to grip the country.

Some street lights have now been turned on, with the help of generators salvaged from government buildings burned by the Iraqis.

Officials said the present population of Kuwait, which is about a third of the approximately 2 million who lived here before the invasion in August, can have somewhat adequate power supplies in 10 days.

But they conceded that if the estimated 350,000 Kuwaitis still living in exile began to stream in, these services would be heavily taxed....

(PRECEDING FS MATERIAL NOT FOR PUBLICATION)
NNNN

*NXE101

GCC, EGYPT, SYRIA STATEMENT ON ARAB COOPERATION
(Text: Damascus Declaration 3/6/91)
(1480)

Follwing is the informal translation of the "Damascus Declaration on Coordination and Cooperation Among Arab States," issued March 6 in Damascus by the foreign ministers of the Gulf Cooperation Council states, Egypt and Syria.

(BEGIN TEXT)

Emanating from the fraternal and solidarity feelings which connect them and which have been enlightened by an ancient heritage of support, joint struggle, deep sense of unity of hope, challenges, identification of objectives, and the unity of fate;

And in strengthening capabilities to meet the goal of Pan-Arab responsibilities for elevating the position of the Arab nation, serving its issues, protecting its security and fulfilling its joint interests;

And within the framework of adhering to the objectives and principals which have been consecrated by agreements and resolutions of the Arab League, the Islamic Conference Organization, and the United Nations;

And recognizing the deep changes taking place in the international arena, which place enormous challenges before the Arab nation, and whose confrontation requires the highest degree of coordination and cooperation among the Arab states;

They affirm again their stand of rejecting the aggressive course and siding with it as occurred during the aggression and occupation by Iraqi forces of Kuwait, which came as a flagrant violation against all established international, Islamic and Arab rules and traditions, and which discarded many of the concepts and achievements of joint Arab action at a time when the Arab nation needed, more than at any other time, re-union and mobilization of its capabilities to repel a number of unprecedented dangers.

They also welcome the liberation of Kuwait and the restoration of its legitimacy. They express their deep pain and sorrow for what the Kuwaiti people have suffered as a result of the aggression of the Iraqi regime. They also express their deep sorrow for the ugliest forms of suffering which resulted from the Iraqi leadership's careless concern for the people's interest, and to which the Iraqi people are now being exposed. They affirm their support for the Iraqi people in their ordeal and their full concern for the unity and safety of the Iraqi territory. The participating parties affirm their intention to work to give a new spirit to join Arab action and to establish fraternal cooperation among the members of the Arab family based the following principles:

First: Principles of coordination and cooperation:

Coordination and cooperation rests upon the following bases:

1. Acting in accordance with the Arab League Charter, the U.N. Charter and other international Arab Charters, with respect for fraternal and historic ties, good neighborly relations and the respect of the unity of territory and territorial integrity, respect for sovereignty, rejection of acquisition of land by force, and noninterference in internal affairs with the adherence to settling disputes by peaceful methods.

2. Acting to build a new Arab system for the strengthening of joint Arab action and considering the arrangements which are agreed upon by the participating parties as the basis which may be built upon for fulfilling that end and leaving the choice open to other Arab states to participate in this declaration, in view of interests and objectives.

3. Acting to enable the Arab nation so as to direct all its capabilities to confront the challenges to which security and stability in the region are exposed, and to achieve a comprehensive and fair solution of the Arab/Israeli struggle and the Palestinian cause on the basis of the U.N. Charter and concerned resolutions.

4. Strengthening economic cooperation between the participants so as to achieve an economic coalition among them aiming to fulfill social and economic development.

5. Respecting the principle of the sovereignty of each Arab state's economic and

0201

natural resources.

1 - In the two political and security fields:

A - The participating parties consider that the current stage, which followed liberation of Kuwait from the occupation of the Iraqi regime's forces, provides the best circumstances for confronting the other challenges and threats to which the region is exposed, foremost among them being the challenges resulting from the continued Israeli occupation of the Arab territories and the settlement of Jews in them. The participating parties believe that holding an international conference for peace under the U.N. is a suitable framework for ending the Israeli occupation of the Arab lands and a guarantee of the national rights for the Palestinian people on the basis of the relevant U.N. Resolutions.

B - The participating parties affirm their respect for the Arab League Charter, adherence to the Joint Defense Treaty and economic cooperation among Arab states, as well as their intention of joint action to guarantee the security and safety of the Arab states. While they particularly refer to article nine of the Arab League Charter, they consider that the presence of the Egyptian and Syrian forces on Saudi territory and other Arab states in the Gulf -- in response to their governments aiming to defend their territories -- represents a nucleus of an Arab peace force prepared to guarantee the security and safety of the Arab states in the Gulf region, and an example which achieves the guarantee of the effectiveness of the comprehensive, defensive and Arab security system.

The participating parties also affirm that coordination and cooperation among themselves will not be directed against any party but may be a preface to open a dialogue with international and Islamic parties which respect the supreme interests of the Arab nation and which abide by the principals of established international legitimacy, especially those related to respect for the sovereignty of states, non-intervention in internal affairs and peaceful settlement of disputes.

C - The participants seek to making the Middle East region free of weapons of mass destruction, particularly nuclear weapons, working with concerned international circles.

2 - In the cultural and economic field:

In line with the Arab League Charter, joint defense and economic cooperation agreement between Arab states, and other agreements of joint Arab action, the participating parties seek:

A - To strengthen the bases of economic cooperation between the establishing parties as a first step which can be built upon with other Arab states, aiming to expand the field and scope of cooperation.

B - To adopt economic policies which aim to achieve balanced social and economic development in preparation for the establishment of an Arab economic coalition to meet the challenges and move in step with developments resulting from the establishment of large economic coalitions in the world.

C - To encourage the private sector in the Arab states to participate in the social and economic process, including the support of relations between the Arab Chambers of Commerce, industry and agriculture, and giving access to the small and medium sized establishments so as to benefit easily and tangibly from the fruits of joint cooperation.

D - To support the role of scientific research centers and to facilitate intercommunication between them so as to enable them to prepare joint research and integration in the various fields.

E - To benefit from expertise and human resources in the field of information and cultural exchange with full attention to respecting the values and traditions of the participating states and not intervening in their internal affairs.

3 - In the field of joint Arab establishments:

Support for the Arab League and confronting all attempts which aim to weaken it or divide it; reaffirming the commitment and adherence to the objectives and principles of the Arab League Charter, including the possibility of developing it by adding annexes as a result of the action of the committee to amend the charter, including adding a system for settling disputes.

Thirdly: The organizational framework for coordination and cooperation:

Coordination and cooperation is to be effected among the establishing parties for the purpose of fulfilling the referred to objectives through meetings that are alternatively hosted by the participating states at the level of the foreign ministers; and taking advantage of the experts and specialists to study the phases of cooperation for the purpose of creating a new contractual formula for Arab cooperation amongst them, which is to be open to all Arab states.

Fourthly: General rules:

This declaration has been initialed in Damascus in eight original copies in Arabic, each of which has the same validity, on Sha'aban 20, 1411 A.H. -- March 6, 1991, A.D. This declaration becomes effective after being dully approved. Approving documents are to be lodged at the Syrian Foreign Ministry.

Initialed by:

Rashid Bin Abdallah Al-Nu'aimi, U.A.E. Foreign Minister;
Sheikh Mohammad Bin Mubarak Al-Khalifah, Bahrain F.M.;
Prince Saud Al-Faysal, Saudi Foreign Minister;
Yusef Ben Alawi Ben Abdallah, Omani Foreign Minister;
Mubarak Ben Ali Al-Khater, Qatari For-

eign Minister;
Sheikh Sabah Al-Ahmad Al-Subah, Kuwaiti Foreign Minister;
Dr. Ismat Abdel Mejid, Egyptian Deputy Premier and F.M.;
Farouq Al-Shar'a, Syrian Foreign Minister.

(END TEXT)
NNNN

*NXE104

STATE DEPARTMENT BRIEFING, MONDAY, MARCH 11
(Excerpts: Middle East) (1590)

Washington -- The following are the Middle East excerpts from an unofficial transcript of the regular noon press briefing at the State Department March 11. The briefer was State Department deputy spokesman Richard Boucher.

(BEGIN TRANSCRIPT)

(CONTINUED FIGHTING IN IRAQ)

MR. BOUCHER: Well, good afternoon, ladies and gentlemen. I don't have anything particular to give you at this moment so I'd be glad to take your questions.

Q: What do you have on the continued fighting in Iraq?

MR. BOUCHER: Unrest. Our information on the situation inside Iraq is still limited. Civil unrest is continuing in a number of cities, towns and other outlying areas. Since last week, opposition activity seems to have increased in the Kurdish area of Northern Iraq. Although fighting continues in several locations throughout Southern Iraq the overall levels of unrest appear to have declined somewhat in these areas.

Q: But you can't say who is getting the upper hand?

MR. BOUCHER: No.

(JORDANIANS AIDING IRAQIS)

Q: Richard, there's an article in the Guardian this morning by a reporter who was in Baghdad for a long time and he said that there were indications there that Jordan had sent in a number of technicians to help Iraqis operate the Hawk missiles which were taken from Kuwait up into Iraq and that this missile battery had in fact taken out three allied planes before it was taken out itself. Do you have any comment on -- and that Jordanians were injured when the attack took place.

MR. BOUCHER: I have not seen that story. It's something I'll have to look into.

(AID TO JORDAN)

Q: Has there been any decision on aid to Jordan?

MR. BOUCHER: No. It remains under review as far as I'm aware.

Q: What about those boxes of ammo and guns from Jordan?

MR. BOUCHER: That was being investigated I think primarily by our military folks. I haven't heard any results on that. I'll check.

(POISON GAS)

Q: Do we have any indications at all that poison gas has been used by the Iraqi government anywhere?

MR. BOUCHER: No, I can't -- well let me put it this way; I can't confirm any chemical weapons use by the Iraqis at this point.

Q: You can't confirm; do you have reports or suspect it or --

MR. BOUCHER: There are reports, which you've seen in the press. I don't have any information that could lead me to be able to confirm that CW has been used.

(BAKER AND THE HOSTAGES)

Q: Is one of the items on the Secretary's agenda on this trip the hostages -- our hostages in Beirut?

MR. BOUCHER: The President, I think, in his speech said it would be, yes.

Q: Do you have anything on reports that the hostages have been moved to the Eastern part of Lebanon from Southern Beirut?

MR. BOUCHER: No, I don't.

(HIGH LEVEL WARNINGS TO IRAQ)

Q: Did you find out how the warnings or the caution at the highest level to Iraq was sent? Were they sent from here as well as from the UN?

MR. BOUCHER: Yeah. We had reason to believe, as the Secretary has said, that the Iraqis might be planning to use chemical weapons in their internal conflicts. We took the reports very seriously, and we issued strong warnings, both to the Iraqi United Nations ambassador, Al-Anbari, and to the senior Iraqi representative in Washington. That was done on Thursday evening, last week.

Q: That was when he came in here to talk about the journalists. Was that -- did you take the -- how did it happen?

MR. BOUCHER: I don't think it was in the same meeting. I think it was done

관리번호	91/1102

원 본

외 무 부

종 별 :

번 호 : IRW-0457 일 시 : 91 0529 1430

수 신 : 장관(중동일,정일,기정)

발 신 : 주 이란 대사

제 목 : 사우디 외무장관 방이

연:IRW-0353

-5.29 일자 동지언론보도의하면 사우디외무장관이 금주중 주재국 공식방문예정임.동인은 VELAYATI 외무장관의 연호 사우디방문에 대한 답방형식으로 방문예정인바, 특히 최근 논의되고있는 신안보질서협의등 이란과 GCC 간 관계증진 방안이 주의제가될것으로 관측됨.

-당관 김서기관이 당지 사우디대사관 SHESHA 영사에게 확인한바에의하면 동보도는 아직성급하며, 다음주중이면 어느정도 방이시기등 관련사항 알수있을것같다고 설명하였는바, 진전사항 파악시 추보하겠음. 끝

예고:91.12.31 까지

1991. 12. 31 에 예고문에 의거 일반문서로 재 분류됨.

중아국 차관 1차보 2차보 정문국 청와대 안기부

PAGE 1 91.05.30 07:53 0204

외신 2과 통제관 FE

원 본

외 무 부

암호수신

종 별 :

번 호 : CAW-0665 일 시 : 91 0529 1545

수 신 : 장관(중동이,정일)

발 신 : 주 카이로 총영사

제 목 : 쿠웨이트 국방장관 방애

(자료응신 제 124 호)

연:CAW-0649

1. CHEIK ALI SABAH AL-SALEM 쿠웨이트 국방장관은 5.27. 방애, MUBARAK 대통령과 면담후 기자회견에서 요지 하기와 갑이 언급함.

1) 무바락대통령은 걸프지역 안보문제에 이해를 보이면서 이집트가 동안보 특히 쿠웨이트의 안보유지에 관심있는 아랍제국 일원으로 주도적 역할을 담당할 것이라고 언급함.

2) 이락-쿠웨이트 국경지대에 이락군의 강화는 남부이락내의 혁명진압을 위한 것일뿐 쿠웨이트를 위협하기 위한 것은 아님.

3) 걸프제국들은 역내에 이란역할을 무시할 수 없으며, 이 문제는 정치가들이 검토해야 할것임.

4) 쿠웨이트는 미국이나 여타 연합군에 영구 기지를 제공할 의사가 없으나,우방국들이 역내 안보유지와 쿠웨이트 방위를 위해 명백한 역할을 해야함.

5) 쿠웨이트에 군대주둔 기초는 아랍인이 되어야 함.

6) 이집트군의 철수 여부는 이집트정부가 결정할 사항임.

2. 쿠웨이트 국방장관의 방애는 현재 GCC 의장국인 오만의 QABOOS 의 방애(5.21-23)에 뒤따른 점에 비춰, 걸프지역 안보는 이집트 및 시리아군을 주역으로한 아랍국에 의해 마련되어야함을 주장하고 있는 이집트와 다소 시각을 달리하고 있는 쿠웨이트를 비롯한 GCC 제국간 ,(쿠웨이트내 외군주둔 기초는 아랍군으로하되 비아랍우방국도 필요하다는 입장)의 이견해소를 위한 것으로 풀이됨. 그러나 상기 언급내용으로 봐서 이집트측의 이해 표시는, 향후 대화분위기 조성에는 진일보한 것으로 평가되며 상금도 근본적 시각차는 해소되지 않고 있으나 관계국은

중아국 차관 1차보 2차보 정문국 청와대 안기부

0205

PAGE 1 91.05.30 00:07

외신 2과 통제관 FE

동시각차조정을 위해 계속 노력할것으로 보임.끝.

(총영사 박동순-국장)

원 본

암호수신

외 무 부

종 별 :

번 호 : BHW-0307 일 시 : 91 0529 1600

수 신 : 장관(중동일,정일)

발 신 : 주 바레인 대사

제 목 : 왕세자겸 군 사령관 기자회견(자료응신 제19호)

1. 주재국 HAMAD 왕세자겸 군 사령관은 작 5.28. 쿠웨이트의 일간지(AL SEYASSEH)와의 인터뷰에서 걸프 지역내 외국 군대(미군을 지칭하고 있는 것으로 추정됨)주둔 문제에 관해 언급한바, 요지 아래와 같음.

가. 외국 군대의 주둔은 이 지역의 안보상 필요에 따른 것으로서 결코 공격적인 것이 아님.

나. 이 지역 국민들은 쿠웨이트 해방을 도와준 동맹국들에 대해 감사하고 있음.

다.GCC 와 외국 군대간의 방위협력은 이 지역에 대한 향후의 위협에 대비하기 위한 전략적인 측면을 고려, 이루어질 것임.

라. 주둔 규모는 지난 걸프 사태시의 협력 경험을 기초로 현재 협의가 진행중임.

2. 상기 왕세자의 발언은 당지내 미 중앙 사령부 전진기지 설치문제와 관련하여 주재국 최고위 인사 중의 한사람이 언론매체를 통해 외국군대의 걸프지역내주둔에 대해 공식 언급한 것으로서 주목됨. 끝.

(대사 우문기-국장)

중아국 차관 1차보 2차보 정문국 청와대 안기부

PAGE 1 91.05.30 00:39 0207

외신 2과 통제관 FE

외 무 부

종 별 :

번 호 : USW-2648 일 시 : 91 0529 1756

수 신 : 장 관(미북, 미안,중동일)

발 신 : 주 미 대사

제 목 : BUSH 대통령 연설 (중동의 무기 확산 방지)

1.금 5.30 BUSH 대통령은 콜로라도 소재 미 공군사관학교 졸업식 연설을 통해 중동에서 대량 무기확산방지 (MIDDLE EAST ARMS CONTROL INITIATIVE) 를 제안 하였음.

2. BUSH 대통령은 동 제안과 관련 역내의 국가정부들과 협의한바 있다고 하면서, 동 제안에는 재래식 무기 수출에 대한 장애설정, 지대지 미사일의 동결 및 궁극적 금지와 핵무기에 필요한 원료 (NUCLEAR WEAPON MATERIALS) 생산의 금지가 포함된다고 설명함.

3.또한 동 대통령은 최근 걸프전에서 군사적 교훈을 열거 (공군력의 중요성, STEALTH 와 B-2 와 같은 최신예 정밀 전투기, 국지적 지대공 방공망)하면서, 최근 하원이 B-2 구입에 대한 예산을 완전 삭제하고 국지 방공망의 전세계화 계획 (GPALS:GLOBAL PROTECTION AGAINST LIMITED STRIKES) 을 위한 예산 20억불을 여타 항목으로 변경 배정한것을 강력히 비난 하였음.

(의회의 PORK BARREL 정치 비난, 미국의 방위에 필요한 프로그램 보전을 위한 비토권 행사 천명)

4.한편, 최근 미 언론일각에서는 BUSH 대통령이 작년 8월 GULF 전 개전이 후 주창해온 NEW WORLD ORDER 의 개념이 무엇인가에 대한 의문과 해석을 제기한바 있는바 (5.26. WP 지 OBERDORFER기, 5.17. WP 지 CHARLES KRAUFTHAMMER 논평등 참조), 금일 연설에는 일부 기자들의 예상에 불구하고 NEW WORLD ORDER 와 관련된 새로운 군사정책 표명은 없었으며 중동 지역의 군비 통제 방안만을 구체적으로 제시 하였음.

5.연설 전문은 별전 팩스 송부하며, 전기 중동군비통제 방안의 상세 개념도 추보 예정임.

(대사 현홍주- 국장)

미주국 1차보 미주국 중아국 정문국 안기부

0208

PAGE 1

91.05.30 09:47 WG

외신 1과 통제관

외 무 부

종 별 :

번 호 : USW-2653 일 시 : 91 0529 1830

수 신 : 장 관(미안,미북,중동일)

발 신 : 주 미 대사

제 목 : 부쉬 대통령의 중동 무기 확산 방지 제안(II)

연: USW-2648

1. 연호 BUSH 대통령이 금 5.30 제안한 중동 무기 확산 방지안의 구체적 내용(백악관 별도발표)은 다음과 같음.

가. 제안의 취지 및 적용 범위

- 중동지역의 핵, 생화학 무기 및 동 무기들을 운반할수 있는 미사일의 확산을 억제함.

- 지역내 균형을 파괴할수 있는 재래식 군사력의건설도 억제함.

- 동 제안은 중동전체에 적용 됨. 이락, 이란, 리비아, 시리아, 레바논, 이스라엘, 요르단, 사우디외에 여타 마그레브, GCC 국가들 포함.

- 미국으로서는 금번 중동지역 군비 통제안을 시험적 케이스로 추진코자 하며, 향후 확대 시켜 나갈 예정임 (MAJOR 영국수상, MULONEY 카나다 수상의 제안도 추후 검토)

나. 공급국의 자제 문제

- 공급 가이드라인을 설정하기 위해서는 우선 5대 공급국 (미, 영, 불, 중, 소) 회의가 필요함 (불란서가 1차 회의 소집에 동의)

- 5대 공급국간 협의는 추후 여타국들에 확대되는것이 바람직하며, 오는 7월 런던 G-7 정상회담은 참여 확대 기회가 될것임.

- 공급 가이드라인에 따라 각 공급국은 위험한 무기, 관련기술의 이전을 자제하며, 판매에 관한 정보를 사전 통지함.

다. 미사일

- 일단계로 지대지 미사일의 획득, 생산, 시험의 동결을 도모하며, 궁극적으로 여사한 미사일을 안전 폐기함.

미주국	1차보	미주국	정문국	청와대	안기부	국방부	중아국	장관	차관

PAGE 1 91.05.30 09:56 WG

외신 1과 통제관 0209

- 공급국들간에 장비, 기술, 용역의 수출허가에 관한 협의 및 조정을 도모함.

라. 핵무기

- 핵무기 확산 방지를 위한 기존의 제도 에 의거추진함.

0 무기에 사용할수 있는 핵 원료 (농축 우라늄,재분리 플로토늄) 의 생산, 획득 금지. 모든 지역국가의 NPT 가입, 모든 핵 시설에대한 IAEA 사찰 허용

0 중동지역을 궁극적으로 핵무기 자유 지대화 함.

마. 화학 무기

- BUSH 대통령의 화학무기 금지협약의 조속한 체결 주창과 관련, 모든 역내국가가 사전 공약으로서 CBM 조치를 성안, 이행할 것을 촉구함.

바.생물무기

- 1972 년 생물무기 협약 (BWC) 의 강화를 촉구함.

0 오는 9월 생물무기 재평가 회의에서 필요조치 검토

0 생물 무기에 관한 CBM 조치 채택

2.금일 백악관 발표에 따르면 금번 미측 제안은 유엔 안보리 결의에 따른 대 이락 무기 금수 조치와 이락의 핵, 생,화학 무기 잔존 능력 제거를 위한 UN 특별위활동을 보충하는 의미도 있다고 함.

3.관련 진전 동향은 수시 파악 보고 예정임.

(대사 현홍주- 국장)

0210

중동일 관계공관 [illegible] 통보

번호 : USW(F) - 2081

수신 : 장 관 (미북, 미안, 중동일) 발신 : 주미대사

제목 : Bush 대통령 연설

보안 통제 (5 매)

FRESIDENT BUSH DELIVERS COMMENCEMENT ADDRESS TO THE US AIR FORCE ACADEMY
COLORADO SPRINGS, COLORADO WEDNESDAY, MAY 29, 1991

PRESIDENT BUSH: Please, be seated, and thank you for that warm welcome. My old friend, Senator Goldwater, to Secretary Rice and General McPeak, to General Hamm who's done such a fantastic job here, ladies and gentlemen, graduates. Our altitude is 7,250 feet above sea level, far, far above that of West Point or Annapolis. (Cheers, applause.)

And I'm sorry I'm a little late. I flunked my room inspection at Kennebunkport this morning. (Laughter.) Barbara gave me 20 demerits. And then it took time to talk the pilot of Air Force One, Colonel Barr (sp), out of doing an Immelmann over this stadium. (Laughter.)

It is an honor for me to join you here at "Wild Blue U", the home of the quick and the brave. There's never been a better day to be part of this magnificent team.

For 40 years my generation struggled in the confines of a divided world, frozen in the ice of ideological conflict, preoccupied with the possibility of yet another war in Europe. More recently, many here and abroad wondered whether America still possessed the strength and the will to bear the burden of world leadership. My fellow Americans, we do and we will. (Applause.)

Through strength of example and commitment we lead. You've been taught the price and the importance of leadership. As you leave the Academy you answer your nation's call to advance the cause of freedom, to lead. And there's a new sense of pride and patriotism in our land, and it's good for our nation's soul. The beltway cynics may call this renewal of patriotism old fashioned. But Americans rarely mistake cynicism for sophistication. Patriotism binds the real and lasting fabric of our nation -- assertive

but not arrogant; self-assured, kind, generous. We remain committed to our fundamental values.

So today I speak to you and to every member of America's armed forces to say thanks. When others weren't sure we were up to the task, you were; when your country asked you to serve, you did; and when others said, "No, no, we're not ready, we can't;" you said, "Yes, we are ready, we can."

You and your colleagues in all the services proved that Americans consider no risk too great, no burden to onerous to defend our interests and our principles; in short, to do what's just and to do what's right.

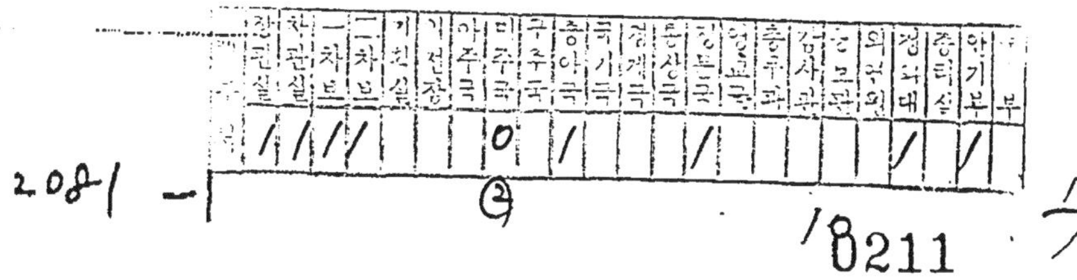

장관실	차관실	1차보	2차보	기획실	기연청	아주국	미주국	구주국	중아국	국기국	경제국	통상국	정문국	영교국	총무과	감사관	공보처	의전실	청와대	총리실	안기부	
/	/	/	/				0	/				/							/	/		

2081 - 1

0211

Consider our fundamental decency and humanity, our commitment to liberty. Our servicemen and women in the Gulf, weary from months in the desert, now help suffering Kurds and the people of Bangladesh. When a carrier on the way home after months in the Gulf was diverted to Bangladesh, a crewman was asked, "Aren't you disappointed that you don't get to go home?" He replied, "Not at all. We're saving lives. We're doing what we ought to do."

We do not dictate the courses nations follow, but neither can we overlook the fact that our examples reshape the world. We can't right all wrongs, but neither can any nation lead as we can. Joined by the world's leading nations, we work to create a coalition in which countries great and small join forces to liberate Kuwait. And that coalition saw soldiers from dozens of lands fight shoulder to shoulder, fly wingtip to wingtip in the cause of freedom. And it saw our forces as fully integrated as any in our history, demonstrating the true strength of joint operations.

A year before you came to Colorado Springs I was privileged to be here, and I told the class of '86 there's no doubt the Soviets remain our major adversary. Our two separate systems represent fundamentally different values. And since then, we've seen remarkable political change.

But let's not forget, the Soviet Union retains enormous military strength. It will have the largest land force in Europe for the foreseeable future, and with perhaps five new strategic missile systems in development they'll be ready for yet another round of strategic modernization by the mid-1990s.

At the same time, however, Soviet troops have embarked on the long trek home from Czecholsovakia, Hungary, Poland, and, happily, from a reunified Germany. We are hopeful that the Soviet Union itself will continue its move toward freedom.

As superpower polarization and conflict melt, military thinkers must focus on more volatile regimes, regimes packed with modern weapons and seething with ancient ambitions. We are committed to stopping the proliferation of weapons of mass destruction. But there is danger that despite our efforts, by the end of this century nearly two dozen developing nations could have ballistic missiles. Many already have nuclear, chemical, or biological weapons programs. Nowhere are the dangers of weapons proliferation more urgent than in the Middle East.

After consulting with governments inside the region and elsewhere about how to slow, and then reverse, the buildup of unecessary and destabilizing weapons, I am today proposing a Middle East arms control initiative. It features supplier guidelines on conventional arms exports, barriers to exports that contribute to weapons of mass destruction, a freeze now, and later a ban, on surace-to-surface missiles in the region, and a ban on production of nuclear weapons material. Halting the proliferation of conventional and unconventional weapons in the Middle East while supporting the legitimate need of every state to defend itself will require the cooperation of many states in the region and around the world. It won't be easy, but the path to peace never is.

2081 -2

0212

And as the world changes our military must evolve and change with it. Last year, I announced a shift in our defense focus away from old threats and toward the dangers that will face us in the years to come. We need a more agile, flexible military force that we can put where it is needed when it is needed. And I also called for new technology in our defense systems, and I've proposed a defense package to the Congress that meets these demands. In the years ahead, defense spending will drop to below 4 percent of our gross national product, the lowest level in over 50 years. But we must spend that money in ways that address the threats that we are likely to face in the future. Although we developed this budget before the Gulf war, it anticipates very important lessons of that war, lessons that frankly some in the United States Congress now ignore.

Gulf lesson one is the value of air power. (Applause.) I remember meeting with General McPeak up at Camp David, and in his quiet but forceful way he told me exactly what he felt air power could do. And after he left, I turned to my trusted National Security Advisor who's with me here today, former political science professor here at the Academy and a pilot, General Scowcroft, and I said, "Brent, does this guy really know what he's talking about?" And General Scowcroft assured me he did, and General McPeak, like the entire Air Force, was right on target from day one. (Applause.) The Gulf war taught us that we must retain combat superiority in the skies.

And then there's Gulf lesson two, the value of stealth. Surprise is a classical principle of warfare. And yes, it depends on sound intelligence work. But, stealth adds a new dimension of surprise. Our air strikes were the most effective, yet humane, in the history of warfare. The F-117 proved itself by doing more, doing it better, doing it for less, and targeting soldiers, not civilians. It flew hundreds of sorties into the most heavily defended areas without a scratch. The F-117 carried a revolution in warfare on its wings.

And the next step in that revolution is the Stealth bomber, the B-2. Not only for its contribution to nuclear deterrence, but also from the standpoint of conventional cost effectiveness, the B-2 has no peer. It carries over ten times the conventional load of an F-117, and can fly five times further between refuelings. It gets the job faster -- gets to the job faster with more tons of ordnance, without the force buildup and time we needed prior to Desert Storm, and without needing foreign air fields in the immediate proximity of a conflict. And it replaces B-52 aircraft approaching twice the age of you graduates.

And I say that respectfully. (Laughter.) Yet last week, the House of Representatives voted to terminate the B-2, redirecting those funds at unnecessary weapons. And anyone who tells you the B-2 is too expensive hasn't seen flak up close lately. America needs the B-2 bomber, and I'm going to fight for it every inch of the way! (Applause.)

2081 -3

0213

Gulf lesson three. We learned that missile defense works and that it promotes peace and security. In the Gulf we had the technologies of defense to pick up where theories of deterrence left off. You see Saddam Hussein was not deterred, but the Patriots saved lives and helped keep the coalition together. And that's one reason that we've refocused strategic defense toward global protection against limited strikes, or GPALS, as we call it. It defends us and our allies from accidental launches or from the missile attacks of international renegades.

And while the Patriot worked well in the Gulf we must prepare for the missiles more likely to be used by future aggressors. We can't build a defense system that simply responds to the threats of the past. And yet some in Congress want to gut our ability to develop strategic defenses. Last week the House irresponsibly voted to cut nearly $2 billion from GPALS and to kill its most promising technologies. And I call on the Senate today to restore our missile defense programs to safeguard American and allied lives and to promote security. (Applause.)

Gulf lesson four -- the most fundamental -- is the value of people. People fight and win wars. And this nation never has fielded better fighting men and women than it does today. In 1980, 68 percent of those enlisting in the military had high school diplomas. Now it's 95 percent and climbing. The military has become our greatest equal opportunity employer and it offers everyone a chance. And it promotes people solely on the basis of merit. The men and women you will soon be leading are the best educated and most motivated anywhere, anytime ever. (Applause.)

You know the standards. You know I was tempted to ask General Scowcroft how he thought I was performing during the war. But I was afraid he'd say, "Fast, neat, average, friendly, good, good." (Cheers, applause.)

Although we will cut troop levels 25 percent by mid-decade, we must ensure that they remain fully prepared to respond quickly and decisively to crises. We must ensure that they are totally intergrated, taking full advantage of the kinds of joint operations so powerfully demonstrated in the Gulf. We must ensure that they have weapons that emerge from military necessity, not pork barrel politics. And we must ensure that the cuts in the active and reserve components result in the most effective and efficient forces possible. We must not compromise our readiness just to protect unneeded bases, programs and forces. (Applause.)

Look, no president, no president could or would deny Congress its right to approve budgets or conduct oversight. But as commander in chief, my greatest responsibility is national defense, and I will veto any bill that doesn't support and sustain my defense program. (Applause.)

And so I asked the Congress to help make our forces leaner and more effective. Don't weigh them down with pork, don't deny our people the tools that they will need to do their jobs in the next century.

2of1 -4

0214

You graduates will find that no other combat force you encounter will have your skills, your technology or support. You'll find that in world leadership we have no challengers, but in our turbulent world, you will find no lack of challenges. And I know you are ready.

So, to all of America's servicemen -- all of them, wherever they may be -- and all of America's servicewomen, I salute them. I salute you.

And to this 1991 graduating class of the United States Air Force Academy, may I say you have earned your commissions. Well done and Godspeed.

And may God bless you and the United States of America. Thank you all very, very much. (Applause.)

END

2081 -5 (END)

0215

長 官 報 告 事 項

報 告 畢

1991. 5 . 30.
美 洲 局
北 美 課(49)

題 目 : 中東 軍縮 提案에 관한 부쉬 大統領 演說

부쉬 大統領은 5.29(水) 콜로라도주 Colorado Springs 所在 美 空軍 士官 學校에서 행한 卒業式 演說을 통해 中東地域 軍縮에 관한 提案을 하였는바, 關聯事項을 報告드립니다

1. 연설 요지

o 미국은 대량 파괴무기 확산방지를 위해 노력하고 있으나, 금세기말까지 거의 24개의 개도국이 미사일을 보유할 가능성이 있으며, 많은 나라가 이미 핵무기, 화학무기 또는 생물학 무기 계획을 갖고 있음.

o 무기확산 위험이 가장 큰 중동지역에서의 군축방안을 아래와 같이 제안을 함.

- 중동에 대한 재래식 무기수출 지침(guideline) 설정
- 대량 파괴무기 생산에 사용되는 품목의 수출금지
- 중동지역의 지대지 미사일(surface-to-surface missile)을 현 수준에서 동결하되 추후에는 금지
- 핵무기 생산물질 생산 금지

0216

2. 평 가

o 부쉬 대통령은 미 국내외에서 일고 있는 미국의 지도력과 의지에 대한 의구심을 금번 중동군축 제안을 통해 불식하고, 새로운 세계질서 구축에 대한 미국의 의지를 재확인하고자 하는 것으로 보임.

3. 조치사항 건의

o 북한은 스커드 미사일을 생산하여 이란, 시리아등 중동지역에 수출하고 핵안전조치협정 체결을 거부하면서 핵 재처리 시설을 건설하고 있는 바, 이는 우리의 안보에 대한 중대한 위협이 되고 있음.

o 우리 정부는 그간 대량 파괴무기의 확산방지를 포함한 국제적인 군비통제를 일관되게 지지해 왔는바, 중동지역에서의 효과적인 군비통제의 실현이 앞으로 한반도를 포함한 동북아 지역의 군비통제 추진에도 긍정적인 영향을 미칠 것을 감안, 금번 부쉬 대통령의 중동군축 제안에 대해 별첨 외무부 대변인 명의의 성명을 5.31(금) 발표토록 함.

첨 부 : 성명서(안) 1부. 끝.

0217

부쉬 대통령의 중동 군축제안에 대한
외무부 대변인 성명(안)

1991.5.31(금)

o 부쉬 미국 대통령은 5.29. 중동지역에서의 평화와 안정을 위해 핵무기를 포함한 대량파괴 무기제조 지원금지, 미사일 확산금지, 기타 재래무기 확산방지 등을 골자로하는 중동 군축방안을 제안하였다.

o 대한민국 정부는 대량파괴 무기의 확산방지를 포함한 국제적인 군비통제를 일관되게 지지해 왔는바, 걸프사태의 주요원인이 된 중동지역에서의 군비확산을 방지하기 위해 제도적 장치를 수립코자 하는 부쉬 대통령의 금번 제안을 환영하며, 금번 제안이 실현되어 이 지역에서의 효과적인 군비통제와 축소를 통해 항구적인 평화를 정착하는데 기여하기를 기대한다. 끝.

0218

외 무 부

종 별 :

번 호 : ITW-0831 일 시 : 91 0531 1845

수 신 : 장관(구일,중동일,기정,국방부,김석규 주이대사

발 신 : 주 이태리 대사대리

제 목 : 안드레오띠 수상 중동순방(자응 91-63)

1. 주재국 안드레오띠 수상은 걸프전후 중동문제의 평화적 해결을 위한 노력의 일환으로 6.1.-6.5.간 사우디,쿠웨이트, U.A.E, 오 만,시리아 및 리비아를 방문 예정임.

2. 금번 방문은 미.소 양국의 지원하에 이루워지는 것으로 부쉬대통령은 안드레오띠 수상에게 메시지를 보내 중동에서의 군축문제에 관한구상을 설명하였고, 안드레오띠 수상은 이에 대한지지를 표명하였음.

3. 한편, 소련 베스메르트니크 외상은 베이커국무장관과의 리스본 회담에 앞서 작 5.30. 로마를잠시 방문, 데 미켈리스 외상과 면담한 바,양국외상간에는 주로 중동문제 및 G-7정상회담의 소련 참석문제를 협의함.

데 미켈리스 외상은 동회담에서 소련의 G-7참석을 거듭 지지하고, 동참석의 필요성을강조하면서 서방진영이 대소 협력을 지연시킬수없음을 주장함.끝

(대사대리 황부홍-국장)

구주국 1차보 구주국(다시)중아국 외정실 청와대 안기부 국방부

0219

PAGE 1

91.06.01 08:09 CO

외신 1과 통제관

원 본

암호수신

외 무 부

종 별 :

번 호 : FRW-1371 일 시 : 91 0531 1850

수 신 : 장관(중동이,미북,구일,정일)

발 신 : 주 불 대사

제 목 : 미국의 중동지역 군비제한 제의에 대한 이스라엘 반응

지난 5.29 부쉬대통령이 발표한 군비 제한 계획에 대한 이스라엘 반응관련 당지 논평을 하기 보고함.

1. 이스라엘은 부쉬대통령의 제안에 호의적인 반응을 보이고 있지 않은바, 이는 동국이 이스라엘, 아랍 분쟁 특유의 성격인 아랍측의 수적인 우세에 대항, 재래식 무기 감축에 우선을 두고 있을뿐만 아니라, 상기 제안이 핵무기 확산동결에 중점을 두고 있어, 약 100 여개의 원자탄을 보유하고 있는 것으로 알려져 있는 이스라엘로서는 중동지역군비 불균형 초래를 우려하고 있기 때문인 것으로 분석됨.

2. 뿐만 아니라, 동 제안도 사우디 및 이집트에 대한 미국의 전통적인 무기 판매를 봉쇄할수 없을것으로 이스라엘은 우려하고 있음.

3. 이러한 이스라엘측의 부정적인 반응에도 불구, 동국정부는 중동평화협상과정에서 난관에 부딪쳐있는 현재, 미국과 또다른 마찰을 야기 하기를 원하지 않고 있어, 부쉬 대통령 제안을 검토, 협의할 의도는 있는것으로 보고 있음. 끝

(대사 노영찬-국장)

중아국 차관 1차보 2차보 미주국 구주국 외정실 청와대 안기부

0220

PAGE 1 91.06.01 06:34

외신 2과 통제관 CF

외교문서 비밀해제: 걸프 사태 30
걸프 사태 전망 및 분석, 안보협력 문제, 언론 자료 1

초판인쇄 2024년 03월 15일
초판발행 2024년 03월 15일

지은이 한국학술정보(주)
펴낸이 채종준
펴낸곳 한국학술정보(주)
주 소 경기도 파주시 회동길 230(문발동)
전 화 031-908-3181(대표)
팩 스 031-908-3189
홈페이지 http://ebook.kstudy.com
E-mail 출판사업부 publish@kstudy.com
등 록 제일산-115호(2000. 6. 19)

ISBN 979-11-6983-990-7 94340
979-11-6983-960-0 94340 (set)

책에 대한 더 나은 생각, 끊임없는 고민, 독자를 생각하는 마음으로 보다 좋은 책을 만들어갑니다.